MAESTRIA

ROBERT GREENE

MAESTRIA

SEXTANTE

Título original: *Mastery*
Copyright © 2012 por Robert Greene
Copyright da tradução © 2013 por GMT Editores Ltda.
Todos os direitos reservados. Nenhuma parte deste livro pode ser utilizada ou reproduzida sob quaisquer meios existentes sem autorização por escrito dos editores.

tradução
Afonso Celso da Cunha Serra

preparo de originais
Melissa Lopes Leite

revisão
Magda Tebet e Milena Vargas

projeto gráfico e diagramação
DTPhoenix Editorial

capa
Maggie Payette

adaptação de capa
Ana Paula Daudt Brandão

impressão e acabamento
Cromosete Gráfica e Editora Ltda.

CIP-BRASIL. CATALOGAÇÃO NA PUBLICAÇÃO
SINDICATO NACIONAL DOS EDITORES DE LIVROS, RJ

G831m Greene, Robert
Maestria / Robert Greene [tradução de Afonso Celso da Cunha Serra];
Rio de Janeiro: Sextante, 2013.
368 p.; 16 x 23 cm.

Tradução de: Mastery
ISBN 978-85-7542-981-5

1. Autorrealização (Psicologia) 2. Sucesso. I. Título.

13-04423
CDD: 158
CDU: 159.947

Todos os direitos reservados, no Brasil, por
GMT Editores Ltda.
Rua Voluntários da Pátria, 45 – Gr. 1.404 – Botafogo
22270-000 – Rio de Janeiro – RJ
Tel.: (21) 2538-4100 – Fax: (21) 2286-9244
E-mail: atendimento@sextante.com.br
www.sextante.com.br

Sumário

Introdução	11
A FORMA MÁXIMA DE PODER	11
A EVOLUÇÃO DA MAESTRIA	16
CAMINHOS PARA A MAESTRIA	22
I. Descubra sua vocação: Sua Missão de Vida	31
A FORÇA OCULTA	32
Leonardo da Vinci	
CAMINHOS PARA A MAESTRIA	36
ESTRATÉGIAS PARA DESCOBRIR SUA MISSÃO DE VIDA	41
1. Retorno às origens – Estratégia da inclinação primordial	42
Albert Einstein – Marie Curie – Ingmar Bergman – Martha Graham – Daniel Everett – John Coltrane	
2. Ocupe o nicho perfeito – Estratégia darwiniana	44
A. V. S. Ramachandran	
B. Yoky Matsuoka	
3. Evite o caminho falso – Estratégia da rebelião	49
Wolfgang Amadeus Mozart	
4. Descarte o passado – Estratégia da adaptação	51
Freddie Roach	
5. Descubra o caminho de volta – Estratégia de vida ou morte	54
Buckminster Fuller	
DESVIOS	57
II. Submeta-se à realidade: A aprendizagem ideal	61
A PRIMEIRA TRANSFORMAÇÃO	62
CAMINHOS PARA A MAESTRIA	67

A FASE DE APRENDIZAGEM – OS TRÊS PASSOS OU MODOS	70
Primeiro passo: Observação profunda – Modo passivo	70
Segundo passo: Aquisição de habilidades – Modo prático	73
Terceiro passo: Experimentação – Modo ativo	77
ESTRATÉGIAS PARA COMPLETAR A APRENDIZAGEM IDEAL	80
1. Valorize o aprendizado, nunca o dinheiro	80
Benjamin Franklin – Albert Einstein – Martha Graham – Freddie Roach	
2. Amplie seus horizontes	84
Zora Neale Hurston	
3. Restabeleça o sentimento de inferioridade	88
Daniel Everett	
4. Confie no processo	92
Cesar Rodriguez	
5. Aumente a resistência e supere a dor	95
A. *Bill Bradley*	
B. *John Keats*	
6. Aprenda com o fracasso	99
Henry Ford	
7. Combine o "como" com o "o quê"	102
Santiago Calatrava	
8. Avance por tentativa e erro	106
Paul Graham	
DESVIOS	109
Wolfgang Amadeus Mozart – Albert Einstein	
III. Incorpore o poder do Mestre: A dinâmica do mentor	**111**
A ALQUIMIA DO CONHECIMENTO	112
CAMINHOS PARA A MAESTRIA	120
ESTRATÉGIAS PARA APROFUNDAR A DINÂMICA DO MENTOR	128
1. Escolha o mentor de acordo com suas necessidades e inclinações	128
Frank Lloyd Wright – Carl Jung – V. S. Ramachandran – Yoky Matsuoka	
2. Contemple o espelho que o mentor segura à sua frente	132
Hakuin Zenji	

3. Transforme as ideias dele *Glenn Gould*	137
4. Crie uma dinâmica mentor-aprendiz *Freddie Roach*	140
DESVIOS *Thomas Edison*	143

IV. Veja as pessoas como realmente são: Inteligência social — 147

PENSAR DENTRO — 148
CAMINHOS PARA A MAESTRIA — 155
   Conhecimento específico – Interpretando as pessoas — 160
   Conhecimento genérico – As Sete Realidades Fatais — 163
ESTRATÉGIAS PARA A AQUISIÇÃO DE INTELIGÊNCIA SOCIAL — 170
   1. Fale por meio de seu trabalho — 171
     A. Ignaz Semmelweis
     B. William Harvey
   2. Elabore a persona apropriada — 177
     Teresita Fernández
   3. Veja a si mesmo como os outros o veem — 181
     Temple Grandin
   4. Tolere os tolos — 185
     Johann Wolfgang von Goethe – Josef von Sternberg – Daniel Everett
DESVIOS — 191

V. Desperte a mente dimensional: A fase criativa-ativa — 193

A SEGUNDA TRANSFORMAÇÃO — 194
CAMINHOS PARA A MAESTRIA — 201
   Primeiro passo: A tarefa criativa — 205
   Segundo passo: Estratégias criativas — 208
     A. Cultive a capacidade negativa — 208
     B. Abra espaço para a serendipidade — 211
     C. Estimule a mente – A Corrente — 215
     D. Altere sua perspectiva — 219
     E. Retorne às formas primitivas de inteligência — 225
   Terceiro passo: A ruptura criativa – Tensão e insight — 229
ARMADILHAS EMOCIONAIS — 232

ESTRATÉGIAS PARA A FASE CRIATIVA-ATIVA ... 236
   1. A voz autêntica ... 237
      John Coltrane
   2. O fato de maior rendimento ... 241
      V. S. Ramachandran
   3. Inteligência mecânica ... 247
      Os irmãos Wright
   4. Poderes naturais ... 253
      Santiago Calatrava
   5. O campo aberto ... 258
      Martha Graham
   6. Refinamento intelectual ... 263
      Yoky Matsuoka
   7. O sequestro evolutivo ... 267
      Paul Graham
   8. Pensamento dimensional ... 272
      Jean-François Champollion
   9. Criatividade alquímica e o inconsciente ... 279
      Teresita Fernández
DESVIOS ... 283

VI. Combine o intuitivo com o racional: Maestria ... 285
A TERCEIRA TRANSFORMAÇÃO ... 286
CAMINHOS PARA A MAESTRIA ... 293
   As raízes da intuição magistral ... 301
   O retorno à realidade ... 307
ESTRATÉGIAS PARA ATINGIR A MAESTRIA ... 310
   1. Conecte-se com o ambiente – Poderes primitivos ... 310
      Os ilhéus das Carolinas
   2. Explore suas forças – Foco supremo ... 315
      A. *Albert Einstein*
      B. *Temple Grandin*
   3. Transforme-se pela prática – A sensibilidade na ponta dos dedos ... 328
      Cesar Rodriguez
   4. Internalize os detalhes – A força da vida ... 333
      Leonardo da Vinci

    5. Amplie a visão – Perspectiva global   338
       Freddie Roach
    6. Submeta-se aos outros – A perspectiva de dentro para fora   342
       Daniel Everett
    7. Sintetize todas as formas de conhecimento –
       Homem/Mulher Universal   349
       Johann Wolfgang von Goethe
  Desvios   356

Biografias dos Mestres contemporâneos   359
Bibliografia selecionada   365

Introdução

A FORMA MÁXIMA DE PODER

A nossa sorte está em nossas próprias mãos, como está nas mãos do escultor a matéria-prima que ele converterá em obra de arte. Com essa atividade artística acontece o mesmo que com todas as outras: simplesmente nascemos com o potencial de fazê-lo. A habilidade para moldar o material no objeto almejado deve ser aprendida e cultivada com empenho.

– JOHANN WOLFGANG VON GOETHE, escritor e pensador alemão

Existe uma forma de poder e de inteligência que representa o ápice do potencial humano. Ela é a fonte das maiores realizações e descobertas da história. Trata-se de algo que não é ensinado nas escolas nem analisado pelos professores, mas que quase todos nós, em algum momento, vislumbramos em nossa própria experiência.

Essa força em geral nos ocorre em momentos de tensão – diante de um prazo prestes a expirar, da necessidade urgente de resolver um problema, de crises de toda espécie. Ou pode se manifestar como resultado do trabalho constante em um projeto. De um jeito ou de outro, pressionados pelas circunstâncias, sentimo-nos inesperadamente energizados e focados. Nossa mente fica cem por cento absorvida pela tarefa à nossa frente.

Essa concentração intensa desencadeia todos os tipos de ideias – insights que surgem quando estamos dormindo, como se viessem do nada, brotando do inconsciente. Nessas ocasiões, as outras pessoas parecem menos resistentes à nossa influência; talvez estejamos mais atentos a elas, ou, quem sabe, emanando algum poder especial que inspire respeito. É até possível que, em condições normais, passemos a vida na passividade, apenas reagindo a este ou àquele incidente, mas, nesses dias ou semanas incomuns, nós nos sentimos capazes de ditar os eventos e fazer as coisas acontecerem.

Poderíamos expressar esse poder da seguinte maneira: vivemos quase o tempo todo em um mundo interior de sonhos, desejos e pensamentos obsessivos. No entanto, nessas fases de criatividade excepcional, somos impelidos pela necessidade de fazer algo prático. Forçamo-nos a sair de nossa concha, da segurança das ideias habituais, para nos conectarmos com o mundo, com as outras pessoas e com a realidade. Em vez de nos dispersarmos ao acaso, em estado de constante distração, nossa mente se concentra e penetra no cerne de algo real. Nesses momentos, é como se nosso pensamento – voltado para fora – estivesse iluminado pela luz do ambiente que nos rodeia; e, de repente, expostos a novos detalhes e estímulos, nos tornamos mais inspirados e criativos.

Depois que cumprimos o prazo ou superamos a crise, esse sentimento de poder e de criatividade exacerbada quase sempre se esvai. Voltamos a nosso estado de dispersão e o senso de controle desaparece. Se pudéssemos produzir esse sentimento ou, de alguma maneira, prolongá-lo, seria ótimo, mas ele parece misterioso e fugidio.

Infelizmente essa forma de poder e inteligência ou é ignorada como tema de estudo ou é cercada por todos os tipos de mitos e equívocos, que apenas servem para acentuar o mistério. Imaginamos que a criatividade e o brilhantismo sejam frutos do talento natural, ou, talvez, de um estado de espírito favorável ou do alinhamento das estrelas. Seria extremamente útil elucidar esse enigma – dar um nome a esse sentimento de poder, examinar suas raízes, definir o tipo de inteligência que o suscita e compreender como ele pode ser produzido e preservado.

Vamos chamar essa sensação de *maestria*: a sensação de que temos mais controle da realidade, das outras pessoas e de nós mesmos. Embora muitas vezes seja algo que experimentamos durante pouco tempo, para outras pessoas – Mestres em suas áreas de atuação – essa sensação se torna um estilo de vida, uma forma de ver o mundo. (Entre esses Mestres estão Leonardo da Vinci, Napoleão Bonaparte, Charles Darwin, Thomas Edison, Martha Graham e muitos outros.) No âmago desse poder encontra-se um *processo* simples que leva à maestria – algo acessível a todos nós.

Esse processo pode ser ilustrado da seguinte maneira: vamos supor que estejamos aprendendo piano ou começando em um novo emprego, em que precisamos desenvolver certas habilidades. No começo, somos estranhos à nova realidade. Nossas impressões iniciais do piano ou do ambiente de trabalho se baseiam em prejulgamentos e, em geral, contêm elementos de medo. Em nosso primeiro contato com o piano, o teclado parece um tanto intimidador – não compreendemos as relações entre as teclas, as cordas e os pedais, e tudo o mais que contribui para a criação da música. No novo emprego, ignoramos as relações de poder entre as pessoas, a psicologia do chefe, as regras e os procedimentos considerados fundamentais para o sucesso. Estamos confusos – o conhecimento de que precisamos em ambos os casos ainda é inacessível.

Mesmo que abordemos essas situações cheios de empolgação com o que podemos aprender ou fazer com nossas novas habilidades, logo percebemos como é difícil o trabalho a ser realizado. O grande perigo ocorre quando nos rendemos aos sentimentos de tédio, impaciência, medo e confusão. Paramos de observar e de aprender. O processo fica paralisado.

Se, por outro lado, controlamos essas emoções e deixamos que o tempo siga seu curso, algo notável começa a tomar forma. À medida que continuamos a observar e a seguir a orientação dos outros, passamos a enxergar com mais clareza, aprendendo as regras e percebendo como as coisas funcionam e se encaixam. Se seguimos praticando, conquistamos fluência; passamos a dominar as habilidades básicas, o que nos permite enfrentar desafios inéditos e mais interessantes. Passamos a ver conexões até então imperceptíveis para nós. Lentamente adquirimos confiança em nossa capacidade de resolver problemas e de superar as limitações, tudo isso por meio da persistência.

A certa altura, evoluímos de estudantes a praticantes. Experimentamos nossas próprias ideias, recebendo um feedback valioso no processo. Usamos os conhecimentos em expansão de maneira cada vez mais criativa. Em vez de apenas aprender com os outros, contribuímos com nosso próprio estilo e individualidade.

Com o passar do tempo e na medida em que perseveramos no processo, damos mais um salto – para a maestria. O teclado não é mais algo estranho, alheio. Nós o internalizamos e ele se torna parte de nosso sistema nervoso, como um prolongamento de nossos dedos. Em nossa carreira, agora tornamo-nos sensíveis à dinâmica de grupo, ao verdadeiro funcionamento do negócio. Podemos aplicar essa sensibilidade às situações sociais, enxergando melhor as pessoas e prevendo suas reações. Aprendemos tão bem as regras que agora podemos transgredi-las e reescrevê-las.

No processo, que culmina com essa forma máxima de poder, podemos identificar três fases ou níveis distintos. A primeira é a *Aprendizagem*; a segunda é a *Criativa-Ativa*; e a terceira é a *Maestria*.

Na primeira fase, ainda estamos fora de campo, aprendendo tanto quanto possível sobre os elementos e regras básicas. Temos apenas uma imagem parcial da realidade e, portanto, nossos poderes são limitados.

Na segunda fase, por meio de muita prática e imersão, vemos o interior da máquina, como as coisas se conectam umas com as outras, e, portanto, ampliamos nossa compreensão do tema. Com isso, adquirimos um novo poder: a capacidade de experimentar e de atuar criativamente com os elementos componentes.

Na terceira fase, nosso grau de conhecimento, experiência e foco é tão profundo que agora podemos ver a imagem completa com clareza absoluta. Temos acesso ao núcleo da vida – à natureza humana e aos fenômenos naturais. É por isso que as obras dos Mestres nos tocam a alma; o artista captou algo que compõe a essência da realidade. E é por essa razão que o cientista brilhante pode descobrir novas leis da física e o inventor ou o empreendedor criativo pode se deparar com algo que ninguém mais imaginou.

Podemos chamar esse poder de intuição; no entanto, a intuição nada mais é que a apreensão repentina e imediata do que é real, sem necessidade de palavras ou fórmulas. As palavras e fórmulas podem vir depois, mas esse lampejo de percepção é o que, em última instância, nos aproxima da realidade, quando nossa mente de súbito se ilumina por alguma partícula da verdade até então desconhecida de nós e dos outros.

Os animais são capazes de aprender, porém, em grande parte, dependem dos instintos para se conectar com o meio circundante e se proteger dos perigos. Com base nos instintos, podem agir com rapidez e eficácia. Os seres humanos, em vez disso, se baseiam no pensamento e na racionalidade para compreender o ambiente. Entretanto, esse raciocínio pode ser lento e, por isso, tornar-se ineficaz. Muito de nosso processo mental tende a nos desconectar do mundo. O poder da intuição no nível da maestria é uma combinação do instintivo e do racional, do consciente e do inconsciente, do humano e do animal. É nossa maneira de estabelecer conexões repentinas e poderosas com o ambiente, de sentir ou de *pensar dentro* das coisas. Na infância, ainda temos parte dessa capacidade e espontaneidade intuitivas, mas, em geral, perdemos essas faculdades em consequência de todas as informações que sobrecarregam nossa mente ao longo do tempo. Os Mestres retornam a um estado semelhante ao dessa fase da vida, e suas obras exibem alto grau de naturalidade e de acessibilidade ao inconsciente, em níveis muito mais elevados que o da criança.

Se avançamos no processo até este ponto final, ativamos o poder intuitivo latente no cérebro humano, algo que talvez tenhamos experimentado por um breve momento, quando mergulhamos profundamente em um único problema ou projeto. De fato, ao longo da vida temos vislumbres desse poder – por exemplo, quando pressentimos o que acontecerá a seguir em determinada situação, ou quando a solução perfeita para vencer uma dificuldade nos ocorre a partir do nada. Entretanto esses momentos são efêmeros e não se baseiam em experiência suficiente para torná-los repetíveis. Quando atingimos a maestria, a intuição é um poder sob nosso comando, produto de um processo mais longo. E, como o mundo premia a criatividade e essa capacidade de descobrir novos aspectos da realidade, ela também nos oferece um grande poder prático.

Veja a maestria nos seguintes termos: ao longo da história, homens e mulheres se sentiram tolhidos pelas limitações de sua consciência, pela falta de contato com a realidade e pela incapacidade de impactar o mundo ao redor. Procuraram todos os tipos de atalhos para a expansão de sua consciência e para o senso de controle; muitas vezes por meio de rituais mágicos, feitiçarias e entorpecentes. Dedicaram a vida à alquimia, em busca da pedra filosofal – algo fantástico capaz de transformar todas as substâncias em ouro.

Essa ânsia pelo atalho mágico sobreviveu até nossos dias, sob a forma de receitas simples de sucesso, segredos ancestrais finalmente desvendados, pelos quais uma simples mudança de atitude atrairia a energia certa. Há um fundo de verdade e de praticidade em todos esses esforços – por exemplo, a ênfase no foco profundo. Porém, no final das contas, todas essas pesquisas se concentram em algo que não existe – o caminho sem esforço para o poder prático, para a solução rápida e fácil, para o Eldorado da mente.

Ao mesmo tempo que as pessoas se perdiam nessas fantasias infindáveis, elas também ignoravam o único poder real que de fato possuem. E, ao contrário das frustrações resultantes das fórmulas mágicas simplistas, podemos ver os efeitos materiais desse poder na história – as grandes descobertas e invenções, as construções, esculturas e pinturas maravilhosas, as proezas tecnológicas e todas as obras das mentes magistrais. Esse poder proporciona a seus detentores a espécie de conexão com a realidade e a capacidade de alterar o mundo com que os místicos e mágicos do passado só podiam sonhar.

Com o avançar dos séculos, ergueu-se uma muralha ao redor dessa maestria. Chamaram-na de genialidade e passaram a considerá-la inacessível. Começou a ser vista como um dom especial, como um talento inato ou apenas como um produto do alinhamento favorável dos astros. Fizeram-na parecer tão furtiva quanto a mágica. Mas a muralha é imaginária. Este é o verdadeiro segredo: o cérebro que a possui é produto de seis milhões de anos de desenvolvimento, e, mais que qualquer outra coisa, essa evolução do cérebro tem como finalidade nos levar à maestria, ao poder latente dentro de todos nós.

A evolução da maestria

Durante três milhões de anos, fomos caçadores-coletores, e foi em consequência das pressões evolucionárias desse estilo de vida que acabou emergindo um cérebro tão adaptável e criativo. Hoje, continuamos com o cérebro de caçador-coletor no crânio.

– RICHARD LEAKEY, paleoantropólogo queniano

É difícil imaginar agora, mas nossos primeiros ancestrais humanos que se aventuraram pelas planícies da África oriental, há aproximadamente seis milhões de anos, eram criaturas extremamente frágeis e vulneráveis. Tinham cerca de um metro e meio de altura. Andavam eretos e podiam correr com as duas pernas, mas nunca, nem de longe, tão rápido quanto os predadores quadrúpedes que os perseguiam. Eram magros – seus braços não lhes ofereciam muita defesa. Não tinham garras, nem presas, nem veneno a que recorrer quando atacados. Para colher frutas, castanhas e insetos ou para rapinar carniça, eles tinham que se aventurar pelas savanas abertas, onde se tornavam presas fáceis de leopardos ou de alcateias de hienas. Fracos e pequenos, tudo indicava que estavam fadados à extinção.

No entanto, no intervalo de alguns milhões de anos (muito pouco na escala de tempo da evolução), esses nossos ancestrais, fisicamente tão inexpressivos, se transformaram nos mais notáveis caçadores do planeta. O que poderia explicar essa virada maravilhosa? Há quem especule que foi a condição de bípede, que liberou as mãos para fazer ferramentas com a ajuda inestimável dos polegares opositores e da capacidade de segurar objetos. Mas essas explicações físicas desconsideram um aspecto fundamental. Nossa dominância, ou maestria, não está nas mãos nem nos pés, mas no cérebro, no desenvolvimento da mente humana como o mais poderoso instrumento conhecido na natureza, muito mais potente que qualquer garra.

E na raiz dessa transformação *mental* se encontram dois traços biológicos simples – o *visual* e o *social* – que os seres humanos primitivos alavancaram à condição de poder.

Nossos ancestrais remotos descenderam dos primatas que saltaram durante milhões de anos nas copas das árvores e que, no processo, aprimoraram um dos mais notáveis sistemas visuais da natureza. Para se movimentar com rapidez e eficiência nesse mundo arborizado, desenvolveram uma coordenação ocular e muscular extremamente sofisticada. Os olhos aos poucos evoluíram para uma posição cem por cento frontal na face, proporcionando-lhes uma visão binocular (ou estereoscópica). Esse sistema fornece ao cérebro uma perspectiva tridimensional e detalhista altamente precisa, mas um tanto estreita. Os animais que possuem esse tipo de visão frontal, em vez de olhos laterais, são, em geral, predadores eficientes, como corujas e felinos. Eles usam essa visão poderosa para localizar a presa à distância. Os primatas arborícolas desenvolveram essa visão para outro propósito: transitar nos galhos e localizar frutos e insetos com maior eficácia. Também apuraram a sofisticada capacidade de distinguir cores.

Quando nossos primeiros antepassados humanos deixaram as árvores e avançaram para as savanas abertas, eles passaram a adotar a posição ereta. Já dotados desse poderoso sistema visual, podiam enxergar mais longe (as girafas e os elefantes são mais altos, mas seus olhos são laterais, oferecendo-lhes, em vez disso, a visão panorâmica). Essa característica lhes permitia localizar predadores perigosos no horizonte e detectar os movimentos deles mesmo no crepúsculo. Em poucos segundos ou minutos, conseguiam escapar em segurança. Ao mesmo tempo, quando focalizavam o que estava mais perto, ao alcance das mãos, podiam identificar todos os tipos de detalhes importantes no contexto – pegadas e sinais de predadores nas proximidades ou as cores e formas de rochas que podiam apanhar e talvez usar como ferramentas.

Nas copas das árvores, essa visão poderosa possibilitava que se deslocassem com velocidade – vendo e reagindo com rapidez. Nas planícies abertas, era o oposto. A segurança e a descoberta de alimentos dependia da observação lenta e paciente do contexto, da capacidade de perceber e interpretar detalhes, concentrando-se em seu significado. A sobrevivência de nossos ancestrais se baseava na intensidade de sua atenção. Quanto mais tempo olhavam, mais eram capazes de distinguir entre oportunidades e ameaças. Se simplesmente varressem depressa o horizonte, poderiam ver muito mais; no entanto, dessa maneira, sobrecarregariam a mente com informações – detalhes demais para uma visão tão aguçada. O sistema visual humano não foi feito para amplitude de foco, mas, sim, para profundidade de foco.

Os animais estão presos em um presente perpétuo. Até podem aprender com acontecimentos recentes, porém se distraem facilmente com o que está diante de seus olhos. Aos poucos, durante um longo período, nossos ancestrais superaram essa fraqueza animal básica. Ao observar durante tempo suficiente qualquer objeto e não dispersar a atenção – mesmo que por alguns segundos – eles eram capazes de se alienar do ambiente circundante. Dessa maneira, detectavam padrões, faziam generalizações e previsões. Tinham o distanciamento mental para pensar e refletir, mesmo na escala mais diminuta.

Esses primeiros humanos cultivaram a capacidade de se separar do contexto e de apreender o abstrato como principal vantagem na luta para evitar predadores e encontrar alimentos, algo que os conectava a uma realidade inacessível para os outros animais. Esse nível de pensamento genérico foi o mais importante ponto de virada de toda a evolução – o surgimento da consciência e do raciocínio.

A segunda vantagem biológica é mais sutil, embora igualmente poderosa em suas implicações. Todos os primatas são, em essência, criaturas sociais, mas, em consequência de sua grande vulnerabilidade em áreas abertas, nossos primeiros ancestrais necessitavam muito mais de coesão grupal. Eles dependiam do grupo para a observação vigilante dos predadores e para a coleta de alimentos. Em geral, os primeiros hominídeos mantinham muito mais interações sociais que os outros primatas. Ao longo de centenas de milhares de anos, essa inteligência social se tornou cada vez mais sofisticada, possibilitando que nossos ancestrais cooperassem uns com os outros em um nível superior. E, da mesma maneira que acontece com nossa compreensão do ambiente social, essa inteligência dependia da atenção e do foco profundos. A interpretação equivocada dos sinais sociais em grupos muito interligados podia se revelar extremamente perigosa.

Por meio do aprimoramento desses dois traços – o *visual* e o *social* – nossos antepassados primitivos foram capazes, cerca de dois a três milhões de anos atrás, de inventar e de desenvolver a habilidade complexa de caçar. Lentamente, eles se tornaram mais criativos, refinando essa aptidão complexa até torná-la uma arte. Eles se transformaram em caçadores sazonais e se espalharam pela massa continental eurasiática, conseguindo se adaptar a todos os tipos de climas. E, no processo dessa rápida evolução, seu cérebro cresceu até atingir o tamanho atual, há uns 200 mil anos.

Na década de 1990, um grupo de neurocientistas italianos descobriu algo que pode ajudar a explicar a destreza progressiva de nossos ancestrais primevos como caçadores, e, por sua vez, algo sobre a maestria em si, tal como ela existe hoje. Ao estudar o cérebro dos macacos, eles descobriram que determinados neurônios que comandam os movimentos entram em ação não só quando os animais executam atividades muito específicas – como puxar uma alavanca para conseguir um amendoim ou segurar uma banana – mas também quando observam outros macacos fazendo as mesmas coisas. Eles logo foram denominados *neurônios-espelho*. Essas ativações neuronais indicam que os primatas experimentam sensações semelhantes tanto praticando quanto observando a mesma ação, permitindo-lhes que se coloquem no lugar do outro e percebam os movimentos alheios como se fossem próprios. Isso explica a capacidade de muitos primatas de imitar e a habilidade muito apurada dos chimpanzés de prever os planos e as ações de um rival. Especula-se que esses neurônios evoluíram em consequência da natureza social dos primatas.

Experimentos recentes demonstraram a existência desses neurônios em humanos, mas em nível de sofisticação muito mais alto. Os macacos e, em geral, os primatas, podem ver uma ação do ponto de vista do executor e imaginar suas intenções, mas os humanos vão mais longe. Sem pistas visuais nem ações alheias, podemos nos colocar *dentro de outras mentes* e imaginar o que estão pensando.

O desenvolvimento dos neurônios-espelho permitiu que nossos ancestrais lessem os desejos uns dos outros com base nos sinais mais sutis e, assim, aprimorassem suas habilidades sociais. Também atuou como componente essencial na fabricação de ferramentas – aprendia-se a fazer ferramentas imitando as ações de um especialista. No entanto, talvez ainda mais importante, isso os tornava capazes de *pensar dentro* de tudo ao seu redor. Depois de estudar, durante anos, determinados animais, eles podiam se identificar com eles e pensar como eles, prevendo padrões de comportamento e aumentando a capacidade de rastrear e de matar a presa. Essa capacidade de *pensar dentro* era aplicável também ao mundo inorgânico. Ao produzir ferramentas de pedra, os artífices sentiam como se fossem um de seus instrumentos. A pedra ou madeira com que cortavam se tornava uma extensão de suas mãos. Podiam percebê-la como se fosse a própria carne, o que possibilitava um controle muito mais apurado das ferramentas em si, tanto na fabricação quanto no uso.

Esse poder da mente podia ser liberado apenas depois de anos de experiência. Uma vez dominada certa habilidade – rastrear presas, fabricar ferramentas – ela se tornava automática, e, assim, ao exercê-la, a mente não precisava mais se concentrar nas ações específicas para a obtenção do resultado almejado, mas, sim, dedicar-se a algo mais complexo: o que a presa poderia estar pensando, de que maneira a ferramenta era percebida como parte das mãos. Esse *pensar dentro* seria uma versão pré-verbal da inteligência de terceiro nível – o equivalente primitivo da sensação intuitiva da anatomia ou da paisagem, percebida por Leonardo da Vinci, ou do eletromagnetismo, percebido por Michael Faraday. A maestria nesse nível significava que nossos ancestrais podiam tomar decisões com rapidez e eficácia depois que passavam a compreender em profundidade o ambiente e a presa. Se esse poder não tivesse evoluído, a mente deles logo ficaria sobrecarregada com a massa de informações que tinham que processar para uma caçada bem-sucedida. Eles já haviam desenvolvido esse poder intuitivo centenas de milhares de anos antes da invenção da linguagem, e é por isso que, ao experimentarmos essa inteligência, temos a impressão de ser algo pré-verbal, de um poder que transcende nossa capacidade de expressá-lo em palavras.

É preciso entender que esse longo período desempenhou um papel fundamental em nosso desenvolvimento mental. Ele alterou a essência de nossa relação com o tempo. Para os animais, o tempo é o grande inimigo. Se são presas potenciais, vaguear durante muito tempo pode significar morte instantânea. Se são predadores ativos, espreitar durante muito tempo apenas acarretará a fuga da presa. O tempo para eles também representa decadência física. Em grande parte, nossos ancestrais caçadores reverteram esse processo. Quanto mais tempo passavam observando algo, mais profundamente compreendiam e se conectavam com a realidade. Com a experiência, as habilidades de caçador prosperavam. Com a prática contínua, a capacidade de produzir ferramentas eficazes aumentava. O corpo podia decair, mas a mente continuava a aprender e a se adaptar. Esse uso do tempo é o ingrediente essencial da maestria.

Com efeito, podemos dizer que essa relação revolucionária com o tempo alterou a mente humana em si e lhe conferiu uma qualidade específica ou *essência*. Quando não nos apressamos e nos concentramos em profundidade, quando confiamos que passar por um processo de meses ou anos nos levará à maestria, trabalhamos com a essência desse instrumento maravilhoso que se desenvolveu ao longo de muitos milhões de anos. Avançamos inexoravelmente para níveis de inteligência cada vez mais altos. Enxergamos com mais profundidade e realismo. Praticamos e produzimos com habilidade. Aprendemos a pensar por nós mesmos. Tornamo-nos capazes de lidar com situações complexas sem nos sentir assoberbados. Ao seguir esse caminho, convertemo-nos em *Homo magister*, em Mestre.

A partir do momento em que acreditamos que podemos pular fases, evitar o processo, conquistar o poder por mágica mediante ligações políticas ou fórmulas simples, ou depender de nossos talentos naturais, vamos de encontro a essa essência e revertemos nossos poderes naturais. Transformamo-nos em escravos do tempo – com o passar dos anos, ficamos mais fracos, menos capazes, presos a uma carreira sem saída. Tornamo-nos cativos das opiniões e dos receios alheios. Em vez de a mente se conectar com a realidade, nós nos desligamos do mundo exterior e nos trancamos em estreitas câmaras mentais. O humano que dependia da atenção concentrada para garantir a própria sobrevivência agora se converte em animal disperso e superficial, incapaz de pensar em profundidade, mas também inapto a depender dos instintos.

É o cúmulo da estupidez acreditar que, durante sua curta existência, em suas poucas décadas de autoconsciência, alguém será capaz de reformular a configuração do cérebro por meio da tecnologia e da vontade, superando os efeitos de seis milhões de anos de desenvolvimento. Contrariar a essência pode ser uma fonte de distração temporária, mas o tempo exporá impiedosamente sua debilidade e impaciência.

A grande salvação para todos nós é que herdamos um instrumento extremamente plástico. Ao longo de milênios, nossos ancestrais caçadores-coletores moldaram o cérebro até sua forma atual, desenvolvendo uma cultura capaz de aprender, de mudar e de se adaptar às circunstâncias, que não era prisioneira da marcha lenta da evolução natural. Como pessoas modernas, nosso cérebro tem o mesmo poder, a mesma plasticidade. A qualquer momento, podemos optar por mudar nossa relação com o tempo e trabalhar com a essência, conscientes de sua existência e seu poder. Com o fator tempo trabalhando a nosso favor, podemos reverter os maus hábitos e a passividade e galgar os degraus da inteligência.

Pense nessa mudança como um retorno a seu passado profundo e radical como humano, religando-se a seus ancestrais caçadores-coletores e preservando uma magnífica continuidade com suas origens primordiais, em estilo moderno. O ambiente em que atuamos pode ser diferente, mas o cérebro é essencialmente o mesmo, e seu poder de aprender, de se adaptar e de dominar o tempo é universal.

Caminhos para a maestria

O homem deve aprender a detectar e a observar os raios de luz que fulguram em sua mente a partir do âmago, mais que o brilho do firmamento dos bardos e sábios. Porém, sem perceber, ele desdenha das próprias ideias, apenas por serem suas. Em toda obra de gênio reconhecemos velhos pensamentos rejeitados; eles retornam a nós com ar de majestade desprezada.

– RALPH WALDO EMERSON, ensaísta americano

Se todos nascemos com cérebros basicamente semelhantes, que apresentam mais ou menos a mesma configuração e o mesmo potencial para a maestria, por que será que na história somente muito poucas pessoas parecem de fato se sobressair e realizar esse potencial? Essa é a pergunta mais importante a ser respondida.

A explicação corriqueira para a existência de um Mozart ou de um Leonardo da Vinci gira em torno do talento natural e da inteligência. De que outra maneira explicar suas proezas notáveis a não ser em termos de algo inato? No entanto, milhares e milhares de crianças se destacam por habilidades e talentos excepcionais em alguma área, embora poucas acabem correspondendo às expectativas no futuro, ao passo que outras, aparentemente menos brilhantes na juventude, às vezes conseguem muito mais. Talento natural ou QI alto não explicam as realizações futuras.

Como exemplo clássico, compare a vida de Francis Galton com a de seu primo mais velho, Charles Darwin. Segundo todos os critérios, Galton era um supergênio, com QI excepcional, muito mais alto que o de Darwin (conforme estimativas de especialistas, anos depois da invenção dessa medida). Galton foi um menino prodígio que mais tarde desenvolveu uma carreira científica ilustre, mas jamais dominou nenhum dos campos a que se dedicou. Ele era notoriamente inconstante, como costuma ocorrer com crianças assim.

Darwin, em contraste, é enaltecido, com razão, como cientista brilhante, um dos poucos gênios que mudou para sempre nossa visão da vida. Como o próprio Darwin admitiu, ele era "um garoto comum, com capacidade intelectual até um pouco abaixo do padrão. (...) Não apreendo com muita rapidez. (...) Minha capacidade de seguir um raciocínio complexo, puramente abstrato, é muito limitada". Darwin, no entanto, devia possuir algo que faltava a Galton.

De muitas maneiras, um exame da vida pregressa do próprio Darwin pode oferecer uma resposta para o mistério. Quando criança, ele tinha uma paixão obsessiva – colecionar espécimes biológicos. Seu pai, que era médico, queria que o filho seguisse seus passos e estudasse medicina, e matriculou-o na Universidade de Edimburgo. Darwin, porém, não seguiu a carreira, e foi um estudante medíocre de artes. O pai, sem esperança de que o filho se tornasse médico, conseguiu para ele um cargo na igreja. Ao se preparar para cumprir sua vontade, soube por um ex-professor que o navio *Beagle* deixaria o porto em breve para dar a volta ao mundo e que precisavam de alguém para acompanhar a tripulação e recolher espécimes a serem enviados para a Inglaterra. Apesar dos protestos do pai, Darwin aceitou a proposta. Algo o atraía para aquela viagem.

De repente, a paixão por colecionar espécimes biológicos encontrou uma válvula de escape perfeita. Na América do Sul, ele conseguiu reunir o mais admirável conjunto de espécimes, assim como fósseis e ossos. E pôde conjugar seu interesse pela biodiversidade no planeta com algo maior – questões importantes sobre as origens das espécies. Ele dedicou toda a sua energia ao empreendimento, acumulando tantos espécimes que uma teoria começou a tomar forma em sua mente. Depois de cinco anos no mar, retornou à Inglaterra e devotou o resto da vida à tarefa exclusiva de elaborar sua teoria da evolução. No processo, teve que trabalhar duro – por exemplo, passou oito anos estudando exclusivamente crustáceos a fim de se credenciar como biólogo. Numa Inglaterra vitoriana, também precisou desenvolver habilidades políticas e sociais refinadas para enfrentar todos os preconceitos contra sua teoria. E o que o sustentou durante todo esse longo processo foi seu amor intenso pelo tema e seu envolvimento profundo com a missão.

Os elementos básicos da história de Darwin se repetem na vida de todos os grandes Mestres: uma paixão ou predileção intensa na juventude, uma oportunidade fortuita que lhe permite explorá-la, uma fase de aprendizagem em que eles se destacam com energia e foco. Todos se distinguem pela capacidade de praticar com afinco e de avançar com rapidez, sempre em consequência do desejo intenso de aprender e do engajamento profundo no campo de estudo. No âmago desse esforço desmedido encontra-se, de fato, um atributo genético e inato – não talento nem brilhantismo, que é algo a ser desenvolvido, mas uma *inclinação* profunda e poderosa para determinado tema.

Tal pendor é reflexo da singularidade da pessoa. Esse caráter único não é algo meramente poético ou filosófico – é fato científico que, geneticamente, cada um de nós é único; nossa composição genética exata nunca aconteceu antes e jamais se repetirá, e se manifesta em nossas preferências inatas por determinadas atividades ou objetos de estudo. Essas inclinações podem se voltar para a música ou a matemática, para certos esportes ou jogos, para a solução de problemas enigmáticos, para trabalhos manuais ou para o manejo das palavras, entre outros.

Os que se destacam pela maestria tardia experimentam essa inclinação com mais profundidade e clareza, como um chamado interior, que tende a dominar seus pensamentos e sonhos. Por acaso ou mero esforço, encontram o caminho para uma carreira em que essa aptidão pode florescer. Esse vínculo e esse anseio intensos lhes oferecem resistência para suportar a dor do processo – as dúvidas a respeito de si mesmo, as horas tediosas de estudo e prática, os retrocessos inevitáveis, as manifestações incessantes de inveja. Eles desenvolvem a resiliência e a confiança que faltam aos outros.

Em nossa cultura, tendemos a equiparar capacidade intelectual com sucesso e realização. De muitas maneiras, porém, o que distingue os que dominam determinado campo de atuação daqueles que simplesmente trabalham na área é um atributo emocional. Nosso nível de desejo, paciência, persistência e confiança acaba contribuindo muito mais para o sucesso que a capacidade de raciocínio. A motivação e a energia podem superar quase tudo. A monotonia e a inconstância desconectam a mente e nos tornam cada vez mais passivos.

No passado, apenas a elite e aqueles com energia e impulso quase sobre-humanos conseguiam seguir e dominar a carreira de sua preferência. Um homem nascia no meio militar, ou era preparado para o governo, escolhido entre representantes da classe certa. Se, por acaso, demonstrasse talento e desejo pelo trabalho, essa compatibilidade não passava de mera coincidência. Milhões de pessoas que não eram parte da classe social apropriada, nem do gênero nem da etnia adequadas, eram excluídas da possibilidade de realizar sua vocação. Mesmo que alguém quisesse seguir suas inclinações, o acesso às informações e aos conhecimentos pertinentes a certa área de atuação era controlado pelas elites. Esta é a razão de ter havido relativamente poucos Mestres no passado e de eles se destacarem tanto.

Essas barreiras sociais e políticas, no entanto, praticamente desapareceram. Hoje desfrutamos de um acesso à informação e ao conhecimento com que os Mestres do passado mal podiam sonhar. Agora, mais do que nunca, temos capacidade e liberdade para perseguir as inclinações que possuímos como parte de nossa singularidade genética. É tempo de desmitificar e de popularizar a genialidade. Todos estamos mais perto do que supomos dessa inteligência. (A palavra "gênio" vem do latim e se referia, de início, a um espírito guardião que assistia o nascimento de cada pessoa; mais tarde, passou a se referir às qualidades inatas que conferem a cada indivíduo atributos únicos.)

Embora estejamos passando por um momento histórico rico em oportunidades para alcançar a maestria, em que cada vez mais pessoas podem realizar suas inclinações, enfrentamos um último obstáculo para exercer esse poder, algo cultural e perigoso: o próprio conceito de maestria se denegriu ao se associar a atributos ultrapassados e até indesejáveis. Assim, a maestria deixou de ser algo a que aspirar. Essa mudança de valores é recente e pode ser explicada por circunstâncias peculiares de nossa época.

Vivemos em um mundo que parece em descontrole crescente. Nossa vida está à mercê das forças da globalização. Os problemas com que nos defrontamos – econômicos, ambientais e outros – não podem ser resolvidos por nossas ações individuais. Os políticos estão distantes e são insensíveis aos nossos desejos. Quando as pessoas se sentem assoberbadas, a reação natural é recuar para várias formas de passividade. Se não tentamos e não experimentamos muitas coisas na vida, se limitamos o âmbito de nossas ações, podemos obter a ilusão de controle. Quanto menos tentamos, menores são as chances de fracasso. Se nos convencemos de que realmente não somos responsáveis por nosso destino, pelo que acontece em nossa vida, nossa impotência notória se torna mais palatável. Por esse motivo, nos sentimos atraídos por certas "desculpas": é a genética que determina em grande parte nosso destino; somos produtos de nossa época; o indivíduo é mero mito; o comportamento humano pode ser reduzido a tendências estatísticas.

Muitas pessoas levam um pouco mais longe essa mudança de valores, revestindo a própria passividade com uma camada positiva. Elas romantizam o artista autodestrutivo, que perde o controle de si mesmo. Qualquer coisa que lembre disciplina ou esforço parece meticulosidade ou preciosismo ultrapassado. O que importa é o sentimento por trás da obra de arte, e qualquer indício de dedicação ou empenho transgride esse princípio. Passa-se a valorizar a espontaneidade e a impetuosidade. A noção de que é preciso muito esforço para alcançar o que se almeja foi corroída pela proliferação de dispositivos que fazem boa parte do trabalho, promovendo a ideia de que se merece tudo isso – que é direito natural ter e consumir tudo o que se quer. "Por que trabalhar tantos anos para alcançar a maestria se podemos ter tanto poder com tão pouco esforço? A tecnologia resolverá tudo." Essa passividade assumiu até uma posição moral: "A maestria e o poder são perversos; não passam de atributos das elites patriarcais que nos oprimem; o poder é intrinsecamente mau; é melhor se excluir totalmente do sistema", ou ao menos dar essa impressão.

Quem não se mantiver atento será contagiado de maneira imperceptível por essa atitude. Inconscientemente, você estreitará sua lista de objetivos possíveis de serem alcançados, reduzindo, em consequência, seus níveis de esforço e disciplina, ficando abaixo do ponto de eficácia. Ajustando-se às normas sociais, você ouvirá mais os outros que sua própria voz. Talvez escolha uma carreira com base nas recomendações dos amigos e dos pais, ou em função do que lhe pareça lucrativo. Se você se desvia de sua vocação interior, pode até ter algum sucesso na vida, mas acabará vítima de seu verdadeiro desejo. Seu trabalho se torna mecânico. Você passa a viver para o lazer e para prazeres imediatos. Assim, torna-se cada vez mais passivo e nunca avança além da primeira fase. Você pode ficar frustrado e deprimido, sem se dar conta de que a fonte de tudo isso é a não realização de seu potencial criativo.

Antes que seja tarde demais, é preciso encontrar o caminho para a concretização de suas inclinações, explorando as incríveis oportunidades da era em que você nasceu. Conhecendo a importância do desejo e de suas ligações emocionais com o trabalho, que são a chave da maestria, você pode, de fato, fazer com que a passividade de nosso tempo trabalhe em seu favor e sirva como motivação de duas maneiras importantes.

Primeiro, você deve encarar essa tentativa de alcançar a maestria como algo extremamente necessário e positivo. O mundo está cheio de problemas, e muitos foram criados por nós. A solução deles exigirá um alto grau de esforço e criatividade. Recorrer à genética, à tecnologia e à mágica ou ser descontraído, espontâneo e natural não nos salvará. Precisamos de energia não só para tratar de questões práticas, mas também para forjar instituições e políticas compatíveis com as novas circunstâncias. Devemos criar nosso próprio mundo ou morreremos de inação. Temos que restabelecer o conceito de maestria, que nos definiu como espécie muitos milhões de anos atrás. Não se trata de maestria com a intenção de dominar a natureza ou outras pessoas, mas no intuito de definir nosso destino. A atitude de passividade irônica não é positiva nem romântica, mas patética e destrutiva. Em vez disso, precisamos dar o exemplo do que pode ser realizado pelos Mestres no mundo moderno. Assim, estaremos contribuindo para a causa mais importante de todas – a sobrevivência e a prosperidade da espécie humana numa época de estagnação.

Segundo, você deve se convencer do seguinte: as pessoas desenvolvem a mente e o cérebro que merecem por meio de suas ações na vida. Apesar da popularidade das explicações genéticas para nosso comportamento, descobertas recentes da neurociência estão revogando crenças tradicionais de que o cérebro é constituído pela genética. Os cientistas estão demonstrando a extensão da plasticidade do cérebro – a maneira como nossos pensamentos determinam nosso panorama mental. Eles estão explorando a relação entre força de vontade e fisiologia, sondando a profundidade com que a mente pode afetar nossa saúde e nosso comportamento. É provável que ainda se descubra muito mais sobre a intensidade com que impregnamos vários padrões em nossa vida por meio de certas operações mentais – sobre como somos verdadeiramente responsáveis por grande parte do que acontece conosco.

As pessoas passivas criam um panorama mental um tanto árido. Em consequência de suas poucas experiências e iniciativas, todos os tipos de conexões do cérebro perecem por falta de uso. Para se opor à tendência de passividade dos tempos atuais, é preciso se empenhar para ver até que ponto é possível controlar as próprias circunstâncias e criar o tipo de mente almejada – não por meio de alucinógenos nem de medicamentos, mas em consequência da ação. Ao liberar a mente magistral oculta em seu âmago, você estará na vanguarda dos que exploram os limites estendidos da força de vontade humana.

◆

De muitas maneiras, o avanço de um nível de inteligência para outro pode ser considerado uma espécie de ritual de transformação. À medida que se progride, velhas ideias e pontos de vista se extinguem; à proporção que novos poderes são liberados, alcançam-se níveis mais elevados de visão do mundo. Use este livro como uma ferramenta inestimável para orientá-lo ao longo desse processo de transformação. Ao escrevê-lo, meu propósito foi conduzi-lo dos níveis mais baixos para os mais elevados. Ele o ajudará a dar o primeiro passo – descobrir sua Missão de Vida, ou vocação, e como desbravar um caminho que o levará à realização em vários níveis. Ele o orientará a explorar, em plenitude, sua fase de aprendizagem – as várias estratégias de observação e aprendizado que melhor o servirão nessa fase; como encontrar mentores perfeitos; como decifrar os códigos tácitos sobre o comportamento político; como cultivar a inteligência social; e, finalmente, como reconhecer a hora de deixar o ninho da aprendizagem e alçar voo por conta própria, entrando na fase criativa-ativa.

Ele lhe mostrará como avançar no processo de aprendizado, em nível mais elevado, e revelará estratégias atemporais para a busca de soluções criativas, no intuito de manter a mente fluida e adaptável. Ensinará a acessar camadas mais inconscientes e primitivas de inteligência e a suportar as farpas inevitáveis da inveja, que surgirão em seu caminho. Identificará os poderes decorrentes da maestria, norteando-o na direção dessa intuição visceral, quase instintiva, em seu campo de atuação. Por fim, ele o iniciará numa filosofia, numa maneira de pensar, que facilitará o avanço nesse caminho.

As ideias deste livro se baseiam em ampla pesquisa no âmbito das ciências neurológicas e cognitivas, em estudos sobre criatividade, assim como nas biografias de grandes Mestres da história, como Leonardo da Vinci, Hakuin Ekaku, Benjamin Franklin, Wolfgang Amadeus Mozart, Johann Wolfgang von Goethe, John Keats, Michael Faraday, Charles Darwin, Thomas Edison, Albert Einstein, Henry Ford, Marcel Proust, Martha Graham, Buckminster Fuller, John Coltrane e Glenn Gould.

Para deixar claro como essa forma de inteligência pode ser aplicada ao mundo moderno, também entrevistamos em profundidade nove Mestres contemporâneos: o neurocientista Vilayanur S. Ramachandran; o antropólogo e linguista Daniel Everett; o engenheiro de computação, escritor e empreendedor de alta tecnologia Paul Graham; o arquiteto e engenheiro Santiago Calatrava; o ex-boxeador e agora treinador Freddie Roach; a engenheira de robótica e projetista de tecnologia verde Yoky Matsuoka; a artista visual Teresita Fernández; a professora de zoologia e desenhista industrial Temple Grandin; e o piloto de caça da Força Aérea americana Cesar Rodriguez.

As histórias dessas personalidades contemporâneas – que representam as mais diferentes origens, classes sociais e etnias – refutam a noção de que a maestria é algo ultrapassado ou elitista. A excelência alcançada por esses indivíduos é, sem dúvida, consequência de esforço e persistência, não de genética ou privilégio. Suas trajetórias também mostram como a maestria pode ser adaptada aos nossos tempos e deixam claro o poder que tem a nos oferecer.

A estrutura deste livro é simples. São seis capítulos, que avançam sequencialmente ao longo do processo. O Capítulo I é o ponto de partida – a descoberta de sua vocação, de sua Missão de Vida. Os Capítulos II, III e IV analisam diferentes elementos da fase de aprendizagem (habilidades de aprendizado, trabalho com mentores, aquisição de inteligência social). O Capítulo V é dedicado à fase criativa-ativa, e o Capítulo VI trata do objetivo derradeiro – a maestria.

Cada capítulo começa com a história de uma figura icônica que exemplifica o conceito geral nele descrito. A seção seguinte, Caminhos para a maestria, realiza uma análise detalhada da fase em questão, apresenta ideias detalhadas sobre como aplicar esse conhecimento à sua realidade e descreve a mentalidade necessária para explorá-las em plenitude. Em seguida, vem uma seção que destrincha as estratégias dos Mestres – contemporâneos e históricos – que usaram vários métodos para avançar no processo. O objetivo dessas estratégias é lhe proporcionar um senso mais agudo das aplicações práticas das ideias deste livro e inspirá-lo a seguir os passos desses Mestres, mostrando como o poder deles é plenamente acessível.

No caso de todos os Mestres contemporâneos e de alguns Mestres históricos, suas histórias prosseguirão por vários capítulos. Assim, podem ocorrer breves repetições de informações biográficas, a fim de recapitular o que aconteceu nas fases anteriores de suas vidas.

Por fim, é importante não encarar esse processo de avanço para sucessivos níveis de inteligência como um percurso meramente linear, que leva ao destino final conhecido como maestria. Toda a sua vida é uma espécie de fase de aprendizagem, na qual você aplica sua capacidade de aprender. Tudo o que acontece em sua vida é um tipo de instrução, desde que você se mantenha atento. A criatividade que se desenvolve com o aprendizado profundo de uma habilidade deve ser revigorada o tempo todo, na medida em que você força sua mente a retornar a um estado de abertura. Mesmo o conhecimento de sua vocação deve ser revisto durante a vida, conforme as mudanças nas circunstâncias o obriguem a ajustar sua direção.

Ao progredir rumo à maestria, você estará aproximando sua mente da realidade e da vida em si. Qualquer coisa viva se encontra em um estado contínuo de mudança e movimento. No momento em que se descansa, supondo que se atingiu o nível almejado, parte da mente entra em fase de declínio. Perde-se a criatividade desenvolvida com tanto afinco, e os outros começam a perceber esse processo. A maestria é poder e inteligência a serem continuamente renovados, sob pena de perecerem.

Só não falem de dons e talentos inatos! Podemos nomear grandes homens de toda espécie que não eram superdotados. Mas adquiriram grandeza, tornaram-se "gênios" (...) todos tiveram a diligente seriedade do artesão, que primeiro aprende a construir perfeitamente as partes, antes de ousar fazer um grande todo; permitiram-se tempo para isso porque tinham mais prazer em fazer bem o pequeno e secundário do que no efeito de um todo deslumbrante.

– **FRIEDRICH NIETZSCHE**, filósofo alemão

I

Descubra sua vocação: Sua Missão de Vida

Você possui uma espécie de força interior que procura orientá-lo para a sua Missão de Vida – aquilo que deve realizar durante sua existência. Na infância, essa força é clara. Ela o orienta para as atividades e os temas mais compatíveis com suas inclinações naturais, deflagrando uma curiosidade profunda e primordial. Nos anos subsequentes, essa força tende a oscilar, à medida que você ouve mais os pais e os amigos e sucumbe às ansiedades diárias que o desgastam e exaurem. Esse processo pode ser a fonte de sua infelicidade – de sua falta de conexão com quem você é e com o que o torna único. O primeiro passo para a maestria é sempre introspectivo – aprender quem você realmente é e se religar com essa força inata. O autoconhecimento o levará a descobrir seu caminho para a carreira mais adequada a você e permitirá que tudo o mais se encaixe. Nunca é tarde demais para iniciar esse processo.

A força oculta

No final de abril de 1519, depois de meses de doença, o artista Leonardo da Vinci teve a certeza de que a morte o visitaria em poucos dias. Havia dois anos que Leonardo vivia no castelo de Cloux, na França, como hóspede pessoal do rei francês Francisco I. O rei lhe proporcionara dinheiro e honrarias, considerando-o a incorporação viva do Renascimento italiano, que ele queria importar para a França. Leonardo fora muito útil para o monarca, aconselhando-o sobre todos os tipos de assuntos importantes. Mas agora, aos 67 anos, sua vida estava prestes a terminar e seus pensamentos se voltavam para outras coisas. Ele preparou seu testamento, comungou na igreja e retornou ao leito, à espera do fim iminente.

Enquanto aguardava o próprio fim, vários de seus amigos – inclusive o rei – o visitaram. Eles perceberam que Leonardo se mostrava reflexivo. Em geral ele não gostava de falar de si mesmo, mas, naquele momento, narrava as recordações de sua infância e juventude, insistindo no curso estranho e improvável de sua vida.

Leonardo sempre demonstrara forte sentimento de fatalismo e, durante anos, fora assaltado pela seguinte questão: existe algum tipo de força interior que faz com que todos os seres vivos cresçam e se transformem? Se essa força existisse, ele queria descobri-la, e buscou indícios de suas manifestações em tudo o que examinava. Era uma obsessão. Agora, em suas horas derradeiras, depois que os amigos o deixavam sozinho, certamente a mesma dúvida retornava, de uma forma ou de outra, em relação ao enigma de sua própria vida, levando-o a procurar sinais de uma força ou sorte que determinara o desenrolar de sua existência e o orientara até o presente.

Leonardo teria começado essa busca primeiro refletindo sobre sua infância na comuna de Vinci, a uns 30 e poucos quilômetros de Florença. O pai dele, Piero da Vinci, era tabelião, baluarte da poderosa burguesia. No entanto, como era filho ilegítimo, Leonardo não podia frequentar a universidade nem exercer qualquer uma das profissões nobres. Sua escolaridade foi mínima e, quando criança, ficava quase sempre sozinho. Gostava, acima de tudo, de caminhar pelos bosques de oliveiras, nos arredores de Vinci, ou de seguir trilhas que levavam a um trecho muito diferente da paisagem – uma floresta densa, cheia de javalis, onde cursos de água velozes formavam corredeiras, cisnes deslizavam nos lagos e flores silvestres cresciam nos penhascos, compondo uma biodiversidade tão intensa que o encantava.

Um dia, esgueirando-se pelo escritório do pai, Leonardo surrupiou algumas folhas de papel – algo raro naqueles dias, mas, como tabelião, Piero tinha esse privilégio. O jovem levou-as consigo em seu passeio pela floresta e, sentado em uma pedra, começou a esboçar as várias paisagens ao redor. Voltou numerosas vezes para repetir o exercício; mesmo quando o tempo não estava bom, ele se acomodava em algum tipo de abrigo e desenhava. Não teve professores, nem pinturas a observar; fazia tudo a olho nu, com a natureza como modelo. E constatou que, ao desenhar o que via, tinha que observar os objetos com muito mais atenção e captar os detalhes que lhes davam vida.

Certa vez, desenhou uma íris branca e, ao fitá-la tão de perto, ficou impressionado com sua forma peculiar. A íris começava como semente e então evoluía por vários estágios, cada um dos quais ele retratou ao longo de alguns anos. O que levava aquela planta a se desenvolver em sucessivas fases, que culminavam com aquela forma irradiante, tão diferente de qualquer outra? Talvez ela possuísse alguma força para impulsioná-la por todas essas transformações. Esse questionamento o impeliu a refletir sobre a metamorfose das flores durante anos a fio.

Sozinho em seu leito de morte, Leonardo teria retornado a seus primeiros anos como aprendiz, no estúdio do artista florentino Andrea del Verrocchio, onde fora admitido com a idade de 14 anos em consequência da qualidade extraordinária de seus desenhos. Verrocchio instruía seus aprendizes em todas as ciências necessárias à execução dos trabalhos do estúdio – engenharia, mecânica, química e metalurgia. O pupilo demonstrou ânsia por aprender todas essas disciplinas, mas logo descobriu em seu âmago algo diferente: ele não conseguia se limitar a executar uma tarefa; precisava conferir-lhe um atributo pessoal, que a tornasse algo característico dele próprio; tinha que inventar, em vez de apenas imitar o Mestre.

Uma vez, como parte de suas incumbências no estúdio, pediram-lhe que pintasse um anjo em uma cena bíblica ampla, concebida por Verrocchio. Ao realizar a tarefa, decidiu que daria vida ao personagem à sua maneira. No primeiro plano, diante do anjo, pintou um canteiro de flores, mas, em vez de um conjunto de plantas corriqueiras, Leonardo desenhou os espécimes que havia estudado com tanta minúcia quando criança, atribuindo-lhes um rigor científico nunca visto. Para retratar a face do anjo, ele experimentou e combinou as tintas numa mistura que lhe conferiu uma radiância suave, transmitindo um ar sublime. No intuito de captar esse sentimento, Leonardo passara horas numa igreja local, observando o semblante de pessoas comuns, imersas em preces fervorosas, até deparar com um jovem cuja expressão inspirou a do seu personagem pictórico. Por fim, ele resolveu que seria o primeiro artista a criar asas angelicais realistas.

Para realizar esse propósito, ele foi ao mercado e comprou várias aves. Passou horas desenhando suas asas, reproduzindo com exatidão a maneira como se ligavam ao corpo. Seu intuito era criar a sensação de que as asas haviam crescido organicamente dos ombros dos anjos e que os levaria a alçar voo a qualquer momento. Como sempre, Leonardo foi além. Depois desse trabalho, ficou obcecado por aves, e surgiu em sua mente a ideia de que talvez os seres humanos pudessem mesmo voar, caso conseguisse desvendar a ciência do voo das aves. Dedicou-se horas a fio à leitura e ao estudo de tudo a que tivesse acesso sobre aves. Era assim que sua cabeça funcionava – uma ideia desembocava em outra.

Leonardo decerto se lembrava do pior momento de rejeição de sua vida: o ano de 1481. O papa pediu a Lorenzo de Medici que reunisse os melhores artistas de Florença para decorar sua mais recente obra no Vaticano – a Capela Sistina. Lorenzo enviou a Roma os melhores artistas florentinos, à exceção de Leonardo. Na realidade, eles nunca se relacionaram. Lorenzo era um tipo literário, imerso nos clássicos. Leonardo não lia latim e tinha pouco conhecimento dos autores da Antiguidade. Por natureza, seus pendores eram mais científicos. No entanto, a causa básica da rejeição de Leonardo foi outra – ele detestava a dependência imposta aos artistas, que tinham que conquistar favores dos poderosos e viver de sucessivas encomendas. Ele se cansara de Florença e da política da corte que por lá reinava.

Assim, decidiu que mudaria tudo em sua vida: procuraria se estabelecer em Milão e adotaria uma nova estratégia para prover o seu sustento. Seria mais que um artista. Iria se dedicar a todos os ofícios e ciências que lhe interessassem – arquitetura, engenharia militar, hidráulica, anatomia, escultura. A qualquer príncipe ou patrão que quisesse seus serviços, ele poderia atender como orientador geral e artista, por um bom ordenado. Sua mente, concluíra, trabalhava melhor com vários projetos diferentes, permitindo-lhe elaborar todos os tipos de conexões entre eles.

Prosseguindo em seu autoexame, Leonardo sem dúvida se lembraria da grande encomenda que aceitara nessa nova fase de sua vida – uma enorme estátua equestre em bronze, em memória de Francesco Sforza, pai do então duque de Milão. O desafio para ele era irresistível. A obra seria feita em escala vista somente nos tempos de Roma, e a construção de algo tão grande em bronze envolveria uma proeza tecnológica que superaria os feitos de qualquer artista da época. Leonardo trabalhou no projeto durante meses e, para testá-lo, construiu uma réplica da estátua em cerâmica e a exibiu na maior praça de Milão. A obra era gigantesca, do tamanho de um grande edifício. A multidão que se reuniu para observá-la ficou estupefata – com seu tamanho, a posição impetuosa do cavalo que o artista captara, seu aspecto imponente. Difundiram-se por toda a Itália comentários sobre essa maravilha, e o povo esperou ansioso por sua execução em bronze. Para tanto, Leonardo desenvolveu uma tecnologia de fundição totalmente inovadora. Em vez de dividir o molde do cavalo em seções, Leonardo construiria o molde em peça única (usando uma mistura inusitada de materiais que ele concebera) e o fundiria como um todo, o que daria ao animal uma aparência muito mais orgânica e natural.

Poucos meses depois, porém, estourou a guerra e o duque precisou de todo o bronze que pudesse reunir para produzir peças de artilharia. Por fim, a estátua de cerâmica foi derrubada e o cavalo nunca foi construído. Outros artistas zombaram da loucura de Leonardo – ele demorara tanto para descobrir a solução perfeita que os acontecimentos acabaram conspirando contra ele. Certa vez, o próprio Michelangelo o insultou: "Você fez um modelo de cavalo que jamais poderia fundir em bronze e, para sua humilhação, se viu forçado a desistir. Como o povo estúpido de Milão pôde confiar em você?" Ele se habituara a escárnios desse tipo sobre sua lentidão no trabalho, mas, de fato, não se arrependeu de nada relativo a essa experiência. Teve a oportunidade de testar suas ideias sobre como engendrar projetos de grande porte; e aplicaria esse conhecimento em outras obras. Fosse como fosse, ele não se importava tanto com o produto acabado; o que mais o empolgava era a pesquisa e o processo de criar algo inédito.

Assim, imerso em reflexões sobre a vida, Leonardo teria detectado com clareza a atuação de alguma espécie de força oculta dentro de si. Quando criança, essa força o atraíra para a área mais agreste da região, onde pôde observar a biodiversidade em toda a sua intensidade. A mesma força o compelira a roubar papel do pai e a se dedicar a desenhos da natureza. Também o empurrara para novos experimentos, ao trabalhar para Verrocchio. E ainda o afastara da corte de Florença e dos egos inflados que floresciam entre os artistas. Assim como o impulsionara para extremos de ousadia – esculturas gigantescas, tentativas de voar, dissecação de centenas de corpos em seus estudos de anatomia –, tudo para descobrir a essência da vida.

Desse ponto de vista privilegiado, tudo fazia sentido. Fora uma bênção nascer filho ilegítimo, pois lhe permitira desenvolver o próprio estilo. Mesmo as folhas de papel em sua casa pareciam levá-lo a seu destino. E se ele tivesse se insurgido contra essa força? E se, após ter sido rejeitado no projeto da Capela Sistina, houvesse insistido em ir para Roma com os outros artistas e se empenhado em cair nas boas graças do Papa, em vez de buscar o próprio caminho? E se tivesse optado por se dedicar exclusivamente à pintura, para ganhar mais dinheiro? E se houvesse agido como os outros, entregando seus trabalhos no menor prazo possível? Talvez tivesse se saído bem; mas não teria sido Leonardo da Vinci. Sua vida teria carecido do propósito que a impregnou, e, inevitavelmente, no fim das contas, as coisas não teriam dado tão certo.

Essa força oculta dentro dele, assim como a das íris que ele havia desenhado tantos anos antes, o levara ao pleno desabrochar de suas capacidades. Ele tinha seguido com perseverança a orientação dessa força até o fim, completando o percurso. Agora, só restava morrer. Talvez suas próprias palavras, escritas anos antes em sua caderneta, tenham lhe retornado naquele momento: "Da mesma maneira como um dia pleno de realizações traz consigo o sono abençoado, também uma vida bem vivida culmina com a morte bem-aventurada."

Caminhos para a maestria

Entre os vários seres possíveis que nos habitam, cada um de nós sempre encontra aquele que é o mais genuíno e autêntico. A voz que o convoca para esse ser legítimo é o que denominamos "vocação". Mas a maioria das pessoas se empenha em silenciar a voz da vocação e se recusa a ouvi-la. Conseguem gerar ruído dentro de si mesmas (...) distrair a própria atenção a fim de não ouvi-la; e se iludem ao substituir o eu genuíno por uma vida falsa.

– JOSÉ ORTEGA Y GASSET, filósofo espanhol

Muitos dos grandes Mestres da história confessaram ter experimentado alguma espécie de força oculta, de voz interior ou de senso de destino que os impulsionava no rumo certo. Para Napoleão Bonaparte foi sua "estrela", que ele sempre sentia ascender quando fazia o movimento certo. Para Sócrates, foi seu demônio, uma voz talvez de seres superiores, que falavam com ele em negativas – dizendo-lhe o que evitar. Goethe também a chamava de demônio – uma espécie de espírito que habitava dentro dele e o impelia a realizar seu destino. Em tempos mais modernos, Albert Einstein se referia a uma espécie de voz interior, que orientava o rumo de suas especulações. Todas essas manifestações são variantes do que Leonardo da Vinci experimentou com seu próprio senso de destino.

Esses sentimentos podem ser vistos como puramente místicos, além de qualquer explicação, ou como alucinações ou delírios. Mas há outra forma de encará-los – como algo real, prático e explicável. É possível compreendê-los da seguinte maneira:

Todos nascemos como seres únicos. Essa singularidade é característica genética de nosso DNA. Somos fenômenos sem igual no Universo – nossa composição genética exata nunca ocorreu antes nem se repetirá jamais. Em todos nós, essa singularidade se expressa pela primeira vez na infância, por meio de certas inclinações primordiais. Para Leonardo, foi a exploração do mundo natural em torno de sua comuna, ao qual deu vida no papel, à sua maneira. Para outros, pode ser uma atração precoce por padrões visuais – não raro um indício de interesse futuro por matemática. Ou quem sabe um fascínio por movimentos físicos ou arranjos espaciais.

Como explicar essas inclinações? São *forças* dentro de nós que vêm de um lugar profundo incapaz de ser descrito por palavras conscientes. Elas nos atraem para certas experiências e nos afastam de outras. À medida que essas forças nos movimentam para lá e para cá, influenciam o desenvolvimento de nossa mente de maneira muito específica.

Essa singularidade profunda naturalmente quer se afirmar e se expressar, mas algumas pessoas a experimentam de modo mais forte que outras. No caso dos Mestres, sua intensidade é tamanha que ela é percebida como uma realidade externa – uma força, uma voz, um destino. Nos momentos em que nos dedicamos a atividades que correspondem às nossas inclinações mais arraigadas, até sentimos um toque dessa realidade: as palavras que escrevemos ou os movimentos que executamos ocorrem com tanta rapidez e com tanta facilidade que até parecem se originar fora de nós. Estamos literalmente "inspirados", palavra de origem latina que significa "soprar dentro".

Podemos descrevê-la nos seguintes termos: ao nascermos, planta-se uma semente em nosso interior. Essa semente é a nossa singularidade. Ela quer crescer, transformar-se, florescer em todo o seu potencial, movida por uma energia assertiva natural. A sua Missão de Vida é cultivar essa semente até o pleno florescimento, é expressar sua singularidade por meio do trabalho. Você tem um destino a realizar. Quanto maior for a intensidade com que o sentir e o cultivar – como uma força, uma voz ou o que quer que seja –, maior será sua chance de realizar a sua Missão de Vida e alcançar a maestria.

O que atenua essa força, o que faz com que você não a sinta ou mesmo duvide de sua existência, é a extensão em que sucumbe a outra força da vida – as pressões sociais para o conformismo. Essa *contraforça* pode ser muito poderosa. Você quer se encaixar em um grupo. Inconscientemente, talvez sinta que o que o distingue dos demais é algo embaraçoso ou doloroso. Seus pais muitas vezes também atuam como contraforça. Pode ser que tentem direcioná-lo para uma carreira lucrativa e segura. Se essas contraforças se tornam poderosas demais, você perde qualquer contato com sua singularidade, com quem você realmente é. Suas inclinações e seus desejos passam a se moldar em outras pessoas.

Essa situação pode lançá-lo em terreno muito perigoso. Você acaba escolhendo uma carreira que não é compatível com sua personalidade. Seus desejos e interesses aos poucos se desvanecem e seu trabalho sofre as consequências. Você passa a procurar prazer e realização fora do trabalho. Ao se desengajar cada vez mais da carreira, deixa de prestar atenção nas mudanças dentro de sua área de atuação – fica para trás e paga por isso. No momento de tomar decisões importantes, você se esconde ou segue o exemplo dos outros, pois não tem senso de direção nem uma bússola interior que o oriente. Perdeu o contato consigo mesmo.

Você precisa evitar esse destino a todo custo. O processo de seguir a sua Missão de Vida que o leva à maestria pode ser iniciado a qualquer momento. A força oculta está sempre presente dentro de você, pronta para entrar em ação.

O processo de realizar a sua Missão de Vida se desenvolve em três estágios. Primeiro, você precisa se ligar ou religar com suas inclinações, com aquele senso de singularidade. Portanto, o primeiro passo é sempre introspectivo. Você vasculha o passado em busca de indícios daquela voz ou força interior. Silencia as outras vozes que podem confundi-lo – como as de pais e amigos. Procura um padrão subjacente, o âmago de seu caráter, que você deve compreender da forma mais profunda possível.

Segundo, com o restabelecimento da conexão, você deve examinar a carreira em que já está ou que está prestes a iniciar. A escolha desse caminho

– ou seu redirecionamento – é fundamental. Nesse estágio, é preciso ampliar seu conceito de trabalho. Com muita frequência, estabelecemos uma distinção entre vida profissional e vida pessoal, sendo que só nesta última encontramos prazer e realização. O trabalho geralmente é visto como um meio de ganharmos dinheiro para aproveitar a vida fora dele. Mesmo que encontremos alguma satisfação em nossa carreira profissional, ainda tendemos a compartimentar a vida dessa maneira. Essa é uma atitude deprimente, pois, afinal, passamos no trabalho uma parcela substancial das horas em que estamos acordados. Se encararmos a vida profissional como uma provação a ser enfrentada para alcançarmos as verdadeiras fontes de prazer, as horas despendidas no trabalho representarão um trágico desperdício de nossa curta existência.

Em vez disso, é desejável ver o trabalho como algo mais inspirador, como parte de sua *vocação*. A palavra "vocação" vem do latim e significa chamado ou convocação. Seu uso em relação ao trabalho coincidiu com o início do Cristianismo – certas pessoas eram "convocadas" por Deus a abraçar a vida religiosa; essa era sua vocação. Os primeiros cristãos seriam capazes de "ouvir" literalmente sua vocação, ao escutarem o chamado de Deus, que os escolhera para esse trabalho de salvação. Com o passar do tempo, o termo se secularizou, passando a se referir a qualquer trabalho ou estudo que alguém sentia ser compatível com sua personalidade. No entanto, é hora de retornarmos ao sentido original do termo, pois ele se aproxima muito mais da ideia de Missão de Vida e de maestria.

Nesse caso, a voz que o convoca não é necessariamente a de Deus, mas vem de um lugar profundo. Ela emana de sua individualidade. Indica quais atividades são mais compatíveis com seus interesses. E, a certa altura, ela o chama para um tipo especial de trabalho ou carreira. Nesse caso, o trabalho passa a ser algo profundamente conectado com o seu ser, não um compartimento isolado. É assim que se desenvolve o senso de vocação.

Você deve encarar sua carreira ou caminho vocacional mais como uma jornada, com suas curvas e desvios, do que como uma linha reta. Você começa escolhendo uma área ou posição que corresponda mais ou menos às suas inclinações. Esse ponto de partida lhe oferece espaço para manobra e indica importantes habilidades a serem aprendidas. Não se pode começar com algo muito grandioso e ambicioso – você precisa ganhar a vida e conquistar confiança. Uma vez nesse caminho, você encontra certas trilhas internas que o atraem, enquanto outras o desagradam. Ajusta o curso e talvez se movimente para outra área afim, mas sempre expandindo sua base de qualificações. Como Leonardo, você parte do que faz para os outros e o converte em algo próprio.

No final, descobre determinada área, nicho ou oportunidade que se encaixa perfeitamente com suas inclinações. Você o reconhecerá tão logo o encontre, pois ele irá disparar aquele senso infantil de deslumbramento e empolgação. Depois disso, tudo se encaixará. Você aprenderá com mais rapidez e mais profundidade. Seu nível de habilidade chegará a um ponto em que você será capaz de reivindicar sua independência no ambiente de trabalho e tomar seu próprio rumo. Em um mundo em que não há tantas coisas que não conseguimos controlar, essa condição lhe proporcionará o máximo de poder. Você determinará suas circunstâncias. Como seu próprio Mestre, não mais estará sujeito aos caprichos de chefes tirânicos ou de colegas manipuladores.

Essa ênfase em sua singularidade e em sua Missão de Vida talvez pareça um conceito poético, sem qualquer relação com a realidade prática, mas, na verdade, ela é bastante relevante para os tempos em que vivemos. Estamos entrando numa era em que podemos confiar cada vez menos no Estado, nas empresas, na família ou nos amigos como fontes de ajuda e de proteção. É um ambiente globalizado, altamente competitivo. Precisamos aprender a nos desenvolver. Ao mesmo tempo, é um mundo apinhado de problemas graves e de oportunidades promissoras, que serão mais bem resolvidos e aproveitados pelos empreendedores – indivíduos ou pequenos grupos que pensam de forma independente, se adaptam com rapidez e possuem pontos de vista únicos. Suas habilidades criativas sem igual serão muito valorizadas.

Pense nisso da seguinte maneira: no mundo moderno, o que mais falta em nossa vida é o senso de um propósito mais amplo. No passado, eram as religiões organizadas que ofereciam esse sentimento. No entanto, hoje quase todos vivemos em um mundo secularizado. Nós, seres humanos, somos únicos, e portanto devemos construir nosso próprio mundo. Não reagimos simplesmente aos acontecimentos por algum código biológico. Porém, sem o senso de direção, ficamos confusos. Não sabemos preencher e estruturar nosso tempo. Parece que não dispomos de um propósito na vida. Talvez nem mesmo tenhamos consciência de nosso vazio, mas ele nos contamina de todas as maneiras.

Sentir que somos convocados a realizar algo é a forma mais positiva de alcançarmos esse senso de propósito e de direção. É como uma busca religiosa para cada um de nós. Essa procura não deve ser vista como egoísta ou antissocial. Ela, de fato, se relaciona com algo muito maior que a vida de cada um. Nossa evolução como espécie dependeu da criação de uma grande diversidade de habilidades e de pontos de vista. Prosperamos com base na atividade conjunta de pessoas dotadas de talentos singulares. Sem essa diversidade, a cultura morre.

A singularidade de cada um ao nascer é o fator fundamental dessa diversidade indispensável. Na medida em que ela é cultivada e expressada, um papel fundamental é exercido. Nossos tempos enfatizam a igualdade, o que pode ser confundido com a necessidade de todos serem idênticos. No entanto, essa igualdade na verdade oferece a todos as mesmas oportunidades para expressar suas diferenças, permite o florescimento da biodiversidade. A vocação é mais que um trabalho a executar. É algo que se relaciona com a parte mais profunda do ser e que é manifestação da enorme diversidade na natureza e na cultura humana.

Cerca de 2.600 anos atrás, Píndaro, poeta da Grécia Antiga, escreveu: "Torna-te quem és aprendendo quem és." O que ele queria dizer com isso é o seguinte: você nasceu com determinada compleição e com certas tendências que o caracterizam. Algumas pessoas nunca se tornam quem são em seu âmago; param de confiar em si mesmas, sujeitam-se às preferências alheias e acabam usando uma máscara que oculta sua verdadeira natureza. Se você criar condições para descobrir quem realmente é, prestando atenção na voz e na força em seu interior, poderá realizar o seu destino – tornando-se um indivíduo, um Mestre.

Estratégias para descobrir sua Missão de Vida

A miséria que o oprime não decorre de sua profissão, mas de você mesmo! Quem no mundo não acharia sua situação intolerável se escolhesse um ofício, uma arte, aliás, qualquer estilo de vida, sem experimentar um chamamento interior? Quem quer que nasça com um talento, ou para um talento, certamente o considerará a mais agradável das ocupações! Tudo na Terra tem seu lado difícil. Só algum impulso interior – o prazer, o amor – pode nos ajudar a superar os obstáculos, a desbravar o caminho e a nos erguer acima do círculo estreito em que outros arrastam suas existências angustiadas e miseráveis!

– JOHANN WOLFGANG VON GOETHE

Conectar-se com algo tão pessoal quanto suas inclinações e sua Missão de Vida pode parecer relativamente simples e natural quando você reconhece sua importância. No entanto, a verdade é o oposto. É preciso uma boa dose de planejamento e estratégia para fazê-lo de maneira adequada, uma vez que muitos obstáculos surgirão no percurso. As cinco estratégias a seguir, ilustradas por histórias de Mestres, o ajudarão a transpor as principais barreiras que se erguerão em seu caminho com o passar do tempo – vozes alheias que o influenciarão, limitação de recursos, escolha de falsos caminhos, fixação no passado e perda da trajetória. Preste atenção em todas elas, porque você terá que enfrentá-las, de uma forma ou de outra.

1. Retorno às origens – Estratégia da inclinação primordial

Os Mestres costumam ser apresentados às suas inclinações com extraordinária clareza ainda na infância. Às vezes, elas se manifestam na forma de um simples objeto que desencadeia uma resposta profunda. Quando Albert Einstein (1879-1955) tinha 5 anos, o pai lhe deu uma bússola de presente. Imediatamente o garoto ficou fascinado pela agulha, que mudava de direção à medida que ele movimentava o instrumento. A ideia de que havia algum tipo de força magnética que atuava sobre a agulha, invisível aos olhos, tocou-o no âmago. E se houvesse outras forças no mundo, igualmente invisíveis e poderosas, até então não descobertas ou não compreendidas? Pelo resto da vida, todos os seus interesses e ideias girariam em torno dessa questão de forças e campos ocultos, e não raro ele se lembrava da bússola que desencadeara aquela fascinação inicial.

Quando Marie Curie (1867-1934), que viria a descobrir o elemento químico rádio, tinha 4 anos, entrou no gabinete do pai e deparou-se com um mostruário de vidro com todos os tipos de instrumentos de laboratório para experimentos de química e física. Ela ficou paralisada, de olhos fixos naqueles objetos admiráveis. E voltaria àquele recinto repetidas vezes para observá--los, imaginando todos os experimentos que poderia realizar com aqueles tubos e dispositivos de medição. Anos mais tarde, quando entrou em um laboratório de verdade pela primeira vez e fez alguns experimentos, ela se reconectou imediatamente com a obsessão da infância. Sabia que havia encontrado sua vocação.

Quando o diretor de cinema Ingmar Bergman (1918-2007) tinha 9 anos, os pais deram a seu irmão, no Natal, um cinematógrafo – um aparelho que projeta imagens em movimento numa tela por meio de uma sequência de fotografias. Ele precisava da máquina para si e ofereceu ao irmão alguns brinquedos para consegui-la. Assim que a viu sob seu domínio, correu para um grande closet e ficou observando as imagens tremeluzentes projetadas na parede. Parecia que algo adquiria vida, como que por mágica, quando ele a ligava. Produzir essa mágica foi a sua obsessão pelo resto da vida.

Às vezes essa inclinação se torna clara por meio de certa atividade que desperta a sensação de grande poder. Quando criança, Martha Graham (1894-1991) se sentia frustrada pela incapacidade de se fazer compreender de maneira mais profunda; suas palavras lhe pareciam inadequadas. Até que um dia ela assistiu a um espetáculo de dança. A primeira bailarina tinha um estilo todo próprio de expressar emoções pelo movimento; era algo visceral, não verbal. Ela passou a frequentar aulas de dança e logo compreendeu sua vocação. Somente quando dançava ela se sentia viva e expressiva. Anos mais tarde, inventaria uma forma de dança totalmente nova e revolucionaria o gênero.

Outras vezes não é um objeto ou uma atividade, mas algo na cultura que estabelece uma conexão profunda. O antropólogo e linguista contemporâneo Daniel Everett (nascido em 1951) cresceu numa região rural, na fronteira da Califórnia com o México. Desde a mais tenra idade ele se viu atraído pela cultura mexicana ao seu redor. Tudo nela o fascinava – o som das palavras dos trabalhadores imigrantes, a comida, as maneiras tão diferentes do mundo anglo-saxão. Assim, mergulhou tanto quanto possível na língua e na cultura do país vizinho. Esse sentimento se transformaria em interesse vitalício pelo outro – pela diversidade de culturas no planeta e pelo que isso diz sobre nossa evolução.

E também acontece de as verdadeiras inclinações de alguém serem reveladas no encontro com um Mestre. Na juventude vivida na Carolina do Norte, John Coltrane (1926-1967) se sentia diferente e estranho. Era muito mais sério que os colegas de escola; tinha anseios emocionais e espirituais que não conseguia verbalizar. Dedicava-se à música mais como passatempo – aprendeu saxofone e tocava na banda da escola. Então, poucos anos depois, assistiu a uma apresentação de Charlie "Bird" Parker, grande saxofonista de jazz, e os sons que ouviu lhe produziram profunda impressão. A interpretação de Parker manifestava algo original e pessoal, uma voz das profundezas do ser. Coltrane de repente descobriu como expressar sua singularidade e dar voz a seus anseios espirituais. Passou a praticar o instrumento com tamanha intensidade que, em uma década, se tornou, talvez, o maior artista de jazz de sua época.

É preciso compreender o seguinte: para dominar uma área, para ser Mestre nela, é indispensável amá-la e sentir uma profunda conexão com ela. Seu interesse deve transcender a área em si e atingir as raias da religião. Para Einstein, não era a física, mas o fascínio pelas forças invisíveis que governam o Universo; para Bergman, não era o cinema, mas a sensação de criar e dar vida; para Coltrane, não era a música, mas o poder de dar voz a emoções poderosas. Essas atrações da infância são difíceis de expressar em palavras e são mais como sensações – o deslumbramento, o prazer dos sentidos, o sentimento de poder e a exacerbação da consciência. É importante reconhecer essas inclinações pré-verbais porque são indícios claros de uma atração não contaminada pelos desejos de outras pessoas. Não são algo que seus pais lhe convenceram a fazer, nem que decorre de uma associação mais superficial, alguma coisa mais verbal e consciente. Em vez disso, emergem de um lugar mais fundo, são exclusivamente suas, produtos de sua química sem igual.

À medida que você se torna mais sofisticado, não raro perde contato com esses sinais de seu núcleo primordial, que podem ser soterrados por todos os seus estudos e leituras subsequentes. Seu poder e seu futuro dependem da reconexão com esse âmago e do consequente retorno às origens. É preciso escavar em busca dessas inclinações dos primeiros anos. Procure seus vestígios nas reações viscerais a algo simples; um desejo de repetir uma atividade de que você nunca se cansava; alguma coisa que lhe suscitou uma curiosidade inusitada; sentimentos de poder associados a determinadas ações. O que quer que seja, já está dentro de você. Não é necessário criar nada; basta escavar e reencontrar o que estava enterrado lá, desde o início. Ao se religar com esse núcleo, em qualquer idade, algum elemento dessa atração primitiva renascerá com todo o viço, indicando um caminho que pode acabar sendo a sua Missão de Vida.

2. Ocupe o nicho perfeito – Estratégia darwiniana

A. Quando criança, em Madras, na Índia, no final da década de 1950, V. S. Ramachandran sabia que era diferente. Não se interessava por esportes nem pelas outras preferências dos garotos de sua idade; gostava de ler sobre ciências. Em sua solidão, ele costumava vaguear pela praia, e logo ficou fascinado pela incrível variedade de conchas que as ondas depositavam na areia. Começou a recolhê-las e estudá-las minuciosamente. Aquilo lhe transmitia um sentimento de poder – era algo só dele; ninguém na escola jamais saberia tanto sobre conchas. Em breve, sentiu-se atraído pelas variedades mais estranhas de moluscos, como a *Xenophora*, organismo que recolhe conchas descartadas e as usa como camuflagem. Sob certo aspecto, ele era como a *Xenophora* – uma anomalia. Na natureza, essas anomalias servem a um propósito evolucionário mais amplo – podem levar à ocupação de novos nichos ecológicos, oferecendo maiores chances de sobrevivência. Será que Ramachandran podia dizer o mesmo de sua excentricidade?

Com o passar dos anos, ele transferiu seus interesses de garoto para outras áreas – anormalidades anatômicas humanas, fenômenos peculiares em química, e assim por diante. O pai, sentindo que o jovem acabaria em algum campo de pesquisa obscuro, convenceu-o a matricular-se na faculdade de medicina. Lá ele travaria contato com todos os lados da ciência e sairia com uma qualificação prática. Ramachandran cedeu.

Embora os estudos de medicina o interessassem, depois de algum tempo voltou a se sentir inquieto. Ele detestava todo aquele aprendizado convencional. Queria experimentar e descobrir, não memorizar. E começou a ler todos os tipos de periódicos e livros científicos não incluídos na lista de leitura da faculdade. Um desses livros foi *Olho e cérebro*, do neurocientista visual Richard Gregory. O que o intrigou principalmente foram os experimentos sobre ilusões de óptica e pontos cegos – anomalias do sistema visual que oferecem algumas explicações sobre o funcionamento do cérebro.

Estimulado pelo livro, ele fez seus próprios experimentos, cujos resultados conseguiu publicar em um prestigioso periódico, o que o levou a ser convidado para estudar neurociência visual no Departamento de Pós-Graduação da Universidade de Cambridge. Empolgado com a oportunidade de alcançar algo mais compatível com seus interesses, Ramachandran aceitou o convite. No entanto, depois de alguns meses em Cambridge, percebeu que não pertencia àquele ambiente. Em seus sonhos de infância, a ciência era uma grande aventura romântica, uma busca quase religiosa pela verdade. Em Cambridge, porém, para os alunos e para os professores, parecia mais um emprego burocrático; você cumpria a jornada de trabalho, contribuía com alguma análise estatística e nada mais.

No entanto, ele persistiu, descobriu seus próprios interesses e se pós-graduou. Poucos anos depois, foi contratado como professor assistente de psicologia visual da Universidade da Califórnia, em San Diego. Como acontecera tantas vezes antes, decorrido algum tempo sua mente passou a derivar para outro tema – dessa vez para o estudo do cérebro em si. Ele ficou intrigado com o fenômeno de membros fantasmas – que ocorre em pessoas que sofreram amputação de braço ou perna mas ainda sentem uma dor lancinante no membro amputado. E prosseguiu com a realização de experimentos sobre essas manifestações, que levaram a descobertas importantes sobre o cérebro em si, assim como sobre uma nova maneira de aliviar o sofrimento desses pacientes.

De repente, o sentimento de não pertencimento, de inquietação, desaparecera. O estudo de transtornos neurológicos anômalos seria o campo a que se dedicaria pelo resto da vida. A nova disciplina suscitava questões que o fascinavam sobre a evolução da consciência, sobre a origem da linguagem e outras. Era como se tivesse completado o círculo, retornando aos tempos em que colecionava as formas mais raras de conchas. Era um nicho só dele, algo que poderia dominar durante anos, que correspondia às suas inclinações mais profundas e em que serviria melhor à causa do avanço científico.

B. Para Yoky Matsuoka, a infância foi um período de confusão e indefinição. Criada no Japão, na década de 1970, tudo parecia ter sido planejado antecipadamente para ela. O sistema escolar a levaria a áreas adequadas a garotas. Os pais, defensores da importância dos esportes na educação, a empurraram para competições de natação ainda muito criança. Também a levaram a estudar piano. Para outras crianças japonesas daquela época, talvez houvesse sido bom ter a vida programada daquela maneira, mas, para Yoky, tudo aquilo era doloroso. Ela se interessava por todas as áreas, sobretudo por matemática e ciências. Gostava de esportes, mas não de natação. Não tinha ideia do que queria ser nem de como poderia se encaixar naquele mundo programado e controlado.

Aos 11 anos, ela finalmente se impôs. Já se dedicara muito à natação e agora queria aprender tênis. Os pais a atenderam. Muito competitiva, acalentava grandes sonhos como tenista, mas estava começando um pouco tarde. Para compensar o tempo perdido, teria que se submeter a um programa rigorosíssimo de treinamento e prática. Todo dia, pegava o trem para a periferia de Tóquio e fazia o dever da escola no caminho de volta para casa. Muitas vezes tinha que viajar em pé no vagão lotado, mas, mesmo assim, abria o livro de matemática ou de física, e trabalhava com as equações. Ela adorava resolver problemas, e, enquanto fazia o dever de casa, ficava tão entretida e absorta que nem sentia o tempo passar. Por mais estranho que parecesse, a sensação era semelhante à que tinha na quadra de tênis – uma concentração tão profunda que nada a distraía.

Nos poucos momentos de ócio no trem, ela pensava no futuro. Ciências e esportes eram os dois grandes interesses de sua vida. Por meio deles, expressava todas as diferentes facetas de seu caráter – o amor pela competição, por trabalhos manuais, por movimentos graciosos e coordenados, pela análise e solução de problemas. No Japão, era preciso escolher carreiras muito específicas. Não importava o que escolhesse, ela teria que sacrificar os outros interesses, o que a deixava deprimida. Um dia, sonhou em inventar um robô que jogasse tênis com ela. Inventar e jogar com o robô atenderia aos diferentes aspectos de seu caráter; mas era só um sonho.

Embora houvesse subido no ranking para se tornar uma das tenistas mais promissoras do Japão, ela logo percebeu que aquele não seria seu futuro. Nos treinamentos, ninguém a vencia, mas nas competições quase sempre ficava paralisada, levando muito a sério o jogo e perdendo para adversárias inferiores. E, ainda por cima, sofrera algumas lesões debilitantes. Teria que se concentrar nos estudos, não nos esportes. Depois de frequentar uma academia de tênis na Flórida, ela convenceu os pais a deixarem-na estudar nos Estados Unidos e a se matricular na Universidade da Califórnia, em Berkeley.

Na faculdade, ela não conseguia escolher uma especialização – nada parecia satisfazer à sua ampla gama de interesses. Na falta de algo melhor, optou por engenharia elétrica. Um dia, contou a um professor seu sonho de produzir um robô que jogasse tênis com ela. Para sua grande surpresa, o professor não riu de sua ideia, mas a convidou para trabalhar em seu laboratório de pós-graduação em robótica. O trabalho dela se mostrou tão promissor que, mais tarde, foi admitida no curso de pós-graduação do MIT, onde passou a trabalhar no laboratório de inteligência artificial de robótica do pioneiro Rodney Brooks. Na época, estavam desenvolvendo um robô com inteligência artificial, e Yoky se ofereceu para projetar as mãos e os braços.

Desde criança, ela se impressionava com as próprias mãos enquanto jogava tênis, tocava piano ou escrevia as equações. As mãos humanas são um milagre da natureza. Embora não se tratasse propriamente de um esporte, ela trabalharia com as mãos para construir mãos. Ao encontrar alguma coisa que, enfim, atenderia à amplitude de seus interesses, dedicou-se dia e noite à construção de um novo tipo de membros robóticos, algo que possuísse tanto quanto possível a sensibilidade e a delicadeza das mãos humanas. O projeto de Yoky surpreendeu Brooks – estava anos à frente de qualquer coisa que alguém já tivesse desenvolvido.

Sentindo que faltava algo fundamental em seus conhecimentos, resolveu fazer pós-graduação também em neurociências. Se pudesse compreender melhor a ligação entre a mão e o cérebro, ela seria capaz de projetar um membro protético com a sensibilidade e a versatilidade das mãos humanas. E prosseguiu no processo, adicionando novos títulos ao seu currículo. Por fim, acabou desenvolvendo uma disciplina nova, que denominou *neurorrobótica* – o projeto de robôs com versões simuladas da neurologia humana, trazendo-os mais perto da vida em si. A criação desse campo lhe conferiria grande sucesso científico e lhe outorgaria o máximo de poder – a capacidade de combinar livremente todos os seus interesses.

O mundo profissional é como um sistema ecológico: as pessoas atuam em determinados campos, nos quais devem competir por recursos e pela sobrevivência. Quanto maior for a quantidade de pessoas que se aglomeram em certo espaço, mais difícil se torna prosperar nele. Trabalhar nessas áreas tende a desgastar os que lutam para receber atenção, para participar dos jogos da política e para conquistar recursos escassos. Perde-se tanto tempo nessas lutas que sobra pouco tempo para alcançar a verdadeira maestria. As pessoas são atraídas para essas áreas por verem outras atuando nelas, ganhando a vida e avançando nos caminhos conhecidos. Mas não se tem consciência de como a vida pode ser difícil.

Para fugir dessa disputa infrutífera, deve-se encontrar um nicho que se possa dominar na ecologia mais ampla. Nunca é fácil encontrá-lo. A busca exige muita paciência e estratégia específica. No começo, escolhe-se uma área que corresponde mais ou menos aos próprios interesses (medicina, engenharia elétrica). A partir daí, há duas direções a seguir: a primeira é o caminho de Ramachandran. Na área escolhida, procuram-se trilhas secundárias particularmente atraentes (nesse caso, a ciência da percepção e da óptica). Quando é possível, muda-se para esse campo mais estreito. Prossegue-se no processo até que, enfim, um nicho totalmente desocupado seja encontrado, e quanto mais estreito melhor. De alguma forma, ele corresponde à própria singularidade, do mesmo modo como a forma específica de neurologia de Ramachandran corresponde a seu senso primordial de considerar-se exceção.

A segunda é o caminho de Yoky Matsuoka. Depois de dominar o primeiro campo (robótica), procuram-se outras disciplinas ou qualificações a serem conquistadas (neurociências), conforme a própria disponibilidade de tempo, se necessário. Agora, é possível combinar esse novo campo de conhecimento com o original, talvez criando uma nova área ou, quem sabe, estabelecendo conexões inéditas entre eles. Continua-se no processo tanto quanto se quiser. Por fim, cria-se um campo próprio, exclusivo. Essa segunda versão é bastante compatível com uma cultura em que se dispõe de tantas informações e na qual a associação de ideias é uma forma de poder.

Em ambas as direções, é preciso encontrar um nicho em que não haja uma multidão de concorrentes. Há liberdade para divagar, andar sem rumo e perseguir certas questões de seu interesse. Desonerado da competição e da politicagem sufocantes, você terá tempo e espaço para cultivar a sua Missão de Vida.

3. Evite o caminho falso – Estratégia da rebelião

Em 1760, aos 4 anos, Wolfgang Amadeus Mozart começou a aprender piano com o pai. Foi a criança que pediu para iniciar o aprendizado tão cedo. A irmã, com 7 anos, já tocava piano. Talvez tenha sido em parte por causa dessa rivalidade fraternal que ele tomou a iniciativa, vendo a atenção e o amor que a irmã recebia por causa de sua destreza com o instrumento.

Depois de poucos meses de prática, o pai, Leopold – pianista, compositor e professor talentoso – percebeu que Wolfgang era excepcional. O mais estranho era que, apesar da sua idade, o garoto adorava praticar; à noite, os pais tinham que arrancá-lo do piano. Aos 5 anos, já compunha suas próprias peças. Em pouco tempo, Leopold levava o prodígio e a irmã estrada afora, para se apresentarem em todas as capitais da Europa. Wolfgang surpreendia as audiências reais às quais se apresentava. Ele tocava com segurança e improvisava todos os tipos de melodias brilhantes. Era como um brinquedo precioso. O pai agora obtinha uma boa renda para a família, à medida que mais cortes europeias queriam ver o gênio em ação.

Como patriarca, Leopold exigia total obediência dos filhos, embora, agora, fosse o jovem Wolfgang quem basicamente sustentava todos eles. Wolfgang se submetia de bom grado – ele devia tudo ao pai. Mas, ao entrar na adolescência, algo o inquietou. Ele gostava de tocar piano ou simplesmente de ter toda a atenção para si? A dúvida o confundia. Depois de tantos anos compondo, agora começava a desenvolver o próprio estilo; no entanto, o pai insistia em que ele continuasse produzindo as peças mais convencionais, que tanto agradavam às cortes e traziam dinheiro para a família. A cidade de Salzburgo, onde moravam, era provinciana e burguesa. Mas ele ansiava por algo mais, por ser ele mesmo. Com o passar do tempo, Wolfgang sentia-se cada vez mais frustrado.

Em 1777, o pai permitiu que Wolfgang – agora com 21 anos – partisse para Paris, acompanhado da mãe. Lá, ele deveria conquistar uma posição de destaque como regente, para que continuasse a sustentar a família. Mas Wolfgang não gostou de Paris. Os trabalhos que lhe ofereciam estavam aquém de seus talentos. Além disso, a mãe caiu doente enquanto estavam lá e morreu na volta para casa. A viagem foi um desastre sob todos os aspectos. Wolfgang voltou para Salzburgo sentindo-se culpado e disposto a se submeter à vontade do pai. Aceitou um emprego pouco interessante como organista da corte, mas não conseguia abafar por completo seu desconforto. Desesperava-se por desperdiçar a vida naquela função medíocre, compondo músicas para agradar provincianos tacanhos. A certa altura, escreveu ao pai: "Sou compositor (...) Não posso nem devo enterrar o talento com que Deus, na sua bondade, me presenteou."

Leopold reagia com raiva a essas queixas cada vez mais frequentes do filho, lembrando-lhe de sua dívida de gratidão por todo o treinamento que recebera e por todas as despesas que gerara em suas viagens sem fim. Até que, num lampejo, ocorreu a Wolfgang que o piano não era realmente sua paixão, nem mesmo a música em si. Na verdade, ele não gostava de se apresentar diante de outras pessoas, feito uma marionete. Seu destino era compor; e mais do que isso, ele tinha um amor intenso pelo teatro. Queria produzir óperas – essa era sua verdadeira voz. Jamais realizaria esse sonho se continuasse em Salzburgo. O pai era mais que um obstáculo; estava arruinando sua vida, sua saúde, sua confiança. Não se tratava apenas de dinheiro; o pai, na verdade, tinha inveja do talento do filho e, de maneira consciente ou não, tentava sabotar seu progresso. Wolfgang tinha que fazer algo, por mais doloroso que parecesse, antes que fosse tarde demais.

Numa viagem a Viena, em 1781, Wolfgang tomou a decisão de ficar. Nunca voltaria a Salzburgo. O pai nunca o perdoou pela ousadia. O filho abandonara a família. O conflito entre eles jamais seria resolvido. Sentindo que havia perdido muito tempo submisso ao pai, Wolfgang compôs em ritmo frenético, suas mais famosas óperas e composições transbordando de seu íntimo, como se estivesse possesso.

◆

O caminho falso na vida é, em geral, algo a que somos atraídos por motivos equivocados – dinheiro, fama, atenção, e assim por diante. Se é de atenção que precisamos, em geral experimentamos uma espécie de vazio interior, que esperamos preencher com o falso amor da aprovação pública. Quando a área que escolhemos não corresponde às nossas inclinações mais profundas, raramente realizamos nossos anseios. A qualidade do trabalho sofre as consequências e a atenção que talvez tenhamos recebido no começo começa a diminuir – é um processo doloroso. Se é dinheiro e conforto que norteiam nossa decisão, na maioria das vezes estamos agindo por ansiedade, movidos pela necessidade de agradar aos nossos pais. É até possível que nos estejam induzindo para algo lucrativo por zelo e preocupação, mas, no fundo, talvez se encontre algo mais – quem sabe um pouco de inveja por desfrutarmos de mais liberdade do que eles quando eram jovens.

Sua estratégia precisa ser dupla: primeiro, concluir tão cedo quanto possível que você escolheu a carreira pelas razões erradas, antes de sua confiança sofrer o golpe fatal. E, segundo, reagir ativamente contra as forças que o afastaram do melhor caminho. Despreze a necessidade de atenção e de aprovação – elas o desencaminharão. Libere um pouco de raiva e ressentimento pelas forças paternas que pretenderam lhe impor uma vocação estranha. Seguir um caminho independente de seus pais e construir a própria identidade é um componente saudável de seu desenvolvimento. Deixe que o senso de revolta o encha de energia e propósito. Se é a figura paterna, o Leopold Mozart, que está bloqueando seu caminho, você deve superá-la e avançar.

4. Descarte o passado – Estratégia da adaptação

Desde que nasceu, em 1960, Freddie Roach foi preparado para ser campeão de boxe. O pai havia sido lutador profissional e a mãe, árbitra de boxe. O irmão mais velho de Freddie começou a aprender o esporte ainda muito criança, e, ao completar 6 anos, Freddie foi levado ao ginásio local, na zona sul de Boston, para iniciar rigorosa aprendizagem. Ele treinava várias horas por dia, seis dias por semana.

Aos 15 anos, sentia-se completamente esgotado. Arranjava cada vez mais desculpas para não ir ao ginásio. Um dia, a mãe percebeu a realidade e lhe disse: "Afinal, por que você luta boxe? É atingido o tempo todo. Não sabe lutar." Ele estava acostumado às críticas constantes do pai e dos irmãos, mas ouvir uma avaliação tão franca da mãe produziu um efeito estimulante. Sem dúvida, ela achava que o irmão mais velho é que estava destinado à grandeza. Naquele momento Freddie decidiu que de alguma forma provaria que ela estava errada. E retornou ao regime de treinamento com novo ânimo. Descobriu dentro de si mesmo a paixão pelos treinos e se sentiu movido por uma disciplina ferrenha. Gostava da sensação de melhorar, adorava os troféus que se acumulavam e, mais que qualquer coisa, sentia-se empolgado por agora conseguir vencer o irmão. O amor pelo esporte havia sido reativado.

Freddie se revelava o mais promissor dos irmãos, e o pai o levou a Las Vegas para impulsionar sua carreira. Lá, aos 18 anos, ele conheceu Eddie Futch, treinador legendário, e começou a treinar sob seus cuidados. Tudo parecia muito promissor – ele foi escolhido para a seleção de boxe dos Estados Unidos e começou a subir no ranking. Não demorou muito, porém, e ele se deparou com outro obstáculo. Aprendia as manobras mais eficazes de Futch e as praticava com perfeição, mas, na luta real, as coisas mudavam. Assim que era atingido no ringue, voltava a lutar instintivamente; as emoções levavam a melhor sobre ele. Suas lutas se estendiam por muitos rounds, e ele muitas vezes perdia.

Em poucos anos, Futch disse a Freddie Roach que era hora de se aposentar. Mas o boxe fora toda a sua vida; aposentar-se para fazer o quê? Ele continuou a lutar, sempre perdendo, até que, por fim, a ficha caiu e ele abandonou o boxe. Conseguiu um emprego em telemarketing e passou a beber muito. Agora, odiava o esporte – dera tudo de si e não tinha nada a mostrar como resultado de seus esforços.

Um dia, quase a despeito de si mesmo, voltou ao ginásio de Futch para ver o amigo Virgil Hill praticar com outro pugilista que tentava conquistar um título. Os dois lutadores treinavam sob a orientação de Futch, mas não havia ninguém no canto de Hill para ajudá-lo. Assim, Freddie levou-lhe água e ofereceu-lhe conselhos. Retornou no dia seguinte, para de novo ajudar Hill, e logo se tornou frequentador assíduo do ginásio de Futch. Como não estava sendo pago, manteve o emprego em telemarketing, mas algo nele identificou ali uma oportunidade – e estava desesperado. Era o primeiro a chegar e o último a sair. Conhecendo tão bem as técnicas de Futch, podia ensiná-las a todos os lutadores. E suas atribuições começaram a aumentar.

No fundo da mente, não conseguia se desvencilhar do ressentimento pelo boxe, e se perguntava por quanto tempo conseguiria resistir. Era um mundo cão e os treinadores não duravam muito no negócio. Será que aquilo também se transformaria em mais uma rotina, em que ele repetiria interminavelmente os mesmos exercícios que aprendera com Futch? Algo nele ansiava por voltar a lutar – pelo menos a luta não era tão previsível.

Um dia, Virgil Hill lhe mostrou uma técnica que aprendera com alguns lutadores cubanos: em vez de trabalhar com um saco de boxe, eles praticavam principalmente com o treinador, que usava grandes luvas acolchoadas. No ringue, os lutadores lutavam com o treinador e exercitavam seus socos. Roach experimentou a técnica com Hill e seus olhos se iluminaram. Ele estava de volta ao ringue, mas não era só isso. O boxe, tal como ele o conhecia, ficara obsoleto, assim como seus métodos de treinamento. Em sua imaginação, ele via uma maneira de adaptar o trabalho com luvas, ampliando-o, para ir além da simples prática de socos. Poderia ser uma forma de o treinador desenvolver toda uma estratégia no ringue e demonstrá-la a seus lutadores em tempo real. Talvez até revolucionasse e revitalizasse o esporte em si. Roach começou a aplicar essa ideia ao grupo de lutadores que ele agora treinava. Passou a instruí-los em manobras que eram muito mais fluidas e estratégicas.

Em pouco tempo, ele deixaria Futch para trabalhar por conta própria. Não demorou muito para conquistar a reputação de preparar pugilistas melhor que qualquer outro treinador e em alguns anos se tornou o mais bem-sucedido treinador de sua geração.

◆

Ao gerenciar sua carreira e suas mudanças inevitáveis, é preciso pensar do seguinte modo: você não está preso a determinada posição; sua lealdade não é com a carreira nem com a empresa. Seu compromisso é com a sua Missão de Vida, é criar condições para sua plena realização. Compete a você descobri-la e orientá-la corretamente. Não cabe a ninguém mais protegê-lo e ajudá-lo. *Você está por conta própria.* A mudança é inevitável, sobretudo nessa nossa época revolucionária. Como você deve cuidar de si mesmo, tem que identificar as mudanças em curso em sua profissão neste exato momento. Você precisa adaptar a sua Missão de Vida às novas circunstâncias. Não insista nas formas ultrapassadas de fazer as coisas, ou correrá o risco de ficar para trás, sofrendo as consequências. É preciso ser flexível e se adaptar o tempo todo.

Se a mudança lhe for imposta, como aconteceu com Freddie Roach, você deve resistir à tentação de se exaltar ou de sentir pena de si mesmo. Roach instintivamente encontrou o caminho de volta ao ringue por ter compreendido que o objeto de seu amor não era o boxe em si, mas os esportes competitivos e a elaboração de estratégias. Pensando assim, ele conseguiu ajustar suas inclinações para uma nova direção, *dentro* do boxe. Como Roach, seu objetivo não é abandonar as qualificações e as experiências acumuladas, mas descobrir novas maneiras de aplicá-las. Seus olhos estão voltados para o futuro, não para o passado. Em geral, esses ajustes criativos conduzem a um caminho melhor – somos sacudidos da complacência e induzidos a reavaliar nosso rumo. Lembre-se: a sua Missão de Vida é um organismo vivo, pulsante. No momento em que passa a seguir um plano definido em sua juventude, você se tranca numa posição e se sujeita à impiedade do tempo.

5. Descubra o caminho de volta – Estratégia de vida ou morte

Já na mais tenra infância, Buckminster Fuller (1895-1983) tinha consciência de que sentia o mundo de modo diferente. Como nascera com alta miopia e tudo ao seu redor parecia desfocado, seus outros sentidos se desenvolveram para compensar essa carência – em especial o tato e o olfato. Mesmo depois de passar a usar óculos, aos 5 anos, ele continuou a perceber o mundo à sua volta não apenas com os olhos; desenvolveu uma forma de inteligência tátil.

Fuller foi uma criança muito engenhosa. Um dia, inventou um novo tipo de remo para impeli-lo através dos lagos, no Maine, onde passava o verão entregando cartas. O desenho dos remos se inspirava na forma das águas-vivas, que ele observara e estudara. Conseguia visualizar a dinâmica do movimento delas com mais do que os olhos: ele a *sentia*. E reproduziu-a em sua invenção, que funcionou maravilhosamente bem. Durante esses verões, ele sonhava com outras invenções interessantes – e esse seria o trabalho de sua vida, seu destino.

No entanto, ser diferente tinha seu lado doloroso. Ele não tinha paciência com os métodos comuns de educação. Embora fosse brilhante e tivesse sido aceito na Universidade de Harvard, não conseguia se adaptar ao estilo rígido de aprendizado. Faltava às aulas, bebia e se tornara um tanto boêmio. Até ser expulso de Harvard duas vezes – na segunda vez, para sempre.

Depois disso, não conseguia parar em emprego nenhum. Trabalhou numa fábrica de processamento de carnes e, durante a Primeira Guerra Mundial, conseguiu boa posição na Marinha. Tinha incrível sensibilidade para entender o funcionamento das máquinas. Mas era inconstante e não conseguia ficar muito tempo no mesmo lugar. Após a guerra, quando já tinha mulher e filho para sustentar, desesperado por jamais ter sido capaz de cuidar bem da família, resolveu assumir uma função bem-remunerada como gerente de vendas. Trabalhou duro, saiu-se bem, mas, depois de três meses, a empresa faliu. Ele achara o trabalho extremamente insatisfatório, mas parecia que aquilo era o máximo que podia esperar da vida.

Até que, finalmente, de onde menos esperava, surgiu uma oportunidade. O sogro inventara um modo de produzir materiais para a construção de casas que as tornaria mais duráveis e mais bem isoladas, a um custo muito mais baixo, mas não conseguia encontrar investidores para ajudá-lo a abrir uma empresa. Fuller achou a ideia brilhante. Sempre se interessara por construção e arquitetura e se dispôs a assumir a implementação da nova tecnologia. Dedicou-se tanto quanto possível à iniciativa e até conseguiu melhorar os materiais a serem usados. O sogro de Fuller o apoiou e, juntos, constituíram a Stockade Building System. O dinheiro dos investidores, principalmente membros da família, lhes permitiu abrir fábricas. A empresa enfrentou dificuldades – a tecnologia era nova e radical demais, e Fuller era muito purista para comprometer o desejo de revolucionar a indústria de construção civil. Depois de cinco anos, a empresa foi vendida e Fuller foi demitido da presidência.

Agora a situação parecia mais sombria que nunca. A família vivera bem em Chicago com o salário dele, gastando além do que podia. Naqueles cinco anos, ele não conseguira poupar nada. O inverno se aproximava e as perspectivas de trabalho eram muito limitadas – sua reputação estava em frangalhos. Uma noite, ao caminhar pelas margens do lago Michigan, reconstituiu sua vida até aquele momento. Decepcionara a esposa e perdera o dinheiro do sogro e dos amigos que investiram na empresa. Era incompetente nos negócios e não passava de um fardo para todos. Por fim, concluiu que o suicídio era a melhor opção. Ele se afogaria no lago. Tinha um bom seguro de vida e a família da esposa cuidaria melhor dela do que ele fora capaz. Ao avançar em direção à água, preparou-se mentalmente para a morte.

De repente, algo se interpôs em seu caminho – o que ele mais tarde descreveria como uma voz que conversou com ele. Ela dizia: "De agora em diante, nunca espere aprovação para as suas ideias. O que pensa é verdadeiro. Você não tem o direito de se matar. Não pertence a si mesmo. É parte do Universo. Seu significado sempre lhe será obscuro, mas você estará exercendo sua função caso se dedique a converter suas experiências em realidade, para o mais alto proveito dos outros." Como nunca ouvira vozes antes, Fuller aceitou-a como algo real. Espantado com essas palavras, mudou de rumo e voltou para casa.

No percurso, começou a ponderar sobre as palavras e a reavaliar sua vida, agora sob nova luz. Talvez não tivesse errado tanto como julgara. Ele tentara se encaixar em um mundo (dos negócios) a que não pertencia. A voz estava tentando lhe dar esse recado e ele precisava ouvir. A experiência da Stockade não fora um desperdício completo – ele tinha aprendido algumas lições inestimáveis sobre a natureza humana. Não deveria se arrepender. A verdade era que ele *era* diferente. Em sua cabeça, imaginava todos os tipos de invenção – novos tipos de carros, de casas e de construções – que refletiam suas habilidades perceptivas inusitadas. Ao olhar para as sucessivas fileiras de prédios de apartamentos em seu retorno para casa, ocorreu-lhe que as pessoas sofriam mais com a mesmice, com a incapacidade de imaginar coisas diferentes, do que com o inconformismo.

Ele jurou que, a partir daquele momento, não ouviria nada a não ser a própria experiência, a própria voz. Criaria uma forma alternativa de fazer as coisas, capaz de abrir os olhos das pessoas para novas possibilidades. E, assim, acabaria ganhando dinheiro. Sempre que pensava primeiro no dinheiro o desfecho era desastroso. Ele cuidaria da família, mas teriam que viver com simplicidade durante algum tempo.

Ao longo dos anos, Fuller cumpriu a promessa. A realização de suas ideias peculiares levaria ao projeto de formas de transporte e de abrigo pouco dispendiosas e com baixo consumo de energia (o carro Dymaxion e a casa Dymaxion) e à invenção da cúpula geodésica – estrutura arquitetônica totalmente nova. Fama e dinheiro foram simples consequências.

◆

Nada se ganha ao se desviar do caminho a que se foi destinado. Quem age assim é assediado por todo tipo de dor. Quase sempre a pessoa se deixa levar pela atração por dinheiro, por perspectivas mais imediatas de prosperidade. Como a escolha errônea não é compatível com algo profundo dentro de si, o interesse diminui e o dinheiro acaba não chegando com tanta facilidade.

Parte-se em busca de outras fontes fáceis de fortuna, afastando-se cada vez mais do próprio caminho. Ao perder o rumo, acaba-se em um beco sem saída na carreira. Mesmo que se atenda às necessidades materiais, existe um vazio que se tenta preencher com todos os tipos de crenças, drogas ou diversões. Reconhece-se quanto se desviou do verdadeiro rumo pela intensidade da dor e da frustração. É preciso ouvir a mensagem trazida por esses sentimentos, seguindo sua orientação, com a mesma confiança e determinação com que Fuller se deixou levar por sua voz interior. É uma questão de vida ou morte.

O retorno exige sacrifício. Não se pode ter tudo no presente. A estrada para a maestria demanda persistência. É necessário manter o foco durante cinco ou dez anos do percurso, ao fim dos quais se colherão as recompensas pelo esforço. O trajeto para chegar lá, no entanto, é cheio de desafios e de prazeres. Faça da retomada do rumo uma resolução pessoal e, então, converse sobre ela com os outros. Dessa maneira, será motivo de vergonha e de embaraço se desviar mais uma vez. No fim das contas, o dinheiro e o sucesso realmente duradouros acontecem quando se coloca o foco na maestria e na realização da sua Missão de Vida.

Desvios

Algumas pessoas, na infância, não se conscientizam das próprias inclinações nem da carreira futura, mas, sim, dolorosamente, das próprias limitações. Elas não são boas no que os outros acham fácil ou viável. A ideia de vocação na vida é estranha para elas. Em alguns casos, internalizam os julgamentos e as críticas dos demais, e passam a se ver como deficientes.

Ninguém se defrontou com esse destino mais intensamente que Temple Grandin. Em 1950, aos 3 anos, ela recebeu o diagnóstico de autismo. Ainda tinha que progredir no aprendizado da linguagem e se supunha que sua condição continuaria inalterada – e que precisaria passar toda a vida internada numa instituição psiquiátrica. Mas a mãe queria fazer uma última tentativa antes de desistir e levou Temple a uma fonoaudióloga, que, aos poucos, conseguiu ensiná-la a falar, o que lhe permitiu ir para a escola e começar a aprender o mesmo que as outras crianças.

Apesar desse avanço, o futuro de Temple parecia limitado, na melhor das hipóteses. Sua mente funcionava de forma diferente – ela pensava em termos de imagens, não de palavras. Para aprender uma palavra, precisava formar sua imagem mental, o que dificultava o aprendizado de termos abstratos e outras disciplinas, como matemática. Ela também não se relacionava bem com outras crianças, que debochavam dela por ser diferente. Com essas dificuldades de aprendizado, o que ela poderia fazer na vida, além de alguns serviços triviais? Para piorar a situação, sua mente era extremamente ativa, e, sem algo em que se concentrar, ela era dominada por sentimentos de intensa ansiedade.

Sempre que se sentia em dificuldade, Temple se refugiava em duas atividades que a confortavam: interação com animais e trabalhos manuais. Quanto aos animais, principalmente os cavalos, ela tinha a estranha capacidade de captar seus sentimentos e pensamentos. E, assim, tornou-se especialista em hipismo. Como tendia a pensar primeiro com imagens, ao fazer trabalhos manuais (como costura ou marcenaria) ela primeiro visualizava o produto acabado e depois o produzia com facilidade.

Aos 11 anos, Temple visitou uma tia proprietária de um rancho no Arizona. Lá, percebeu que sua empatia era ainda mais aguda com bovinos do que com equinos. Um dia, ela assistiu com interesse à colocação de alguns bovinos em bretes, que lhes pressionavam os flancos para relaxá-los antes da vacinação. Durante toda a infância, ela tivera o desejo de ser segurada com firmeza, mas não por um adulto – tinha medo de não poder controlar a situação e entrava em pânico. Assim, pediu à tia para colocá-la no brete. A tia concordou e, durante 30 minutos, Temple se entregou ao sentimento de pressão com que sempre sonhara. Ao sair, sentiu-se dominada por intensa sensação de tranquilidade. Depois daquela experiência, ficou obcecada pela máquina e, vários anos depois, construiu sua própria versão primitiva, para usar em casa.

Agora, suas ideias fixas eram gado, bretes e o efeito do toque e da pressão sobre crianças autistas. Para satisfazer sua curiosidade, teve que desenvolver habilidades de leitura e de pesquisa. No processo, constatou que tinha alta capacidade de concentração – ela conseguia ler durante horas sobre determinado assunto, sem se cansar. Suas pesquisas aos poucos se converteram em livros de psicologia, biologia e ciências em geral. Em consequência das habilidades intelectuais que desenvolvera, ela foi aceita na universidade. Seus horizontes aos poucos se expandiam.

Vários anos depois, cursava o mestrado em ciências zoológicas, na Universidade Estadual do Arizona. Lá, sua obsessão por gado ressurgiu – ela queria fazer uma análise detalhada de currais de engorda e dos bretes, em especial, para facilitar a compreensão das respostas comportamentais dos animais. Seus professores não conseguiam compreender esse interesse e lhe disseram que não seria possível realizar sua pretensão. Inconformada, lutou e conseguiu que professores de outro departamento a orientassem em seu trabalho. Prosseguiu no estudo e, no meio-tempo, encontrou a sua Missão de Vida.

Ela não fora talhada para a vida universitária. Era uma pessoa prática que sempre queria construir algo e que necessitava de estímulo mental constante. E resolveu desbravar o próprio caminho. Como autônoma, ofereceu seus serviços a vários ranchos e currais de engorda, projetando bretes muito mais adequados para os animais e muito mais eficientes para os criadores. Aos poucos, com seu apurado senso visual para projeto e engenharia, aprendeu sozinha os rudimentos da gestão de negócios. Por fim, ampliou seus serviços com o projeto de matadouros menos cruéis.

Com a carreira já consolidada, foi adiante: tornou-se escritora; voltou à universidade como professora e conquistou reputação como palestrante sobre animais e autismo. De alguma maneira, conseguiu superar todos os obstáculos que pareciam intransponíveis e desbravou o caminho para a sua Missão de Vida, totalmente compatível com suas peculiaridades.

Ao se defrontar com deficiências, adote a seguinte estratégia: ignore os pontos fracos e resista às tentações de ser como os outros. Em vez disso, como Temple Grandin, concentre-se nas pequenas coisas em que é bom. Não sonhe nem faça grandes planos para o futuro; empenhe-se em ser um especialista nessas habilidades simples e imediatas. Isso lhe dará confiança e será a base para partir em outras buscas. Avançando assim, passo a passo, você deparará com a sua Missão de Vida.

Entenda que a Missão de sua Vida nem sempre se apresenta como uma inclinação grandiosa ou promissora. Ela pode se manifestar por meio do esforço para contornar ou superar as deficiências, levando-o a se concentrar nas poucas coisas em que é bom de verdade. Ao trabalhar com essas habilidades, você aprende o valor da disciplina e colhe as recompensas de sua persistência. Como uma flor de lótus, suas habilidades se irradiarão a partir de um centro de força e de confiança. Não inveje os que parecem naturalmente talentosos; muitas vezes essa prodigalidade inata é uma maldição, uma vez que essas pessoas raramente aprendem o valor da diligência e do foco, e mais tarde sofrem as consequências. Essa estratégia também se aplica aos retrocessos e às dificuldades. Nesses momentos, em geral é prudente persistir nas poucas coisas que conhecemos e fazemos bem, para restabelecer nossa confiança.

Se alguém como Temple Grandin, que enfrentou tantas adversidades desde o nascimento, pôde encontrar seu caminho para a sua Missão de Vida e para a maestria, significa que tal poder é acessível a todos nós.

> *Mais cedo ou mais tarde algo parece nos chamar para determinado caminho. Você pode se lembrar desse "algo" como uma convocação na infância, quando uma manifestação vinda do nada, uma fascinação, uma reviravolta inesperada despontou como um prenúncio: isto é o que eu devo fazer, isto é o que preciso ter, isto é o que eu sou (...). Se não tão vívida e inequívoca, a epifania pode ter sido mais como uma corrente suave, que o leva, sem saber, para a margem de um curso d'água. Em retrospectiva, você percebe que o destino interferiu no processo. (...) A vocação pode ser postergada, evitada e ignorada várias vezes. Mas também pode se apossar completamente de você. Qualquer que seja a sua forma, é o que acaba acontecendo. Ela faz suas cobranças. (...) As pessoas extraordinárias demonstram suas vocações de maneira mais evidente. Talvez seja por isso que fascinam. Também é possível que sejam extraordinárias justamente por suas vocações se manifestarem com tanta intensidade e por elas serem tão fiéis a esses chamamentos. As pessoas extraordinárias são as melhores testemunhas, por mostrarem o que é inalcançável para os mortais comuns. Aparentamos ter menos motivação e mais dispersão. Entretanto, nosso destino é impulsionado pelo mesmo motor universal. As pessoas extraordinárias não são de uma categoria diferente; o funcionamento desse motor nelas é apenas mais transparente.*
>
> – JAMES HILLMAN, psicólogo americano

II

Submeta-se à realidade: A aprendizagem ideal

Depois da educação formal, você entra na fase mais crítica de sua vida – um segundo estágio de educação prática, conhecido como aprendizagem. Sempre que muda de carreira ou adquire novas habilidades, você volta a essa fase da vida. Os perigos são muitos. Se não for cuidadoso, você sucumbirá à insegurança; se envolverá em questões e em conflitos emocionais que dominarão seus pensamentos; desenvolverá medos e incapacidades de aprendizado que o prejudicarão durante toda a vida. Antes que seja tarde demais, você precisa aprender os ensinamentos e seguir o caminho dos maiores Mestres, do passado e do presente – uma espécie de aprendizagem ideal que transcenderá todas as áreas. No processo, você dominará as habilidades necessárias, disciplinará sua mente e se converterá em um pensador independente, preparado para os desafios criativos no percurso para a maestria.

A primeira transformação

Desde o começo da vida, Charles Darwin (1809-1882) sentiu a presença do pai pressioná-lo. O pai era um médico bem-sucedido e rico, que nutria altas expectativas em relação aos filhos. Mas Charles, o caçula, parecia ser o que mais provavelmente não estaria à altura delas. Ele não era bom em grego, nem em latim, nem em álgebra. Na verdade, não era bom em nada na escola. Não que lhe faltasse ambição. Só que conhecer o mundo por meio de livros não lhe interessava. Ele adorava a natureza: caçar, vasculhar os campos à procura de espécies raras de besouros, colher flores e amostras de minerais. Passava horas observando o comportamento das aves e fazendo anotações sobre suas várias diferenças. Tinha sensibilidade para essas coisas. No entanto, esses passatempos não contribuíam para sua futura carreira profissional, e, à medida que ficava mais velho, percebia a impaciência crescente do pai. Um dia, o pai o repreendeu com palavras que ele nunca esqueceria: "Você só quer saber de caçar, de cuidar de cachorros e de apanhar ratos. Desgraçará sua vida e a de toda a família."

Quando Charles fez 15 anos, o pai resolveu participar mais ativamente da vida do filho. Mandou-o para a faculdade de medicina, em Edimburgo, mas Charles não podia ver sangue e teve que desistir. Decidido a encontrar alguma carreira para ele, o pai conseguiu para o filho uma futura posição na igreja, como pároco. Nessa função, Charles seria bem-remunerado e teria muito tempo para se dedicar a colecionar espécimes. A única exigência para exercer o cargo era ser formado por uma universidade de prestígio. Assim, Charles se matriculou em Cambridge. Mais uma vez, manifestou-se seu pouco-caso pela educação formal, mas ele insistiu. Interessou-se por botânica e ficou amigo de seu instrutor, o professor Henslow. Trabalhou com afinco e, para alívio do pai, conseguiu por um triz se formar como bacharel, em maio de 1831.

Na expectativa de que tivesse concluído para sempre sua educação formal, Charles partiu para a área rural da Inglaterra, onde deu vazão à paixão pela natureza e esqueceu o futuro, pelo menos durante algum tempo.

Ao voltar para casa, no final de agosto, surpreendeu-se ao ver uma carta do professor Henslow à sua espera. Ele o estava recomendando para uma posição como naturalista não remunerado do *HMS Beagle*, que partiria alguns meses depois em uma viagem de vários anos ao redor do mundo, pesquisando vários litorais. Como parte de suas atribuições, Charles deveria coletar amostras de animais, de vegetais e de minerais ao longo do percurso, enviando-as à Inglaterra para análise. Evidentemente, Henslow ficara impressionado com a extraordinária habilidade do jovem na coleta e identificação de espécimes vegetais.

A proposta abalou Charles. Ele nunca pensara em viajar para tão longe, muito menos em seguir a carreira de naturalista. Antes de ter tempo de refletir sobre a ideia, o pai se intrometeu – era radicalmente contra. Charles nunca estivera no mar e não se daria bem. Ele não era cientista treinado e faltava-lhe disciplina. Além disso, gastar vários anos nessa viagem prejudicaria a posição que o pai havia garantido para o filho na igreja.

O pai se mostrou tão enfático e convincente que Charles não pôde deixar de concordar, e resolveu recusar a oferta. Mas, nos dias seguintes, refletiu sobre a viagem, como seria e o que significaria para ele. Quanto mais a imaginava, mais se fascinava pela ideia. Talvez fosse a atração pela aventura, depois de uma infância tão protegida, ou a chance de explorar uma possível carreira como naturalista, vendo ao longo do percurso quase todas as formas possíveis de vida do planeta. Ou talvez precisasse se livrar do pai autoritário e encontrar o próprio caminho. Qualquer que fosse a razão, ele logo concluiu que mudara de opinião e que aceitaria a oferta. Com a ajuda de um tio, conseguiu convencer o pai a lhe dar um consentimento muito relutante. Na véspera da partida, Charles escreveu para o comandante do *Beagle*, Robert FitzRoy: "Minha segunda vida começará agora e, para mim, será como um aniversário daqui por diante."

O navio partiu em dezembro daquele ano e logo o jovem Darwin se arrependeu da decisão. O barco era pequeno e oscilava muito ao sabor das ondas. Ele se sentia o tempo todo nauseado. O coração doía ao pensar que não veria a família durante um longo período e que passaria tantos anos em companhia daqueles estranhos. Passou a ter taquicardia e se sentia muito doente. Os marinheiros percebiam sua falta de experiência no mar e o olhavam de maneira estranha. O comandante se mostrou propenso a violentas oscilações de humor, ficando furioso de repente pelos motivos mais triviais. Também era fanático religioso, acreditando literalmente nas afirmações textuais da Bíblia. E disse a Darwin que ele deveria encontrar na América do Sul provas da Criação e do Dilúvio, conforme as descrições do Gênesis. Darwin se achava tolo por ter contrariado o pai e se sentia esmagado pelo sentimento de solidão. Como ele poderia resistir a essa experiência por meses a fio, convivendo com um comandante que parecia louco?

Depois de algumas semanas de viagem, sentindo-se um tanto desesperado, ele resolveu adotar uma estratégia. Em casa, quando sentia esse tumulto interno, o que sempre o acalmava era sair e observar a vida ao redor. Dessa maneira, conseguia esquecer de si mesmo. Agora, aquele era o seu mundo. Ele passou a observar a vida a bordo do navio, a personalidade dos vários marinheiros e do próprio comandante, como se estivesse anotando as características de borboletas. Por exemplo, ele percebeu que ninguém se queixava da comida, do tempo, nem das tarefas. Aqueles homens valorizavam o estoicismo. Ele tentaria adotar essa atitude. Parecia que FitzRoy era um pouco inseguro e precisava da validação constante de sua autoridade e posição na Marinha. Darwin viria a ser fonte constante dessa autoafirmação para o comandante. Aos poucos, começou a se enquadrar na rotina da vida no mar. Até contraiu alguns dos maneirismos dos marinheiros. Tudo isso o distraía em sua solidão.

Vários meses depois, o *Beagle* chegou ao Brasil, e então Darwin compreendeu por que ele tanto desejara fazer aquela viagem. Ficou totalmente encantado com a variedade da flora e da fauna – era o paraíso do naturalista, diferente de tudo que ele já havia observado ou coletado na Inglaterra. Um dia, num passeio pela floresta, observou o mais bizarro e cruel espetáculo que já vira: a marcha inexorável de minúsculas formigas pretas, em colunas com mais de um quilômetro, devorando qualquer coisa viva em seu caminho. Para onde quer que se voltasse, ele via o mesmo exemplo de luta feroz pela sobrevivência, nas florestas onde a vida era superabundante. Ao executar seu trabalho, logo percebeu que também enfrentava um problema: todas as aves, borboletas, caranguejos e aranhas que pegava eram muito incomuns. Parte do trabalho dele era escolher com sabedoria o que enviaria para o seu país; mas como escolher o que coletar?

Ele teria que ampliar seus conhecimentos. Não só precisaria passar horas sem-fim estudando tudo o que avistava em suas caminhadas e fazer anotações copiosas, mas também deveria descobrir um modo de organizar as informações, catalogar os espécimes e organizar suas observações. Seria um trabalho hercúleo, mas, ao contrário das tarefas escolares, aquilo o empolgava. Tratava-se de criaturas vivas, não de noções abstratas em livros.

À medida que o navio avançava para o sul, costeando o continente, Darwin percebeu que havia áreas no interior da América do Sul que nenhum naturalista explorara até então. Decidido a ver todas as formas de vida que conseguisse encontrar, iniciou uma série de incursões nos Pampas da Argentina, acompanhado apenas por gaúchos, coletando todo tipo de animais e vegetais raros. Seguindo a mesma estratégia que adotara no navio, também observou os gaúchos e seu estilo de vida, adaptando-se à sua cultura, como se fosse um deles. Nessas e em outras incursões, enfrentou índios salteadores, insetos venenosos e felinos à espreita nas florestas. Sem ligar para o perigo, desenvolveu um gosto tão intenso pela aventura que teria surpreendido a família e os amigos.

Depois de um ano de viagem, numa praia a uns 650 quilômetros de Buenos Aires, Darwin descobriu algo que o levaria a refletir durante muitos anos: um penhasco com estrias brancas entre as rochas. Ao constatar que se tratava de ossos enormes de alguma espécie, começou a escavar a pedra, extraindo tantas peças quanto possível. Eram de um tamanho e de um tipo que nunca tinha visto antes – os chifres e o casco do que parecia ser um tatu gigante, o dente imenso de um mastodonte e, então, o mais surpreendente, o dente de um cavalo. Quando os espanhóis e os portugueses chegaram pela primeira vez à América do Sul, não encontraram cavalos; no entanto, aquele dente era muito antigo, de data bem anterior. Aquelas descobertas o levaram a especular – se aquelas espécies haviam desaparecido muito tempo atrás, a ideia de que toda a vida fora criada de uma vez parecia ilógica. Mais importante, como era possível que tantas espécies estivessem extintas? Será que a vida no planeta estaria em estado constante de fluxo e desenvolvimento?

Meses depois, ao escalar os Andes em busca de amostras geológicas raras, a mais de 3.500 metros de altitude, ele descobriu fósseis de conchas marinhas e jazidas de rochas oceânicas – algo surpreendente em terras tão elevadas. Ao examinar esses espécimes e a flora circundante, ocorreu-lhe que aquelas montanhas um dia já haviam estado sob o oceano Atlântico. Uma série de vulcões, milhares de anos atrás, talvez as tivesse erguido até aquela altura. Em vez de relíquias para reforçar as histórias da Bíblia, ele estava encontrando evidências de algo totalmente diferente.

À medida que a viagem progredia, Darwin constatou algumas mudanças óbvias em si mesmo. Costumava achar monótono todo tipo de trabalho, mas, agora, conseguia trabalhar durante o dia inteiro. De fato, com tanto a explorar e a aprender, detestava perder um único minuto da viagem. Desenvolvera uma incrível acuidade em relação à flora e à fauna da América do Sul. Conseguia identificar as aves locais pelo canto, pelas características de seus ovos, pela forma de voar. Todas essas informações eram catalogadas e organizadas com eficiência. Mais importante, o seu modo de pensar havia mudado. Ele observava algo, lia e escrevia sobre a observação e, então, formulava uma teoria e depois ainda outras observações; as teorias e as observações se alimentando mutuamente. Com tantos detalhes sobre as muitas facetas do mundo que estava explorando, as ideias jorravam.

Em setembro de 1835, o *Beagle* deixou a costa do Pacífico da América do Sul e tomou o rumo oeste, de volta para casa. Sua primeira parada no percurso foi em uma série de ilhas praticamente desabitadas, conhecidas como Galápagos. As ilhas eram famosas por sua vida selvagem, mas nada poderia ter preparado Darwin para o que ele encontraria lá. O comandante FitzRoy lhe deu uma semana para explorar uma das ilhas, e, então, prosseguiriam viagem. A partir do momento em que desembarcou, Darwin percebeu algo diferente: aquele pequeno pedaço de terra estava apinhado de vida em nada parecida com nenhuma outra – milhares de iguanas marinhas negras enxameavam ao seu redor, na areia e nas águas rasas; tartarugas de 250 quilos se arrastavam pela praia; focas, pinguins e biguás, criaturas de águas frias, viviam numa ilha tropical.

Depois de uma semana, ele havia contado 26 espécies singulares de aves terrestres só numa ilha. Seus frascos foram se enchendo das mais bizarras plantas, cobras, lagartos, peixes e insetos. De volta ao *Beagle*, ele começou a catalogar e a classificar o número notável de espécimes que havia coletado. O que mais o surpreendia era o fato de quase todos representarem espécies completamente novas. Foi quando fez uma descoberta ainda mais extraordinária: as espécies diferiam de ilha para ilha, embora estivessem separadas por apenas cerca de 80 quilômetros. Os cascos das tartarugas tinham marcas diferentes e os tentilhões haviam desenvolvido vários tipos de bicos, compatíveis com os alimentos específicos de cada ilha.

De repente, como se os quatro anos de viagem e todas as suas observações houvessem produzido nele um processo de pensamento mais profundo, uma teoria radical se formou em sua mente: aquelas ilhas, especulou, haviam sido empurradas para fora das águas oceânicas por erupções vulcânicas, muito à semelhança dos Andes. De início, não existia vida nelas. Aos poucos, as aves que as visitavam deixaram sementes em seu solo. Vários animais lá chegaram pelo mar – lagartos ou insetos flutuando em toras; tartarugas, originalmente de variedade marinha, se estabeleceram em terra. Ao longo de milhares de anos, cada criatura se adaptou aos alimentos e aos predadores lá existentes, mudando de forma e de aparência no processo. Os animais que não se adaptavam se extinguiam, como os fósseis das criaturas gigantes que Darwin desenterrara na Argentina. Era a incessante e impiedosa luta pela vida, com a sobrevivência dos mais aptos e a extinção dos menos aptos. A vida não se criara naquelas ilhas de uma vez e para sempre, por algum ser divino. As criaturas lá encontradas haviam evoluído ao longo de milênios até sua forma atual. E aquelas ilhas representavam um microcosmo do próprio planeta.

Na viagem de volta para casa, Darwin desenvolveu ainda mais sua teoria, tão revolucionária em suas implicações. Comprovar sua tese seria o trabalho de sua vida.

Enfim, em outubro de 1836, o *Beagle* retornou à Inglaterra, depois de quase cinco anos no mar. Darwin correu para casa, e quando o pai o reviu pela primeira vez ficou atônito. Fisicamente, ele havia mudado. Sua cabeça parecia maior. Seu jeito estava diferente – os olhos transmitiam seriedade de propósito e acuidade mental, quase o oposto da aparência daquele jovem disperso e perdido que partira para o mar anos antes. Sem dúvida, a viagem transformara o corpo e a alma de seu filho.

Caminhos para a maestria

Ninguém pode ter menor ou maior maestria que a maestria de si mesmo.

– LEONARDO DA VINCI

Nas histórias dos maiores Mestres do passado e do presente, sempre identificamos uma fase na vida deles em que todos os seus poderes futuros estavam em desenvolvimento, como a crisálida de uma borboleta. Essa fase – uma aprendizagem em grande parte autodirigida, que dura de cinco a dez anos – recebe pouca atenção, por não envolver histórias de grandes realizações ou descobertas. Em geral, na fase de aprendizagem essas pessoas ainda não são muito diferentes de quaisquer outras. Sob a superfície, porém, suas mentes passam por transformações que não podemos ver, mas que lançam todas as sementes de seu futuro sucesso.

Grande parte do modo como esses Mestres transitam nessa fase decorre de uma apreensão intuitiva do que é mais importante e essencial para seu desenvolvimento, mas, ao estudar o que eles fizeram certo, podemos aprender algumas lições inestimáveis. Com efeito, um exame mais minucioso de suas vidas revela um padrão que transcende suas diferentes áreas, indicando uma espécie de *aprendizagem ideal* para a maestria. E, para captar esse padrão e segui-lo à nossa própria maneira, precisamos aprender algo sobre a própria ideia e necessidade de passar por essa aprendizagem.

Na infância, passamos por um longo período de dependência – mais demorado que o de qualquer outro animal. Nesse período, aprendemos a falar, a ler e a escrever, a fazer contas e a raciocinar, além de várias outras habilidades. Boa parte desse aprendizado ocorre sob a orientação atenta e amorosa dos pais e dos professores. À medida que crescemos, atribui-se maior ênfase ao aprendizado por meio de livros – a absorção de tantas informações quanto possível sobre várias disciplinas. Esse conhecimento de história, ciências ou literatura é abstrato, e o processo de aprendizado ocorre, principalmente, por absorção passiva. No fim do processo (quase sempre entre as idades de 18 e 25 anos), somos lançados no mundo real, onde devemos cuidar de nós mesmos.

Ao emergirmos do estado de dependência, não estamos em condições de enfrentar a transição para uma fase de total independência. Ainda cultivamos o hábito de aprender com livros e professores, o que quase sempre é inadequado na fase prática da vida que vem em seguida. Tendemos a ser socialmente ingênuos e despreparados para os jogos políticos em que todos se envolvem. Ainda inseguros quanto à nossa identidade, achamos que o relevante no mundo do trabalho é chamar atenção e fazer amigos. Esse equívoco e essa ingenuidade se expõem brutalmente à luz do mundo real.

Se nos adaptamos ao longo do tempo, podemos até acabar descobrindo nosso caminho; mas, se cometemos muitos erros, criamos problemas infindáveis para nós mesmos. Perdemos muito tempo enredados em questões emocionais e quase nunca conseguimos o distanciamento necessário para refletir e aprender com nossas experiências. A aprendizagem, por sua natureza, deve ser conduzida por cada indivíduo à própria maneira. Seguir *exatamente* a liderança alheia ou o conselho de livros é derrota certa. Essa é a fase da vida em que declaramos nossa independência e definimos nossa identidade. No entanto, nessa segunda fase de nossa formação, tão importante para o sucesso futuro, destacam-se algumas lições poderosas e essenciais, capazes de nos proporcionar grandes benefícios, desviar-nos dos erros mais comuns e poupar-nos tempo precioso.

Essas lições permeiam todas as áreas e períodos históricos, pois estão associadas a algo essencial da psicologia humana e do funcionamento do cérebro. Elas podem ser resumidas em um *princípio* abrangente, da fase de aprendizagem, e em um processo que segue três passos mais ou menos flexíveis.

O princípio é simples e deve lançar raízes profundas: o objetivo da aprendizagem não é dinheiro, posição, título ou diploma, mas, sim, a *transformação* da mente e da personalidade – a primeira transformação a caminho da maestria. Você começa numa carreira como forasteiro, cheio de ingenuidade e concepções errôneas sobre esse mundo novo. Sua cabeça está repleta de sonhos e de fantasias a respeito do futuro. Seu conhecimento do mundo é subjetivo, baseado em emoções, inseguranças e experiências limitadas. Lentamente, você põe os pés no chão, na realidade, no mundo objetivo representado pelo conhecimento e pelas habilidades que contribuem para o sucesso. Aprende a trabalhar com outras pessoas e a lidar com as críticas. No processo, você se transforma de alguém impaciente e disperso em alguém disciplinado e concentrado, cuja mente é capaz de lidar com a complexidade. No fim, passa a exercer domínio sobre si mesmo e sobre suas fraquezas.

Tudo isso tem uma consequência simples: é preciso escolher trabalhos e posições que ofereçam as maiores possibilidades de aprendizado. O conhecimento prático é o capital mais valioso, que lhe renderá dividendos durante as décadas vindouras – muito mais que um aumento de salário que você possa receber para trabalhar em posição aparentemente lucrativa mas que lhe oferece menos oportunidades de aprendizado. Isso significa procurar desafios que aumentem sua resiliência e aprimorem suas capacidades, nos quais você receba o mais objetivo feedback sobre seu desempenho e seu progresso. Não se escolhe a aprendizagem que pareça fácil e confortável.

Nesse sentido, você deve seguir os passos de Charles Darwin. Você finalmente está sozinho numa viagem em que construirá seu próprio futuro. É tempo de aventura – de explorar o mundo com a mente aberta. Na verdade, sempre que precisa aprender uma nova habilidade ou mudar de carreira, você se reconecta com essa fase jovial e aventureira de si mesmo. Darwin poderia ter escolhido a segurança, coletando menos espécimes e ficando mais tempo a bordo, estudando em vez de explorando. Se essa tivesse sido sua opção, ele não se transformaria no ilustre cientista, mas apenas em outro coletor de espécimes. Ele procurava o tempo todo por desafios, saindo da zona de conforto. Enfrentava perigos e dificuldades como forma de avaliar seu progresso. Você deve adotar essa mentalidade e encarar a aprendizagem como uma jornada de transformação, em vez de uma doutrina enfadonha sobre o funcionamento do mundo.

A fase de aprendizagem – Os três passos ou modos

Com o princípio anteriormente exposto norteando suas escolhas, você deve refletir sobre os três passos essenciais de sua aprendizagem, cada um se sobrepondo ao outro. Esses passos são: *observação profunda (modo passivo)*, *aquisição de habilidades (modo prático)* e *experimentação (modo ativo)*. Lembre-se de que a aprendizagem pode se manifestar de muitas formas diferentes. Talvez ocorra em um único lugar ao longo de vários anos, ou talvez se realize em várias posições diferentes em diversos lugares, uma espécie de aprendizagem eclética, envolvendo numerosas habilidades diferentes. Outra hipótese é incluir uma combinação de pós-graduação teórica e experiência prática. Em todos esses casos, será útil pensar em termos desses passos, ainda que seja necessário atribuir maior peso a um deles dependendo da natureza de seu campo de atuação.

Primeiro passo: Observação profunda – Modo passivo

Ao ingressar numa carreira ou num trabalho novo, você passa a atuar em um mundo com regras, procedimentos e dinâmica social próprios. Durante décadas ou até séculos, acumularam-se conhecimentos sobre como fazer as coisas em determinadas áreas, cada geração recebendo o legado da anterior e aprimorando-o para a seguinte. Além disso, cada ambiente tem suas convenções, normas de comportamento e padrões de trabalho. Também as relações de poder entre as pessoas são muito diferentes nos vários contextos. Tudo isso representa uma realidade que transcende suas necessidades e desejos individuais. Portanto, sua primeira tarefa ao entrar nesse mundo é *observar* e absorver a realidade o mais *profundamente* possível.

O maior erro que se pode cometer nos primeiros meses da aprendizagem é imaginar que é preciso chamar atenção, impressionar as pessoas e exibir as próprias capacidades. Essas ideias dominarão sua mente e a fecharão para a realidade externa. Qualquer atenção positiva que você receba é ilusória; ela não se baseia em suas habilidades nem em algo real, e acabará se voltando contra você. Em vez disso, é necessário reconhecer a realidade e *submeter-se* a ela, mantendo-se na retaguarda tanto quanto possível, cultivando a passividade e reservando-se espaço para observar. Também é preciso descartar quaisquer preconceitos sobre esse novo mundo. Se você impressionar as pessoas nesses primeiros meses, será pela seriedade do esforço de aprendizado, não pela tentativa de chegar ao topo antes de estar preparado para a escalada.

Você observará duas realidades essenciais nesse novo mundo. Primeiro, as regras e os procedimentos que determinam o sucesso nesse contexto – em outras palavras, "é assim que fazemos as coisas aqui". Algumas dessas normas lhe serão transmitidas diretamente – em geral, as que são superficiais e, em grande parte, questão de bom senso. Você deve absorvê-las e cumpri-las com rigor; no entanto, mais interessantes são as regras tácitas, não expressas, inerentes à cultura subjacente do local de trabalho. Elas se referem a estilos e valores considerados importantes. Muitas vezes refletem o caráter da pessoa no topo.

É possível identificar essas regras mantendo-se atento às pessoas que estão subindo na hierarquia. De maneira ainda mais reveladora, também é bom ficar de olho nas pessoas mais inadequadas, que são crucificadas por determinado erro ou que até correm o risco de serem demitidas. Esses maus exemplos servem de alerta: faça as coisas dessa maneira e você sofrerá as consequências.

A segunda realidade a ser considerada é o poder dos relacionamentos existentes no grupo: quem exerce controle efetivo; através de quem fluem todas as comunicações; quem está em ascensão e quem está em decadência. (Você encontra mais informações sobre este elemento de inteligência social no Capítulo 4). Essas regras políticas podem ser disfuncionais ou contraproducentes, mas não lhe compete se opor a essa situação, queixando-se ou propondo mudanças, mas simplesmente compreendê-la, fazendo um levantamento completo do território em que está pisando. Você é como um antropólogo estudando uma cultura exótica, sintonizado com todas as suas nuances e convenções. Você não está ali para mudar a cultura; acabará sendo morto ou, no caso de um emprego, demitido. Mais tarde, quando conquistar poder e maestria, você estará em condições de reformular ou de eliminar essas regras.

Todas as tarefas que lhe são atribuídas, por mais triviais que sejam, oferecem oportunidades para esquadrinhar esse novo ambiente de trabalho. Nenhum detalhe sobre as pessoas que nele atuam é desprezível. Tudo o que você percebe é um sinal a ser decodificado. Com o passar do tempo, você começará a ver e compreender melhor a realidade que, de início, o iludiu. Por exemplo, alguém que, no começo, lhe pareceu ter grande poder acabou se revelando um "cão que ladra mas não morde". Aos poucos, você passa a ir além das aparências. À medida que acumula mais informações sobre as regras e sobre a dinâmica do poder em seu novo ambiente, você começa a analisar por que existem e como se relacionam com tendências mais amplas. Passa da observação à análise, apurando sua capacidade de raciocínio, mas só depois de meses de atenção cuidadosa.

Agora você pode ver como Charles Darwin deu esse passo com muita determinação. Ao passar os primeiros meses estudando a vida a bordo do navio e identificando as regras não escritas, ele tornou muito mais produtivo seu tempo dedicado à ciência. Ao criar condições para se enquadrar naquele novo ambiente, evitou batalhas desnecessárias que teriam prejudicado seu trabalho científico, para não falar no tumulto emocional que poderia ter resultado disso. Depois, ele aplicou essa mesma prática aos gaúchos e a outras comunidades locais com que entrou em contato, permitindo-lhe ampliar as regiões a serem exploradas e a variedade de espécimes a serem coletados. Em outro nível, ele aos poucos se transformou talvez no mais astuto observador da natureza que o mundo já conheceu. Esvaziando-se de quaisquer preconceitos sobre a vida e suas origens, Darwin se preparou para ver as coisas como são. Não teorizava nem generalizava sobre o que via até ter acumulado informações suficientes. *Submetendo-se à realidade de todos os aspectos de sua viagem e absorvendo-a tanto quanto possível*, ele acabou deparando com uma das mais fundamentais realidades: a evolução de todas as formas de vida.

Existem várias razões importantes para que você dê esse passo. Primeiro, conhecer o ambiente o ajudará a transitar e a evitar erros custosos. Você é como um caçador: seus conhecimentos sobre todos os detalhes da floresta e do ecossistema como um todo lhe darão muito mais opções de sobrevivência e sucesso. Segundo, a capacidade de observar qualquer ambiente estranho se transformará numa habilidade importante durante toda a vida. Você desenvolverá o hábito de silenciar seu ego e de olhar para fora, em vez de para dentro; perceberá em qualquer contato o que a maioria das pessoas perde, por estarem pensando em si mesmas; cultivará grande acuidade em relação à psicologia humana e fortalecerá a capacidade de concentração. Finalmente, você se acostumará a observar primeiro, baseando suas ideias e teorias no que viu com os próprios olhos, e, em seguida, a analisar o que descobriu. Essa será uma capacidade muito importante na próxima fase de sua vida, a criativa.

Segundo passo: Aquisição de habilidades – Modo prático

A certa altura, à medida que progride ao longo desses primeiros meses de observação, você entrará na fase mais crítica da aprendizagem: *a prática para a aquisição de habilidades*. Toda atividade, esforço ou carreira implicam o domínio de habilidades. Em algumas áreas, o processo é direto e óbvio, como a operação de uma ferramenta ou máquina, ou a criação de algo físico. Em outras, envolve mais uma combinação de atributos físicos e mentais, como a observação e a coleta de espécimes por Charles Darwin. E ainda há outras em que as habilidades são mais nebulosas, como lidar com pessoas ou pesquisar e organizar informações. Seu objetivo deve ser reduzir essas habilidades a algo simples e essencial – o essencial daquilo em que você precisa se tornar bom, as habilidades a serem praticadas.

Na aquisição de qualquer espécie de habilidade, ocorre um processo natural de aprendizado que coincide com o funcionamento de nosso cérebro. Esse processo de aprendizado leva ao que denominamos *conhecimento tácito* – um sentimento a respeito do que estamos fazendo que é difícil de expressar em palavras mas fácil de demonstrar em ação. E, para saber como funciona esse processo de aprendizado, é útil observar o maior sistema já inventado para treinar as habilidades e alcançar o conhecimento tácito – a aprendizagem na Idade Média.

Esse sistema foi desenvolvido para a solução de um problema: à medida que os negócios se expandiam na Idade Média, os Mestres de vários ofícios não podiam mais depender de membros da família para trabalhar nas oficinas. Eles necessitavam de mais mão de obra. Mas não valeria a pena recrutar pessoas que logo iriam embora – eles precisavam de estabilidade e de tempo para desenvolver as habilidades de seus trabalhadores. Assim, criaram o sistema de aprendizagem, em que jovens na faixa de mais ou menos 12 a 17 anos eram admitidos para trabalhar numa oficina, assinando um contrato que os comprometia pelo prazo de sete anos. No fim desse período, os aprendizes teriam que ser aprovados no *teste de mestre*, ou produzir um *trabalho de mestre*, para demonstrar seu nível de habilidade. Depois de aprovados, eram elevados à categoria de *oficial*, e podiam viajar para onde houvesse trabalho, exercendo o ofício.

Como na época havia poucos livros ou desenhos, os aprendizes aprendiam o ofício observando e imitando os mestres. Absorviam o conhecimento por repetição e pondo mãos à obra, com muito pouca instrução verbal (a palavra "aprendiz" deriva do latim *prehendere*, que significa apreender com as mãos). Uma vez que recursos como materiais têxteis, madeira e metais eram caros e não podiam ser desperdiçados, os aprendizes passavam boa parte do tempo trabalhando diretamente com materiais que seriam usados no produto final. Eles tinham que aprender a se concentrar no trabalho de maneira intensa e a evitar erros.

Quando se considera todo o tempo que os aprendizes trabalhavam diretamente com materiais naqueles anos, chega-se a algo próximo de 10 mil horas, o suficiente para alcançar um nível de habilidade excepcional em determinado ofício. O poder dessa forma de conhecimento tácito se manifesta nas grandes catedrais góticas da Europa – obras-primas de beleza, habilidade artesanal e estabilidade, erigidas sem projetos nem livros. Essas catedrais foram produtos das habilidades acumuladas de numerosos artesãos e engenheiros.

O significado de tudo isso é simples: a linguagem, oral e escrita, é uma invenção relativamente recente. Bem antes desse tempo, nossos ancestrais tiveram que aprender várias habilidades – fazer ferramentas, caçar e assim por diante. O modelo natural de aprendizado, baseado em grande parte no poder dos neurônios-espelho, consiste em observar e em imitar os outros, para, em seguida, repetir a ação sucessivas vezes. Nosso cérebro é altamente compatível com esse tipo de aprendizado.

Em atividades como andar de bicicleta, todos sabemos que é mais fácil observar alguém e seguir seu exemplo que ouvir ou ler instruções. Quanto mais praticamos, mais fácil fica. Mesmo no caso de atividades que são basicamente mentais, como desenvolver programas de computador ou falar uma língua estrangeira, ainda vale afirmar que aprendemos mais por meio da prática e da repetição – o processo de aprendizado natural. Aprendemos de fato uma língua estrangeira falando-a tanto quanto possível, não lendo livros nem absorvendo teorias. Quanto mais falamos e praticamos, mais fluentes nos tornamos.

Quando se prolonga essa fase o suficiente, entramos no *ciclo de retornos acelerados*, em que a prática fica mais fácil e mais interessante, promovendo a capacidade de praticar por mais tempo, aumentando seu nível de habilidade, o que, por sua vez, torna a prática ainda mais estimulante. Alcançar esse ciclo é o objetivo a ser almejado, e, para chegar lá, é preciso compreender alguns princípios básicos sobre as habilidades em si.

Primeiro, é essencial começar com alguma habilidade que se possa dominar e que sirva como base para a aquisição de outras. Você precisa evitar a todo custo a ideia de que é possível administrar o aprendizado de várias habilidades ao mesmo tempo. Também deve desenvolver seu poder de concentração e compreender que tentar o modo multitarefa arruinará o processo.

Segundo, a primeira fase do aprendizado é sempre entediante. No entanto, em vez de evitar essa monotonia, é preciso aceitá-la e persistir. O desconforto que experimentamos nesse estágio inicial do aprendizado de uma habilidade fortalece a mente, tal como acontece no exercício físico. Muita gente acha que tudo na vida deve ser prazeroso, o que as leva o tempo todo a buscar distrações e atalhos no processo de aprendizado. A dor é uma espécie de desafio imposto pela mente – você aprenderá a se concentrar e a resistir ao desconforto ou, como uma criança, sucumbirá à necessidade imediata de prazer e diversão? A exemplo do que ocorre durante as atividades físicas, é possível extrair algum tipo de prazer mórbido desse incômodo, sabendo dos benefícios dele decorrentes. Em todo caso, é preciso enfrentar ostensivamente a monotonia, em vez de tentar evitá-la ou reprimi-la. Ao longo da vida, você deparará com situações tediosas e precisa cultivar a capacidade de lidar com elas de forma disciplinada.

Ao iniciar a prática de uma habilidade, algo neurológico importante ocorre no cérebro. Quando se começa uma coisa nova, um grande número de neurônios no córtex frontal (a área de comando mais elevada e mais consciente do cérebro) é convocado e se ativa, ajudando-o no processo de aprendizado. O cérebro precisa lidar com uma boa quantidade de novas informações, o que seria estressante e massacrante caso usasse apenas uma parte limitada de seus recursos. O córtex frontal até se expande nessa fase inicial, na medida em que nos concentramos com mais afinco na tarefa. No entanto, depois que se repete algo com frequência, o processo se automatiza, e os caminhos neurais dessa atividade são transferidos para outras partes do cérebro, abaixo do córtex. Os neurônios do córtex frontal de que precisamos nas fases iniciais agora são liberados para ajudar no aprendizado de algo diferente, e a área retorna ao tamanho normal.

Por fim, toda uma rede de neurônios se desenvolve para se lembrar dessa única tarefa, o que explica o fato de ainda conseguirmos andar de bicicleta anos depois de termos aprendido. Se examinarmos o córtex frontal de pessoas que passaram a dominar algo por meio da repetição, veremos que a área se mantém extremamente tranquila e inativa quando elas praticam a habilidade. Toda a atividade cerebral ocorre em áreas inferiores, que envolvem muito menos controle consciente.

Esse processo de automatização não pode ocorrer quando se está constantemente distraído, transferindo a atenção de uma tarefa para outra. Nesse caso, os caminhos neurais exclusivos dessa habilidade nunca se desenvolvem; o que se aprende é muito tênue para permanecer enraizado no cérebro. É melhor dedicar de duas a três horas de concentração intensa em uma habilidade que lhe destinar oito horas de atenção difusa. O propósito é se aplicar com tanta intensidade quanto possível a uma tarefa de cada vez.

Depois que uma atividade se torna automática, você passa a ter espaço mental para observar a si mesmo enquanto a pratica. Deve-se usar esse distanciamento para registrar as fraquezas ou as deficiências que precisam de correção – ou seja, analisar-se. Também ajuda receber o máximo de feedback dos outros, para dispor de padrões com base nos quais avaliar o progresso, de modo a se conscientizar do caminho ainda a percorrer. As pessoas que não praticam e não aprendem novas habilidades jamais desenvolvem um senso de proporção ou autocrítica. Elas acham que é possível alcançar qualquer coisa sem esforço e têm pouco contato com a realidade. Tentar alguma coisa com persistência o confronta com o mundo real, tornando-o profundamente consciente de suas inadequações e do que você pode realizar com mais trabalho e esforço.

Quando se leva esse processo bastante longe, entra-se no ciclo de retornos acelerados: ao aprender e aprimorar habilidades, você pode começar a variar o que faz, descobrindo nuances a serem desenvolvidas no trabalho para que ele se torne mais interessante. À medida que a prática se automatiza, a mente não mais se cansa com o esforço e pode exercê-lo com mais afinco, o que, por sua vez, aumenta a habilidade e a satisfação. Você pode procurar desafios, novas áreas a serem conquistadas, mantendo um alto nível de interesse. À medida que o ciclo se acelera, tende-se a alcançar um ponto em que a mente fica totalmente absorta na prática, entrando numa espécie de fluxo em que todas as interferências são bloqueadas. Sua habilidade se converte em algo que não pode ser descrito por palavras, como se fosse um prolongamento do próprio corpo e uma extensão do sistema nervoso – e assim surge o conhecimento tácito. O aprendizado profundo de qualquer tipo de habilidade o prepara para a maestria. A sensação de fluxo, de incorporar o instrumento, precede os grandes prazeres decorrentes da maestria.

Em suma, ao praticar e desenvolver qualquer habilidade, você se transforma no processo. Revela a si mesmo novas capacidades até então latentes, que se expõem na proporção do seu avanço. Você se desenvolve emocionalmente e redefine seu senso de prazer. O que oferecia prazer imediato passa a ser visto como distração, como entretenimento vazio para ajudar a passar o tempo. A verdadeira satisfação resulta da superação de desafios, do sentimento de confiança em suas capacidades, da conquista de fluência nas habilidades e da sensação de poder daí decorrente. Você se torna paciente. A monotonia não mais sinaliza uma carência de distração, mas, sim, a necessidade de novos desafios a vencer.

Embora o tempo necessário para dominar as habilidades indispensáveis e para conquistar o nível de maestria talvez dependa da área de atuação e do grau de talento, quem já pesquisou o assunto reiteradamente sugere 10 mil horas. Esse parece ser o tempo de prática intensa indispensável para alguém atingir um alto nível de habilidade, e se aplica a artistas, escritores e atletas, entre outros. Tal número tem uma ressonância quase mágica ou mística. Significa que esse tempo de prática – não importa a pessoa ou a área – produz algum tipo de mudança qualitativa no cérebro humano. A mente aprendeu a organizar e a estruturar grande quantidade de informações. Com todo esse conhecimento tácito, ela pode agora se tornar criativa e descontraída. Embora o número de horas pareça grande, em geral consiste em algo entre sete e dez anos de prática persistente – mais ou menos o período da aprendizagem tradicional. Em outras palavras, a prática concentrada ao longo do tempo sempre produz resultados.

Terceiro passo: Experimentação – Modo ativo

Essa é a parte mais curta do processo, mas, mesmo assim, um componente fundamental dele. Conforme adquire habilidade e confiança, você precisa avançar para um modo *ativo* de *experimentação*. Isso talvez signifique assumir mais responsabilidades, iniciar um projeto, fazer algum trabalho que o exponha a críticas dos colegas ou até do público. O objetivo é avaliar seu progresso e verificar se ainda há lacunas de conhecimento. Você passa a se observar em ação e a verificar como responde aos julgamentos alheios. É capaz de aceitar críticas e usá-las de maneira construtiva?

À medida que a viagem de Charles Darwin progredia e a teoria da evolução começava a se formar em sua mente, ele decidiu expor suas ideias aos outros. Primeiro, no *Beagle*, ele as discutiu com o comandante e assimilou com paciência suas críticas veementes. Essa, disse Darwin a si mesmo, será mais ou menos a reação do público, e ele teria que se preparar para todos os tipos de questionamentos. Também passou a escrever cartas para vários cientistas e sociedades científicas na Inglaterra. As respostas mostravam que ele percebera algo importante, mas que precisava de mais pesquisas.

Já Leonardo da Vinci, conforme se aprimorava no trabalho para Verrocchio, começou a experimentar e a afirmar seu próprio estilo. Para sua surpresa, ele descobriu que o mestre estava impressionado com a sua criatividade, o que indicava a proximidade do fim de sua aprendizagem.

A maioria das pessoas espera demais para dar esse passo, geralmente por medo. É sempre mais fácil aprender as regras e continuar na zona de conforto. Em geral, você deve se forçar a experimentar e a realizar algo *antes de se considerar pronto*. Você está testando seu caráter, superando seus medos e desenvolvendo o senso de distanciamento em relação ao trabalho – observando-o com olhos alheios. É uma amostra da próxima fase, na qual tudo o que produzir estará sob constante escrutínio.

Você saberá quando sua aprendizagem terminar com base no sentimento de que nada restou para aprender nesse ambiente. É hora de declarar independência ou de avançar para outro lugar, a fim de prosseguir em sua aprendizagem e ampliar sua base de habilidades. Mais tarde na vida, ao se confrontar com alguma mudança de carreira ou com a necessidade de aprender novas aptidões, depois de ter passado por tudo isso, aquela primeira habilidade terá se tornado natural, automática. Você aprendeu a aprender.

◆

Muita gente talvez considere a noção de aprendizagem e de aquisição de habilidades uma relíquia curiosa de épocas passadas, quando trabalho significava criar coisas. Afinal, entramos na era da informação e da computação, na qual a tecnologia passou a executar as atividades triviais que exigem prática e repetição. Tantas coisas se tornaram virtuais que hoje o modelo do artesão se tornou obsoleto – é o que muitos argumentam.

Na verdade, porém, essa concepção sobre a natureza dos tempos em que vivemos é completamente equivocada e até perigosa. Os dias de hoje, em vez de serem uma época em que tudo ficou mais fácil por causa da tecnologia, são tempos de grande complexidade, pois a tecnologia assumiu as tarefas fáceis e rotineiras, deixando para os humanos as mais difíceis, que exigem cada vez mais educação e treinamento. Nos negócios, a competição se tornou globalizada e mais intensa. Os empresários e empreendedores precisam desenvolver uma visão muito mais ampla que no passado, o que requer mais conhecimentos e habilidades. O futuro das ciências não está no aumento da especialização, mas, sim, na interdisciplinaridade e no cruzamento de conhecimentos de vários campos. Nas artes, os gostos e os estilos estão mudando em ritmo acelerado. Os artistas devem se manter no topo do processo e ser capazes de criar novas formas, sempre mantendo-se à frente das tendências. Em geral, isso requer mais que apenas conhecimentos especializados de determinada forma de arte – demanda o conhecimento de outras artes, até das ciências, e do que está acontecendo no mundo.

Em todas essas áreas, exige-se cada vez mais do cérebro humano. Estamos lidando com vários campos de conhecimento, em interação constante com o nosso, e todo esse caos aumentou exponencialmente com a disponibilidade em tempo real de volumes crescentes de informação. Como consequência, todos nós devemos desenvolver diferentes conhecimentos e dominar um vasto conjunto de aptidões, em diversas áreas, além de cultivar a capacidade mental de organizar a ampla variedade de informações. O futuro pertence a quem aprender mais habilidades e for capaz de combiná-las de formas criativas. E esse processo de aprendizado, por mais virtual que seja, continua o mesmo.

No futuro, a grande divisão será entre os que se prepararam para lidar com essas complexidades e aqueles que se deixaram sufocar por elas – entre os que são capazes de desenvolver habilidades e disciplinar a mente e aqueles que se deixam distrair por todas as mídias ao seu redor e não conseguem se concentrar no aprendizado. A fase de aprendizagem é mais relevante e mais importante do que nunca, e os que a menosprezarem certamente ficarão para trás.

Por fim, vivemos numa cultura que costuma valorizar o intelecto e o raciocínio com palavras. Tendemos a considerar o trabalho com as mãos e a construção de algo físico habilidades degradantes, a serem cultivadas por pessoas menos inteligentes. Trata-se de um valor cultural profundamente contraproducente. O cérebro humano evoluiu em íntima combinação com a destreza manual. Grande parte de nossa capacidade de sobrevivência primordial dependia de uma complexa coordenação entre mãos e olhos. Até hoje, grande parte de nosso cérebro se destina a essa relação. Quando trabalhamos com as mãos e construímos algo, aprendemos a sequenciar nossas ações e a organizar nossos pensamentos. Ao desmontar algo para consertar, desenvolvemos a capacidade de solução de problemas, com aplicações mais amplas. Ainda que se trate apenas de atividades paralelas, devemos encontrar maneiras de trabalhar com as mãos, ou aprender mais sobre o funcionamento interno de máquinas e de equipamentos de alta tecnologia ao nosso redor.

Muitos Mestres da história intuíram essa conexão. Thomas Jefferson, que era um inventor obstinado, acreditava que os artesãos eram melhores cidadãos, por compreenderem como as coisas funcionavam e por terem bom senso prático – atributos que lhes seriam muito úteis na gestão de assuntos comunitários. Albert Einstein era um violonista entusiasmado. Ele acreditava que trabalhar com as mãos ao tocar música o ajudava a raciocinar melhor.

Em geral, qualquer que seja a área, você deve se considerar um construtor, trabalhando com materiais e com ideias para realizar algo tangível, alguma coisa que cause impacto nas pessoas de forma direta e concreta. Para produzir algo bem-feito – uma casa, uma organização política, uma empresa ou um filme – é preciso compreender o processo de construção e possuir as habilidades necessárias. Você é um artesão aprendendo a observar os mais altos padrões. Por tudo isso, deve se submeter a uma cuidadosa aprendizagem. Você não será capaz de fazer nada valioso nesse mundo sem primeiro se transformar e se desenvolver.

Estratégias para completar a aprendizagem ideal

Não pense que aquilo que você não consegue dominar é humanamente impossível; e, se é humanamente possível, está a seu alcance.

– MARCO AURÉLIO, imperador romano e filósofo

Ao longo da história, os Mestres de todas as áreas conceberam para si mesmos várias estratégias que os ajudaram a buscar e a completar a aprendizagem ideal. Conheça a seguir oito estratégias clássicas, extraídas de suas trajetórias e ilustradas com exemplos. Ainda que algumas pareçam mais relevantes que outras para as circunstâncias, cada uma delas se relaciona com verdades fundamentais sobre o processo de aprendizado em si, que vale a pena internalizar.

1. Valorize o aprendizado, nunca o dinheiro

Em 1718, Josiah Franklin decidiu admitir como aprendiz o filho de 12 anos, Benjamin, no lucrativo negócio familiar de fabricação de velas, em

Boston. Sua intenção era que, depois de um período de aprendizagem de sete anos e alguma experiência, Benjamin assumisse o negócio. Mas o garoto tinha outras ideias. Ele ameaçou fugir numa viagem marítima se o pai não lhe permitisse escolher o que fazer. Josiah, que já havia provocado a fuga de outro filho, cedeu. Para surpresa do pai, o filho escolheu se empregar na gráfica de um irmão mais velho, recém-inaugurada. Lá ele trabalharia mais e a aprendizagem duraria nove anos, em vez de sete. Além disso, o negócio de gráficas era instável, e era muito arriscado apostar o futuro em algo tão precário. Mas essa foi a escolha dele, resignou-se o pai. Que ele aprendesse da maneira mais difícil.

O que o jovem Benjamin não revelara ao pai fora sua decisão de se tornar escritor. Boa parte de seu trabalho na oficina envolveria atividade manual e operação de máquinas, mas, esporadicamente, lhe pediriam que revisasse textos ou editasse panfletos e folhetos. E sempre haveria livros novos por perto. Vários anos depois, ele descobriu que algumas de suas leituras favoritas estavam nos jornais ingleses que a oficina reimprimia. Pediu que fosse o responsável pela impressão desses artigos, o que lhe deu a chance de estudar os textos em detalhes e de aprender a imitar o estilo deles no próprio trabalho. Ao longo dos anos, aproveitou o processo como uma eficiente aprendizagem em redação, com o benefício adicional de também ter aprendido tipografia.

◆

Depois de se formar pela Universidade Politécnica de Zurique, em 1900, Albert Einstein, então com 21 anos, concluiu que a probabilidade de encontrar um bom emprego era extremamente remota. Ele se formara com baixa classificação na turma, eliminando qualquer chance de fazer carreira no magistério. Feliz por estar longe da universidade, agora pretendia investigar por conta própria certos problemas na física que o intrigavam havia vários anos. Seria uma autoaprendizagem em teorização e em experimentos mentais. Mas, nesse meio-tempo, ele teria que ganhar a vida. O pai o convidara para trabalhar como engenheiro em sua empresa de geradores, em Milão, mas nesse cargo ele não teria nenhum tempo livre. Um amigo poderia conseguir-lhe uma posição bem-remunerada numa seguradora, mas isso atrofiaria seu cérebro e sugaria suas energias mentais.

Até que, um ano depois, outro amigo mencionou um emprego no Escritório de Patentes da Suíça, em Berna. O salário não era bom, o nível hierárquico era baixo, a jornada era longa e o trabalho consistia na tarefa um tanto banal de examinar os pedidos de patentes, mas Einstein agarrou a oportunidade. Era tudo o que queria. Sua função seria estudar a validade dos pedidos de patente, muitos dos quais envolviam aspectos científicos que o interessavam. Os processos eram como pequenos quebra-cabeças; ele podia visualizar como as ideias se convertiam em invenções. Aquela atividade reforçaria sua capacidade de raciocínio. Depois de alguns meses no trabalho ele se tornou tão bom nesse jogo mental que podia terminar suas atribuições em duas ou três horas, deixando o restante do dia livre para desenvolver seus próprios experimentos mentais (*Gedankenexperimente*). Em 1905, Einstein publicou sua primeira teoria da relatividade, da qual boa parte fora desenvolvida em sua mesa no Escritório de Patentes.

Martha Graham (ver página 43, para mais informações sobre seus primeiros anos) iniciou seu treinamento em dança na Escola Denishawn, em Los Angeles, mas, após alguns anos, concluiu que já aprendera o suficiente e que precisava ir para outro lugar aprimorar suas habilidades. Acabou em Nova York, e, em 1924, recebeu uma oferta de trabalho de dois anos como dançarina de um espetáculo de revista. O salário era bom e ela aceitou. Dançar é dançar, pensou, e ela poderia trabalhar nas próprias ideias durante as horas de folga. Mas, quase no fim do contrato, resolveu que jamais voltaria a aceitar um trabalho comercial. Aquilo a exauria de toda a energia criativa e diminuía seu desejo de trabalhar por conta própria no tempo livre. Também a tornava dependente de um contracheque.

O importante quando se é jovem, concluiu, é viver com pouco dinheiro e tirar proveito da energia da juventude. Nos anos seguintes, trabalharia como professora de dança, ocupando-se o mínimo necessário para a sobrevivência. Durante o restante do tempo, ela se aprimoraria no novo estilo de dança que queria criar. Consciente de que a alternativa era a escravidão em algum emprego comercial, ela aproveitava ao máximo cada minuto livre, construindo nesses poucos anos as bases para a revolução mais radical na dança moderna.

Como já narramos no Capítulo 1 (ver página 51), quando a carreira de pugilista de Freddie Roach chegou ao fim, em 1986, ele aceitou um emprego na área de telemarketing, em Las Vegas. Um dia, voltou ao ginásio onde ele próprio havia treinado com o lendário Eddie Futch. Lá, encontrou muitos pugilistas que não recebiam nenhuma atenção pessoal de Futch. Por iniciativa própria, passou a frequentar o ginásio todas as tardes, ajudando no treinamento dos lutadores. O hábito se converteu em atividade regular não remunerada, razão por que manteve o emprego em telemarketing. Com os dois trabalhos, mal tinha tempo para dormir. Era quase insuportável, mas ele resistiu, pois estava aprendendo o ofício para o qual sabia que fora destinado. Em poucos anos conquistou reputação bastante entre jovens pugilistas para abrir o próprio negócio, e logo se tornou o mais bem-sucedido treinador de boxe de sua geração.

É inerente ao ser humano que os pensamentos se concentrem naquilo que mais valorizam. Se seus principais interesses giram em torno de dinheiro, você escolherá um local para a sua aprendizagem que ofereça os melhores salários. Inevitavelmente, nesses lugares, você sentirá maior pressão para se provar à altura da remuneração, muitas vezes até antes de estar de fato preparado. Nesses casos, você se concentrará em si mesmo, em suas inseguranças, na necessidade de agradar e de impressionar as pessoas certas, em vez de na aquisição de habilidades. Será muito dispendioso cometer erros e aprender com eles, o que o levará a adotar uma abordagem cuidadosa e conservadora. À medida que progride na vida, ficará viciado na alta remuneração, o que passará a determinar para onde vai, como pensa e o que faz. Mais cedo ou mais tarde, o tempo que não foi dedicado ao aprendizado comprometerá sua carreira, e a queda será dolorosa.

É preciso valorizar o aprendizado acima de tudo; atitude que o orientará para todas as escolhas certas. Você deverá optar pelas situações que lhe oferecerem as melhores oportunidades de aprendizado, em especial as que envolverem atividades práticas. Escolherá um lugar onde haja pessoas capazes de inspirá-lo e instruí-lo. Um salário medíocre ao menos o prepara para se virar com menos – uma habilidade fundamental. Se a aprendizagem ocorrer principalmente durante o seu tempo livre, você preferirá um lugar que pague as contas – talvez algum que mantenha seu raciocínio afiado, mas que também lhe ofereça tempo e espaço mental para desenvolver trabalhos de valor por conta própria. Nunca despreze a aprendizagem sem remuneração. Uma atitude muito sábia é escolher o mentor perfeito e lhe oferecer seus serviços de graça. Feliz por contar com sua contribuição gratuita e entusiasmada, é provável que esse mentor revele mais que os segredos comerciais de praxe. No fim das contas, por valorizar o aprendizado acima de tudo, você terá preparado o cenário para sua expansão criativa, e o dinheiro virá como consequência.

2. Amplie seus horizontes

Para a escritora Zora Neale Hurston (1891-1960), a infância representou uma espécie de era de ouro. Ela cresceu em Eatonville, na Flórida, cidade que representava uma espécie de anomalia no Sul. Fundada como uma cidade só de negros na década de 1880, os próprios cidadãos exerciam seu governo e gestão. Suas dificuldades e sofrimentos eram responsabilidade dos próprios habitantes. Zora não sabia o que era racismo. Voluntariosa e corajosa, passava boa parte do tempo sozinha, vagueando pela cidade.

Naqueles anos, tinha duas grandes paixões. Primeiro, amava os livros. Lia tudo o que lhe caía nas mãos, mas sentia atração especial por livros sobre mitologia – grega, romana e nórdica. Identificava-se com os personagens mais fortes – Hércules, Ulisses, Odin. Segundo, adorava ouvir as histórias dos habitantes locais, quando eles se reuniam em suas varandas para fofocar ou contar casos, muitos dos quais remontavam aos anos da escravidão. Admirava aquelas narrativas – as ricas metáforas, as lições simples. Na mente dela, os mitos gregos e os contos dos cidadãos de Eatonville se mesclavam numa única realidade – a natureza humana revelada em sua forma mais pura. Caminhando sozinha, ela dava asas à imaginação e narrava suas histórias estranhas a si mesma. No futuro, ela as poria no papel e se transformaria na Homero de Eatonville.

Mas em 1904 a morte de sua mãe daria a um fim abrupto à sua era de ouro. Fora a mãe quem sempre a protegera e a resguardara do pai, que a achava estranha. Ansioso por se livrar da filha, ele a despachou para uma escola em Jacksonville. Poucos anos depois, parou de pagar as mensalidades escolares e a abandonou à própria sorte. Durante cinco anos, ela errou por sucessivas casas de parentes. Trabalhou em todos os tipos de emprego, principalmente como empregada doméstica.

Após uma infância de grande aprendizado, quando parecia não haver limites para o que podia explorar, seu presente se transformara no oposto. Desgastada pelo trabalho e pela depressão, tudo ao seu redor a oprimia, a ponto de seus pensamentos se restringirem a seu próprio mundo minúsculo e triste. Em breve, seria difícil imaginar qualquer coisa além de limpar casas.

O paradoxo que ela ainda não enxergava é que a mente é essencialmente livre. A imaginação é capaz de viajar para qualquer lugar no tempo e no espaço. Ela só se manteria confinada se assim desejasse. Por mais impossível que parecesse, ela não podia desistir de seu sonho de se tornar escritora. Mas, para realizá-lo, teria que se instruir e continuar expandindo seus horizontes mentais, por todos os meios necessários. Os escritores precisam conhecer o mundo. E, assim pensando, Zora Neale Hurston persistiu em proporcionar a si mesma um dos mais notáveis processos de autoaprendizagem de que se tem notícia.

Uma vez que só conseguia trabalho como faxineira, ela procurava serviço nas casas das pessoas brancas mais ricas da cidade – onde encontrava muitos livros. Sempre que podia, pegava um livro escondida e lia trechos ao acaso, memorizando rapidamente algumas passagens para refletir sobre elas nas horas vagas. Um dia, encontrou no lixo um exemplar de *Paraíso perdido*, de Milton. Foi como descobrir ouro. Levava-o para onde fosse e o lia repetidas vezes. Dessa maneira, sua mente não estagnou, e ela desenvolveu para si mesma um tipo estranho de educação literária.

Em 1915, conseguiu emprego como criada pessoal da prima-dona de uma companhia teatral itinerante composta exclusivamente de artistas brancos. Para a maioria das pessoas, essa seria mais uma posição subserviente, mas, para Zora, foi um presente. Quase todos os membros da trupe eram cultos. Por toda parte havia livros para ler e conversas interessantes para entreouvir. Ao observá-los com atenção, ela percebia o que se considerava sofisticação no mundo dos brancos, e como poderia encantá-los com suas histórias de Eatonville e seu conhecimento de literatura. Como parte do emprego, foi treinada para ser manicure. Mais tarde, ela usaria essa habilidade para trabalhar nas barbearias de Washington, perto do Capitólio. A clientela incluía os homens mais poderosos da época, e, com frequência, eles fofocavam entre si, como se ela não estivesse presente. Para Zora, isso era tão bom quanto ler um livro – e a experiência lhe ensinou muito sobre a natureza humana, sobre o poder e o funcionamento do mundo dos brancos.

Aos poucos, seu mundo se expandia, mas ela ainda estava sujeita a grandes limitações em relação a onde podia trabalhar, aos livros que encontrava e às pessoas a quem tinha acesso e com quem se relacionava. Estava aprendendo, mas sua mente continuava desestruturada e seus pensamentos, desorganizados. O que precisava, concluiu, era de uma educação formal e da disciplina daí resultante. Aos 25 anos, parecia jovem para a idade, e, assim, reduzindo em 10 anos a data de nascimento no pedido de matrícula, foi admitida em uma escola pública de ensino médio, em Maryland.

Zora teria que extrair o máximo dessa oportunidade – seu futuro dependia disso. Leria muito mais livros que o exigido e trabalharia com afinco nos exercícios de redação. Faria amizade com os professores, explorando o charme que desenvolvera ao longo dos anos e cultivando os tipos de relacionamentos que se esquivavam dela no passado. Dessa maneira, poucos anos depois, ingressou na Universidade Howard, principal instituição de ensino superior para negros, onde passou a interagir com importantes figuras do mundo literário negro. Com a disciplina que desenvolvera na escola, passou a escrever contos. Até que, com a ajuda de um de seus conhecidos, conseguiu publicar um conto em um prestigioso periódico literário do Harlem. Aproveitando todas as oportunidades que apareciam, resolveu deixar Howard e se mudar para o Harlem, onde moravam todos os escritores e artistas negros importantes. Essa decisão acrescentaria outra dimensão ao mundo que ela finalmente estava explorando.

Zora passou a observar pessoas poderosas e importantes – brancas e negras – e aprendeu como impressioná-las. Agora, em Nova York, ela explorou essa habilidade, encantando vários brancos afluentes do mundo das artes. Por meio de uma dessas figuras, obteve a oportunidade de se matricular na Barnard College, onde poderia concluir a educação universitária. Ela seria a primeira e a única aluna negra da instituição. Sua estratégia sempre fora continuar avançando e se expandindo – o mundo poderia se fechar rapidamente para quem ficasse estagnado. Por isso, aceitou a oferta. Os alunos brancos de Barnard se sentiram intimidados com sua presença – seus conhecimentos em numerosas áreas superavam em muito os deles. Vários professores do departamento de antropologia se renderam ao seu fascínio e a enviaram para uma excursão pelo Sul, onde deveria reunir contos e narrativas folclóricas. Ela aproveitou a viagem para imergir no *hoodoo*, versão negra sulista do vudu, e em outras práticas rituais. Queria aprofundar seu conhecimento da cultura negra, com toda a sua riqueza e diversidade.

Em 1932, com a Depressão assolando Nova York e reduzindo suas oportunidades de emprego, ela resolveu voltar a Eatonville. Lá, poderia viver com pouco, e a atmosfera seria inspiradora. Então tomou empréstimos com os amigos e começou a escrever seu primeiro romance. De algum lugar profundo, todas as suas vivências e sua experiência de aprendizagem prolongada e multifacetada vieram à tona – as histórias da infância, os livros que havia lido, os vários insights sobre a face sombria da natureza humana, os estudos antropológicos, os diversos encontros em que prestara atenção com tanta intensidade. Esse romance, *Jonah's Gourd Vine*, narrou o relacionamento dela com os pais, mas foi, na verdade, a destilação de todas as suas vivências. Foi algo que transbordou dela em poucos meses de trabalho intenso.

O romance foi publicado no ano seguinte e se tornou um grande sucesso. Nos anos subsequentes, ela escreveu outros romances em ritmo frenético. Logo se tornou a mais famosa escritora negra de sua época e a primeira mulher negra a ganhar a vida com a literatura.

A história de Zora Neale Hurston revela da forma mais crua possível a realidade da fase de aprendizagem – ninguém vai ajudá-lo ou orientá-lo. Caso seu intuito seja aprender e se preparar para a maestria, você terá que fazê-lo por contra própria e com determinação. Ao entrar nessa fase, o ponto de partida é, em geral, a posição mais baixa. Seu acesso ao conhecimento e às pessoas é limitado por seu status. Se não for cuidadoso, você aceitará esse status e passará a ser definido por ele, sobretudo se sua origem for humilde. Em vez disso, a exemplo de Zora, você precisa lutar contra todas as limitações e se empenhar o tempo todo em expandir seus horizontes. Ler livros e todo material disponível além do que lhe é exigido é sempre uma boa estratégia. Ao se expor às ideias do mundo mais amplo, você tenderá a ansiar por cada vez mais conhecimentos; será difícil se satisfazer em algum canto estreito, o que é exatamente o objetivo.

Os indivíduos na sua área, no seu meio, são como mundos em si – suas histórias e visões expandirão seus horizontes e desenvolverão suas habilidades sociais. Interaja com a maior variedade possível de pessoas. Seus círculos sociais se ampliarão aos poucos. Frequentar qualquer tipo de instituição de ensino acelerará essa dinâmica. Seja implacável na busca de expansão. Se você constatar que está se acomodando em determinado círculo, esforce-se para sacudir a poeira e buscar novos desafios, como Zora fez quando se mudou de Howard para Harlem. Com a expansão de seus horizontes, você redefinirá os limites de seu mundo aparente. Em breve, ideias e oportunidades baterão à sua porta, e sua aprendizagem naturalmente se completará.

3. Restabeleça o sentimento de inferioridade

Quando cursava o ensino médio no final da década de 1960, Daniel Everett estava um pouco perdido. Ele se sentia preso na cidade californiana de Holtville, onde crescera, sem se identificar com o estilo de vida de caubói lá predominante. Como foi citado no Capítulo 1 (ver página 43), Everett sempre se sentira atraído pela cultura mexicana que prevalecia entre os trabalhadores migrantes da periferia. Ele adorava seus rituais e seu estilo de vida, a sonoridade de seu idioma e suas canções. Tinha jeito para línguas estrangeiras e aprendeu o espanhol com certa rapidez, o que lhe possibilitou algum acesso àquele mundo. Para ele, aquela cultura exótica representava o vislumbre de um universo mais interessante, além de Holtville, mas, às vezes, ele perdia as esperanças de algum dia deixar sua cidade natal. E começou a usar drogas – pelo menos por alguns instantes, elas representavam uma válvula de escape.

Então, aos 17 anos, conheceu Keren Graham, sua colega no secundário, e tudo pareceu mudar. Keren passara boa parte da infância no Nordeste do Brasil, onde os pais haviam trabalhado como missionários cristãos. Ele adorava ficar com ela e ouvir suas histórias sobre a vida no Brasil. Foi apresentado à família da moça e tornou-se frequentador assíduo dos jantares da casa. À medida que os conhecia, admirava cada vez mais o senso de propósito e a dedicação deles ao trabalho missionário. Poucos meses depois de conhecer Keren, tornou-se cristão renascido e daí a um ano se casavam. O objetivo deles era constituir família e também se tornarem missionários.

Everett se formou pelo Moody Bible Institute of Chicago, com graduação em Missões Estrangeiras, e, em 1976, ele e a esposa se matricularam no Summer Institute of Linguistics (SIL) – organização cristã que prepara missionários com as habilidades linguísticas necessárias para traduzir a Bíblia para línguas indígenas e difundir o Evangelho. Depois de completar o curso, ele e a família (que agora incluía dois filhos) foram enviados a um acampamento do SIL na região de Chiapas, no sul do México, a fim de se prepararem para os rigores da vida missionária. Durante um mês, a família teve que viver numa aldeia e tentar aprender a língua local, um dialeto maia. Everett passou em todos os testes com grande sucesso. Considerando seus bons resultados no programa, os professores do SIL resolveram propor a ele e à família o maior desafio de todos – viver numa aldeia pirahã, no coração da Amazônia.

Os pirahãs estão entre os mais antigos habitantes da Amazônia. Quando os portugueses chegaram na região, no começo do século XVIII, a maioria das tribos aprendeu português e adotou muitos de seus costumes, mas os pirahãs resistiram e recuaram para áreas ainda mais remotas da selva, onde vivem em profundo isolamento e quase sem contato com forasteiros. Quando os missionários chegaram em suas aldeias, na década de 1950, restavam apenas 350 pirahãs, espalhados pelo território. Os missionários que tentaram aprender a língua deles concluíram que seria impossível: os nativos não falavam português, não tinham linguagem escrita e suas palavras, para ocidentais, soavam todas iguais. Em 1967, o SIL enviara um casal para aprender a língua e, finalmente, traduzir parte da Bíblia para o idioma nativo, mas com pouco progresso. Depois de mais de 10 anos lutando com a língua eles desistiram e partiram. Ouvindo tudo isso, Everett ficou mais do que feliz em aceitar o desafio. Ele e a esposa decidiram ser os primeiros a decifrar o código linguístico.

A família chegou à aldeia pirahã em dezembro de 1977. Nos primeiros dias lá, Everett usou todas as táticas que havia aprendido – por exemplo, segurar um bastão e, de alguma maneira, perguntar-lhes como chamavam aquilo. Depois, soltar o bastão, deixando-o cair, e, usando todos os recursos, pedir-lhes que dissessem o que tinha acontecido. Nos meses seguintes, ele fez um bom progresso no aprendizado do vocabulário básico. O método que aprendera no SIL funcionava bem, e ele trabalhava com afinco. Sempre que ouvia novas palavras, ele as anotava em cartões e os prendia no cinto, carregando dúzias deles e praticando a língua a toda hora com os aldeões. Como exercício, tentava aplicar essas palavras e frases em diferentes contextos, às vezes fazendo os índios rirem. Quando se sentia frustrado, olhava para as crianças pirahãs, que aprendiam a língua com facilidade. Se elas podiam aprendê-la, também ele conseguiria, sempre dizia a si mesmo. Mas toda vez que tinha a impressão de estar aprendendo mais frases, percebia que na verdade não chegava a lugar nenhum. E começou a compreender o desânimo do casal que o precedera.

Por exemplo, ele ouvia muito uma expressão que parecia significar "acabar de", como em "o homem acabou de sair". No entanto, em outra ocasião, ouvindo-a em contexto diferente, percebeu que, de fato, o verdadeiro significado era o momento exato em que algo aparece ou desaparece – uma pessoa, um som, qualquer coisa. A locução denotava a experiência desse momento transitório, concluiu, o que parecia muito compatível com o pirahã. "Acabar de" não abrangia a profusão de significados na língua indígena. A mesma situação começou a se repetir com todos os tipos de palavras que ele supunha ter compreendido. Também passou a descobrir lacunas na língua deles que iam contra todas as teorias linguísticas que havia estudado. Aquele povo não tinha vocábulos para números, nem conceitos para direita e esquerda, nem simples palavras que designassem cores. O que isso podia significar?

Um dia, depois de mais de um ano morando lá, resolveu acompanhar alguns homens pirahãs às profundezas da selva, e, para sua surpresa, descobriu todo um lado diferente da vida e da língua daquela gente. Eles agiam e falavam de maneira diferente; adotavam outras formas de comunicação, conversando por meio de assobios que substituíam a linguagem falada, tornando-os mais esquivos e eficazes na caçada. A capacidade deles de se movimentar naquele ambiente perigoso era impressionante.

De repente, algo ficou claro para Everett: a decisão de confinar-se na aldeia e de apenas aprender a língua era a fonte de seu problema. A linguagem não podia ser separada de seus métodos de caçada, de sua cultura, de seus hábitos diários. Inconscientemente, ele havia assumido uma atitude de superioridade em relação àquelas pessoas e a seu estilo de vida – vivendo entre eles como um cientista que está estudando formigas. Sua incapacidade de desvendar o segredo da linguagem dos indígenas, porém, revelou a inadequação de seu método. Se quisesse aprender pirahã como as crianças nativas, teria que agir como criança – dependendo daquele povo para a sobrevivência, participando de suas atividades cotidianas, entrando em seus círculos sociais, sentindo-se inferior e necessitado da ajuda deles. (A superação do senso de superioridade acarretaria, no futuro, uma crise pessoal, que culminaria em perder a fé em seu papel como missionário e deixar a igreja para sempre.)

Ele começou a aplicar essa estratégia em todos os níveis, participando da vida deles em áreas que até então lhe eram desconhecidas. Em pouco tempo, teve muitos insights sobre a linguagem daquele povo. As peculiaridades linguísticas que lhe causaram tanta perplexidade refletiam a cultura singular que aquele povo havia desenvolvido por viver em isolamento durante tanto tempo.

Ao participar de seu dia a dia como se fosse um de seus filhos, passou a entender a linguagem como que por instinto, naturalmente, e avançou na compreensão daquele povo como ninguém antes.

◆

Em sua aprendizagem nas selvas da Amazônia, que mais tarde o levaria à carreira de linguista, Daniel Everett deparou com uma verdade que vai muito além de seu campo de estudo. O que impede o aprendizado, mesmo de algo tão difícil como a língua de povos primitivos, não é o tema em si – a mente humana tem capacidades ilimitadas –, mas, sim, certas barreiras que tendem a contaminar nossa mente conforme envelhecemos. Aí se incluem o senso de presunção e de superioridade sempre que encontramos algo diferente, assim como ideias rígidas sobre o que é real ou verdadeiro, com base no que nos é doutrinado pela família e pela escola. Se achamos que sabemos algo, nossa mente se fecha para outras possibilidades. Vemos reflexos da verdade que já pressupomos. Esses sentimentos de superioridade costumam ser inconscientes e decorrem do medo do que é diferente ou desconhecido. Raramente temos consciência dessas limitações e quase sempre nos consideramos modelos de imparcialidade.

Em geral, as crianças não estão sujeitas a essas restrições. Elas dependem dos adultos para a sobrevivência e se sentem naturalmente *inferiores*. Esse sentimento de inferioridade as torna ávidas de aprendizado. Assim, podem transpor o abismo e não se sentir tão impotentes. A mente delas é completamente aberta; prestam muita atenção em tudo. Por isso aprendem com tanta rapidez e profundidade. Ao contrário de outros animais, nós, humanos, conservamos uma característica conhecida como neotenia – traços mentais e físicos de imaturidade – em fase adulta já avançada. Temos a extraordinária capacidade de voltar à infância, sobretudo quando devemos aprender algo. Mesmo quando já temos 50 anos ou mais, podemos manifestar aquele senso de admiração e de curiosidade, tão típico da juventude e da fase de aprendizagem.

Entenda que, quando entramos em um novo ambiente, nossa tarefa é aprender e assimilar tanto quanto possível. Para isso, é preciso retornar ao sentimento de inferioridade da infância – à sensação de que os outros sabem muito mais e que dependemos deles para aprender e para transitar com segurança na fase de aprendizagem. Isso significa descartar seus preconceitos sobre determinado ambiente ou área, abandonando qualquer resquício de arrogância. Nessas condições, você não tem medo, interage com as pessoas e participa da cultura delas de maneira intensa, pois está cheio de curiosidade. Ao assumir essa posição de inferioridade, sua mente se abrirá e você terá fome de aprender. Evidentemente, essa posição é apenas temporária. Você desenvolve o sentimento de subordinação para que, em 5 ou 10 anos, tenha aprendido o bastante para declarar sua independência e ingressar de forma plena na idade adulta.

4. Confie no processo

O pai de Cesar Rodriguez foi oficial do Exército dos Estados Unidos durante toda a vida, mas quando Cesar (nascido em 1959) escolheu ir para o Citadel, Colégio Militar de Carolina do Sul, não foi porque decidira seguir os passos do pai. Ele provavelmente se dedicaria aos negócios. No entanto, concluíra que precisava de alguma disciplina na vida, e não havia ambiente mais rigoroso que o Citadel.

Uma manhã, em 1978, já no segundo ano do ensino médio, o colega de quarto de Rodriguez lhe disse que faria os exames que o Exército, a Marinha e a Força Aérea estavam oferecendo a quem quisesse se candidatar aos respectivos ramos de aviação. Rodriguez também resolveu se submeter aos exames, só para ver no que daria. Para sua surpresa, poucos dias depois, ele foi notificado que fora aceito pela Força Aérea no programa de treinamento de pilotos. O treinamento inicial, que começaria enquanto ele ainda estivesse no Citadel, incluía tomar lições de voo num Cessna. Achando que seria divertido, entrou no programa, ainda sem saber ao certo se realmente o faria. Passou nos exames de treinamento com alguma facilidade. E gostou do desafio mental, o foco absoluto que a pilotagem de aviões exigia. Talvez fosse interessante dar o passo seguinte. Assim, depois de formar-se no Citadel, em 1981, ele foi enviado para o curso da escola de instrução de pilotos da Base da Força Aérea de Vance, em Oklahoma, com a duração de 10 meses.

Em Vance, porém, teve a sensação de que tudo aquilo era demais para sua cabeça. Agora, já estavam treinando num jato subsônico, o T-37. Ele tinha que usar um capacete de quase 5 quilos e um paraquedas de quase 20 nas costas. A cabine de comando era pequena e quente. O instrutor se sentava tão perto que chegava a gerar uma sensação de desconforto, e não desviava os olhos dele, observando todos os seus movimentos. O estresse da execução supervisionada, o calor causticante e as pressões físicas impostas pela alta velocidade o faziam suar e tremer. Ele tinha a impressão de que o jato o estava golpeando enquanto voava. E ainda havia todas as variáveis a serem monitoradas durante o voo.

No simulador, ele voava com relativa confiança e tinha a sensação de estar no controle. Porém, ao apertar os cintos no jato de verdade, não conseguia evitar o sentimento de pânico e incerteza – a mente dele não era capaz de acompanhar todas as informações que tinha que processar, e era difícil priorizar as tarefas. Para sua grande decepção, depois de vários meses de treinamento, recebeu notas ruins em dois voos consecutivos, e ficou impedido de voar por uma semana.

Ele nunca falhara em nada antes e se orgulhava de ter superado todos os desafios que a vida lhe apresentara até então. Agora deparava com uma possibilidade que o devastava. Setenta alunos começaram o curso, mas quase toda semana um deles era eliminado do programa. O processo de seleção era implacável. Ele sentia que seria o próximo a ser cortado. Depois de lhe permitirem voltar ao avião, teria poucas chances de demonstrar sua capacidade. Já vinha dando o melhor de si. Onde será que errara? Talvez, inconscientemente, tivesse se deixado intimidar, ficando com medo de voar. Agora, seu maior temor era fracassar.

Ele se lembrou de seus dias na escola de ensino médio. Embora fosse de estatura relativamente baixa, era *quarterback* da equipe de futebol americano. Naquela época, também experimentara momentos de dúvida e até de pânico. Descobrira, porém, que, por meio de treinamento rigoroso – mental e físico –, podia superar esse medo e quase qualquer deficiência em seu nível de habilidades. Nos treinos de futebol, colocar-se nas circunstâncias que o tinham feito se sentir inseguro o ajudava a se familiarizar com a situação e não ter medo. Bastava confiar no processo e nos resultados que viriam com a prática. Essa seria a saída para sua atual situação.

Triplicou seu tempo no simulador, habituando a mente à condição de tantos estímulos. Passou as horas de recesso imaginando-se na cabine de comando e repetindo as manobras em que era mais fraco. Quando lhe permitiram voltar ao avião, procurou se concentrar tanto quanto possível, sabendo que teria que extrair o máximo de cada sessão. Sempre que tinha a chance de passar mais tempo no ar, quando, por exemplo, outro aluno não podia voar, agarrava-a com unhas e dentes. Aos poucos, dia após dia, descobriu um modo de se acalmar e de manejar melhor aquele conjunto de operações complexas. Nas duas semanas subsequentes a seu retorno ao avião, conseguiu recuperar sua posição, classificando-se mais ou menos no meio do grupo.

Faltando 10 semanas para acabar o programa, Rodriguez reavaliou seu desempenho. Já chegara longe demais para não ser bem-sucedido. Gostava do desafio, adorava voar e, agora, o que mais queria na vida era se tornar piloto de combate. Isso exigiria que concluísse o programa entre os melhores. Em seu grupo havia vários "*golden boys*" (garotos de ouro) – jovens que tinham um talento natural para voar. Eles não só toleravam as pressões intensas; alimentavam-se delas. Ele era o oposto dos *golden boys*, mas essa fora a história da vida dele. Sempre alcançara o sucesso com muita determinação, e agora não seria diferente. Nas últimas semanas, ele treinaria no supersônico T-38, e pediu ao novo instrutor, Wheels Wheeler, que arrancasse dele o máximo – ele tinha que subir na classificação e estava preparado para fazer o que fosse preciso.

E Wheeler de fato arrancou. Fez Rodriguez repetir a mesma manobra 10 vezes mais que os *golden boys*, até deixá-lo fisicamente exausto. Ele se concentrou em todos os pontos fracos de Rodriguez durante os voos e o fez repetir as manobras que mais odiava. Suas críticas eram brutais. Um dia, porém, enquanto pilotava o T-38, Rodriguez teve uma sensação estranha e maravilhosa – parecia sentir o próprio avião na ponta dos dedos. É assim que deve ser com os *golden boys*, pensou. Mas foram necessários 10 meses de treinamento intenso para que ele aprendesse o que para os outros era natural. A mente dele não mais parecia perdida no emaranhado de detalhes. Foi algo vago, mas ele sentia a possibilidade de pensar com mais clareza – vendo o panorama mais amplo do voo, ao mesmo tempo que comandava as operações complexas na cabine de comando. A sensação era intermitente, mas deu a ele a impressão de que todo o trabalho tinha valido a pena.

No fim das contas, Rodriguez concluiu o programa no terceiro lugar da turma, e foi promovido a piloto de combate em treinamento. O mesmo processo agora se repetiria em ambiente ainda mais competitivo. Ele teria que superar os *golden boys* por meio da prática e da mais pura determinação. Assim, avançou lentamente nos níveis hierárquicos, até se tornar coronel da Força Aérea dos Estados Unidos. Na década de 1990, seus três abates no ar, em missões ativas, trouxeram-no mais perto da designação de ás que qualquer outro piloto americano desde a Guerra do Vietnã, e rendeu-lhe o epíteto Último Ás Americano.

O que distingue os Mestres de outras pessoas é, em geral, algo surpreendentemente simples. Sempre que aprendemos uma habilidade, não raro chegamos a um ponto de frustração – o que estamos aprendendo parece além de nossas capacidades. Ao nos entregarmos a esses sentimentos, inconscientemente desistimos de nós mesmos antes de abandonar a tarefa. Entre as dezenas de pilotos na turma de Rodriguez que nunca passaram da fase eliminatória, quase todos eles tinham o mesmo nível de talento. A diferença não é apenas uma questão de determinação, e sim de confiança e fé. Muitas das pessoas que são bem-sucedidas na vida tiveram na juventude a experiência de terem dominado alguma habilidade – um esporte ou jogo, um instrumento musical, uma língua estrangeira, ou qualquer outra coisa. Enterrada em sua mente, encontra-se a sensação de haver superado suas frustrações e de ter entrado no ciclo de retornos acelerados. Hoje, quando estão em dúvida, as lembranças da experiência passada vêm à tona. Enchendo-se de confiança no processo, elas persistem, ao passo que as outras desaceleram e entregam os pontos.

Quando se trata de dominar uma habilidade, o tempo é o ingrediente mágico. Supondo que sua prática prossiga em nível constante, ao longo de dias e semanas, certos fatores que contribuem para a habilidade ficam entranhados no organismo. Aos poucos, toda a habilidade é internalizada, como parte de seu sistema nervoso. A mente não mais se perde nos detalhes e passa a ver o panorama mais amplo. É uma sensação milagrosa, e a prática o levará a esse ponto, não importa o nível de talento inato. Os únicos impedimentos verdadeiros para chegar a esse nível são você mesmo e suas emoções – monotonia, pânico, frustração, insegurança. Não há como suprimir essas emoções; elas são inerentes ao processo e são experimentadas por todos, inclusive pelos Mestres. O que se pode fazer é ter fé no processo. O tédio desaparece quando se entra no ciclo. O pânico vai embora depois de repetidas exposições. A frustração é sinal de progresso – indício de que a mente está processando a complexidade e exige mais prática. As inseguranças se transformam em confiança quando se conquista a maestria. Certo de que tudo isso ocorrerá, você permitirá o avanço do processo natural de aprendizado e tudo o mais se encaixará.

5. Aumente a resistência e supere a dor
A. Bill Bradley (nascido em 1943) se apaixonou pelo basquete mais ou menos aos 10 anos. E levava uma vantagem sobre os colegas – era alto para a idade. Fora isso, porém, não tinha talento natural para o jogo. Era lento e desajeitado, e não saltava muito alto. Nenhum dos aspectos do jogo lhe parecia fácil. Ele teria que compensar todas as inaptidões por meio da pura prática. E, assim, persistiu, concebendo uma das mais rigorosas e eficientes rotinas de treinamento na história dos esportes.

Tendo acesso ao ginásio da escola de ensino médio, ele criou para si mesmo um programa – três horas e meia de treino depois da escola e aos domingos, oito horas todos os sábados e três horas por dia no verão. E se manteve fiel ao esquema ao longo dos anos. No treinamento, colocava pesos de cinco quilos nos tênis para fortalecer as pernas e ter mais impulso nos saltos. Suas maiores fraquezas, concluiu, eram os dribles e a lentidão. Ele teria que trabalhar nisso e também melhorar seus passes para compensar a falta de velocidade.

Para tanto, bolou vários exercícios. Usava armações de óculos com pedaços de papelão amarrados embaixo, de modo a não enxergar a bola enquanto driblava. O objetivo era forçá-lo a sempre olhar ao redor – habilidade fundamental nos passes. Colocava cadeiras na quadra, representando adversários, e as contornava, durante horas, até ser capaz de deslizar entre elas, mudando rapidamente de direção. Superando a sensação de cansaço e de dor, passava horas fazendo esses dois exercícios.

Outro exercício era caminhar pela rua principal de sua cidade natal, no Missouri, fixando o olhar à frente, ao mesmo tempo que tentava observar os objetos nas vitrines das lojas, em ambos os lados da rua, sem virar a cabeça. Repetia-o durante horas, no intuito de desenvolver a visão periférica e observar a área mais ampla da quadra. Em casa, dentro do quarto, praticava passes e fintas noite adentro – habilidades que também o ajudariam a compensar a falta de velocidade.

Bradley alinhou toda a sua energia criativa para desenvolver maneiras novas e eficazes de treinar. Certa vez, a família viajou para a Europa de navio. Finalmente, pensaram, ele faria uma pausa em seu regime de treinamento. De fato, não havia onde praticar a bordo. No entanto, abaixo do convés e se estendendo por todo o comprimento da embarcação, existiam dois corredores, com 275 metros de extensão e muito estreitos, com espaço suficiente para apenas dois passageiros. Era o lugar perfeito para praticar dribles em alta velocidade, mantendo o controle sobre a bola. Para dificultar ainda mais, ele resolvera usar óculos especiais que estreitavam sua visão. Durante horas, todos os dias, driblava para cima, num lado, e para baixo, no outro, até o fim da viagem.

Trabalhando dessa maneira, durante anos, Bradley aos poucos transformou-se em um dos maiores astros do basquete. Os fãs ficavam boquiabertos com sua capacidade de dar os passes mais espantosos, como se tivesse olhos atrás e nos lados da cabeça – para não falar nas proezas de seus dribles e de sua grande elegância na quadra. Mal sabiam que essa facilidade aparente era resultado de horas a fio de prática intensa, ao longo de muitos anos.

B. Quando John Keats (1795-1821) tinha 8 anos, seu pai morreu num acidente a cavalo. A mãe nunca se recuperou da perda e faleceu sete anos depois, deixando John, os dois irmãos e uma irmã órfãos e sem teto, em Londres. John, o mais velho, foi retirado da escola pelo tutor e matriculado como aprendiz de cirurgião e farmacêutico – ele teria que ganhar a vida o mais rápido possível, e essa parecia a melhor carreira.

Em seus últimos períodos letivos, Keats desenvolvera o amor pela leitura e pela literatura. Para continuar sua educação, ele voltava à escola nas horas de folga e lia tantos livros quanto possível na biblioteca. Tempos depois, sentiu o desejo de tentar escrever poesia. Carecendo, porém, de instrução específica e sem acesso a nenhum círculo literário, a única maneira que lhe ocorreu para aprender a escrever como autodidata foi ler os trabalhos de todos os grandes poetas dos séculos XVII e XVIII. Ele, então, criava os próprios poemas, usando a forma e o estilo poético do escritor em que tentava se basear. Como tinha jeito para imitação, logo estava criando versos em dezenas de estilos diferentes, sempre inserindo suas próprias características.

Depois de vários anos nesse processo, Keats tomou uma decisão – dedicaria a vida a escrever poesia. Essa era a sua vocação, e ele daria um jeito de transformá-la em ganha-pão. Para completar a rigorosa aprendizagem a que já se submetera, concluiu que precisava escrever um poema muito longo, exatamente com 4 mil linhas. O poema giraria em torno do mito grego de Endimião. "'Endimião'", escreveu ele a um amigo, "será um teste, uma prova de meus poderes de imaginação e, sobretudo, de minha criatividade (...) para o qual devo escrever 4 mil linhas sobre algumas circunstâncias e enchê-las com poesia." Deu a si mesmo um prazo quase impossível – sete meses – e a tarefa de escrever 50 linhas por dia, até completar o primeiro rascunho.

Quando já havia percorrido três quartos do caminho, passou a odiar intensamente o poema que estava escrevendo; mas não o abandonaria, persistindo até o fim e cumprindo o prazo. O que ele não gostava em "Endimião" era a linguagem floreada, o rebuscamento, a verborragia. Mas só assim poderia descobrir o que funcionava para ele. "Em 'Endimião' mergulhei de cabeça no mar e, assim, familiarizei-me mais com a sonoridade, com as areias movediças e com as rochas, do que se tivesse ficado na praia (...) tomando chá e ouvindo conselhos", explicou.

Depois de produzir o que considerou um poema medíocre, Keats conscientizou-se de todas as lições inestimáveis que havia aprendido. Nunca mais sofreria de bloqueio criativo – ele praticara a escrita passando por cima de qualquer obstáculo e cultivara o hábito de escrever rápido, com intensidade e foco – concentrando seu trabalho em poucas horas. Também revisava seus escritos com igual velocidade. Aprendera a criticar a si mesmo e a combater suas tendências demasiado românticas. Conseguia avaliar seu trabalho com distanciamento. Aprendera que as melhores ideias lhe ocorriam no momento em que compunha poemas e que teria que continuar escrevendo com ousadia para não desperdiçar essas descobertas. Mais importante de tudo, ao contrário do que fizera em "Endimião", ele havia encontrado um estilo próprio – uma linguagem tão compacta e densa em imagens quanto possível, sem uma única linha supérflua.

Aplicando essas lições nos anos de 1818 e 1819, antes de ficar gravemente doente, Keats produziria alguns dos mais memoráveis poemas da língua inglesa, incluindo todas as suas maiores odes. Tamanha fecundidade contribuiria para o que podem ter sido os dois anos mais profícuos da história da literatura ocidental – tudo consequência da rigorosa autoaprendizagem a que se dedicara.

Por natureza, nós, humanos, nos retraímos diante de algo que se revele doloroso ou demasiado difícil. Levamos essa tendência natural para a prática de qualquer habilidade. Ao treinarmos alguma habilidade, quase sempre nos dedicamos mais aos aspectos em que temos mais facilidade e evitamos a todo custo facetas em que somos menos capazes. Sabendo que, em nossa prática, podemos baixar a guarda, uma vez que não estamos sendo observados nem nos sentimos sob pressão, adquirimos o hábito da atenção difusa. Também costumamos ser muito tradicionais em nossas rotinas. Em geral nos limitamos ao que todos fazem, praticando os mesmos exercícios convencionais.

Esse é o caminho dos amadores. Para alcançar a maestria, é preciso adotar o que denominaremos Prática da Resistência. O princípio é simples: você avança na direção oposta a todas as tendências naturais quando se trata de praticar. Primeiro, *resiste* à tentação de ser agradável consigo mesmo. Torna-se seu crítico mais severo; enxerga seu trabalho com olhos alheios e reconhece suas fraquezas. Esses são os aspectos a que dá prioridade em sua prática. Você sente uma espécie de prazer doentio em superar o desconforto. Segundo, *resiste* à tentação de relaxar o foco. Você se condiciona a se concentrar na prática com o dobro da intensidade que aplica na vida real, como se fosse a realidade duplicada. Ao elaborar rotinas, torna-se o mais criativo possível. Inventa exercícios que trabalham seus pontos fracos. Assume prazos rígidos para cumprir certas exigências, forçando-se constantemente a superar os limites que atribuiu a si mesmo. Dessa maneira, você desenvolve seus próprios padrões de excelência, em geral mais altos que os de outros.

No fim das contas, suas cinco horas de trabalho intenso e concentrado serão equivalentes a dez horas de trabalho para a maioria das pessoas. Em breve, você verá os resultados desse treinamento, e os outros ficarão admirados com a aparente facilidade com que você executa suas proezas.

6. Aprenda com o fracasso

Um dia, em 1885, Henry Ford, então com 33 anos, viu pela primeira vez um motor movido a gasolina, e se apaixonou imediatamente. Ford fora aprendiz de mecânico e trabalhara com todos os motores possíveis, mas nada se comparava ao seu fascínio por essa nova máquina, algo que gerava a própria energia. Assim inspirado, imaginou uma nova espécie de carruagem sem cavalo que revolucionaria os meios de transporte. A sua Missão de Vida seria, portanto, desenvolver esse veículo automotor.

Trabalhando no turno da noite na Edison Illuminating Company como engenheiro, ele se dedicava, durante o dia, ao novo motor de combustão interna que estava desenvolvendo. Construiu uma oficina em um galpão nos fundos de sua casa e começou a produzir o motor com peças de sucata das mais diversas procedências, não importava onde as encontrasse. Em 1896, com amigos que o ajudavam a construir o veículo revolucionário, completou seu primeiro protótipo, denominado Quadriciclo, que testou nas ruas de Detroit.

Na época, muita gente estava produzindo automóveis com motor a gasolina. Era um ambiente impiedosamente competitivo, em que novas empresas nasciam e morriam da noite para o dia. O Quadriciclo de Ford parecia interessante e andava bem, mas era muito pequeno e incompleto para a produção em grande escala. Por isso, Ford começou a trabalhar em um segundo automóvel, já pensando na fase de produção. Concluiu-o um ano mais tarde, e era uma maravilha do design, voltado, acima de tudo, para a simplicidade e para a solidez. Era de fácil direção e manutenção. Tudo de que precisava era apoio financeiro e capital suficiente para produzi-lo em massa.

Fabricar automóveis no final da década de 1890 era um empreendimento hercúleo. Exigia enorme volume de capital e organização empresarial complexa, considerando todas as partes que entravam na montagem. Ford rapidamente encontrou o patrocinador perfeito: William H. Murphy, um dos mais destacados homens de negócios de Detroit. A nova empresa foi denominada Detroit Automobile Company, e todos os envolvidos tinham grandes esperanças. Mas os problemas logo surgiram. O carro que Ford projetara como protótipo precisava ser reformulado – as peças vinham de diferentes lugares; algumas eram deficientes e pesadas demais. Assim, persistiu em melhorar o projeto, para aproximá-lo mais de seu ideal. No entanto, como estava demorando demais, Murphy e os outros acionistas já se mostravam intranquilos. Em 1901, um ano e meio após ter entrado em operação, o conselho de administração liquidou a empresa. Tinham perdido a fé em Henry Ford.

Ao analisar seu fracasso, Ford chegou à conclusão de que procurara produzir um automóvel que atendesse às necessidades de muitos consumidores. Ele tentaria uma segunda vez, começando com um veículo leve e menor. Para tanto, convenceu Murphy a dar-lhe uma segunda chance, algo raro no incipiente negócio de automóveis. Ainda acreditando na genialidade de Ford, Murphy concordou, e juntos constituíram a Henry Ford Company. Desde o início, porém, Ford sentiu as pressões de Murphy para entregar o automóvel à produção, a fim de evitar os problemas que ele enfrentara com a primeira empresa. Ford se ressentiu da interferência de pessoas que não entendiam nada de design nem dos altos padrões que ele estava tentando estabelecer para a nova indústria.

Murphy e os associados trouxeram alguém de fora para supervisionar o processo. Esse foi o ponto de ruptura – menos de um ano depois de sua fundação, Ford deixou a empresa. O rompimento com Murphy dessa vez foi definitivo.

No setor automobilístico emergente, Henry Ford era carta fora do baralho. Ele havia desperdiçado suas duas chances e ninguém lhe daria uma terceira oportunidade, não com o volume de capital em jogo. Mas, para os amigos e a família, Ford aparentava uma despreocupação que chegava a parecer irresponsável. Dizia a todos que as duas tentativas lhe haviam ensinado lições inestimáveis – identificara todas as falhas ao longo do processo e, como um relógio ou uma máquina, analisara esses fracassos e tinha encontrado suas causas básicas: ninguém lhe dera tempo suficiente para eliminar os defeitos. Os donos do capital estavam interferindo em questões de mecânica e de projeto. Estavam impondo suas ideias medíocres e estragando o processo. Ele se ressentia da ideia de que entrar com o dinheiro lhes conferia certos direitos, quando tudo o que importava era a perfeição do projeto.

A saída era encontrar uma forma de garantir independência absoluta em relação aos financistas. Mas não era assim que negócios eram feitos nos Estados Unidos. As empresas americanas se tornavam cada vez mais burocráticas. Ford teria que inventar sua própria forma de organização, seu próprio modelo de negócio, algo compatível com seu temperamento e suas necessidades – incluindo uma equipe eficiente em que pudesse confiar, além do direito de dar a palavra final em todas as decisões.

Considerando sua reputação, seria quase impossível encontrar apoio, mas, depois de vários meses de busca, achou um sócio ideal – Alexander Malcomson, imigrante escocês que fizera fortuna no negócio de carvão. Como Ford, era pouco convencional e assumia riscos. O novo capitalista concordou em financiar mais esse empreendimento e não se intrometer no processo de fabricação. Ford se dedicou à construção de uma nova espécie de unidade de montagem, que lhe daria mais controle sobre o carro que queria projetar, agora conhecido como Modelo A. Seria o automóvel mais leve já produzido, simples e durável. Era o auge de todos os seus experimentos e projetos. Seria produzido numa linha de montagem que garantiria velocidade e produtividade.

Com a unidade de montagem pronta, Ford se empenhou em conseguir que a equipe de trabalhadores produzisse 15 carros por dia, quantidade bastante alta naquela época. Ele supervisionava todos os aspectos da produção. Trabalhava até na linha de montagem, cativando os trabalhadores. E os pedidos começaram a chegar aos montes, tal era o interesse pelo Modelo A, um automóvel bem-feito e acessível. Em 1904, a Ford Motor Company teve que expandir suas operações. Em breve, ela seria uma das poucas sobreviventes da primeira era do setor automobilístico, e um gigante em crescimento.

A mente de Henry Ford era daquelas que se sincronizam naturalmente com a mecânica. Ele tinha a capacidade da maioria dos grandes inventores – a de visualizar tanto as partes quanto sua atuação em conjunto. Se tivesse que descrever como algo funcionava, ele pegaria um guardanapo e esboçaria um diagrama, em vez de usar palavras. Com esse tipo de inteligência, o aprendizado de máquinas para ele era fácil e rápido; mas quando se tratava de produção em massa, ele se defrontava com o fato de que não tinha os conhecimentos indispensáveis. Precisava de mais aprendizado para tornar-se empreendedor e empresário. Felizmente, o trabalho com máquinas desenvolvera nele a inteligência prática, a paciência e a capacidade de solução de problemas que se aplicavam a qualquer coisa.

Quando determinada máquina não funciona bem, você não encara o fato como algo pessoal nem se deixa abater. É um mal que vem para o bem. Essas disfunções em geral revelam falhas intrínsecas e meios de aprimoramento. Você continua tentando até acertar. Assim deve ser no âmbito empresarial. Os erros e fracassos também são formas de aprendizado. Eles lhe apontam suas próprias inadequações. É difícil chegar às mesmas conclusões com base nos comentários das pessoas, pois elas geralmente são parciais em seus elogios e críticas. Os fracassos também lhe permitem ver as falhas, que só se revelam na execução. Você aprende o que o público de fato quer, a discrepância entre suas ideias e o modo como afeta o consumidor. Preste atenção na estrutura de seu grupo – como sua equipe está organizada e qual é seu grau de independência em relação às fontes de capital. Trata-se de fatores que também influenciam o projeto e que costumam ser fontes ocultas de problemas.

Existem dois tipos de fracasso. O primeiro decorre de nunca experimentar suas ideias por não vencer o medo ou por sempre esperar o momento perfeito. Nunca se aprende com esse fracasso por omissão, pois jamais se experimenta, e essa inação é fatal. O segundo resulta do espírito ousado e aventureiro. Nesse caso, os efeitos negativos sobre sua reputação são superados de longe pelos efeitos positivos do aprendizado. Os sucessivos fracassos vão fortalecer sua garra e lhe mostrarão com absoluta clareza como as coisas devem ser feitas. De fato, obter o sucesso na primeira vez não deixa de ser uma forma de maldição, pois não se leva em conta o fator sorte e se começa a pensar que se tem o dom de transformar tudo em ouro. Quando o fracasso, em geral inevitável, acabar ocorrendo, você se sentirá confuso e desmotivado. Em todo caso, para aprender como um empreendedor, é preciso pôr em prática as ideias o mais cedo possível, expondo-as ao público, uma parte de você deve até esperar o fracasso. Desse jeito, você só tem a ganhar.

7. Combine o "como" com o "o quê"

Ainda muito criança, Santiago Calatrava (nascido em 1951) se apaixonou pelo desenho. Ele levava os lápis para onde ia. Um determinado paradoxo no desenho começou a atormentá-lo. Em Valença, na Espanha, onde cresceu, o sol intenso do Mediterrâneo acentuava o relevo das coisas que gostava de desenhar – rochas, árvores, edifícios, pessoas. Seus esboços ficavam mais suaves à medida que o dia avançava. Nada que ele desenhava era de fato estático; tudo se encontra em estado de mudança e de movimento – essa é a essência da vida. Mas como expressar esse movimento no papel, numa imagem perfeitamente parada?

Calatrava frequentou cursos e aprendeu técnicas para criar as várias ilusões de algo retratado em um instante do movimento, mas nunca se deu por satisfeito com os resultados. Como parte dessa busca impossível, aprendeu como autodidata recursos de matemática, como geometria descritiva, que poderiam ajudá-lo a compreender a representação de objetos em duas dimensões. Suas habilidades melhoraram e seu interesse pelo assunto se aprofundou. Parecia que estava destinado a uma carreira como artista e, assim, em 1969, ele se matriculou na escola de arte de Valença.

Com poucos meses de estudo, teve uma experiência aparentemente insignificante que mudaria o curso de sua vida: procurando suprimentos de desenho numa papelaria, seus olhos foram atraídos por um folheto com bela apresentação, descrevendo o trabalho do grande Le Corbusier, arquiteto que, de algum modo, tinha conseguido criar formas totalmente inusitadas. Algo tão simples como uma escada, quando projetada por ele, se transformava em peça de escultura dinâmica. Os edifícios que ele criava pareciam desafiar a gravidade, despertando uma sensação de movimento em suas formas estáticas. Depois de estudar o folheto, Calatrava desenvolveu uma nova obsessão – descobrir o segredo daqueles edifícios. Assim que pôde, transferiu-se para a única escola de arquitetura de Valença.

Ao formar-se em arquitetura, em 1973, Calatrava já havia desenvolvido fortes bases no assunto. Dominava as regras e os princípios mais importantes do design. Era mais do que capaz de conseguir emprego em algum escritório de arquitetura e avançar na carreira. Mas sentia que lhe faltava algo fundamental em seus conhecimentos. Ao observar todos os grandes trabalhos de arquitetura que ele mais admirava – o Panteão de Roma, os edifícios de Gaudí, em Barcelona, as pontes de Robert Maillart, na Suíça –, percebeu que não conhecia muito sobre seu processo de construção. Ele sabia mais que o suficiente sobre a forma de cada um, sua estética e como eles funcionavam como prédios públicos, mas não sabia nada sobre como se sustentavam, como as partes se encaixavam, como os edifícios de Le Corbusier criavam aquela impressão de movimento e dinamismo.

Era como desenhar uma bela ave, mas não saber como ela voava. Conforme ocorria no desenho, ele queria ir além da superfície, não se limitar ao design em si, e tocar a realidade. Sentia que o mundo estava mudando; havia algo no ar. Com os avanços na tecnologia e nos materiais, dispunha-se agora de possibilidades extraordinárias para um novo tipo de arquitetura; mas, para explorá-las em plenitude, ele teria que aprender algo sobre engenharia. Assim raciocinando, Calatrava tomou uma decisão: ele praticamente começaria tudo de novo e se matricularia no Instituto Federal de Tecnologia, em Zurique, na Suíça, para se formar em engenharia civil. Seria um processo árduo, mas ele se prepararia para pensar e para desenhar como engenheiro. Compreender como os edifícios são construídos o liberaria e o inspiraria a expandir, aos poucos, as fronteiras do possível.

Nos primeiros anos, ele mergulhou nos rigores da engenharia – em toda a matemática e em toda a física necessárias para atuar na área. Mas, à medida que progredia, surpreendeu-se ao retornar ao paradoxo que o atormentara na infância – como expressar o movimento e a mudança. Em arquitetura, a regra de ouro era que os edifícios tinham que ser estáveis e fixos. Calatrava sentiu o anseio de romper essa convenção rígida. Em sua tese de doutorado, resolveu explorar as possibilidades de introduzir movimento real na arquitetura. Inspirado pela Nasa e por seus projetos de naves espaciais, assim como pelas asas de aves desenhadas por Leonardo da Vinci, escolheu como tema a maleabilidade das estruturas – de que maneira, por meio da engenharia avançada, as estruturas poderiam se mover e se transformar.

Ao completar sua tese de doutorado, em 1981, ele finalmente entrou no mundo do trabalho, depois de 14 anos de aprendizagem na universidade estudando artes, arquitetura e engenharia. Nos anos seguintes, faria experimentos com novos tipos de portas, janelas e telhados que se movimentariam e se abririam de maneira inédita, alterando a forma dos edifícios. Projetou uma ponte móvel em Buenos Aires, que se movimentava para fora, em vez de para cima. Em 1996, levou tudo isso um passo adiante, com o projeto e a construção da ampliação do Milwaukee Art Museum – um longo hall de recepção de vidro e aço, com pé-direito de 25 metros, sombreado por uma enorme tela móvel no telhado dividida em dois painéis nervurados, que abrem e fecham como as asas de uma gaivota gigantesca, imprimindo movimento a todo o edifício e dando a impressão de que o prédio pode voar a qualquer momento.

Nós, humanos, vivemos em dois mundos. Um é o mundo exterior, das aparências – com todas as formas das coisas que cativam nossos olhos. No entanto, além dessa percepção imediata, esconde-se outro mundo – o de como tudo realmente funciona, sua anatomia ou composição, as partes que atuam juntas e formam o todo. Esse segundo mundo não é cativante de imediato, sendo também difícil de compreender. Não se trata de algo visível a olho nu, mas, sim, de atributos perceptíveis apenas pela mente que vislumbra a realidade. No entanto, esse "como" das coisas é igualmente poético depois que o compreendemos – nele se oculta o segredo da vida, de como as coisas se movimentam e mudam.

A divisão entre o "como" e o "o quê" pode ser aplicada a quase tudo ao nosso redor – vemos as máquinas, mas não como elas funcionam; vemos um grupo de pessoas produzindo algo como empresa, mas não como o grupo é estruturado e como os produtos são fabricados e distribuídos. (De maneira semelhante, tendemos a ficar fascinados pela aparência das pessoas, não pela psicologia por trás do que fazem ou dizem.) Conforme Calatrava veio a descobrir, ao superar essa divisão e combinar o "como" e o "o quê" da arquitetura, ele desenvolveu um conhecimento muito mais profundo e integrado da área. Apreendeu uma parcela maior da realidade que entra na construção de edifícios. Isso lhe permitiu criar algo infinitamente mais poético, lhe possibilitou estender as fronteiras e romper as convenções da arquitetura em si.

Vivemos em um planeta caracterizado por uma triste dicotomia, que começou uns 500 anos atrás, quando arte e ciência se separaram. Os cientistas e técnicos passaram a viver em seu próprio mundo, concentrando-se principalmente no "como" das coisas. A maioria vive no mundo das aparências, usando essas coisas, sem de fato compreender como funcionam. Pouco antes da separação, o ideal do Renascimento foi combinar essas duas formas de conhecimento. Por isso a obra de Leonardo da Vinci continua a nos fascinar e o Renascimento ainda é um ideal. Esse conhecimento mais integrado é, de fato, o estilo do futuro, sobretudo agora que se dispõe de muito mais informação.

Como Calatrava intuiu, essa união deve ser parte de nossa aprendizagem. Precisamos estudar profundamente a tecnologia que usamos, o funcionamento do grupo em que trabalhamos, a economia de nossa área de atuação, sua essência. Devemos fazer perguntas o tempo todo – como as coisas funcionam, como se decide, como o grupo interage? Essa integração do conhecimento nos proporcionará uma compreensão mais profunda da realidade e, em consequência, nos tornará mais capazes de alterá-la.

8. Avance por tentativa e erro

Criado na periferia de Pittsburgh, na Pensilvânia, no começo da década de 1970, Paul Graham (nascido em 1964) ficava hipnotizado pela imagem dos computadores na televisão e no cinema. Eram como cérebros eletrônicos, com poderes ilimitados. Parecia que, no futuro próximo, seria possível conversar com o computador, e a máquina faria tudo.

Nos primeiros anos do ensino médio, ele fora admitido em um programa para os alunos mais promissores, que lhes oferecia a chance de trabalhar em um projeto criativo de sua escolha. Graham decidiu concentrar seu projeto no computador da escola, um mainframe da IBM que era usado para imprimir boletins e programas de aula. Aquela foi a primeira vez em que ele pôs as mãos em um computador. Embora ainda fosse primitivo, programado com cartões perfurados, parecia algo mágico – um portal para o futuro.

Nos anos seguintes, ele aprendeu, de forma autodidata, a programar computadores, consultando os poucos livros então existentes sobre o assunto. Mas, em grande parte, o aprendizado foi por tentativa e erro. Como uma pintura em tela, ele podia ver os resultados do que havia feito imediatamente. O processo de aprendizado por tentativa e erro lhe proporcionava imensa satisfação. Ele descobria as coisas sozinho, sem precisar seguir um caminho rígido, imposto por outros. (Essa é a essência do "hacker".) E quanto mais se aprimorava em programação, mais conseguia fazer.

Decidido a avançar nos estudos, resolveu entrar para a Universidade de Cornell, que, na época, tinha um dos melhores departamentos de ciências da computação dos Estados Unidos. Lá, finalmente recebeu instruções sobre os princípios básicos de programação, eliminando muitos dos maus hábitos que havia desenvolvido por conta própria. Também ficou intrigado com o novo campo da inteligência artificial – a chave para projetar os tipos de computador com que sonhara quando criança. Para se manter na fronteira dessa nova área, candidatou-se e foi aceito na escola de pós-graduação em ciências da computação da Universidade de Harvard.

Em Harvard, Graham finalmente teve que se defrontar com algo sobre si mesmo – não fora talhado para a vida acadêmica. Detestava escrever trabalhos de pesquisa. O estilo de programação da universidade privou-lhe de toda a diversão e vibração, inerentes ao processo de descoberta por tentativa e erro. Ele era um hacker por vocação e de coração, alguém que gostava de imaginar as coisas por conta própria. Lá ele conheceu outro hacker, Robert Morris, e juntos começaram a explorar as complexidades da linguagem de programação Lisp. Parecia ser a linguagem mais poderosa e fluida de todas. Compreender Lisp levava-o a constatar algo essencial sobre a programação em si. Era uma linguagem adequada para hackers de alto nível, uma linguagem feita especificamente para investigação e descoberta.

Decepcionado com o departamento de ciências da computação de Harvard, Graham decidiu desenvolver seu próprio programa de pós-graduação: ele faria uma ampla variedade de cursos e descobriria o que mais lhe interessava. Para sua surpresa, viu-se atraído por artes – por pintura e pelos temas de história da arte em si. Depois de completar seu ph.D. em Harvard, com concentração em ciências da computação, ele se matriculou na Rhode Island School of Design. Depois, participou de um programa de pintura na Academia de Florença, na Itália. Por fim, voltou para os Estados Unidos, sem dinheiro mas disposto a se dedicar à pintura. Ele se sustentaria com trabalhos de consultoria em programação.

Com o passar do tempo, refletia vez por outra sobre suas escolhas. Os artistas do Renascimento passavam por fases de aprendizagem bem delineadas, mas o que ele poderia dizer sobre sua própria aprendizagem? Parecia não haver uma verdadeira direção em sua vida. Era como os "experimentos" que fazia na escola do ensino médio, unindo retalhos, imaginando coisas por meio de sucessivas tentativas e erros, descobrindo na prática o que funcionava. Ao moldar seu caminho de forma aleatória, ele descobriu o que evitar – a academia, as grandes empresas, qualquer ambiente político. Gostava do processo de *fazer* coisas. No fim das contas, o que importava para ele era ter possibilidades – ser capaz de prosseguir nessa ou naquela direção, dependendo do que a vida lhe oferecesse. Se, ao longo dos anos, ele havia passado por qualquer aprendizagem, foi quase espontaneamente.

Uma tarde, em 1995, ouviu no rádio uma notícia sobre a Netscape – a empresa estava exaltando suas perspectivas para o futuro e discutindo como um dia a maioria das empresas venderia seus produtos na internet, em ambiente Netscape. Com sua conta bancária outra vez no vermelho, mas não admitindo a hipótese de prestar novos serviços de consultoria, recrutou seu velho amigo hacker Robert Morris para ajudá-lo a desenvolver um software especializado na gestão de negócios on-line. A ideia de Graham era criar um programa que seria executado diretamente no servidor web, em vez de ser baixado para o computador do usuário. Ninguém havia pensado nisso antes. Assim, fizeram o programa em Lisp, aproveitando a velocidade com que poderiam alterá-lo. Com o produto pronto, constituíram uma empresa, a Viaweb, que seria a primeira de sua espécie, pioneira no comércio on-line. Três anos depois, venderam-na para o Yahoo! por US$45 milhões.

Nos anos seguintes, Graham prosseguiria no caminho que iniciara quando ainda estava na casa dos 20 anos, mudando para onde seus interesses e habilidades convergiam, para onde via possibilidades. Em 2005, deu uma palestra em Harvard sobre suas experiências com a Viaweb. Os alunos, entusiasmados com seus conselhos, estimularam-no a abrir algum tipo de empresa de consultoria. Instigado pela ideia, ele criou a Y Combinator, sistema de aprendizagem para jovens empreendedores em tecnologia, e sua empresa assumiu uma participação em cada *startup* bem-sucedida. Com o passar do tempo, refinaria o sistema, aprendendo à medida que prosseguia. No fim das contas, a Y Combinator foi sua melhor pirataria – algo com que deparou ao acaso e melhorou por meio de seu próprio processo de tentativa e erro. A empresa hoje vale cerca de US$500 milhões.

◆

Cada época tende a criar seu próprio modelo de aprendizagem, mais adequado ao sistema de produção vigente. Na Idade Média, durante a fase de formação do capitalismo moderno e por força da necessidade de controle de qualidade, apareceu o primeiro sistema de aprendizagem, sob condições rigidamente definidas. Com o advento da Revolução Industrial, esse modelo se tornou em grande parte superado, mas a ideia básica sobreviveu na forma de autoaprendizagem – desenvolver-se por conta própria, dentro de determinado campo, como fez Darwin em biologia. Era algo compatível com o espírito cada vez mais individualista da época. Hoje, estamos na era da informática, com os computadores dominando quase todos os aspectos da vida comercial. Embora as condições atuais influenciem de muitas maneiras o conceito de aprendizagem, é a abordagem do hacker à programação que pode oferecer o modelo mais promissor dessa nova era.

O modelo é mais ou menos o seguinte: o objetivo é aprender tantas habilidades quanto possível, ao sabor das circunstâncias, mas só se elas se relacionarem com seus interesses mais profundos. Como um hacker, você valoriza o processo de autodescoberta e de produção de algo da mais alta qualidade. Evita a armadilha da carreira predeterminada. Não tem certeza de para onde tudo isso o levará, mas aproveita ao máximo a abertura das informações, todos os conhecimentos e habilidades à sua disposição. Você verifica que tipo de trabalho é mais compatível com suas peculiaridades e o que deve ser evitado a qualquer custo. Avança por tentativa e erro, como acontecia nos seus 20 anos. Você é o programador desse amplo processo de aprendizagem, sob as restrições não muito rígidas de seus interesses pessoais.

Você não divaga por medo de assumir compromissos, mas por querer expandir sua base de habilidades e suas possibilidades. A certa altura, quando estiver pronto para começar algo, as ideias e oportunidades sem dúvida surgirão. Quando isso acontecer, todas as habilidades que você acumulou se revelarão inestimáveis. Você será o Mestre capaz de combiná-las de maneira singular, compatível com sua individualidade.

Talvez você persista nesse lugar ou ideia durante vários anos, acumulando, em consequência, ainda mais habilidades, para depois avançar em direção ligeiramente diferente, no momento oportuno. Nessa nova era, quem segue um único caminho rígido, escolhido na juventude, com frequência se vê em um beco sem saída profissional quando chega aos 40 anos, quase sempre se sentindo sufocado pela monotonia. A aprendizagem abrangente dos 20 anos renderá o oposto – a expansão das possibilidades à medida que se envelhece.

Desvios

Talvez se imagine que certas pessoas na história – os naturalmente talentosos, os gênios – de alguma maneira contornaram a fase de aprendizagem ou a abreviaram em muito, por causa de seu brilho inato. Para sustentar esse argumento, em geral são apontados os exemplos de Mozart e Einstein, que parecem ter surgido do nada como gênios criativos.

No caso de Mozart, porém, os críticos de música clássica costumam concordar que ele não compôs nenhuma música original importante até bem depois de 10 anos de prática. Aliás, um estudo de cerca de 70 compositores clássicos concluiu que, com apenas três exceções, todos precisaram de pelo menos 10 anos para produzir sua primeira grande obra, e as exceções de alguma maneira a criaram em 9 anos.

Einstein começou seus experimentos mentais sérios aos 16 anos. Dez anos depois, produziu sua primeira teoria da relatividade revolucionária.

É impossível quantificar o tempo que ele passou cultivando suas habilidades teóricas nesses 10 anos, mas não é difícil imaginá-lo trabalhando três horas por dia nesse problema específico, o que resultaria em mais de 10 mil horas depois de uma década. O que, de fato, distingue Mozart e Einstein de outros é a pouca idade com que iniciaram sua aprendizagem e a intensidade com que praticaram, caracterizada pela imersão total no tema a que se dedicavam. Ocorre que, em geral, quando jovens, aprendemos com mais rapidez, assimilamos com mais profundidade e, ainda assim, preservamos certo tipo de vigor criativo, que tende a desaparecer à medida que envelhecemos.

Não há atalhos nem meios para contornar a fase de aprendizagem. É da natureza do cérebro humano exigir essa exposição prolongada a determinada área, o que possibilita que habilidades complexas se incorporem profundamente, liberando a mente para as verdadeiras atividades criativas. O desejo em si de encontrar atalhos o torna inadequado para qualquer tipo de maestria. Não há desvio possível nesse processo.

> *É como derrubar a machadadas uma imensa árvore, com enorme tronco. Você não o fará com um único golpe. Mas se prosseguir nas machadadas, sem interrupções, ela acabará desabando repentinamente. Quando chegar a hora, não adiantará arregimentar todas as pessoas ao seu redor e pagar-lhes para manter a árvore em pé, pois não conseguirão fazê-lo. (...) No entanto, se o lenhador parar, depois de um ou dois golpes de machado, e perguntar ao terceiro filho do Sr. Chang "Por que essa árvore não cai?", e, depois de mais três ou quatro machadadas, parar de novo e perguntar ao quarto filho do Sr. Li "Por que essa árvore não cai?", ele nunca conseguirá abater a árvore. Não é diferente de alguém que está desbravando o caminho.*
>
> – MESTRE ZEN HAKUIN

III

Incorpore o poder do Mestre: A dinâmica do mentor

A vida é curta, e seu tempo de aprendizado e criatividade é limitado. Sem qualquer orientação, você pode desperdiçar anos valiosos na tentativa de desenvolver conhecimentos e prática, recorrendo a várias fontes. Em vez disso, é preciso seguir o exemplo deixado pelos Mestres, ao longo das eras, e encontrar um bom mentor. A relação mentor-aprendiz é a forma de aprendizado mais eficiente e mais produtiva. Bons mentores sabem onde concentrar sua atenção e como desafiar você. Eles lhe transferem seus conhecimentos e experiências. Fornecem feedback imediato e realista sobre seu trabalho, para que você possa melhorá-lo rapidamente. Por meio de intensa interação pessoal, você assimila uma forma de pensar que envolve grande poder e que é suscetível de adaptação às suas características individuais. Escolha o mentor que melhor atende às suas necessidades e que mais se liga à sua Missão de Vida. Depois de ter internalizado o conhecimento dele, é necessário avançar e nunca ficar à sua sombra. Seu objetivo é superar os mentores em maestria e brilhantismo.

A alquimia do conhecimento

Tendo crescido na pobreza, em Londres, parecia que o destino de Michael Faraday (1791-1867) já estava definido desde que nasceu – ele seguiria os passos do pai e se tornaria ferreiro ou exerceria algum outro ofício manual. Suas opções eram muito limitadas pelas circunstâncias. Eram 10 filhos para sustentar. O pai nem sempre podia trabalhar, acometido por doenças, e a renda familiar era insuficiente para tanta gente. Todos esperavam pelo dia em que o jovem Faraday completasse 12 anos e pudesse trabalhar ou começar algum tipo de aprendizagem.

No entanto, ele tinha uma característica que o tornava potencialmente diferente – sua mente era muito ativa, algo que talvez o contraindicasse para uma carreira que exigia, acima de tudo, trabalho físico. Parte de sua inquietação intelectual fora inspirada pela religião peculiar a que a família pertencia – eles eram cristãos sandemanianos. Os seguidores dessa seita acreditam que a presença de Deus se manifesta em todos os seres vivos e em todos os fenômenos naturais. Ao se comunicarem com Deus todos os dias e ao se aproximarem dele introspectivamente, eles poderiam ver e sentir sua presença em qualquer lugar.

O jovem Faraday foi muito influenciado por essa filosofia. Quando não estava ajudando a mãe em tarefas diversas, perambulava pelas ruas centrais de Londres, observando o mundo ao redor com extrema intensidade. A natureza, assim lhe parecia, envolvia inúmeros segredos que ele queria analisar e desvendar. Como lhe disseram que Deus se manifestava em todos os lugares, tudo lhe interessava, e sua curiosidade era ilimitada. Ele fazia inúmeras perguntas aos pais, ou a quem encontrasse, sobre plantas, minerais ou qualquer ocorrência natural aparentemente inexplicável. Parecia sedento de conhecimento e muito frustrado pela falta de meios para obtê-lo.

Um dia, entrou numa loja que encadernava e vendia livros. A visão de tantos volumes reluzentes nas prateleiras o impressionou. Sua escolaridade fora mínima e ele só conhecera um livro em sua vida, a Bíblia. Os sandemanianos acreditavam que as Escrituras eram a incorporação viva da vontade do Senhor e continham algo de sua presença. Para Faraday, isso significava que as palavras impressas na Bíblia tinham uma espécie de poder mágico.

Ele imaginava que cada um dos livros daquela loja abria diferentes mundos de conhecimento, uma espécie de mágica em si mesma.

O dono da loja, George Riebau, ficou encantado pela reverência do jovem por seus livros. Estimulou-o a voltar e logo Faraday começou a frequentar a livraria. Para ajudar a família, Riebau ofereceu-lhe emprego como entregador. Impressionado com sua ética de trabalho, convidou-o então a trabalhar na loja como aprendiz de encadernador. Feliz da vida, Faraday aceitou e, em 1805, iniciou sua aprendizagem de sete anos.

Nos primeiros meses de trabalho, cercado por todos aqueles livros, o jovem mal conseguia acreditar em sua boa sorte – livros novos eram raros naqueles dias, itens de luxo para os ricos. Nem mesmo as bibliotecas públicas continham o que se encontrava na loja de Riebau. O proprietário incentivou-o a ler tudo o que quisesse nas horas de folga, e Faraday seguiu seu conselho, devorando quase todas as obras que passavam por suas mãos. Uma tarde, ele leu o verbete de uma enciclopédia com as descobertas mais recentes em eletricidade, e, de repente, sentiu que tinha encontrado sua vocação na vida. Lá estava um fenômeno invisível aos olhos, mas que se manifestava e se quantificava por meio de experimentos. O processo de descobrir os fenômenos da natureza mediante experimentos o deixou fascinado. A ciência, achava ele, era um grande questionamento sobre os mistérios da própria Criação. De algum modo, ele se tornaria cientista.

Aquele não era um objetivo realista, e ele sabia muito bem disso. Na Inglaterra da época, o acesso a laboratórios e às ciências era liberado apenas aos detentores de educação universitária, o que implicava pertencer às classes superiores. Como um aprendiz de encadernador podia sonhar em superar tantas adversidades? Mesmo que tivesse energia e vontade para tentar, não dispunha de professores, nem de orientação, nem de estrutura, nem de métodos de estudo. Então, em 1809, a loja recebeu um livro que, enfim, lhe deu alguma esperança. O título era *Improvement of the Mind* (Aprimoramento da mente), guia de autoajuda escrito pelo reverendo Isaac Watts, publicado em 1741. O livro descrevia um sistema de aprendizado e de melhoria das condições de vida, não importava a classe social do leitor. Recomendava práticas que qualquer pessoa podia adotar e prometia resultados. Faraday leu-o repetidas vezes e o levava consigo para onde quer que fosse.

Também seguiu os conselhos do livro ao pé da letra. Para Watts, o aprendizado devia ser um processo ativo. Ele recomendava ao leitor não apenas ler sobre descobertas científicas, mas também refazer os experimentos que levaram a elas. Dessa forma, com a bênção de Riebau, Faraday iniciou uma série de experimentos básicos em eletricidade e química numa sala nos fundos da loja. Watts defendia a importância de ter professores, em vez de apenas aprender com os livros. Faraday, diligente, começou a participar de numerosas palestras sobre ciências, que, na época, eram muito comuns em Londres. Watts sugeria ainda que os participantes não se limitassem a ouvir as palestras, mas que fizessem anotações minuciosas, para depois relê-las e praticá-las, quando fosse o caso – processo que fixava mais profundamente os novos conhecimentos no cérebro. Faraday iria ainda mais longe.

Enquanto assistia às palestras do cientista John Tatum, cada semana sobre um tópico diferente, ele anotava as descrições e os conceitos mais importantes, esboçava rapidamente os vários instrumentos usados por Tatum e diagramava os experimentos. Nos dias subsequentes, convertia as notas em descrições e, depois, em capítulos inteiros sobre o tema, narrados e ilustrados de maneira elaborada. Depois de um ano, ele havia acumulado volumosa enciclopédia científica, criada por ele mesmo. Seus conhecimentos sobre ciências se multiplicaram e assumiram uma espécie de forma organizacional moldada por suas anotações.

Um dia, Riebau mostrou esse conjunto impressionante de anotações a um cliente chamado William Dance, membro da prestigiosa Royal Institution, organização cujo objetivo era promover os mais recentes avanços em ciências. Folheando os capítulos de Faraday, Dance ficou perplexo com a clareza e a concisão com que ele resumia assuntos complexos. E resolveu convidar o jovem para assistir a uma série de palestras do renomado químico Humphry Davy a serem proferidas na Royal Institution, da qual Davy era diretor do laboratório de química.

Os ingressos para as palestras já estavam esgotados havia algum tempo e aquele era um privilégio raro para um jovem com as origens de Faraday. Davy era um dos mais destacados cientistas da época. Havia feito numerosas descobertas e estava desenvolvendo o novo campo da eletroquímica. Seus experimentos com vários gases e produtos químicos eram muito perigosos e tinham provocado diversos acidentes. Essas condições apenas reforçavam ainda mais sua reputação como guerreiro destemido da ciência. Suas palestras eram espetáculos – ele tinha um jeito teatral de se apresentar, executando experimentos inteligentes diante de um público perplexo. Seus antecedentes eram modestos e ele alcançara os mais elevados níveis da ciência depois de conquistar a atenção de alguns mentores valiosos. Para Faraday, Davy era o único cientista vivo que podia servir-lhe de modelo, porque também ele não desfrutara de educação formal sólida.

Faraday sempre chegava cedo às palestras; sentava-se na primeira fila e assimilava todos os aspectos das explanações de Davy, fazendo anotações mais do que detalhadas. Essas palestras produziram sobre Faraday efeitos diferentes dos de outras a que havia assistido. Elas sempre o inspiravam, mas ele não podia deixar de se sentir um tanto desanimado. Depois de todos aqueles anos de estudos como autodidata, conseguira expandir seus conhecimentos sobre ciências e sobre o mundo natural. Mas a ciência não é apenas o acúmulo de informações. Também constitui uma maneira de pensar, um modo de abordar os problemas. O espírito científico é criativo – Faraday conseguia senti-lo na presença de Davy. Como cientista amador, seus conhecimentos eram unidimensionais e não levariam a lugar algum. Ele precisava passar para o lado de dentro, onde pudesse desenvolver experiência prática, pôr mãos à obra, a fim de tornar-se parte da comunidade e aprender a pensar como cientista. Para se aproximar desse espírito científico e absorver sua essência, ele necessitava de um mentor.

Parecia uma busca impossível, mas, com sua aprendizagem chegando ao fim e enfrentando a possibilidade de ser encadernador de livros pelo resto da vida, Faraday entrou em desespero. Escreveu cartas para o presidente da Royal Society e candidatou-se aos empregos mais triviais em qualquer tipo de laboratório. Embora persistisse, os meses se passavam sem resultados. Até que um dia ele recebeu uma mensagem do gabinete de Humphry Davy. O químico ficara temporariamente cego em consequência de outra explosão em seu laboratório na Royal Institution, condição que deveria se prolongar por alguns dias. Durante esse período, ele precisaria de um assistente pessoal para fazer anotações e organizar seus materiais. O Sr. Dance, bom amigo de Davy, havia recomendado o jovem Faraday para o trabalho.

Parecia haver algo de mágico naquela ocorrência. Faraday deveria tirar o máximo proveito da oportunidade, fazer o que pudesse para impressionar o grande químico. Intimidado pela presença de Davy, Faraday ouviu atento todas as suas instruções e foi além do que lhe tinha sido pedido. Quando Davy recuperou a visão, agradeceu a Faraday pelo trabalho, mas deixou claro que a Royal Institution já tinha um assistente de laboratório e que não havia vaga para ele em qualquer nível.

Faraday se sentiu desanimado, mas não se deixou abater nem pensou em desistir. Não permitiria que esse fosse o fim. Apenas alguns dias na presença de Humphry Davy haviam revelado muitas oportunidades de aprendizado. Davy gostava de falar sobre suas ideias à medida que lhe ocorriam e de receber feedback de qualquer pessoa próxima. Ao discutir com Faraday um experimento que estava planejando, ofereceu ao jovem um lampejo de como sua mente funcionava; e foi fascinante. Davy seria o melhor dos mentores, e Faraday resolveu fazer com que isso acontecesse. Voltou, então, às anotações que produzira a partir das palestras de Davy. Converteu-as em um livreto muito bem organizado, cuidadosamente escrito à mão, e cheio de esboços e diagramas. Enviou-o para Davy como presente. Algumas semanas depois, escreveu-lhe um bilhete, lembrando-o do experimento que havia mencionado, mas do qual provavelmente já se esquecera – Davy era conhecido pela distração. Faraday não recebeu nenhuma notícia. Até que um dia, em fevereiro de 1813, foi chamado à Royal Institution.

Naquela mesma manhã, o assistente de laboratório da instituição fora demitido por insubordinação. Eles precisavam substituí-lo de imediato e Davy recomendara o jovem Faraday. O trabalho envolvia principalmente limpeza de recipientes e de equipamentos, faxina do laboratório e manutenção das lareiras. O salário era baixo, bem aquém do que poderia receber como encadernador, mas Faraday, mal acreditando na sua sorte, o aceitou no ato.

Sua instrução foi tão rápida que o surpreendeu; em nada parecida com o progresso que fizera por conta própria. Sob a supervisão do mentor, aprendeu a preparar as misturas químicas de Davy, inclusive algumas das variedades mais explosivas. Também assimilou os rudimentos da análise química, com talvez o maior praticante vivo da arte. Suas atribuições começaram a crescer, até que passou a ter acesso ao laboratório para seus próprios experimentos. Trabalhava noite e dia para dar a necessária ordem ao laboratório em si e às prateleiras. Aos poucos, o relacionamento entre os dois se aprofundou – Davy realmente o via como uma versão jovem de si mesmo.

Naquele verão, Davy preparou-se para uma excursão prolongada pela Europa e convidou Faraday para acompanhá-lo, como assistente de laboratório e como lacaio pessoal. Embora o jovem não gostasse da ideia de atuar naquela segunda condição, a chance de conhecer alguns dos mais destacados cientistas da Europa e de trabalhar de maneira tão estreita com Davy em seus experimentos (ele viajava com uma espécie de laboratório portátil) era valiosa demais para ser desperdiçada. O melhor era ficar ao lado dele tanto quanto possível e incorporar seus conhecimentos, toda a sua maneira de pensar.

Durante a viagem, Faraday ajudou Davy em determinado experimento que lhe deixaria uma impressão duradoura. Havia muito se discutia a composição exata dos diamantes. Parecia que se compunham basicamente de carbono. Mas como era possível que algo tão belo fosse feito da mesma substância do carvão? Outros elementos deveriam entrar na composição química dos diamantes, mas não era possível dividir um diamante em seus elementos constituintes. Tratava-se de um problema que confundia muitos cientistas. Davy cultivava, havia muito tempo, a ideia radical de que não são os elementos em si que determinam as propriedades das substâncias. Talvez carvão e diamante tivessem a mesma composição química, mas diferenças em sua estrutura molecular determinavam suas formas e propriedades. Essa era uma visão muito mais dinâmica da natureza, mas Davy não tinha como demonstrá-la, até que, de repente, viajando pela França, ocorreu-lhe uma ideia para a realização do experimento perfeito.

Ao lembrar-se de que a Accademia del Cimento tinha uma das mais poderosas lentes da época, Davy mudou seu itinerário e rumou para Florença. Depois de obter permissão para usar a lente, colocou um diamante em um minúsculo globo de vidro cheio de oxigênio puro e usou a lente para concentrar luz solar intensa sobre o recipiente, até que o diamante evaporasse por completo. Dentro do globo, tudo o que sobrou do diamante foi dióxido de carbono, demonstrando que de fato era composto de carbono puro. Portanto, o que transformava o carbono em carvão ou em diamante *devia* envolver alguma variação na estrutura molecular básica. Nada mais podia explicar os resultados de seu experimento. O que impressionou Faraday foi o processo mental que o levara àquela descoberta. Com base em uma simples especulação, Davy encontrara uma maneira de fazer um experimento que demonstraria *fisicamente* sua ideia, excluindo todas as outras explicações possíveis. Aquele fora um raciocínio bastante criativo, e essa era a fonte de toda a capacidade de Davy como químico.

Em seu retorno à Royal Institution, Faraday recebeu aumento salarial e um novo título – assistente e superintendente do aparato e da coleção mineralógica. E, em breve, desenvolvia-se um padrão. Davy gostava de passar boa parte do tempo na estrada. Confiando nas habilidades crescentes de Faraday, ele lhe enviava para análise todas as espécies de minerais. Davy, aos poucos, se tornava dependente do assistente. Em cartas a Faraday, ele o elogiava como um dos melhores químicos analíticos que ele conhecia – do que se orgulhava, pois o treinara bem. Em 1821, porém, Faraday se viu diante de uma realidade desagradável: Davy o estava mantendo sob seu controle. Depois de oito anos de intensa aprendizagem, ele era agora um químico exímio pelos próprios méritos, com conhecimentos crescentes de outras ciências. Vinha realizando pesquisas independentes, mas Davy ainda o tratava como assistente, fazendo-o enviar pacotes de moscas mortas para suas iscas de pesca e atribuindo-lhe outras tarefas triviais.

Davy o resgatara do ofício de encadernação. Faraday lhe devia tudo, mas agora tinha 30 anos e, se não declarasse independência o mais breve possível, seus anos mais criativos seriam desperdiçados como assistente de laboratório. No entanto, sair de maneira negativa comprometeria seu nome na comunidade científica, sobretudo considerando sua falta de reputação como cientista autônomo. Então, finalmente, Faraday descobriu uma chance de se separar do mentor, e a explorou ao máximo.

Cientistas em toda a Europa estavam fazendo descobertas sobre as relações entre eletricidade e magnetismo, mas seus efeitos recíprocos eram estranhos – gerando um movimento que não era nem linear nem direto; mas, sim, aparentemente, mais circular. Nada na natureza se assemelhava àquilo. Como revelar a forma exata desse efeito ou movimento tornou-se o grande propósito da comunidade científica, e Davy logo se envolveu nisso. Trabalhando com um colega cientista, William Hyde Wollaston, eles propuseram a ideia de que o movimento criado pelo eletromagnetismo era mais como uma espiral. Com a participação de Faraday em seus experimentos, eles conceberam uma forma de desdobrar o movimento em pequenos incrementos que poderiam ser medidos. Depois de agregar todos os movimentos parciais, o resultado mostraria o movimento em espiral.

Mais ou menos na mesma época, um amigo próximo pediu a Faraday que escrevesse uma resenha de tudo o que então se sabia sobre eletromagnetismo para um periódico tradicional, o que o levou a empreender um estudo rigoroso sobre o assunto. Raciocinando como seu mentor, especulou que deveria haver um meio de demonstrar fisicamente, de maneira contínua, o movimento gerado pelo eletromagnetismo, para que ninguém pudesse questionar os resultados. Uma noite, em setembro de 1821, vislumbrou como seria esse experimento, e partiu para a ação. Com um ímã em forma de barra seguro em posição vertical sobre um copo com mercúrio líquido (metal que conduz eletricidade), Faraday mergulhou um arame suspenso, preso a uma rolha como boia, no mercúrio. Quando o arame ficou carregado de eletricidade, a rolha se movimentou em torno do ímã em trajetória cônica exata. O experimento reverso (com o arame seguro na água) revelou o mesmo padrão.

Essa foi a primeira vez na história em que a eletricidade foi usada para gerar movimento contínuo, base precursora de todos os motores elétricos. Embora o experimento fosse muito simples, apenas Faraday o imaginara com tanta clareza. Assim, revelava um estilo de pensamento em grande parte resultante da tutela de Davy. A superação dos anos de pobreza, das expectativas frustradas e do servilismo humilhante lhe proporcionou tal sensação de leveza que ele se pôs a dançar pelo laboratório. Essa seria a descoberta que finalmente lhe daria liberdade. Empolgado com a proeza, apressou-se em divulgar os resultados.

Entretanto, no afã de publicar seu relatório, Faraday se esqueceu de mencionar as pesquisas anteriores de Wollaston e Davy. Logo, difundiram-se rumores de que Faraday plagiara o trabalho dos dois cientistas. Reconhecendo o erro, Faraday se encontrou com Wollaston e lhe mostrou como havia chegado àqueles resultados, independentemente de qualquer trabalho alheio. Wollaston concordou e não voltou ao assunto. Mas os rumores continuavam, e logo ficou claro que a fonte deles era o próprio Davy. Este se recusou a aceitar as explicações de Faraday, sem que ninguém soubesse por quê. Quando Faraday foi nomeado para a Royal Society por causa de sua descoberta, foi Davy, como presidente, quem tentou impedir a sua posse. Um ano depois, quando Faraday fez outra importante descoberta, Davy reivindicou parte dos créditos. Ele parecia acreditar que havia criado Faraday do nada e que, portanto, era o verdadeiro autor de todos os seus feitos.

Faraday já vira o suficiente – o relacionamento entre os dois basicamente estava terminado. Jamais voltaria a se corresponder com o ex-mentor. Agora, desfrutando de autoridade na comunidade científica, Faraday podia agir como desejasse. Seus próximos experimentos preparariam o caminho para todos os avanços mais importantes em energia elétrica e para as teorias que revolucionariam a ciência no século XX. Ele se tornaria um dos praticantes mais importantes da ciência experimental, ofuscando de longe a fama daquele que durante algum tempo foi seu orientador.

Caminhos para a maestria

À mesa, as senhoras louvavam um retrato de autoria de um jovem pintor. "O mais surpreendente", observaram, "é que ele aprendeu tudo sozinho." Isso se percebia principalmente pelas mãos da figura, que não estavam desenhadas da maneira correta e artística. "Vemos", disse Goethe, "que o jovem tem talento; no entanto, não se deve elogiá-lo, mas, sim, condená-lo, por ter aprendido tudo sozinho. Uma pessoa de talento não nasceu para se desenvolver sozinha, mas para se dedicar às artes e aos bons mestres, que a transformarão em algo melhor."

– JOHANN PETER ECKERMANN, poeta alemão, em *Conversações com Goethe*

No passado, as pessoas de poder projetavam uma aura de autoridade muito intensa. Parte dela emanava de suas realizações e parte da posição que ocupavam – como membros da aristocracia ou da elite religiosa. Ela produzia efeitos concretos e podia ser sentida; levava as pessoas a respeitar e a venerar quem a possuía. Ao longo dos séculos, porém, o lento processo de democratização corroeu essa aura de autoridade em todas as suas manifestações, até chegar ao ponto de sua quase inexistência nos dias de hoje.

Ninguém deve ser admirado ou venerado meramente pelas funções que exerce, sobretudo quando esses papéis decorrem de relacionamentos pessoais ou de origens sociais privilegiadas. No entanto, essa atitude de idolatria se transferiu para as pessoas que progrediram em consequência de suas realizações. Vivemos numa cultura que gosta de criticar e de desbancar qualquer forma de autoridade, de apontar as debilidades dos poderosos. Se ainda sentimos qualquer aura, é na presença de celebridades, diante de suas personalidades sedutoras. Parte desse ceticismo em relação à autoridade é saudável, principalmente na política. Contudo, quando se trata de aprendizado e da fase de aprendizagem, isso representa um problema.

Aprender exige um senso de humildade. Precisamos admitir que algumas pessoas têm conhecimentos muito mais profundos que os nossos sobre nossa área de atuação. Essa superioridade não é consequência de talento natural nem de privilégio de qualquer espécie, mas, sim, de tempo e de experiência. Essa autoridade não decorre de politicagem nem de manipulações. Ela é muito real. Mas se não nos sentirmos bem com esse fato, se desconfiarmos de qualquer tipo de autoridade, sucumbiremos à crença de que podemos com a mesma facilidade aprender algo por conta própria, e de que ser autodidata é mais autêntico. Podemos justificar essa atitude como um sinal de independência, mas, na realidade, ela decorre de um senso de insegurança básico. Sentimos, talvez inconscientemente, que aprender com os Mestres e submeter-se à autoridade deles é, de alguma forma, um questionamento de nossas capacidades naturais. Mesmo que tenhamos professores na vida, tendemos a não prestar atenção em seus conselhos, não raro preferindo fazer as coisas à nossa maneira. Na verdade, chegamos a acreditar que criticar os mestres ou professores é um sinal de nossa inteligência e que ser um aluno submisso é uma demonstração de fraqueza.

Entenda que tudo o que deve preocupá-lo nos primeiros estágios da carreira é adquirir conhecimentos práticos da maneira mais eficiente possível. Para tanto, durante a fase de aprendizagem, você precisará de mentores cuja autoridade reconhece e aos quais se submete. O reconhecimento de uma necessidade não diz nada essencial a seu respeito, a não ser sua condição temporária de debilidade, que o mentor o ajudará a superar.

A razão pela qual se precisa de um mentor é simples: a vida é curta; estamos sujeitos a limitações de tempo e de energia. Os anos mais criativos da vida em geral se estendem dos 20 e tantos até o fim da casa dos 40. É possível aprender o que se precisa por meio de livros, da própria prática ou de conselhos ocasionais de outras pessoas, mas o processo é aleatório. As informações dos livros não são talhadas para as suas circunstâncias e peculiaridades; elas tendem a ser um tanto abstratas. Quando se é jovem e se tem menos vivência, é difícil pôr em prática esse conhecimento abstrato. Também se pode aprender com a experiência, mas talvez só depois de alguns anos se compreenda plenamente o significado do que aconteceu. É sempre possível praticar por conta própria, mas não se recebe feedback suficiente. A aprendizagem autodirigida é uma realidade em muitas áreas, mas o processo pode demorar 10 anos, talvez mais.

Os mentores não oferecem atalhos, mas dinamizam o processo. Eles inevitavelmente tiveram seus próprios mentores, que lhes proporcionaram um conhecimento mais profundo de seus campos de estudo. Os anos de experiência subsequentes lhes ofereceram lições e estratégias inestimáveis a serem aprendidas. O conhecimento e a experiência deles se tornam seus; eles podem afastá-lo de atalhos ou de erros desnecessários. Eles o observam no trabalho e lhe fornecem feedback em tempo real, tornando sua prática mais eficiente. Os conselhos deles são ajustados sob medida às suas circunstâncias e necessidades. Ao trabalhar em estreito entrosamento com os mentores, você absorve a essência do espírito criativo deles, que, agora, pode adaptar ao seu próprio estilo. O que você demorou 10 anos para fazer sozinho poderia ter sido feito em 5 anos, com a orientação adequada.

E os benefícios vão além da economia de tempo. Quando aprendemos algo de maneira concentrada, ganhamos valor agregado. Estamos menos sujeitos a distrações. O que aprendemos é internalizado mais profundamente por causa da intensidade do foco e da prática. Nossas próprias ideias e avanços se manifestam com mais naturalidade nesse horizonte de tempo abreviado. A aprendizagem eficiente melhora o aproveitamento da energia da juventude e do potencial de criatividade.

O que torna tão intensa a dinâmica mentor-aprendiz é a qualidade emocional do relacionamento. Por natureza, os mentores se sentem emocionalmente comprometidos com a educação do pupilo, o que pode ter várias razões: talvez gostem dele ou o vejam como uma versão mais jovem de si mesmos, o que lhes possibilita reviver a própria juventude; talvez reconheçam no aprendiz talentos especiais cujo cultivo lhes dará prazer; talvez o pupilo tenha algo importante a oferecer-lhes, como a energia da juventude e a disposição para trabalhar duro. Também o aprendiz se sente emocionalmente atraído pelo mentor – admiração por suas realizações, desejo de seguir seu exemplo, e assim por diante.

Com essa conexão de mão dupla, ambos se abrem um para o outro com uma intensidade que vai além da dinâmica normal professor-aluno. Quando você admira alguém, torna-se mais suscetível a assimilar e a imitar tudo o que a pessoa faz. Você presta mais atenção. Seus neurônios-espelho ficam mais engajados, possibilitando um aprendizado mais profundo, que vai além da absorção superficial de conhecimento e também inclui um estilo e uma forma de pensar geralmente poderosos. Por outro lado, por causa do vínculo emocional, os mentores tendem a revelar mais segredos aos pupilos que a outras pessoas. E não se deve ter medo desse componente emocional do relacionamento. Ele é o ingrediente que torna o aprendizado mais rico e eficiente.

Pense da seguinte maneira: o processo de aprendizado se assemelha à prática medieval da alquimia. O objetivo dos alquimistas era encontrar um modo de transformar metais ou rochas em ouro. Eles buscavam o que era conhecido como pedra filosofal – uma substância que daria vida aos metais e rochas inertes e mudaria organicamente sua composição química, convertendo-os em ouro. Embora nunca tenha sido descoberta, a pedra filosofal tem sua relevância como metáfora. O conhecimento necessário para se tornar Mestre existe no mundo lá fora: é como o metal ou a rocha. Esse conhecimento precisa ser estimulado e ganhar vida dentro do aprendiz, transformando-se em algo ativo e relevante dentro do seu contexto específico. O mentor atua como a pedra filosofal – por meio da interação direta com a experiência de alguém, é capaz de aquecer e animar esse conhecimento com eficiência, transformando-o em algo como ouro.

A história de Michael Faraday é o melhor exemplo desse processo de alquimia. A vida dele parecia progredir quase que por mágica – encontrou um emprego em que podia ler livros, aprender ciências e impressionar as pessoas certas com suas anotações, culminando com o relacionamento com o melhor dos mentores dada a sua situação: Humphry Davy. Mas havia uma lógica por trás dessa mágica e dessa sorte aparentes. Quando jovem, Michael Faraday possuía uma energia intensa e fome de conhecimento. Uma espécie de radar interior orientou-o para a livraria da região. Embora tenha sido por pura sorte que o livro *Improvement of the Mind* caiu em suas mãos, só alguém com o mesmo foco reconheceria seu valor de imediato e o exploraria em plenitude. Sob a orientação de Watt, o conhecimento dele se tornou mais prático. Porém o mesmo radar que o direcionara para a livraria agora apontava para outro lugar. O conhecimento que adquirira ainda era muito difuso e desconexo. Ele intuiu que a única maneira de transformá-lo em algo útil era descobrindo um mentor.

Depois de conquistar Davy como mentor, ele se dedicou ao relacionamento com o Mestre, imbuído do mesmo foco com que se entregara a tudo o mais. Prestando serviços a Davy, Faraday aprendeu todos os segredos da química e da eletricidade que o Mestre acumulara ao longo da vida. Praticou essas ideias no laboratório – misturando produtos químicos para Davy e fazendo os próprios experimentos. No processo, absorveu os padrões de pensamento com que Davy abordava a análise química e a experimentação. Seu conhecimento tornava-se cada vez mais ativo.

Depois de oito anos, essa dinâmica interativa resultou em uma das maiores descobertas da ciência – a revelação do segredo do eletromagnetismo. Os estudos de Faraday e o que ele aprendera com Davy transformaram-se em energia criativa, uma forma de ouro. Se tivesse prosseguido no caminho do autoaprendizado, por medo ou insegurança, ele continuaria a ser encadernador de livros, miserável e frustrado. Por meio da alquimia da tutoria intensa, ele se converteu em um dos mais criativos cientistas da história.

Certamente a religião desempenhou papel importante na educação de Faraday. Como acreditava que tudo no Universo era vivificado pela presença de Deus, ele tendia a animar o que quer que encontrasse, inclusive os livros que lia e o fenômeno da eletricidade em si. Para ele essas coisas tinham vida, por isso ele se envolvia com elas em um nível mais profundo, o que intensificava o processo de aprendizado. Essa maneira de enxergar o mundo, porém, transcende a religião e nos confere grande poder no processo de aprendizagem. Também podemos ver as questões que estudamos como se estivessem impregnadas de uma espécie de espírito vital com que devemos interagir e que precisamos compreender de dentro para fora. Como no caso de Faraday, essa atitude intensificará nosso nível de engajamento com o que aprendermos.

Para atrair o mestre certo que lhe sirva de mentor, é preciso introduzir um forte elemento de serventia. Você tem algo tangível e prático a oferecer-lhe, além de sua juventude e energia. Antes de conhecê-lo pessoalmente, Davy sabia da ética de trabalho e da capacidade de organização de Faraday. Só essas qualidades já faziam dele um bom assistente. Considerando esse exemplo, talvez não seja o caso de partir em busca de mentores antes de desenvolver habilidades elementares e de cultivar a disciplina – ou seja, atributos que possam interessá-los.

Quase todos os Mestres e pessoas poderosas estão sujeitas ao excesso de demandas a atender e de informações a processar, o que exerce fortes pressões sobre seu tempo. Você precisa demonstrar mais capacidade de ajudá-los a se organizar nessas frentes que outras pessoas também empenhadas em conquistar-lhes a atenção. Assim, será muito mais fácil despertar o interesse deles pelo relacionamento. Não recuse serviços triviais ou auxiliares. O acesso pessoal é indispensável, não importa como consegui-lo. Depois de estabelecer o relacionamento, será fácil descobrir outras maneiras de mantê-los atraídos pelo que você tem a oferecer. Tente ver o mundo com os olhos deles e pergunte-se sempre: do que mais precisam? A preservação do interesse dos mentores pelo que os aprendizes puderem lhes proporcionar apenas reforçará a ligação emocional entre as duas partes.

Se você trabalhar primeiro sozinho, como fez Faraday, desenvolvendo uma forte ética do trabalho e uma boa capacidade de organização, o mentor certo acabará aparecendo em sua vida. Em breve, sua eficiência e sua vontade de aprender se difundirão pelos canais adequados, e as oportunidades baterão à sua porta. Em qualquer evento, você não deve se sentir tímido ao se aproximar dos Mestres, por mais elevada que seja a posição deles. Não raro você se surpreenderá ao ver como eles podem ser abertos no relacionamento com o pupilo – desde que a abordagem seja adequada e você tenha algo a oferecer. A capacidade do mentor de transferir experiência e conhecimentos a pessoas mais jovens quase sempre lhe proporciona grande satisfação, como acontece com os pais.

Em geral, os melhores mentores são aqueles com grande amplitude de conhecimentos e experiências, sem excesso de especialização nos respectivos campos – eles podem ensiná-lo a pensar em nível mais alto e a estabelecer conexões entre diferentes formas de conhecimento. Nesse caso, o paradigma é o relacionamento entre Aristóteles e Alexandre, o Grande. Filipe II, pai de Alexandre e rei da Macedônia, escolheu Aristóteles como mentor de seu filho de 13 anos exatamente porque o filósofo estudava e dominava muitas áreas diferentes. Assim, poderia transmitir a Alexandre o amor pelo aprendizado e ensinar-lhe a pensar e a raciocinar em qualquer situação – a maior de todas as habilidades. O plano acabou funcionando com perfeição. Alexandre foi capaz de aplicar com eficácia a capacidade de raciocínio que havia aprendido com Aristóteles à política e à guerra. Até o fim da vida, cultivou intensa curiosidade por qualquer campo de conhecimento e sempre reunia em torno de si especialistas com quem podia se instruir. Aristóteles transmitiu a Alexandre uma forma de sabedoria que desempenhou um papel fundamental no sucesso do pupilo, como conquistador e soberano.

O ideal é manter tanta interação pessoal com o mentor quanto possível. O relacionamento virtual nunca é suficiente. Certas deixas e sutilezas só podem ser captadas no relacionamento cara a cara – como certa maneira de fazer as coisas, que evoluiu por meio de muita experiência. Esses padrões de ação dificilmente se traduzem em palavras e só são assimilados mediante uma intensa exposição pessoal. Nos trabalhos manuais e nos esportes, essa condição é mais óbvia. Os instrutores de tênis, por exemplo, só conseguem revelar muitos segredos de suas habilidades demonstrando-as na prática, diante dos olhos dos pupilos. Na verdade, os instrutores talvez nem tenham consciência completa do que torna seu backhand tão eficaz, mas, ao observá-los em ação, os pupilos são capazes de captar o padrão e o movimento, explorando o poder dos neurônios-espelho. E esse processo de assimilação também é relevante no caso de habilidades não manuais. Só mediante a exposição constante ao processo mental de Davy é que Faraday compreendeu o poder do experimento certo para demonstrar uma ideia, algo que adaptaria mais tarde às suas próprias características com grande êxito.

À medida que o relacionamento avança, você pode tornar esse processo de assimilação mais consciente e mais direto, questionando o mentor sobre os princípios básicos da maneira que ele costuma fazer as coisas. Dependendo de sua inteligência e habilidade, você até pode levá-lo a analisar a própria criatividade para você, garimpando no processo todos os insights dele, à medida que ocorrem. Os mentores em geral ficam gratos pela oportunidade de revelar o funcionamento interno de seu poder, sobretudo a alguém que não veem como ameaça.

Embora um mentor de cada vez seja a melhor solução, nem sempre é possível encontrar a pessoa perfeita para a função. Nesse caso, outra estratégia é descobrir vários mentores próximos a você, cada um preenchendo lacunas estratégicas de seu conhecimento e experiência. Ter mais de um mentor gera benefícios colaterais, proporcionando-lhe diversas conexões e importantes aliados a quem recorrer mais tarde. Do mesmo modo, se suas circunstâncias de vida limitarem seus contatos, os livros podem servir como mentores temporários, como foi o caso de *Improvement of the Mind* para Faraday. Nessas condições, o ideal é converter esses livros e escritores em mentores vivos. Nesse caso, você lhes atribui uma voz personalizada e interage com o material, tomando notas ou escrevendo nas margens. Também analisa o que escreveram e tenta pôr em prática.

Em sentido mais amplo, uma figura do passado ou do presente pode representar um ideal, alguém em quem se basear como modelo. Por meio de muita pesquisa e alguma imaginação, você os converte em presença viva. Até chega ao ponto de se perguntar o que fariam nessa ou naquela situação. Inúmeros generais usaram Napoleão Bonaparte para esse propósito.

Os mentores têm seus pontos fortes e fracos. Os melhores lhe permitem desenvolver seu próprio estilo e, então, aceitam que você os deixe na hora certa. Esses às vezes continuam amigos e aliados para o resto da vida. Mas, em geral, ocorre o oposto. Eles se tornam dependentes de seus serviços e procuram mantê-lo sob a tutela deles. Invejam sua juventude e, inconscientemente, tentam tolhê-lo, ou se tornam demasiado críticos. Você precisa se conscientizar dessa tendência à medida que ela se desenvolve. Seu objetivo é aproveitar o máximo possível o contato com seu mentor, mas, a certa altura, talvez comece a pagar um preço alto demais pela tutoria se prolongá-la excessivamente. Sua submissão à autoridade deles não é de modo algum incondicional. Na verdade, seu objetivo, desde o início, é encontrar o rumo para a independência depois de assimilar e adaptar a sabedoria do mentor.

Nesse sentido, o relacionamento com ele costuma reproduzir elementos de nossa infância. Embora o mentor possa ser homem ou mulher, geralmente assume a forma da figura paterna – que nos orienta e nos ajuda, mas, às vezes, tenta nos controlar demais e determinar o rumo de nossa vida. Ele ou ela até pode interpretar qualquer tentativa de independência, mesmo já em fase avançada do relacionamento, como uma afronta pessoal à sua autoridade. Você não deve sentir culpa quando chegar a hora de se afirmar. Em vez disso, como ocorreu com Faraday, é natural que você fique ressentido, e até aborrecido, com as tentativas do mentor de retê-lo, explorando essas emoções para desvencilhar-se dele sem qualquer sentimento de culpa. É melhor se preparar para tomar essa iniciativa quando já estiver emocionalmente preparado. À medida que o relacionamento avança, você talvez comece a se distanciar do mentor, notando pontos fracos ou falhas de caráter, ou até encontrando deficiências em suas crenças mais acalentadas. Definir suas diferenças em relação ao mentor é parte importante de seu autodesenvolvimento, seja ele uma boa ou má figura paterna.

Em espanhol, diz-se *al maestro cuchillada* – passar a espada no mestre. É uma expressão de esgrima, que se refere ao momento em que o jovem e ágil pupilo se torna habilidoso o bastante para estocar o mestre. Mas também é a metáfora do destino da maioria dos mentores, que inevitavelmente se defronta com a rebelião dos aprendizes. Em nossa cultura tendemos a venerar os que parecem rebeldes ou ao menos ostentam a pose. Mas a rebelião não tem significado ou poder se não ocorrer contra algo concreto que a justifique. O mentor, ou a figura do pai, lhe oferece esse padrão do qual se afastar e em relação ao qual estabelecer a própria identidade. Você internaliza as partes importantes e relevantes do conhecimento dele e "passa a espada" no que não tem relação com a sua vida. Esta é a dinâmica da mudança de gerações, e, às vezes, a figura do pai deve ser eliminada para que os filhos e filhas tenham espaço para se descobrir.

Em todo caso, é provável que você venha a ter vários mentores em sua vida, como degraus rumo à maestria. Em cada fase, é preciso encontrar os mentores adequados, extraindo deles o relevante e, depois, afastando-se deles, sem sentir vergonha por isso. É a trajetória que seus próprios mentores devem ter percorrido – e é a maneira como o mundo funciona.

Estratégias para aprofundar a dinâmica do mentor

Recompensa-se mal ao mentor quando se continua apenas pupilo.

– FRIEDRICH NIETZSCHE, filósofo alemão

Embora você deva se submeter à autoridade dos mentores para aprender com eles e assimilar o máximo possível o poder que detêm, isso não exige que você continue passivo no processo. Em certos pontos críticos, você pode definir e impor a dinâmica e ajustá-la aos seus propósitos. As quatro estratégias a seguir o ajudam a explorar em plenitude o relacionamento e a transformar o conhecimento adquirido em energia criativa.

1. Escolha o mentor de acordo com suas necessidades e inclinações

Em 1888, aos 20 anos, Frank Lloyd Wright era aprendiz de desenhista no prestigiado escritório de arquitetura Joseph Lyman Silsbee, de Chicago. Trabalhava lá havia um ano e já aprendera muito sobre o ofício, mas estava ficando inquieto. Imaginava um estilo arquitetônico totalmente novo, que revolucionaria a área, mas carecia de experiência para constituir a própria empresa. Silsbee era um empresário astuto, cuja fortuna dependia de sua lealdade ao estilo vitoriano, popular entre os clientes. Wright era obrigado a seguir princípios de projeto obsoletos, que ofendiam seu senso de estética.

Um dia ele soube que Louis Sullivan, grande arquiteto da cidade, estava procurando um desenhista para ajudá-lo a terminar o projeto de determinado edifício. Seria arriscado deixar Silsbee depois de tão pouco tempo e desperdiçar aquela importante ponte, mas trabalhar para Sullivan seria infinitamente mais estimulante para seu desenvolvimento pessoal como arquiteto. A empresa de Sullivan estava na vanguarda do projeto de arranha-céus, adotando materiais e tecnologia de ponta.

Wright iniciou uma ofensiva para conquistar a nova posição. Conseguiu uma entrevista pessoal com Sullivan, mostrou-lhe alguns de seus melhores desenhos e envolveu-o numa conversa sobre arte e filosofia, informando-se de antemão sobre as predileções estéticas dele. Sullivan contratou-o para o cargo, e, poucos meses depois, tornou-o aprendiz de desenhista em sua empresa. Wright cultivou um relacionamento pessoal com ele, ansioso por exercer o papel do filho que Sullivan nunca teve. Graças a seu talento e ao apoio de Sullivan, ele rapidamente galgou a posição de desenhista-chefe na empresa. Wright tornou-se, em suas próprias palavras, "o lápis na mão de Sullivan". Em 1893, por aceitar trabalhos por fora, foi demitido, mas, a essa altura, já aprendera tudo o que podia e estava mais que preparado para caminhar por conta própria. Naqueles cinco anos, Sullivan lhe proporcionara uma formação em arquitetura moderna que ninguém mais lhe teria oferecido.

Em 1906, Carl Jung, aos 31 anos, era um psiquiatra promissor, famoso por seu trabalho em psicologia experimental e exercendo uma posição importante no prestigiado Hospital Psiquiátrico Burghölzli, em Zurique. Porém, apesar do notório sucesso na vida, ele se sentia inseguro. Achava que seu interesse pelos fenômenos psíquicos ocultos e estranhos resultava de alguma fraqueza a ser superada. E também estava frustrado porque seus métodos de tratamento se mostravam ineficazes na maioria das vezes. Receava que seu trabalho não tivesse legitimidade e carecesse de certo rigor. Começou, então, a se corresponder com o fundador da psicanálise, Sigmund Freud, com 51 anos na época. Jung era ambivalente em relação a Freud – admirava-o como pioneiro, mas não gostava de sua ênfase no sexo como fator determinante das neuroses. Talvez sua aversão a esse aspecto da psicologia freudiana decorresse de seus próprios preconceitos ou ignorância, e precisava ser exteriorizada e superada. Em suas correspondências, logo desenvolveram uma boa relação, e Jung aprendeu com o Mestre questões de psicologia que não compreendia plenamente.

Um ano depois, eles se encontraram em Viena, e conversaram sem parar durante 13 horas. O jovem encantou Freud – ele era muito mais criativo que outros seguidores. Até poderia ser seu sucessor no movimento psicanalítico. Para Jung, Freud talvez viesse a representar a figura do pai e passasse a atuar como o mentor de que ele precisava desesperadamente – uma influência fundamental. Eles viajaram juntos para os Estados Unidos, passaram a se ver em visitas frequentes e a se corresponder com regularidade. No entanto, depois de uns cinco anos de relacionamento, a ambivalência inicial de Jung voltou a se manifestar. Ele começou a achar Freud um tanto ditatorial. Irritava-se com a ideia de ter que seguir o dogma freudiano. Agora, compreendia com clareza por que discordara de início da ênfase na sexualidade como raiz de todas as neuroses.

Em 1913, consumou-se a ruptura definitiva. Jung baniu Freud para sempre de seu círculo íntimo. Entretanto, por meio desse relacionamento, Jung trabalhara todas as suas dúvidas e aguçara certas ideias centrais sobre a psicologia humana. No fim das contas, a luta fortalecera seu senso de identidade. Sem o mentor, ele jamais teria chegado a uma resolução tão clara e nunca teria sido capaz de criar uma escola de psicanálise rival à do Mestre.

Certa vez, no final da década de 1960, V. S. Ramachandran, estudante de medicina em Chennai (antiga Madras), deparou com um livro intitulado *Olho e cérebro*, escrito por um eminente professor de neurologia, Richard Gregory. (Para mais informações sobre os primeiros anos de Ramachandran, ver página 44). A obra o empolgou – o estilo do texto, os casos diferentes, os experimentos instigantes. Inspirado por ela, Ramachandran fez seus próprios experimentos em óptica e, em pouco tempo, concluiu que tinha mais jeito para aquele novo campo que para medicina. Em 1974, foi admitido no programa de doutorado em percepção visual da Universidade de Cambridge.

Ramachandran fora criado em meio às histórias dos grandes cientistas ingleses do século XIX e da busca quase romântica pela verdade que a ciência parecia representar. Adorava o papel da especulação nas grandes teorias e descobertas de homens como Faraday e Darwin. E imaginava que ocorreria algo semelhante em Cambridge. Mas, para sua surpresa, os alunos e professores quase sempre tratavam a ciência como um trabalho meramente burocrático, com suas rígidas jornadas de oito horas. Era um ambiente quase empresarial, competitivo. Ele começou a se sentir melancólico e solitário no país estranho.

Até que um dia o próprio Richard Gregory, professor da Universidade de Bristol, foi a Cambridge dar uma palestra. Ramachandran ficou impressionado – era como algo que tivesse saído direto das páginas de Humphry Davy. Gregory expôs o tema com demonstrações empolgantes de suas ideias; tinha um jeito teatral e exibia extraordinário senso de humor. É assim que deve ser a ciência, pensou Ramachandran. Depois da palestra, procurou o professor e se apresentou. A conexão foi instantânea. Ramachandran mencionou a Gregory um experimento óptico sobre o qual vinha ponderando, e o professor ficou curioso. Gregory convidou Ramachandran para visitar Bristol e ficar em sua casa, onde poderiam testar a ideia juntos. Este aceitou o convite e, no momento em que viu a casa de Gregory, concluiu que tinha encontrado seu mentor – o ambiente parecia típico de Sherlock Holmes, cheio de instrumentos vitorianos, fósseis e esqueletos. Gregory era exatamente o tipo de excêntrico com que Ramachandran poderia se identificar. Logo, estava visitando Bristol com regularidade para fazer experimentos. Havia descoberto seu Mestre, para inspirá-lo e guiá-lo, e, com o passar do tempo, viria a adaptar e a adotar muito do estilo de especulação e de experimentação de Gregory.

Nascida no Japão, na década de 1970, Yoky Matsuoka se sentia uma forasteira na própria terra. Como vimos no Capítulo 1 (páginas 46-47), ela gostava de fazer as coisas à sua maneira, em um país que prezava a coesão social e o conformismo acima de tudo. Quando resolveu se dedicar ao tênis com seriedade, aos 11 anos, inspirou-se nos jogadores John McEnroe e Andre Agassi como modelos, rebeldes no que já fora um esporte refinado. Mais tarde, ao se mudar para os Estados Unidos e entrou na universidade, levou consigo a necessidade de cultivar o próprio estilo em tudo o que fazia. Se havia um campo que ninguém estava estudando, o tema a interessava. Seguindo esse instinto, ingressou no território obscuro da robótica, e foi admitida no programa de doutorado do MIT.

Lá, pela primeira vez na vida, conheceu alguém com temperamento muito parecido com o dela – Rodney Brooks, professor de robótica da instituição e *bad boy* do departamento. Ele era ousado: enfrentava os chefes do departamento e questionava algumas das ideias mais estabelecidas no campo da inteligência artificial. Ela se empolgou com o fato de um professor se comportar de maneira tão heterodoxa e passou a gravitar ao redor dele, incorporando sua mentalidade e adotando-o como mentor. Ele não era o professor que dizia aos alunos o que fazer; deixava-os descobrir o próprio caminho, inclusive cometendo erros, mas os apoiava quando precisavam. Esse estilo era compatível com o espírito independente dela. Só mais tarde é que se deu conta de como assimilara as ideias de Brooks. Seguindo-o inconscientemente, ela acabaria criando sua própria abordagem à robótica e desbravando um caminho novo, conhecido como neurorrobótica.

A escolha do mentor certo é mais importante do que se supõe. Como a futura influência do mentor sobre o aprendiz é mais profunda do que se tem consciência, a escolha errada pode produzir um efeito negativo sobre a jornada para a maestria. O pupilo pode acabar assimilando convenções e estilos incompatíveis com as suas características, que o confundirão mais tarde. Se o mentor for dominador, é possível que o aprendiz se converta em imitação do Mestre pelo resto da vida, em vez de tornar-se Mestre pelos próprios méritos. Geralmente se erra ao escolher como mentor alguém que parece o mais bem-informado, que tem uma personalidade cativante e que se destaque como sumidade no campo de atuação – razões que, na realidade, são superficiais. Não escolha simplesmente o primeiro mentor possível que cruzar o seu caminho. Prepare-se para se dedicar ao máximo a essa busca.

Ao selecionar o mentor, lembre-se de suas inclinações e de sua Missão de Vida, o que você almeja para si mesmo. O mentor escolhido deve se alinhar estrategicamente com esses fatores. Se o seu caminho for mais revolucionário, o mentor deverá ser aberto, progressista e não dominador. Se o seu ideal se encaixar melhor com um estilo idiossincrático, será preferível alguém que o faça se sentir bem consigo mesmo e que o ajude a transformar suas peculiaridades em maestria, em vez de tentar sufocá-las. Se, como Jung, você se sentir confuso e ambivalente sobre seus rumos, será útil escolher alguém capaz de orientá-lo a compreender com mais clareza seus anseios e preferências, uma pessoa importante da área que talvez não combine perfeitamente com seus gostos. Às vezes, parte do que o mentor nos mostra é algo que queremos evitar ou que preferiríamos combater de forma ostensiva. Nesse último caso, é desejável que, de início, você mantenha um pouco mais de distância emocional que a recomendada, em especial se o mentor for do tipo dominador. Com o passar do tempo, você descobrirá o que absorver e o que rejeitar.

Lembre-se: a Dinâmica do Mentor reproduz algo da dinâmica parental ou da figura do pai. É um clichê afirmar que não se escolhe a família em que se nasce, mas, felizmente, tem-se liberdade para escolher os mentores. Nesse caso, a escolha certa talvez possa oferecer o que os pais não lhe deram – apoio, confiança, orientação e espaço para fazer as próprias descobertas. Procure mentores capazes de agir assim, e cuidado para não cair na armadilha oposta – escolher um mentor que lembre um de seus pais, inclusive com todos os seus traços negativos, ou você apenas restabelecerá as mesmas restrições que já o haviam tolhido de início.

2. Contemple o espelho que o mentor segura à sua frente

Hakuin Zenji (1685-1769) nasceu numa aldeia perto da cidade de Hara, no Japão. A família do pai era oriunda de uma ilustre linhagem de guerreiros samurais. Quando criança, Hakuin tinha o tipo de energia inesgotável que parecia predestiná-lo a uma vida dedicada às artes marciais. No entanto, por volta dos 11 anos, ele ouviu o discurso de um sacerdote sobre os tormentos do inferno para quem não cultivava as virtudes, e aquelas ameaças lhe incutiram uma angústia tão intensa que nada conseguia dissipá-la. Toda a sua obstinação agora se voltava para si mesmo, e, aos 14 anos, concluiu que a única maneira de superar aquela ansiedade era tomar o caminho da religião e tornar-se monge. Sentia-se muito atraído pelo zen-budismo, já tendo lido histórias de grandes Mestres da China e do Japão que superaram obstáculos e sofrimentos sem fim para alcançar a iluminação. A ideia de passar por uma fase de sofrimento vinha bem a calhar com suas dúvidas permanentes a respeito de si mesmo.

Aos 18 anos, foi enviado para um centro de treinamento, que o prepararia para a vida monástica. O método de ensino, porém, o decepcionou. Ele havia imaginado sessões de meditação de 24 horas e outras provações. Em vez disso, fizeram-no estudar vários textos chineses e japoneses. O que lia e ouvia dos instrutores não mexia com ele. Tratava-se apenas de conhecimentos intelectuais que pouco tinham a ver com sua vida diária. Suas ansiedades apenas aumentaram. Ele deixou o templo e começou a vaguear, em busca do mentor que o orientaria.

Hakuin passou por sucessivas escolas zen, em todos os cantos do Japão, e começou a desenvolver ideias muito nítidas sobre o estado da instrução zen na época. Tudo girava em torno de sessões elementares de meditação, com pouca instrução, até que, finalmente, soava um sino gigante, e os monges se levantavam às pressas para comer ou dormir. Nas horas vagas, entoavam cânticos que exaltavam a felicidade e a paz. O zen se convertera em poderoso sonífero, destinado a induzir os praticantes a um estado de torpor e letargia. Era considerado invasivo e autoritário demais oferecer aos estudantes qualquer direção. Eles deveriam descobrir o próprio caminho para a iluminação. Ao se verem sob rédeas frouxas, escolhiam a trajetória mais fácil – não fazer nada. Essa tendência se difundira por todo o Japão. Os monges estavam convencidos de que o zen era fácil e simples, e que tudo o que parecesse certo era certo.

Vez por outra, Hakuin ouvia que alguma escola ou sacerdote estava provocando comoções em algum lugar e logo partia para conhecer pessoalmente o fenômeno. Em 1708, passou semanas viajando para chegar a uma cidade costeira, onde um desses gurus subversivos despertava furor. No entanto, depois de escutá-lo por alguns instantes, Hakuin sentiu a mesma monotonia e decepção profundas – citações de textos, narrativas impressionantes, tudo para encobrir a mesmice de suas palavras. E ficou pensando se não era hora de desistir, se a verdadeira iluminação não mais existia. No templo, ele conheceu outro jovem monge, que se mostrou igualmente desapontado com a conversa do sacerdote. Ficaram amigos e um dia o monge mencionou que estudara durante alguns dias sob a orientação de um Mestre excêntrico e recluso, Shoju Rojin, diferente de todos os outros professores que havia conhecido. Ele vivia em uma aldeia de difícil acesso, aceitava apenas um punhado de discípulos, e era muito exigente. Hakuin não precisava ouvir mais nada. Pediu ao jovem monge que o guiasse até Shoju.

Ao conhecer o Mestre, percebeu algo nos olhos dele que o tornava diferente de qualquer outro sacerdote ou professor. Ele irradiava poder e sabedoria; lia-se em sua expressão a dor que suportara para chegar àquele estado. O homem vivera e sofrera. Hakuin se alegrou quando Shoju disse que o aceitaria como discípulo, mas aquela empolgação logo se transformou em medo. Na primeira entrevista pessoal, Shoju lhe perguntou: "Como você interpreta o *koan* (parábola do zen-budismo que contém aspectos inacessíveis à razão) sobre o Cão e a Natureza de Buda?" Hakuin respondeu de imediato com uma afirmação que lhe pareceu inteligente, ao que Shoju de repente estendeu a mão e agarrou-lhe o nariz, pressionando-o com uma torção violenta e gritando junto ao seu rosto o que seria a resposta certa. E prosseguiu no suplício durante alguns minutos, provocando em Hakuin a sensação de total paralisia.

Nos dias seguintes, o jovem suportou abusos reiterados. Shoju despertou-lhe o sentimento de que todos os seus estudos e viagens não lhe haviam ensinado nada. Tudo o que dizia ou fazia estava errado. Quando menos esperava, recebia um golpe violento ou uma cusparada na cara. Começou a duvidar de todo o seu conhecimento anterior, e vivia em constante sobressalto na expectativa da próxima agressão.

Shoju o submeteu aos *koans* mais difíceis, de que Hakuin jamais ouvira falar, para reflexão ou discussão. Hakuin não conseguia decifrá-los. A sensação de abatimento e desânimo estava chegando ao ponto do colapso; sabendo, porém, que a obstinação era importante, persistiu dia e noite. Em breve, passou a duvidar do próprio Shoju e pensou em deixá-lo.

Um dia, sentindo-se ainda mais agitado que de costume, caminhou até uma aldeia próxima, e, sem saber por que nem como, começou a refletir sobre um dos *koans* mais enigmáticos que Shoju lhe dera. Imerso em pensamentos, foi parar no jardim de uma casa particular. A mulher que morava lá gritou para que ele fosse embora, mas Hakuin parecia em transe.

Receando que ele fosse louco ou bandido, a mulher o atacou com um cajado, golpeando-o até derrubá-lo. Ao voltar a si, minutos depois, sentiu-se diferente – enfim havia desvendado a essência do *koan* de Shoju! Ele a captara em toda a sua profundidade! Era algo vivo dentro de si mesmo! Tudo de repente se encaixava e ele estava convencido de que, por fim, alcançara a iluminação, vendo o mundo de maneira totalmente diferente. Começou a bater palmas e a gritar. Pela primeira vez, sentia-se aliviado do peso de todas as suas ansiedades.

Ele correu durante todo o percurso de volta a Shoju, que logo reconheceu o que havia ocorrido com o discípulo. Desta vez o Mestre foi gentil, afagando-lhe as costas com seu leque. E enfim revelou ao discípulo seus pensamentos: desde o primeiro momento em que se encontraram, havia identificado em Hakuin os requisitos necessários para o verdadeiro aprendizado. Ele era ousado, obstinado e estava ansioso por alcançar a iluminação. O problema de todos os discípulos, disse, é que sempre *param* no caminho. Ouvem uma ideia e se apegam a ela até matá-la; querem lisonjear-se com a autoilusão de que conhecem a verdade. Mas o verdadeiro zen nunca descansa, nunca se contenta. Por isso é que todos devem ser empurrados até o abismo, começando de novo e sentindo todo o seu valor como discípulo. Sem provações e questionamentos, a mente se acomodará com os clichês e se estagnará, até que o espírito também pereça. A iluminação jamais é suficiente. Daí a necessidade de recomeçar continuamente e se desafiar sempre.

Shoju tinha fé em que Hakuin prosseguiria no aprendizado. O zen estava morrendo em todo o Japão. Ele queria que Hakuin prosseguisse e fosse seu sucessor. Acreditava que o jovem, algum dia, se incumbiria de reavivar a religião. No fim das contas, porém, Hakuin não conseguiu domar sua inquietação. Depois de oito meses ele deixou Shoju, certo de que retornaria assim que pudesse. Mas os anos se passaram e mais uma vez ele mergulhou em dúvidas e ansiedades. E divagou de templo em templo, em altos e baixos incessantes.

Aos 41 anos, desfrutou afinal de seu momento de iluminação mais profundo e intenso, que lhe trouxe ideias que não o deixariam pelo resto da vida. A essa altura, todos os conceitos e ensinamentos de Shoju afloraram em sua mente, como se os tivesse ouvido na véspera, e percebeu que Shoju fora de fato o único Mestre que ele conhecera. Queria voltar para agradecer-lhe, mas o Mestre havia morrido cinco anos antes. A única maneira de retribuir-lhe seria também tornar-se professor, mantendo vivos os ensinamentos do Mestre. Hakuin foi, de fato, quem resgatou as práticas zen da decadência em que tinham mergulhado, exatamente como Shoju previra.

Alcançar a maestria exige persistência e contato constante com a realidade. Como aprendizes, pode ser difícil nos desafiarmos com objetividade e termos consciência de nossas fraquezas. O ritmo da vida atual torna isso ainda mais difícil. Enfrentar desafios e até tolerar sofrimentos ao longo do percurso a fim de se disciplinar já não são valores exaltados em nossa cultura. As pessoas relutam cada vez mais em dizer umas às outras as verdades sobre si mesmas – suas fraquezas, suas inadequações, suas falhas no trabalho. Mesmo os livros de autoajuda tendem a ser complacentes e lisonjeiros, dizendo o que queremos ouvir – que somos basicamente bons e que podemos conseguir o que almejamos seguindo algumas regras simples. Parece ser abusivo e prejudicial à autoestima das pessoas fazer-lhes críticas severas e realistas ou atribuir-lhes tarefas que as conscientizem de quanto ainda precisam avançar. Aliás, a indulgência e a tolerância, decorrentes do medo de magoar sentimentos, podem ser muito mais prejudiciais no longo prazo, pois dificulta a avaliação da própria situação e o desenvolvimento da autodisciplina, tornando as pessoas inaptas para os rigores da jornada rumo à maestria e debilitando sua força de vontade.

Os Mestres são indivíduos que, por natureza, sofreram para chegar a esse estágio. Enfrentaram críticas duras ao seu trabalho, dúvidas sobre seu progresso, retrocessos. Sabem em seu íntimo o que é necessário para alcançar a fase criativa e ir além. Como mentores, somente eles podem avaliar a extensão de nosso progresso, as debilidades de nosso caráter, as provações a serem superadas para avançarmos. Nos dias de hoje, é preciso receber do mentor a avaliação mais realista possível do mundo que nos cerca. É necessário buscá-la e aceitá-la de bom grado. Se possível, escolha um mentor conhecido por oferecer essa forma de amor severo. Se ele recuar diante dessa missão, force-o ao menos a mostrar-lhe um espelho que reflita sua imagem de aprendiz com toda a autenticidade. Induza-o a lhe oferecer desafios que revelem suas forças e fraquezas e que lhe deem tanto feedback quanto possível, por mais difícil que seja. Acostume-se às críticas. A confiança é importante, mas, caso não se baseie em uma avaliação realista de suas capacidades, não passará de autoilusão. Por meio do feedback realista de seu mentor, você acabará adquirindo uma confiança muito mais substancial e valiosa.

3. Transforme as ideias dele

Em 1943, o eminente pianista e professor Alberto Guerrero aceitou um novo aluno, um talento precoce de 11 anos chamado Glenn Gould, diferente de qualquer outro de seus pupilos. Desde os 4 anos, Glenn vinha aprendendo piano com a mãe, ela própria pianista talentosa. Depois de alguns anos sob sua tutela, Glenn a superou em muitos aspectos, inclusive contestando-a e corrigindo-a, e passou a querer tarefas mais desafiadoras. Guerrero era bem conhecido em Toronto, no Canadá, onde os Goulds moravam. Tinha a reputação de ser muito paciente, embora também exigente – características que fizeram com que os pais do jovem Gould o escolhessem. Desde a primeira sessão, Guerrero percebeu a seriedade e a intensidade inusitadas para alguém tão jovem. Gould ouvia com absoluta atenção e incorporava o estilo de tocar de Guerrero, como nenhum outro aluno fizera. Sua capacidade de imitação era sem igual.

Em breve, porém, Guerrero começou a perceber algumas características estranhos no aluno. Em certa ocasião, ele resolveu expandir o repertório de Gould, apresentando-o à música de Arnold Schoenberg – grande compositor de música atonal cujo trabalho Guerrero gostava de promover. Esperando que o garoto vibrasse com a novidade do som, ele se espantou ao deparar com uma expressão de completo desgosto. Gould levou a partitura para casa, mas, aparentemente, nunca praticou as peças, e Guerrero deixou que o incidente caísse no esquecimento. Até que, semanas mais tarde, o garoto mostrou ao professor algumas de suas próprias composições recentes – trabalhos interessantes, nitidamente inspirados em Schoenberg. Pouco depois, ele levou para a aula partituras que queria praticar com Guerrero – todas de músicas atonais, de vários compositores, inclusive de Schoenberg, mas não as peças que Guerrero lhe dera de início. Ficou claro que vinha estudando aquela modalidade de música por conta própria e concluíra que gostava dela.

Tornou-se quase impossível para Guerrero avaliar como Gould responderia às suas ideias. Por exemplo, ele recomendava aos alunos que aprendessem e memorizassem uma peça, estudando-a no papel, antes de tentar tocá-la. Dessa maneira, a música ganharia vida primeiro em suas mentes, para que fossem capazes de imaginá-la como um todo em vez de meramente tocar as notas avulsas. Gould seguiu esse conselho com certa composição de Bach, mas, quando discutiram a estrutura e o conceito por trás da peça, o jovem tinha as próprias ideias, que eram estranhas e muito diferentes das de

Guerrero, que Gould achou românticas e bizarras. Em outra ocasião, Guerrero expôs sua ideia de que em geral era melhor se imaginar tocando uma peça para piano de Bach como se fosse em cravo. Gould pareceu concordar, mas, poucos meses depois, disse que preferia imaginar outro instrumento ao interpretar Bach.

As ideias mais importantes de Guerrero giravam em torno dos aspectos físicos de tocar piano. Ao longo de vários anos estudara a fisiologia humana, com ênfase nas mãos e nos dedos. Seu objetivo era ensinar aos alunos uma postura relaxada, mas poderosa, em que exercessem total comando sobre o teclado, embora preservando a leveza do toque. Durante horas doutrinou Gould sobre esse método, trabalhando com a posição peculiar que defendia – uma espécie de curvatura ou corcova do corpo sobre o teclado, com toda a ação derivando da lombar e das mãos, mantendo os ombros e os braços relaxados. Guerrero demonstrou essa técnica incansavelmente ao pupilo. Passou para Gould todos os tipos de exercícios insólitos que havia desenvolvido para fortalecer os dedos. O discípulo parecia interessado, mas, como sempre, Guerrero tinha a impressão de que em breve ele esqueceria tudo aquilo e agiria à sua maneira.

Com o passar do tempo, Gould começou a discutir cada vez mais com o professor. Considerava as ideias e os métodos musicais de Guerrero demasiado latinos, muito imersos em outra era. Finalmente, aos 19 anos, Gould anunciou que prosseguiria sozinho. Já não precisava de um mentor, fato que Guerrero aceitou com elegância. Era evidente que, agora, o jovem precisava elaborar as próprias ideias sobre música e performance.

Nos anos seguintes, porém, à medida que Gould, aos poucos, se firmava como um dos maiores pianistas de todos os tempos, Guerrero começou a perceber a profundidade com que o ex-pupilo absorvera todas as suas ideias. Ele lia resenhas das apresentações de Gould nas quais o crítico observava que o pianista parecia interpretar Bach como se estivesse no cravo, impressão logo confirmada por outros comentaristas. Sua atitude, sua maneira de se curvar e se inclinar sobre o instrumento lembrava o jovem Guerrero; o trabalho inusitado dos dedos era tão intenso que não deixava dúvidas de que o jovem passara anos repetindo os exercícios que Guerrero lhe ensinara. Em entrevistas, Gould se referia à importância de assimilar a música na partitura antes de executá-la, mas dizia tudo isso como se fossem suas próprias ideias. O mais estranho de tudo era que Gould tocava determinadas músicas como Guerrero sempre as imaginara, mas com um entusiasmo e um estilo que ele próprio jamais poderia igualar. Era como se o ex-discípulo houvesse internalizado a essência de seu estilo e a tivesse transformado em algo maior.

———◆———

Quando criança, Glenn Gould intuiu seu grande dilema. Tinha um ouvido extraordinário para a música; era tão sensível que podia captar as nuances de outro pianista e reproduzi-las com perfeição depois de ouvi-las uma única vez. Ao mesmo tempo, sabia que era um jovem peculiar, com gostos muito distintos. Sua grande ambição era se transformar em um intérprete magistral. Se desse muita atenção aos professores e a outros pianistas e adotasse as ideias e os estilos alheios, perderia o senso de identidade. Mas também precisava de conhecimentos e de orientação. Esse dilema tornou-se ainda mais crítico com Alberto Guerrero, que era um professor carismático. Pode ser quase uma maldição aprender com alguém tão talentoso – sua própria confiança desaparece à medida que você se esforça para seguir todas as boas ideias do mestre. Muitos pianistas se perdem à sombra de seus ilustres mentores e nunca conquistam o próprio espaço.

Movido por sua ambição, Gould encontrou o caminho para a única solução real desse dilema. Ouviria e experimentaria todas as ideias de Guerrero sobre música. Ao aplicá-las, ele as alteraria sutilmente, para adaptá-las às suas inclinações. Isso o faria sentir que tinha voz própria. Com o passar do tempo, acentuava cada vez mais essa diferenciação entre ele mesmo e seu instrutor. Por ser tão impressionável, durante o aprendizado ele internalizava de maneira inconsciente todas as ideias importantes do mentor, mas, por meio de seu envolvimento ativo, sempre conseguia adaptá-las à sua individualidade. Dessa maneira podia aprender e ainda cultivar o espírito criativo que o ajudaria a se distinguir dos demais.

Na condição de aprendizes, todos enfrentamos esse dilema. Para aprender com os mentores, devemos ser abertos e completamente receptivos às suas ideias. Porém, se formos muito longe nesse processo, ficaremos tão marcados pela influência deles que não teremos espaço interno para gerar e desenvolver nossa própria voz, e passaremos a vida presos a ideias que não são nossas. A solução, como Gould descobriu, é sutil: mesmo quando ouvimos e incorporamos as ideias dos mentores, precisamos preservar certa distância em relação a eles. Começamos adaptando sutilmente as ideias deles às nossas circunstâncias, alterando-as para que se enquadrem em nosso estilo e nossas inclinações. À medida que progredimos, podemos ficar mais ousados, e até focar nas falhas e fraquezas de algumas dessas ideias. Aos poucos, ajustamos os conhecimentos deles aos nossos moldes. À medida que adquirimos confiança e contemplamos nossa independência, podemos até competir com o mentor que já veneramos. Como disse Leonardo da Vinci: "Pobre é o aprendiz que não supera o mestre."

4. Crie uma dinâmica mentor-aprendiz

Em 1978, um pugilista peso leve promissor, Freddie Roach, viajou para Las Vegas com o pai à procura de um treinador que o levasse ao próximo nível. Como narramos no Capítulo 1 (ver página 51), Freddie e o pai logo escolheram Eddie Futch, um dos mais lendários treinadores de pugilistas.

O currículo de Futch era magnífico. Quando jovem, praticara com Joe Louis. Impedido de se tornar profissional por problemas cardíacos, virou treinador e trabalhou com alguns dos mais ilustres pesos pesados, como Joe Frazier. Era um homem discreto e paciente, que sabia dar instruções exatas e que em pouco tempo conseguiria melhorar as técnicas de Roach. Sob sua orientação, o lutador progrediu rapidamente, vencendo suas primeiras 10 lutas.

Não tardou, porém, para que percebesse um problema: ao treinar, ouvia atentamente o que Futch dizia e praticava suas instruções com relativa facilidade. No entanto, nos combates de verdade, ao trocar golpes com os adversários, de repente abandonava todas as técnicas que aprendera e lutava na base da pura emoção. Às vezes, funcionava, mas ele recebia muitos golpes, e sua carreira começou a se desestabilizar. Depois de vários anos nesse processo, o que mais o surpreendia era que Futch parecia não perceber esse problema. Com tantos lutadores no ginásio, ele mantinha certa distância, não dedicava aos lutadores uma atenção personalizada.

Em 1986, Roach se aposentou. Morando em Las Vegas e experimentando sucessivos empregos ruins, voltou a frequentar nas horas vagas o ginásio onde treinara. Logo estava aconselhando e ajudando os lutadores. Sem receber remuneração, tornou-se de fato assistente de Futch, treinando diretamente alguns dos pugilistas. Ele conhecia bem o sistema de Futch e havia internalizado muitas das técnicas que ele ensinava. Mas acrescentou seu estilo próprio ao treinamento, inclusive ampliando o uso das grandes luvas acolchoadas que os treinadores calçam no ringue, para praticar socos e manobras com o lutador, o que resultou em treinos mais prolongados e mais fluidos. A novidade também significou para Roach a chance de se envolver mais na ação, algo de que sentia falta. Depois de vários anos, ele percebeu que era bom no treinamento de outros lutadores, e deixou Futch para começar sua própria carreira como treinador.

Para Roach, o esporte vinha mudando. Embora os lutadores estivessem mais rápidos, treinadores como Futch ainda promoviam um estilo de boxe um tanto estático, que não explorava essas mudanças. Aos poucos, Roach começou a experimentar toda uma nova dinâmica de treinamento. Expandiu o trabalho com luvas, transformando-o em simulação de luta que poderia durar vários rounds, o que lhe permitia se aproximar dos lutadores para literalmente sentir todo o arsenal de golpes deles e ver como se movimentavam no ringue. Também passou a estudar vídeos de lutas dos adversários, buscando padrões ou fraquezas em seus estilos. Concebia, então, uma estratégia em torno dessas debilidades e as praticava com os lutadores no trabalho com luvas.

Essa interação estreita no ringue lhe possibilitava desenvolver um tipo de relação diferente da que tivera com Futch – mais visceral e conectada. No entanto, qualquer que fosse o pugilista em treinamento, esses momentos de conexão entravam e saíam de foco. À medida que melhoravam, os lutadores dessintonizavam, sentindo que já haviam aprendido o suficiente. Seus egos interferiam e eles paravam de aprender.

Até que, em 2001, um tipo totalmente diferente de lutador transpôs as portas do ginásio de Roach, em Hollywood. Seu nome era Manny Pacquiao, peso-pena canhoto de 55 quilos que alcançara algum sucesso nas Filipinas, onde nascera, e estava em busca de um treinador nos Estados Unidos, alguém que pudesse elevar sua luta a outro nível. Muitos treinadores já haviam testado Pacquiao – eles o viam malhar e praticar, e o achavam impressionante, mas não havia muito a ganhar com um lutador de categoria tão leve.

Roach, porém, pertencia a outra linhagem de treinadores – imediatamente submeteu o novo lutador ao trabalho com luvas e desde o primeiro soco percebeu algo diferente nele. Sua intensidade e sua energia eram impressionantes, como em nenhum outro pugilista. Os demais treinadores apenas o observaram e não captaram toda aquela força. Depois de um round, Roach estava convencido de que havia encontrado o boxeador que sempre procurara para treinar, alguém capaz de iniciar o novo estilo de boxe que ele queria lançar. Pacquiao estava igualmente impressionado.

Para Roach, Pacquiao tinha estofo para ser um lutador invencível, mas era um tanto unidimensional: tinha ótima canhota, e não muito mais que isso. Estava sempre em busca do nocaute, com a exclusão de tudo o mais. O objetivo de Roach era transformar Pacquiao em uma fera multidimensional no ringue. E partiu para um intenso trabalho com luva, na tentativa de desenvolver uma direita mais poderosa, além de mais fluidez no trabalho dos pés. O que mais o impressionou foi a gana com que Pacquiao se concentrava em suas instruções e a rapidez com que as captava. Ele era acima de tudo moldável, e o trabalho avançava com uma rapidez que jamais ocorrera com outro pugilista. Pacquiao parecia nunca se cansar com o treinamento nem se preocupar com os excessos. Roach ficou esperando a dinâmica inevitável, em que o lutador acaba se desligando do treinador; mas esse processo nunca se consumou. Aquele era um pugilista que ele podia aprimorar com cada vez mais afinco. Em pouco tempo, Pacquiao desenvolveu uma direita devastadora e um trabalho de pés à altura da velocidade e da intensidade dos punhos. E começou a vencer luta após luta, de maneira extraordinária.

Com o passar dos anos, o relacionamento foi evoluindo. No trabalho com a luva, Pacquiao ajustaria ou melhoraria as manobras que Roach havia desenvolvido para o combate seguinte. Também contribuía para a estratégia, alterando-a em certos momentos. Pacquiao apurara um sexto sentido quanto ao que o treinador estava pensando e levava a ideia ainda mais longe. Em certa ocasião, Roach observou Pacquiao improvisar uma manobra nas cordas, em que se esquivou do ataque e revidou por outro ângulo em vez de avançar de frente. Para Roach, aquela jogada fazia todo o sentido. Seu objetivo era talvez desenvolvê-la em um estilo de luta novo. Agora, Roach também estava aprendendo quase tanto quanto Pacquiao. O antigo relacionamento treinador-lutador evoluíra para algo interativo e recíproco. Para o treinador, isso significava que eles podiam avançar além do patamar aparentemente inevitável em que os lutadores ficam estagnados e os adversários captam e exploram todas as suas debilidades.

Trabalhando juntos dessa maneira, talvez Roach tenha conseguido transformar esse lutador unidimensional, relativamente desconhecido, no melhor pugilista de sua geração.

◆

Em tese, não haveria limites para o que podemos aprender com mentores experientes. Na prática, porém, quase nunca é assim. Por várias razões: a certa altura, o relacionamento pode se tornar monótono; é difícil manter o mesmo nível de atenção do início. Começamos a nos ressentir um pouco da autoridade deles, sobretudo quando desenvolvemos nossas habilidades e as diferenças entre os mentores e os aprendizes diminuem. Além disso, as duas partes são de gerações diferentes, com visões de mundo diversas. De repente, alguns dos princípios acalentados pelos mentores tornam-se irreais ou irrelevantes para os pupilos, que, inconscientemente, se desinteressam. A única solução é evoluir para uma dinâmica mais interativa com os mentores. Se estes se adaptarem a algumas das ideias dos aprendizes, o relacionamento é reavivado. Sentindo a abertura crescente dos mentores às suas contribuições, os pupilos ficam menos ressentidos. Passam a influenciar os instrutores com as próprias experiências e ideias, talvez descontraindo-os, para que os princípios deles não se prendam a dogmas.

Esse estilo de interação é mais compatível com nossa época democrática, e até pode se converter em ideal. Mas não deve se confundir com rebelião ou desrespeito. A dinâmica esboçada no início deste capítulo continua a mesma. Como Pacquiao, o aprendiz entra no relacionamento com o máximo de admiração e atenção. Na condição de discípulo, você está totalmente aberto aos ensinamentos do mentor. Ao conquistar o respeito do Mestre por seu interesse e vontade de aprender, ele sentirá certo fascínio por você, como aconteceu com Roach em relação a Pacquiao. Por meio do foco intenso, o pupilo melhora suas habilidades, o que lhe confere o poder de manifestar suas peculiaridades e necessidades. Também lhe oferece feedback em relação às instruções, talvez ajustando algumas de suas ideias. Isso deve partir de você, como aprendiz, na medida em que dá o tom, com sua fome de aprendizado. Com essa dinâmica de mão dupla estabelecida, o potencial de aprendizado e de fortalecimento da dinâmica mentor-aprendiz torna-se infinito.

Desvios

Nunca é prudente renunciar de forma deliberada aos benefícios de contar com um mentor na vida. Se o fizer, você perderá um tempo valioso na definição e na busca do que precisará conhecer. Entretanto, às vezes não se tem escolha. Simplesmente não há ninguém por perto capaz de exercer a função, e você fica por conta própria. Nesse caso, é preciso converter a necessidade em virtude. Esse foi o caminho seguido por talvez a maior figura histórica a alcançar a maestria sozinho: Thomas Alva Edison (1847-1931).

Desde a mais tenra idade, Edison se acostumou a fazer as coisas sozinho, por necessidade. A família dele era pobre, e, aos 12 anos, precisou ganhar dinheiro para ajudar os pais. Vendia jornais em trens e, ao viajar por Michigan a trabalho, desenvolveu uma curiosidade intensa por tudo o que via. Queria saber como as coisas funcionavam – máquinas, aparelhos, o que quer que fosse composto por partes móveis. Sem acesso a escola ou professores, ele se voltou para os livros; sobretudo qualquer um que encontrasse sobre ciências. Começou a realizar experimentos no porão da casa da família e aprendeu sozinho a desmontar e montar qualquer tipo de relógio. Aos 15 anos, era aprendiz de telegrafista, e passou anos viajando pelo país nesse ofício. Não teve condição de obter uma educação formal nem a oportunidade de ter um professor ou mentor. Por isso, em toda cidade onde passava algum tempo, também frequentava a biblioteca pública.

Uma leitura que lhe passou pelas mãos desempenhou papel decisivo em sua vida: os dois volumes de *Experimental Researches in Electricity* (Pesquisas experimentais em eletricidade), de Michael Faraday. Esse livro tornou-se para Edison o que *Improvement of the Mind* fora para o próprio Faraday. Ofereceu-lhe uma abordagem sistemática à ciência, além de servir-lhe de paradigma sobre como se instruir no campo que tanto lhe interessava – a eletricidade. Ele podia seguir os experimentos descritos pelo grande Mestre na área e assimilar também sua abordagem filosófica à ciência. Pelo resto da vida, Faraday continuaria sendo seu modelo.

Por meio de livros, experimentos e vivência prática em vários trabalhos, Edison proporcionou a si mesmo uma rigorosa educação, processo que se estendeu por cerca de 10 anos, até se tornar inventor. O que o levou a tamanho sucesso foi seu desejo implacável de aprender com qualquer coisa que aparecesse em seu caminho, assim como sua autodisciplina. Ele aprendera a suprir a falta de educação formal com a mais rigorosa determinação e persistência. Trabalhava mais que qualquer outra pessoa. Como sua mente não havia sido doutrinada por nenhuma escola de pensamento, trazia uma nova perspectiva para todos os problemas que enfrentava. E converteu em vantagem a falta de rumo inicial.

Se você for forçado a adotar esse caminho, siga o exemplo de Edison, desenvolvendo extrema independência e autoconfiança. Nessas circunstâncias, você atua como seu próprio professor e mentor. Condiciona-se a aprender com todas as fontes possíveis. Lê mais que quem teve uma educação formal, desenvolvendo um hábito para toda a vida. Tanto quanto possível, tenta aplicar seus conhecimentos em algum tipo de experimento ou prática. Recorre a mentores de segundo nível, na forma de figuras públicas que podem lhe servir de modelo. Lendo e refletindo sobre as experiências deles, você passa a dispor de alguma orientação. Tenta dar vida às ideias que defendem, internalizando suas vozes. Como autodidata, você preserva certa visão pura, absolutamente original, que o impregnou por meio de suas próprias experiências – conferindo-lhe um poder peculiar e apontando-lhe o caminho para a maestria.

> *Aprender com exemplos é submeter-se à autoridade. Você segue o mestre porque confia na maneira dele de fazer as coisas, mesmo quando não pode analisar e explicar em detalhes sua eficácia. Ao observar o mestre e ao emular seus esforços, o aprendiz capta de forma inconsciente as regras da arte, mesmo as que o próprio mestre não conhece explicitamente.*
>
> – MICHAEL POLANYI, polímata húngaro que fez grandes contribuições para a físico-química, a economia e a filosofia

IV
Veja as pessoas como realmente são: Inteligência social

Em geral, os maiores obstáculos à busca da maestria decorrem do desgaste emocional que experimentamos ao lidar com a resistência e com as manipulações a que estamos sujeitos por parte das pessoas ao nosso redor. Se não somos cuidadosos, nossa mente é absorvida por intrigas e batalhas políticas sem fim. O principal problema que enfrentamos na arena social é nossa tendência ingênua de projetar nos outros nossas necessidades e desejos emocionais. Interpretamos equivocadamente as intenções deles e nossas reações provocam confusão e conflito. Inteligência social é a capacidade de ver aqueles que nos cercam da maneira mais realista possível. Ao superarmos nosso egocentrismo, podemos aprender a focar nos outros, compreendendo seus comportamentos em tempo real, interpretando de modo correto suas motivações e discernindo possíveis tendências manipuladoras. Se navegarmos com destreza pelo ambiente social, teremos mais tempo e energia para nos concentrarmos no aprendizado e no desenvolvimento de habilidades. O sucesso alcançado sem inteligência social não decorre da verdadeira maestria e não será duradouro.

Pensar dentro

Em 1718, Benjamin Franklin (1706-1790) foi trabalhar como aprendiz na gráfica de seu irmão James, em Boston. O sonho dele era se tornar um grande escritor. Na gráfica, aprenderia não só a operar as máquinas, mas também a editar manuscritos. Cercado de livros e jornais, poderia estudar e aprender com muitos exemplos de textos bem-redigidos. Seria a posição perfeita para ele.

À medida que a aprendizagem progredia, também se desenvolvia a educação literária que ele imaginara, e suas habilidades como escritor melhoravam substancialmente. Até que, em 1722, parecia que enfim teria a oportunidade perfeita como produtor de textos – o irmão se preparava para lançar seu próprio grande jornal, intitulado *The New-England Courant*. Benjamin procurou James com várias ideias interessantes sobre histórias que ele próprio poderia escrever, mas, para sua grande decepção, o irmão não estava interessado em suas contribuições para o novo jornal. Aquele era um empreendimento sério, e o trabalho de Benjamin era muito imaturo para *The Courant*.

Benjamin sabia que seria inútil discutir com James, um jovem muito obstinado. Mas, ao refletir sobre a situação, teve uma ideia: e se ele criasse um personagem fictício que escreveria cartas para *The Courant*? Se as redigisse bem, James nunca suspeitaria que elas eram dele, e as publicaria. Depois de pensar muito, imaginou o personagem perfeito: uma jovem viúva chamada Silence Dogood, que tinha opiniões fortes sobre a vida em Boston, muitas das quais um tanto absurdas. Para garantir a verossimilhança, Benjamin passou longas horas imaginando um passado detalhado para ela. E concebeu tão profundamente a personagem que ela começou a ganhar vida dentro dele. Conseguia captar o pensamento da jovem e, em breve, despontava nele uma voz inspiradora muito realista, com características e experiências próprias.

Ele então enviou a primeira carta ao *The Courant* e se divertiu ao observar o irmão publicar a carta da leitora, com uma nota do redator pedindo-lhe que escrevesse mais. James provavelmente suspeitava que se tratava do trabalho de algum escritor talentoso da cidade sob pseudônimo – a carta era muito sagaz e satírica para um leitor comum –, mas, sem dúvida, não tinha ideia de que o autor era Benjamin. James continuou a publicar as cartas subsequentes, que logo se tornaram a parte mais popular do *The Courant*.

As atribuições de Benjamin na gráfica começaram a se ampliar, e ele também se revelou um excelente editor para o jornal. Sentindo-se orgulhoso de todas as suas realizações precoces, um dia não se conteve e confessou a James que era o autor das cartas de Silence Dogood. Esperando algum tipo de elogio, ficou surpreso com a má reação de James – o irmão não gostava que mentissem para ele. Para piorar a situação, nos meses seguintes passou a tratar Benjamin de maneira cada vez mais fria e abusiva. Logo, Benjamin percebeu que já não tinha condições de trabalhar com o irmão, e, no outono de 1723, sentindo-se desesperado, resolveu deixar Boston, dando as costas para o irmão e para a família.

Depois de vaguear por várias semanas, chegou à Filadélfia, decidido a se estabelecer por lá. Com apenas 17 anos, praticamente não tinha dinheiro e não conhecia ninguém, mas, por alguma razão, sentia-se cheio de esperança. Nos cinco anos em que trabalhou para o irmão, aprendera mais sobre o negócio do que homens com duas vezes a sua idade. Era muito disciplinado e acalentava grandes ambições. E, para completar, era um escritor talentoso e bem-sucedido. Sem restrições à sua liberdade, a Filadélfia seria sua próxima conquista.

Passou os primeiros dias na cidade estudando o ambiente e sua confiança só fez aumentar. As duas gráficas locais na época estavam bem abaixo do nível de suas congêneres em Boston, e a qualidade dos textos nos jornais locais era desastrosa. Tudo isso indicava oportunidades sem fim para preencher lacunas e desbravar caminhos.

Em duas semanas conseguiu emprego em uma dessas gráficas, cujo proprietário era um homem chamado Samuel Keimer. Na época, a Filadélfia ainda era relativamente pequena e provinciana, e logo se difundiram notícias sobre o forasteiro e suas habilidades literárias.

O governador da colônia da Pensilvânia, William Keith, tinha ambições de transformar a Filadélfia em centro cultural, e não estava satisfeito com as duas gráficas tradicionais. Ao ouvir falar em Benjamin Franklin e em seu talento como escritor, mandou chamá-lo. Impressionado com a inteligência do jovem, estimulou-o a constituir sua própria gráfica, prometendo emprestar-lhe o capital inicial necessário para dar a partida no negócio. As máquinas e os materiais teriam que vir de Londres, e Keith o aconselhou a ir à Inglaterra pessoalmente para supervisionar a aquisição. O governador tinha contatos por lá e arcaria com todas as despesas.

Franklin mal acreditava na sua sorte. Apenas poucos meses antes, era um simples aprendiz do irmão. Agora, graças ao empreendedorismo e à generosidade do governador, em breve teria sua própria gráfica e, com ela, poderia fundar um jornal e tornar-se uma voz influente na cidade, tudo antes de chegar aos 20 anos. Ao planejar a viagem a Londres, o dinheiro que Keith prometera não chegava; mas, depois de escrever-lhe algumas vezes, finalmente recebeu notícias do gabinete do governador, dizendo que não se preocupasse – cartas de crédito estariam à sua espera quando desembarcasse na Inglaterra. E, assim, sem explicar a Keimer o que pretendia fazer, deixou o emprego e comprou a passagem para a viagem transatlântica.

Quando chegou à Inglaterra, não encontrou nenhum documento à sua espera. Receando que tivesse ocorrido algum problema de comunicação, procurou em Londres um representante do governador, a quem pudesse explicar o acordo. Durante a busca, veio a conhecer um comerciante rico da Filadélfia, que, ao ouvir sua história, revelou-lhe a verdade – o governador Keith era falastrão notório. Sempre prometia tudo a todos na tentativa de impressionar as pessoas com seu poder. O entusiasmo dele raramente durava mais que uma semana. Não tinha dinheiro para emprestar, e seu caráter valia tanto quanto suas promessas.

Depois de escutar tudo isso e de refletir sobre sua situação, o que mais o transtornava não era o fato de agora se encontrar longe de casa, sozinho e sem dinheiro. Não havia lugar mais estimulante para um jovem do que Londres, e, de alguma forma, ele se arranjaria por lá. O que mais o chateava era a maneira como interpretara mal as intenções de Keith e como fora ingênuo.

Felizmente, Londres estava apinhada de gráficas enormes e, poucas semanas depois, conseguiu emprego em uma delas. Para esquecer o fiasco com Keith, atirou-se ao trabalho, impressionando o empregador com sua destreza em várias máquinas e com suas habilidades de edição. Deu-se bem com os colegas, mas logo deparou com um estranho costume inglês: cinco vezes por dia, seus colegas tipógrafos faziam uma pausa para beber um pouco de cerveja. Aquilo os fortalecia para o trabalho, ou ao menos assim diziam. Todas as semanas Franklin deveria contribuir para o fundo da cerveja, que era compartilhado por todos na sala, mas ele se recusava a pagar – não gostava de beber durante a jornada de trabalho e a ideia de que deveria abrir mão de parte do dinheiro conquistado a duras penas para que os outros arruinassem a saúde deixava-o com raiva. Expôs honestamente seus princípios, e os colegas aceitaram a decisão.

Nas semanas seguintes, porém, coisas estranhas começaram a acontecer: erros passaram a pipocar nos textos que ele já havia corrigido e quase todo dia descobria novas falhas pelas quais era responsabilizado. Percebeu que estava a ponto de perder a paciência. Se aquela situação perdurasse por mais tempo, com certeza seria demitido. Sem dúvida alguém estava sabotando seu trabalho. Quando se queixou com os colegas tipógrafos, atribuíram tudo aquilo a um fantasma maldoso que assombrava a gráfica. Por fim, dando-se conta do que estava ocorrendo, renunciou aos princípios e passou a contribuir para o fundo da cerveja. Os erros de repente desapareceram, assim como o fantasma.

Depois desse incidente e de várias outras mancadas em Londres, Franklin começou a pensar com seriedade sobre sua situação. Ele parecia irremediavelmente ingênuo, sempre interpretando mal as intenções das pessoas ao redor. Ao refletir sobre seu problema, deparou com um paradoxo: quando se tratava de trabalho, ele era racional e realista, sempre procurando melhorar. Em seus escritos, por exemplo, reconhecia com nitidez suas deficiências e praticava com afinco para superá-las. Porém, em relação às pessoas, acontecia quase o oposto: sempre se deixava levar pelas emoções e perdia o contato com a realidade. Com o irmão, quis impressioná-lo, revelando a autoria das cartas, desprevenido quanto à inveja e à malevolência que desencadearia; com Keith, estava tão envolvido pelos próprios sonhos que não prestou atenção aos sinais óbvios de que o governador era só um falastrão; com os tipógrafos, sua ira o cegara para o fato de que eles se ressentiriam de suas tentativas de reforma. E pior, ele parecia incapaz de mudar essa dinâmica.

Determinado a romper esse padrão e a mudar seu estilo, concluiu que havia apenas uma solução: em todas as suas futuras interações com pessoas, ele se forçaria a dar um passo para trás e controlar suas emoções. Distanciando-se ele conseguiria se concentrar totalmente na pessoa com quem estava lidando, eliminando da equação as próprias inseguranças e anseios. Ao exercitar a mente dessa maneira, a atitude se converteria em hábito. Imaginando como seria o processo, ele teve uma sensação estranha. Lembrou-se das experiências por que passara ao inventar as cartas de Silence Dogood – pensando dentro da personagem que criara, entrando em seu mundo e dando-lhe vida em sua mente. E resolveu que aplicaria essa habilidade literária em tudo na vida. Posicionando-se dentro das cabeças das pessoas, vislumbraria como vencer a resistência delas e frustrar seus planos maldosos.

Para aumentar a eficácia do processo, concluiu que teria que adotar uma nova filosofia: a aceitação completa e radical da natureza humana. As pessoas possuem qualidades e atributos arraigados. Algumas são frívolas, como Keith, ou vingativas, como seu irmão James, ou rígidas, como os tipógrafos. Indivíduos como esses estão em todos os lugares. Aborrecer-se com eles ou tentar mudá-los é inútil – apenas os tornará amargos e ressentidos. É melhor aceitar essas pessoas como se admitem os espinhos de uma rosa e acumular conhecimentos sobre a natureza humana como se faz com as ciências. Se ele pudesse seguir esse caminho na vida, se libertaria de sua terrível ingenuidade e traria alguma racionalidade para suas relações sociais.

Depois de mais de um ano e meio de trabalho em Londres, Franklin finalmente economizou dinheiro suficiente para a viagem de retorno, e, em 1727, estava de volta à Filadélfia, mais uma vez à procura de trabalho. Em meio a essa busca, seu ex-empregador, Samuel Keimer, surpreendeu-o ao oferecer-lhe uma boa posição na gráfica – ele seria responsável pelo pessoal e pelo treinamento dos novos trabalhadores que Keimer havia admitido recentemente, em consequência da expansão do negócio. Para tanto, receberia um ótimo salário anual. Franklin aceitou, mas, quase desde o começo, sentia que algo não estava certo. Por isso, conforme prometera a si mesmo, deu um passo para trás e refletiu com calma sobre os fatos.

Sua função era treinar cinco homens, mas, depois de concluir a tarefa, restaria pouco trabalho para ele. O próprio Keimer vinha agindo de maneira estranha, com muito mais cordialidade que o habitual. Como, em geral, era inseguro e irritadiço, aquele jeito amistoso não combinava com ele. Imaginando a situação sob a perspectiva de Keimer, não era difícil perceber que ele devia ter ficado muito ressentido com sua partida súbita para Londres, deixando-o em dificuldade. Provavelmente o via como um rapaz presunçoso, que precisava de uma lição. Franklin não era do tipo que conversaria sobre seus receios com alguém, mas os remoeria por dentro e elaboraria seus próprios planos. Pensando dessa maneira, as intenções de Keimer ficaram claras: o patrão queria que Franklin transmitisse seus amplos conhecimentos sobre o negócio aos novos empregados, para, depois, despedi-lo. Essa seria sua vingança.

Convencido de que sua interpretação estava certa, Franklin decidiu virar a mesa. Explorou sua nova posição gerencial para se relacionar com os clientes e para fazer contatos com comerciantes de sucesso na área. Experimentou novos métodos de impressão que havia aprendido na Inglaterra. Quando Keimer se ausentava da gráfica, desenvolvia novas habilidades tipográficas, como gravura e fabricação de tintas. Também prestava grande atenção nos aprendizes e, em segredo, preparava um deles como um possível assistente. Quando começou a suspeitar que chegara a hora de Keimer mandá-lo embora, pediu demissão e abriu a própria gráfica – com apoio financeiro, maior conhecimento do negócio, uma sólida base de clientes que o seguiria para onde fosse e um assistente de primeira categoria, que ele havia treinado. Ao executar essa estratégia, Franklin se deu conta de como o não nutria sentimentos de amargura ou raiva em relação a Keimer. Tudo se resumia a manobras em um tabuleiro de xadrez, e, ao pensar como Keimer, foi capaz de participar do jogo como um adversário à altura do oponente, com a cabeça arejada e equilibrada.

Nos anos seguintes, a gráfica de Franklin prosperou. Ele se tornou um editor de jornais altamente bem-sucedido, autor de best-sellers, cientista renomado por seus experimentos com eletricidade e inventor de coisas como o aquecedor de ambientes (e, mais tarde, o para-raios, as lentes bifocais e outras). Como membro cada vez mais destacado da comunidade da Filadélfia, concluiu, em 1736, que era hora de levar sua carreira um passo adiante e entrar na política, tornando-se membro da legislatura colonial da Pensilvânia. Em poucos meses, foi escolhido por unanimidade pelos colegas para exercer as funções de secretário da assembleia, posição de alguma influência. No entanto, na hora de ser reconduzido a um novo mandato, um novo membro da legislatura, Isaac Norris, expressou veemente oposição à iniciativa, apoiando outro candidato. Depois de um debate muito acalorado, Franklin ganhou a eleição, mas, ao refletir sobre a situação, avistou perigo no horizonte.

Norris era um negociante rico, bem-educado e carismático. Também era ambicioso e, certamente, subiria na hierarquia. Caso Franklin se desentendesse com o adversário, como seria de esperar, depois do que acontecera na batalha pelo secretariado, apenas estaria confirmando qualquer impressão desagradável que o outro tivesse dele, convertendo-o em inimigo implacável. Por outro lado, se o ignorasse, Norris poderia interpretar a atitude como uma nova manifestação de insolência e passar a odiá-lo ainda mais. Para muita gente, a atitude corajosa seria partir para o ataque e revidar a agressão, deixando claro que o melhor era não se meter com ele. Mas será que não seria mais eficaz não corresponder às expectativas de Norris, surpreendendo-o e, sutilmente, convertendo-o em aliado?

Assim, Franklin partiu para a ação. Observou o homem de perto na legislatura, reuniu informações e refletiu profundamente, como se fosse Norris. Chegou à conclusão de que Norris era um jovem um tanto orgulhoso e emocional, que também ocultava algumas inseguranças. Parecia ansioso por atenção, por estima e por admiração; talvez até invejasse a popularidade e as realizações de Franklin. Por meio de seus informantes, soube que Norris tinha uma obsessão um tanto diferente – sua grande biblioteca pessoal, contendo muitos livros raros, inclusive um especialmente valioso, que ele estimava acima de todos os outros. Essas obras pareciam representar para ele os próprios sentimentos de distinção e nobreza.

Sabendo de tudo isso, Franklin decidiu optar pela seguinte estratégia: escreveu para Norris uma nota muito refinada, expressando admiração por sua coleção. Ele também era apaixonado por livros e, tendo ouvido tantos elogios a certa obra rara de Norris, ficaria muito feliz se pudesse estudá-la. Caso Norris pudesse emprestar-lhe o exemplar por uns poucos dias, ele tomaria o maior cuidado e o devolveria sem atraso.

Encantado com a demonstração de interesse, Norris enviou-lhe o livro de imediato e Franklin o devolveu conforme o prometido, com outra nota expressando sua gratidão pelo favor. Na reunião seguinte da legislatura, Norris procurou Franklin e puxou uma conversa amistosa, algo que nunca tinha feito antes. Conforme previra, Franklin semeara dúvida na mente de Norris. Em vez de confirmar suas suspeitas a respeito dele, Franklin se comportara como um perfeito cavalheiro, demonstrara que ambos tinham o mesmo interesse por livros raros e cumprira sua palavra. Como Norris continuaria alimentando a má impressão que tinha de Franklin depois de descobrirem tanta coisa em comum? Jogando com a natureza emocional do adversário, conseguiu converter seu sentimento de antipatia em simpatia. Tornaram-se bons amigos e aliados políticos leais durante o restante de suas carreiras. (Franklin continuaria praticando a mesma mágica com muitos de seus inimigos políticos futuros).

Na Filadélfia, Benjamin Franklin era considerado o maior exemplo de comerciante e cidadão confiável. Como seus concidadãos, vestia-se com simplicidade, trabalhava com mais afinco que qualquer outro, nunca frequentava bares ou casas de jogo e cultivava maneiras e hábitos cordiais, até humildes. Sua popularidade era quase universal. Mas, no último capítulo de sua vida pública, suas atitudes pareciam indicar que ele havia mudado e perdido a sensibilidade.

Em 1776, um ano depois da eclosão da Guerra da Independência, Benjamin Franklin – agora político emérito – foi despachado para a França como comissário especial com a incumbência de obter armas, financiamento e apoio. Em pouco tempo, espalharam-se rumores por todas as colônias americanas de seus casos com cortesãs francesas e de sua assiduidade em festas e jantares extravagantes. Políticos eminentes, como John Adams, o acusaram de ter sido corrompido pelos parisienses. Sua popularidade entre os americanos despencou. No entanto, o que os críticos e o público não perceberam foi que, aonde quer que fosse, ele assumia ostensivamente as feições, a moral e os comportamentos da cultura local, para que pudesse realizar melhor seus objetivos. Desesperado para conquistar os franceses para a causa americana e compreendendo muito bem a natureza deles, ele se transformara no que queriam ver em sua pessoa – uma versão americana do espírito e do estilo francês. Estava apelando para o narcisismo notório deles.

Tudo isso funcionou à perfeição – Franklin tornou-se uma figura amada dos franceses e homem de influência no governo. Por fim, forjou uma importante aliança militar e conseguiu um financiamento que ninguém mais conseguiria arrancar do sovina rei francês. Este último ato de sua vida pública não foi uma aberração, mas a expressão máxima de sua racionalidade social.

Caminhos para a maestria

É preciso reconhecer o direito de cada um de viver de acordo com o próprio caráter, qualquer que seja ele: o importante é que todos se empenhem em fazer uso do caráter alheio de maneira compatível com sua natureza, em vez de tentar mudá-lo e de condená-lo pelo que é. Esse é o verdadeiro sentido da máxima "Viva e deixe viver" (...). Indignar-se com a conduta do outro é tão tolo quanto se zangar com uma pedra que rola em seu caminho.

– ARTHUR SCHOPENHAUER, filósofo alemão

Nós, seres humanos, somos o mais superior animal social. Centenas de milhares de anos atrás, nossos ancestrais primitivos construíram complexos grupamentos sociais. Para se adaptarem a esse contexto, nossos antepassados evoluíram, formando neurônios-espelho (ver Introdução, página 19) mais refinados e sensíveis que os de outros primatas. Com os neurônios-espelho, eram capazes não só de imitar os indivíduos ao seu redor, mas também de imaginar o que os outros poderiam estar pensando e sentindo, tudo em nível pré-verbal. Essa capacidade de empatia possibilitou um grau de cooperação mais elevado.

Com o desenvolvimento da racionalidade e da linguagem, nossos ancestrais podiam levar mais longe a capacidade de empatia – identificando padrões nos comportamentos alheios e descobrindo suas motivações. Com o passar do tempo, o raciocínio humano se tornou infinitamente mais poderoso e sofisticado. Em tese, todos nós hoje possuímos as ferramentas naturais – empatia e racionalidade – para compreender em profundidade outros seres humanos. Na prática, porém, essas ferramentas continuam em grande parte subaproveitadas, e a explicação para essa deficiência pode ser encontrada na natureza peculiar da infância e na dependência prolongada da prole.

Em comparação com outros animais, nós, humanos, começamos a vida bastante fracos e impotentes. Continuamos relativamente débeis durante muitos anos, antes de sermos capazes de viver por conta própria. Esse longo período de imaturidade, com a duração de 12 a 18 anos, exerce uma função valiosa: possibilita que nos concentremos no desenvolvimento do cérebro – de longe a arma mais poderosa do arsenal humano. Porém, essa infância duradoura tem um preço. Durante essa fase de debilidade e dependência, temos a necessidade de idealizar os pais. Nossa sobrevivência depende da força e da confiabilidade deles. Reconhecer as fragilidades dos pais nos traria uma ansiedade insuportável. Portanto, vemos esses indivíduos tão importantes para nós como sendo mais fortes, mais capazes e mais altruístas do que são na realidade. Interpretamos as ações deles à luz de nossas necessidades, e, assim, eles se tornam extensões de nós mesmos.

Nessa longa fase de imaturidade, em geral transferimos essas idealizações e distorções aos professores e amigos, projetando neles o que queremos e precisamos ver. Nossa visão das pessoas se impregna de várias emoções – adoração, admiração, amor, necessidade, raiva. Até que, inevitavelmente, quase sempre na adolescência, começamos a vislumbrar o lado menos nobre das pessoas, inclusive dos próprios pais, e não podemos deixar de nos sentir transtornados pela disparidade entre a imaginação e a realidade. Decepcionados, tendemos a exagerar seus defeitos, da mesma maneira como no passado exagerávamos suas qualidades. Se tivéssemos sido forçados a encarar a realidade mais cedo na vida, as necessidades práticas teriam dominado nosso pensamento e teríamos desenvolvido mais objetividade e realismo. Mas, sendo como é, os muitos anos em que vemos as pessoas através das lentes de nossas necessidades emocionais enraízam o hábito a ponto de mal podermos controlá-lo.

Denominemos esse fenômeno de *perspectiva ingênua*. Embora seja natural assumir essa posição em razão da singularidade de nossa infância, ela também é perigosa, pois nos envolve em ilusões infantis sobre as pessoas, distorcendo a maneira como as vemos. Trazemos essa perspectiva conosco para a idade adulta durante a fase de aprendizagem. No ambiente de trabalho, os padrões de repente aumentam. As pessoas já não estão lutando por boas notas nem por aprovação social, mas, sim, por sobrevivência. Sob tais pressões, elas revelam atributos de caráter que normalmente tentam esconder. Manipulam, competem e, antes de tudo, pensam em si mesmas. Como que cegos para esses comportamentos e com as emoções ainda mais ativas que antes, trancamo-nos na perspectiva ingênua.

A perspectiva ingênua, por sua vez, intensifica nossa sensibilidade e vulnerabilidade. Ao refletirmos sobre como as palavras e as ações alheias nos envolvem, continuamos a interpretar equivocadamente suas intenções. Projetamos nossos próprios sentimentos nas outras pessoas. Não temos um senso real de suas ideias e de suas motivações. Com os colegas no ambiente de trabalho, não vemos a fonte de sua inveja nem a razão de suas manipulações; nossas tentativas de influenciá-los se baseiam na suposição de que querem o mesmo que nós. Com os mentores e chefes, projetamos neles nossas fantasias da infância, passando a adorar ou a temer as figuras de autoridade, e com elas desenvolvendo relações conturbadas e instáveis. Achamos que compreendemos as pessoas, mas as vemos com lentes distorcidas. Nessas condições, todos os nossos poderes de empatia se tornam inúteis.

Por causa dos erros inevitáveis que cometemos, nós nos envolvemos em batalhas e dramas que nos consomem e nos distraem no processo de aprendizado. Nosso senso de prioridade fica distorcido – e acabamos atribuindo uma importância excessiva às questões sociais e políticas por não estarmos lidando da maneira adequada com elas. Se não formos cuidadosos, levamos esses padrões para a fase seguinte da vida: a fase criativa-ativa, em que ficamos mais expostos ao público. Nesse nível, a falta de inteligência social pode se revelar embaraçosa, até fatal para a carreira. As pessoas que ainda mantêm atitudes infantis raramente são capazes de preservar o sucesso que talvez alcancem com seu talento.

Inteligência social nada mais é que o processo de descartar a perspectiva ingênua e adotar atitudes mais realistas. Envolve convergir a atenção mais para fora que para dentro, cultivando a capacidade natural de observação e de empatia. Significa superar nossa tendência de idealizar ou de demonizar as pessoas, passando a vê-las e a aceitá-las como realmente são. É uma maneira de pensar que deve ser fomentada o mais cedo possível, durante a fase de aprendizagem. Mas, antes de começarmos a desenvolver essa inteligência social, devemos primeiro superar a perspectiva ingênua em si.

Veja o caso de Benjamin Franklin, o ícone da inteligência social e exemplo mais claro do papel que esse atributo desempenha na maestria. Como o segundo filho mais novo de uma grande família, ele aprendeu a abrir caminhos usando o charme. À medida que crescia, passou a acreditar, como muitos jovens, que relacionar-se com os outros é comportar-se de forma cativante, conquistando-os com um estilo amistoso e simpático. No entanto, ao se envolver com o mundo real, ele começou a encarar o próprio charme como fonte de problemas. Ser fascinante foi a estratégia que desenvolvera por necessidades infantis; essa tendência era reflexo de seu narcisismo, do amor que nutria pelas próprias palavras e sagacidade. Não tinha nada a ver com os outros e com as necessidades deles. Não impedia que o explorassem e o atacassem. Para ser realmente cativante e eficaz do ponto de vista social, é preciso compreender as pessoas, e, para isso, deve-se sair de si mesmo e mergulhar mentalmente no mundo *delas*.

Só quando percebeu como fora profundamente ingênuo, deu os primeiros passos para superar a ingenuidade. O empenho em desenvolver a inteligência social foi o ponto de virada de sua carreira – transformando-o em observador contumaz da natureza humana, alguém com a capacidade mágica de ver dentro das pessoas. Também o converteu na companhia social perfeita. Em todos os lugares, homens e mulheres se rendiam ao seu fascínio, em razão de sua capacidade de se sintonizar com os interlocutores. Com tranquilidade e explorando relações sociais produtivas, dedicou-se aos seus escritos, às questões das ciências e às suas inúmeras invenções – enfim, à maestria.

Seria possível deduzir, a partir da história de Benjamin Franklin, que a inteligência social exige uma abordagem distante e não emocional às pessoas, o que tornaria a vida um tanto monótona, mas esse não é de modo algum o caso. O próprio Franklin era, por natureza, um homem que dava importância ao aspecto emocional. Ele não reprimiu a própria índole, mas, sim, reverteu as emoções para o sentido oposto. Em vez de ficar obcecado consigo mesmo e com o que as pessoas não lhe davam, pensava profundamente em como elas percebiam o mundo, no que sentiam e do que careciam. As emoções, vistas sob o ponto de vista alheio, geram empatia e proporcionam uma compreensão profunda do que mexe com elas. Para Franklin, esse foco fora de si mesmo lhe dava a sensação agradável de leveza e espontaneidade; sua vida não era de modo algum monótona, apenas livre de batalhas desnecessárias.

Você continuará tendo dificuldade em desenvolver a inteligência social enquanto não perceber que sua visão das pessoas é dominada pela perspectiva ingênua. Seguindo o exemplo de Franklin, você pode alcançar esse nível de conscientização revendo o seu passado, prestando especial atenção nas batalhas, nos erros, nas tensões e nas decepções na vida social. Se encarar esses eventos sob as lentes da perspectiva ingênua, verá apenas o que as *outras pessoas* lhe fizeram – os maus-tratos que suportou delas, as grosserias e injúrias de que foi vítima. Em vez disso, você precisa dar a virada e partir de si mesmo – como *você* viu em outras pessoas qualidades inexistentes, ou como *você* ignorou sinais do lado negativo da natureza delas. Ao agir assim, perceberá com clareza a discrepância entre suas ilusões e a realidade sobre quem são, e o papel que você desempenhou na criação dessa disparidade. Se analisar bem de perto, você identificará muitas vezes em suas relações com os chefes e superiores hierárquicos alguns remanescentes da dinâmica familiar da infância – a idealização ou a demonização habitual.

Ao se conscientizar do processo deturpador da perspectiva ingênua, você naturalmente se sentirá menos confortável com ele. Concluirá que está operando no escuro, cego às motivações e às intenções das pessoas, vulnerável aos mesmos erros e padrões que ocorreram no passado. Você *sentirá* a falta de conexão real com outras pessoas. E, de seu interior, surgirá o desejo natural de mudar essa dinâmica – de começar a olhar para fora, em vez de se voltar apenas para os próprios sentimentos. E, acima de tudo, você cultivará o hábito de observar antes de reagir.

Essa nova clareza sobre sua perspectiva deve ser acompanhada de um ajuste em seu comportamento. Você deve evitar a tentação de se tornar cínico em sua abordagem, como uma reação exagerada à ingenuidade anterior. A atitude mais eficaz a adotar é a de aceitação suprema. O mundo está cheio de pessoas com diferentes personalidades e temperamentos. Todos temos um lado negativo, em que predominam tendências manipuladoras e desejos agressivos. Os tipos mais perigosos são os que reprimem seus desejos ou negam a existência deles, geralmente os manifestando das maneiras mais dissimuladas. Algumas pessoas têm atributos negativos bastante pronunciados. Não há como mudar os outros, mas é preciso não se tornar vítima deles. Você é observador da comédia humana e, ao ser o mais tolerante possível, desenvolve uma capacidade muito maior de compreender as pessoas e de influenciar o comportamento delas quando necessário.

Com essa nova conscientização e essa nova atitude, você pode começar a desenvolver a aprendizagem em inteligência social. Essa forma de inteligência tem dois componentes, ambos igualmente importantes de dominar. Primeiro, há o que denominamos *conhecimento específico da natureza humana* – ou a capacidade de interpretar as pessoas, de sentir como elas veem o mundo e de compreender sua individualidade. Segundo, há o *conhecimento genérico da natureza humana*, que significa acumular a compreensão dos padrões gerais do comportamento humano que nos transcende como indivíduos, inclusive alguns dos atributos mais negativos que costumamos desconsiderar. Como quase sempre somos uma mistura de atributos singulares e de traços comuns da espécie, só o domínio de ambas as formas de conhecimento pode lhe oferecer um panorama completo das pessoas ao seu redor. Pratique ambas as formas de conhecimento e elas lhe renderão habilidades inestimáveis essenciais na busca da maestria.

Conhecimento específico – Interpretando as pessoas

Quase todos nós, em algum momento da vida, já tivemos a sensação de experimentar uma estranha ligação com outra pessoa; chegamos a nos sentir capazes de adivinhar os pensamentos dela. Em tais situações, alcançamos um nível de compreensão difícil de expressar em palavras. Esse grau de comunicação costuma ocorrer com grandes amigos e parceiros, pessoas em quem confiamos e com as quais nos sentimos sintonizados em muitos níveis. Como confiamos nelas, abrimo-nos à sua influência, e vice-versa. Em condições normais, geralmente nos sentimos nervosos, na defensiva e autocentrados, e nossa mente se volta para dentro. Mas, nesses momentos de conexão, o monólogo interno se interrompe e captamos mais pistas e sinais do outro que de hábito.

Isso significa que, quando não estamos imersos na introspecção, mas, sim, focados em outra pessoa, conquistamos o acesso a formas de comunicação em grande parte não verbais, mas muito eficazes à sua maneira. Podemos imaginar que nossos ancestrais primitivos, precisando cooperar em alto nível mas não experimentando o tipo de monólogo interior que se desenvolve com a linguagem, se caracterizavam por uma sensibilidade extremamente apurada em relação aos humores e sentimentos dos outros membros do grupo, chegando às raias da telepatia. Seria algo semelhante às faculdades de outros animais sociais; mas, nesse caso, a sensibilidade teria sido intensificada pela capacidade dos ancestrais de se colocarem na cabeça do outro.

A intensa conexão não verbal que experimentamos com aqueles indivíduos com quem temos mais afinidade é certamente inadequada no ambiente de trabalho, mas, na medida em que nos abrimos para outras pessoas, podemos recuperar parte da sensibilidade típica de nossos ancestrais e nos tornarmos muito mais eficazes na interpretação dos outros.

Para iniciar esse processo, é preciso treinar-se para prestar menos atenção nas palavras alheias e dar mais importância ao tom de voz, ao olhar, à linguagem corporal – sinais que podem revelar certo estado de espírito que não se expressa verbalmente. Quando as emoções dos interlocutores são despertadas, eles revelam muito mais. Ao interromper o monólogo interior e ao observar com mais profundidade as pessoas ao redor, passa-se a captar pistas emitidas por elas, sob a forma de sentimentos e sensações. Confie nesses indícios – eles dizem algo que, em geral, tendemos a ignorar, pois não são fáceis de verbalizar. Mais tarde, é até possível tentar identificar um padrão nesses sinais e procurar analisar seu significado.

Nesse nível não verbal, é interessante observar como as pessoas se comportam em relação aos detentores de poder e autoridade. Elas tenderão a revelar uma ansiedade, um ressentimento ou uma falsidade que trai algo essencial sobre sua compleição psicológica, alguma coisa que remonta à infância delas e que se manifesta em sua linguagem corporal.

Quando você suspender os mecanismos de defesa e prestar uma atenção profunda nos outros, também será necessário baixar a guarda e se abrir à influência alheia. No entanto, desde que suas emoções e sua empatia estejam voltadas para fora, você será capaz de se distanciar quando necessário e analisar o que foi coletado. Resista à tentação de interpretar o que dizem ou fazem como algo que implicitamente o envolve – isso o levará a se voltar para dentro e a se desligar do imediatismo da conexão.

Como exercício, depois de se familiarizar com as pessoas durante algum tempo, tente se imaginar percebendo o mundo sob o ponto de vista delas, colocando-se no lugar desses interlocutores. Procure experiências emocionais comuns suas – traumas ou dificuldades do passado, por exemplo, que, de alguma forma, se assemelhem às experiências ou situações alheias. Liberar parte dessas emoções pode ajudá-lo a iniciar o processo de identificação. O objetivo é praticar a capacidade de empatia e avaliar com mais realismo a visão de mundo alheia. Ser capaz de, com maior ou menor extensão, pensar com a cabeça do outro é um modo brilhante de ampliar os próprios processos mentais, que tendem a se limitar a certas maneiras de encarar a realidade. Sua capacidade de empatia se relaciona com o processo criativo de sentir o caminho para dentro do tema que se está estudando.

Essa forma intuitiva de interpretar as pessoas torna-se mais eficaz e mais exata na medida em que você a explora, mas é melhor combiná-la com outra forma mais consciente de observação. Por exemplo, é preciso prestar especial atenção nas ações e nas decisões alheias. Seu objetivo é descobrir os motivos ocultos por trás delas, que, geralmente, girarão em torno do poder. As pessoas dirão todo tipo de coisas sobre seus motivos e intenções; estão acostumadas a enfeitar a realidade com palavras. Suas ações, porém, dizem muito mais sobre seu caráter, sobre o que está ocorrendo abaixo da superfície. Se apresentarem uma fachada inofensiva mas tiverem agido com agressividade em várias ocasiões, atribua à agressão muito mais peso que à superfície que expõem. Do mesmo modo, é preciso observar com todo o cuidado a maneira como os outros reagem a situações estressantes – em geral, no calor do momento deixam cair a máscara que usam em público.

Ao buscar pistas para observar, é necessário atentar para qualquer tipo de comportamento extremo – por exemplo, se uma pessoa se mostra espalhafatosa demais, se é simpática demais ou se faz piadas com tudo. Você perceberá que, em geral, as pessoas adotam esse estilo como uma espécie de máscara para ocultar o oposto, a fim de distrair os observadores em relação à verdade. São espalhafatosas porque, por dentro, são muito inseguras; são simpáticas demais porque, no íntimo, são ambiciosas e agressivas; ou fazem piadas para esconder a própria mesquinharia e perversidade.

Você deve identificar e decodificar todos os sinais possíveis – inclusive as roupas que usam e a organização ou desorganização de seu local de trabalho. A escolha do cônjuge ou parceiro também pode ser muito eloquente, sobretudo se parecer um tanto incompatível com o caráter que tentam projetar. Nessa escolha, podem revelar necessidades frustradas da infância, o desejo de poder e controle, a baixa autoestima e outros atributos que procuram disfarçar. O que pode parecer irrelevante – atrasos crônicos, atenção insuficiente aos detalhes, não retribuição de favores – são indícios de algo mais profundo em seu caráter. São padrões em que se deve prestar atenção, e nada é pequeno demais para ser desprezado.

É preciso evitar o erro de julgar com base nas primeiras impressões. As percepções iniciais por vezes podem dizer algo, mas, com frequência, são enganosas. Várias são as razões para isso. No primeiro encontro, você tende a ficar nervoso, menos aberto e mais introvertido. Na verdade, você não está atento. Além disso, os interlocutores se condicionaram a passar determinada imagem; cultivam uma persona que usam em público, que atua como uma segunda pele protetora. A não ser que você seja extremamente observador, o mais comum é confundir a máscara com a realidade. Por exemplo, a pessoa que, à primeira vista, parece tão poderosa e assertiva talvez esteja apenas ocultando seus temores e tenha muito menos poder do que se imagina de início. Em geral, os discretos, os menos ostensivos à primeira vista, são os que ocultam mais recursos, os que secretamente exercem mais poder.

O que se quer é um retrato do caráter da pessoa ao longo do tempo, o que proporciona uma ideia bem mais exata de sua verdadeira personalidade, muito além de qualquer impressão imediata. Portanto, contenha a propensão natural de formular juízos apressados e deixe que o passar dos meses revele cada vez mais sobre as pessoas, à medida que as interpreta melhor.

No final das contas, o objetivo é identificar o que torna único cada indivíduo, compreender o caráter e os valores que se escondem em seu interior. Quanto mais se investiga o passado das pessoas e sua forma de pensar, mais profundamente se mergulha em seu âmago. Dessa maneira, você será capaz de compreender as motivações alheias, prever suas ações e reconhecer como melhor cooptá-las para seu lado. Você não mais atuará no escuro.

Você encontrará milhares de diferentes indivíduos em sua vida, e a capacidade de vê-los como são se revelará inestimável. Lembre-se, porém, de que as pessoas se encontram em estado de fluxo contínuo. Não deixe que suas ideias sobre elas se enrijeçam em uma impressão estabelecida. É preciso observá-las continuamente e sempre atualizar sua maneira de interpretá-las.

Conhecimento genérico – As Sete Realidades Fatais

Quando analisamos o comportamento humano ao longo da história, podemos identificar padrões que transcendem as culturas e os séculos, indicando certos atributos universais típicos da própria espécie. Alguns desses traços são muito positivos – por exemplo, nossa capacidade de cooperar mutuamente no grupo –, ao passo que outros são negativos e podem se revelar destrutivos. A maioria de nós tem estas qualidades negativas – *inveja, conformismo, rigidez, egocentrismo, preguiça, inconstância, agressão passiva* – em doses relativamente brandas. No entanto, no contexto social, algumas pessoas apresentarão um ou mais desses defeitos em grau tão elevado que se tornarão nocivas. Denominaremos essas sete qualidades negativas de *Sete Realidades Fatais*.

O problema é que as pessoas não gostam de exibir esses traços em público, pois não querem ser vistas como perniciosas e indesejáveis. Portanto, os portadores desses defeitos tendem a disfarçá-los à primeira vista, mas acabam revelando a realidade por meio de alguma ação prejudicial. Surpreendidos, tendemos a reagir emocionalmente, aumentando os danos, cujos efeitos podemos carregar conosco pelo resto da vida. Mas saiba que, por meio de estudo e de observação, somos capazes de compreender a natureza dessas Sete Realidades Fatais, de modo a detectar sua presença e evitar deflagrá-las. Considere os comentários a seguir como conhecimento essencial para o desenvolvimento da inteligência social.

Inveja: É da nossa natureza nos comparar o tempo todo com os outros – em termos de dinheiro, aparência, simpatia, inteligência, popularidade e outras qualidades. Se percebemos que alguém de nossas relações é mais bem-sucedido que nós, experimentamos, naturalmente, um pouco de inveja, mas, em geral, descobrimos maneiras de minimizá-la, por se tratar de uma emoção desagradável. Convencemo-nos de que o sucesso do outro é questão de sorte ou que decorre de seus relacionamentos e que não será duradouro. Mas, para algumas pessoas, o sentimento é muito mais profundo, quase sempre em consequência de seu nível de insegurança. Quando se fica verde de inveja, a única maneira de liberá-la é encontrar formas de obstruir ou sabotar aquele que despertou essa emoção. E, ao fazê-lo, *nunca* se diz que foi por inveja, procurando-se outra explicação mais aceitável no contexto social. Nem para si mesmas as pessoas admitem que sentem inveja, por isso é tão difícil percebê-la nos outros. Alguns indícios, porém, são reveladores. As pessoas que o elogiam demais ou se tornam muito amistosas logo no começo do relacionamento geralmente estão com inveja de você e se aproximam para prejudicá-lo. É preciso estar atento a esses comportamentos. Além disso, saiba que os indivíduos em que se detectam níveis de insegurança incomuns são certamente os mais propensos à inveja.

Em geral, porém, é muito difícil discernir esse sentimento, e o curso de ação mais prudente é se esforçar para que seus próprios comportamentos, inadvertidamente, não despertem inveja. Se você tiver algum dom, é bom fazer questão de, vez por outra, exibir deficiências em outras áreas, evitando o grande perigo de parecer perfeito demais, talentoso demais. Se estiver lidando com tipos inseguros, talvez seja o caso de demonstrar grande interesse pelo trabalho deles e até lhes pedir conselhos. Também é necessário tomar cuidado para não se gabar de qualquer sucesso, e, se necessário, atribuir o êxito à boa sorte. É prudente às vezes revelar suas próprias inseguranças, atitude que o humanizará aos olhos alheios. O humor autodepreciativo também fará maravilhas. E sempre tenha o cuidado de nunca fazer com que as pessoas se sintam estúpidas na sua presença. A inteligência é o gatilho mais sensível da inveja. Em geral, é ao se destacar demais que você despertará essa emoção execrável; portanto, é melhor cultivar uma aparência não ameaçadora para se entrosar bem com o grupo, pelo menos até alcançar tamanho sucesso a ponto de se tornar incomparável e, por conseguinte, acima de qualquer inveja para a maioria das pessoas.

Conformismo: Quando se constituem grupos de qualquer espécie, estabelece-se necessariamente certo tipo de mentalidade organizacional. Ainda que os membros do grupo alardeiem o reconhecimento e a tolerância das diferenças, a realidade é que os participantes muito diferentes deixam os outros desconfortáveis e inseguros, questionando os valores da cultura dominante. Essa cultura terá normas não escritas do que é correto, que mudam com o tempo. Em alguns contextos, a aparência física é importante. Mas, em geral, os critérios da correção são mais profundos. Muitas vezes, ajustando-se inconscientemente ao espírito da pessoa no topo, os membros compartilharão os mesmos valores sobre moral e política. Percebe-se esse espírito de grupo ao observar quanto os membros sentem a necessidade de exibir certas opiniões ou ideias compatíveis com os padrões. Alguns deles sempre serão os "fiscais do politicamente correto", o que pode torná-los muito perigosos.

Se você tiver características rebeldes ou naturalmente excêntricas, como costuma ser o caso de quem almeja a maestria, evite exibir de maneira muito aberta suas diferenças, em especial na fase de aprendizagem. Deixe que seu trabalho demonstre de maneira sutil sua individualidade; mas quando se tratar de questões de política, moral e valores, mostre a observância dos padrões predominantes no contexto. Encare o local de trabalho como uma espécie de teatro em que todos sempre usam uma máscara. (Reserve suas ideias mais interessantes e exuberantes para os amigos e para aqueles em quem você pode confiar fora do contexto profissional). Cuidado com o que diz – não corra o risco de expressar livremente suas opiniões. Se você pecar contra essa Realidade Fatal, ninguém reconhecerá a verdadeira causa da própria insatisfação, pois não há quem queira admitir o próprio conformismo. Assim, encontrarão outras razões para excluí-lo ou sabotá-lo. Não lhes dê munição para esse tipo de ataque. Mais tarde, ao desenvolver a maestria, não lhe faltarão oportunidades para ostentar o brilho de sua individualidade e para demonstrar seu desprezo pela mesmice.

Rigidez: Sob muitos aspectos, o mundo está ficando cada vez mais complexo, e sempre que nós, humanos, nos defrontamos com situações que parecem demasiado complicadas, nossa reação é recorrer a algum tipo de simplicidade artificial, criar hábitos e rotinas que nos proporcionem a sensação de controle. Preferimos o que é familiar – ideias, rostos, procedimentos – porque é reconfortante. Essas condições se estendem ao grupo em geral. As pessoas seguem procedimentos sem realmente saber por que, apenas pelo fato de esses procedimentos terem funcionado no passado, e ficam na defensiva quando sua forma de agir é questionada. Apegam-se a determinadas ideias e persistem em defendê-las, mesmo que elas se revelem reiteradamente equivocadas. Basta observar a história da ciência: sempre que surge uma nova ideia ou outra visão de mundo, por mais que se demonstre sua veracidade ou validade, os que se agarram às velhas concepções lutam até a morte para preservá-las. Em geral é contra nossa índole, sobretudo conforme envelhecemos, considerar outras maneiras de pensar ou de fazer as coisas.

As pessoas não anunciam a própria rigidez. Só quando se tenta introduzir uma nova ideia ou procedimento é que a resistência mostra sua cara. Alguns membros do grupo – os hiper-rígidos – se mostram irritados e até entram em pânico ao imaginarem qualquer espécie de mudança. Na hipótese de você insistir em seus argumentos, com lógica e bons fundamentos, é provável que esses indivíduos fiquem ainda mais na defensiva. Se você tem a mente aberta, seu próprio estilo será interpretado como algo desestabilizador e destrutivo. Caso não esteja consciente dos perigos de investir contra este medo do novo, você criará todos os tipos de inimigos ocultos, que recorrerão a qualquer coisa para manter a velha ordem. É inútil lutar contra a inflexibilidade e contestar conceitos irracionais. A melhor estratégia é simplesmente aceitar a rigidez nos outros, demonstrando, para todos os efeitos, respeito pela necessidade de ordem deles. Entretanto, é preciso se empenhar para preservar a própria abertura e flexibilidade, abandonando os velhos hábitos e cultivando novas ideias.

Egocentrismo: No ambiente de trabalho, quase sempre pensamos primeiro e acima de tudo em nós mesmos. O mundo é implacável e competitivo, e precisamos cuidar de nossos próprios interesses. Mesmo quando lutamos por um bem maior, com frequência somos motivados de modo inconsciente pelo desejo de sermos estimados pelos outros e de, ao mesmo tempo, melhorarmos nossa imagem. Não há vergonha nisso. Porém, como demonstrar interesse próprio não nos faz parecer nobres, muita gente se esforça para disfarçá-lo. Em geral, os mais egocêntricos cercam suas ações com uma aura de moralidade e santidade ou ostentam seu apoio a todas as causas consideradas justas. Iludido pelas aparências, na hora que precisa pedir ajuda, você apela ao senso de gratidão, à natureza aparentemente compassiva ou aos sentimentos de solidariedade que essas pessoas parecem cultivar. Então, você se frustra e se decepciona quando elas se recusam a ajudá-lo ou demoram tanto a dar uma resposta que você acaba desistindo. É claro que elas nunca revelam a verdadeira razão desse comportamento – o fato de nada poderem extrair da situação para si mesmas.

Em vez de se deixar enganar, você precisa compreender e aceitar essa Realidade Fatal. Na hora de pedir ajuda, é necessário apelar primeiro, de algum modo, para o interesse das pessoas. (Essa recomendação se aplica a todos, não importa o nível de egocentrismo.) Você deve ver o mundo com os olhos dos outros, perceber as necessidades deles. O fundamental é oferecer-lhes algo valioso em troca da ajuda – retribuindo com um favor que lhes poupe tempo, com um contato de que precisem, e assim por diante. Às vezes, a oportunidade de passar uma boa imagem prestando favores ou apoiando causas é suficiente, mas, em geral, é melhor descobrir algo mais convincente – algum benefício concreto que se espere receber no futuro. De modo geral, em suas interações com as pessoas, descubra uma maneira de fazer as conversas girarem em torno delas e de seus interesses, até o ponto de conquistá-las para o seu lado.

Preguiça: Todos temos a tendência de seguir o caminho mais rápido e mais fácil para a realização de nossos objetivos; mas, em geral, conseguimos controlar nossa impaciência; compreendemos o valor superior de alcançar o que queremos por meio do trabalho duro. Para algumas pessoas, porém, esse traço de preguiça é poderoso demais. Desmotivadas pela ideia de que talvez levem meses ou anos para conseguir algo, elas estão sempre à procura de atalhos.

A preguiça delas assumirá muitas formas traiçoeiras. Por exemplo, se você não for cuidadoso e falar demais, elas roubarão suas melhores ideias e se apropriarão delas, poupando-se de todo o esforço mental necessário para concebê-las. Vão se meter no meio de seu projeto e dar um jeito de incluir o próprio nome nele, ficando com parte do crédito pelo trabalho. Também o envolverão em atividades "colaborativas", em que você fará o grosso do trabalho pesado, mas compartilhará com elas as recompensas em igualdade de condições.

Sua melhor defesa é a prudência. Não divulgue suas ideias, expondo-as apenas a pessoas de absoluta confiança que precisam conhecê-las, ou oculte certos detalhes, para que não seja possível roubá-las. Se você estiver fazendo um trabalho para um superior hierárquico, prepare-se para que o chefe fique com todos os créditos e não faça referência ao seu nome (isso faz parte da aprendizagem de todos e deve ser aceito como tal), mas não permita que os colegas ajam da mesma maneira. Garanta seus créditos antecipadamente, como parte das condições do trabalho conjunto. Se as pessoas quiserem que você trabalhe para elas, para depois adotar o rótulo do esforço "colaborativo", sempre avalie se esse trabalho contribuirá para o seu repertório de habilidades e examine os antecedentes delas, para avaliar o nível de sua ética de trabalho. De modo geral, tenha cuidado com os pseudocolaboradores – quase sempre apenas estão tentando encontrar alguém que faça a parte mais árdua para eles.

Inconstância: Gostamos de demonstrar como nossas decisões se baseiam em considerações racionais, mas a verdade é que, em grande parte, somos governados por nossas emoções, que, frequentemente, influenciam nossas percepções. Isso significa que as pessoas ao seu redor, sempre sob a pressão das próprias emoções, mudam de ideia a cada dia ou a cada hora, dependendo do humor. Nunca se deve supor que o que dizem ou fazem em determinado momento é a manifestação de seus desejos permanentes. Ontem, estavam apaixonadas por sua ideia; hoje, parecem indiferentes. Isso pode confundi-lo e, se você não for cuidadoso, desperdiçará um valioso espaço mental tentando descobrir os verdadeiros sentimentos, o humor do momento e as motivações fugazes das pessoas.

É melhor manter não apenas certa distância, mas também alguma indiferença em relação às emoções mutáveis das pessoas, para não se envolver no processo. Concentre-se nas ações delas – que, em geral, são mais consistentes –, não nas palavras. Não leve tão a sério as promessas de ajuda nem as manifestações de solidariedade. Se elas forem coerentes, ótimo, mas esteja preparado para suas mudanças frequentes de ânimo. Conte apenas consigo mesmo para fazer as coisas acontecerem e você não se decepcionará.

Agressão passiva: A causa básica de toda agressão passiva é o medo do confronto direto – as emoções que um conflito pode despertar e a perda de controle daí decorrente. E, assim, por causa desse medo, algumas pessoas buscam meios indiretos de conseguir o que querem, tornando seus ataques bastante sutis para que seja difícil descobrir o que está acontecendo, ao mesmo tempo que passam a controlar a dinâmica. Todos somos, até certo ponto, passivo-agressivos. Postergar projetos, chegar atrasado e fazer comentários negativos, com o objetivo de perturbar as pessoas, são formas comuns de agressão passiva de baixo nível. Ao lidar com essas manifestações mesquinhas por parte de outras pessoas, você pode reclamar desses comportamentos e conscientizá-las de suas atitudes, o que em geral funciona. Ou, se for algo inofensivo, simplesmente ignore-as. Saiba, porém, que existem pessoas por aí, transbordando de insegurança, que são verdadeiros guerrilheiros passivo-agressivos, capazes de arruinar sua vida.

A tática mais eficaz é reconhecer esses tipos antes de se envolver na batalha e evitá-los a todo custo. As pistas mais óbvias são seus próprios antecedentes – eles têm certa reputação e você já ouviu histórias de problemas no passado. Dê uma olhada nas pessoas ao redor deles, como seus assistentes – elas agem com um cuidado e um terror incomuns na presença deles? Às vezes, você fica confuso, porque suspeita de sabotagem ou obstrução mas ao mesmo tempo é iludido pela aparência amigável que os passivo-agressivos expõem. Descarte o exterior e foque exclusivamente nas ações e atitudes deles, e o panorama ficará mais claro. Se eles o evitarem e postergarem ações importantes para você, se o fizerem se sentir culpado e o deixarem inseguro sobre os motivos, ou se o prejudicarem, dando a impressão de que foi por acaso, você com toda a probabilidade está sob um ataque passivo-agressivo. Nesse caso, existem duas opções: ou você sai do caminho deles e vai embora ou rebate o ataque com alguma indireta, sinalizando de maneira sutil que se meter com você terá consequências. Essa reação, em geral, os desencorajará e os levará a procurar outra vítima. Faça de tudo para evitar se envolver emocionalmente nos dramas e batalhas. Os passivo-agressivos são mestres em controlar a dinâmica, e você quase sempre sairá perdendo.

O desenvolvimento da inteligência social não se limitará a ajudá-lo a administrar as relações com outras pessoas – também produzirá efeitos extremamente benéficos em sua maneira de pensar e em sua criatividade em geral. Veja o exemplo de Benjamin Franklin. Em relação às pessoas, ele cultivou a habilidade de se concentrar nos detalhes que as tornam únicas e de se relacionar com as experiências e motivações *delas*. Cultivou um alto grau de sensibilidade às sutilezas da natureza humana, evitando a tendência comum de misturá-las todas no mesmo saco. Tornou-se paciente e aberto no trato com gente de culturas e de antecedentes muito diferentes. E integrou por completo a inteligência social a suas capacidades intelectuais – a acuidade para detalhes nos trabalhos científicos, a fluidez no modo de pensar e a abordagem paciente na solução de problemas, além de sua habilidade extraordinária de penetrar nas mentes dos vários personagens que criou em suas obras, dando-lhes uma voz realista.

Compreenda que o cérebro humano é um órgão interconectado, que, por sua vez, se interconecta com nosso corpo. Nosso cérebro se desenvolveu em paralelo aos nossos poderes crescentes como primatas sociais. O refinamento dos neurônios-espelho, com o propósito de melhorar a comunicação com as pessoas, aplicou-se igualmente a outras formas de raciocínio. A capacidade de "pensar dentro" dos objetos e fenômenos é parte integrante da criatividade científica – desde a sensibilidade de Faraday em relação à eletricidade até os experimentos mentais de Einstein.

De modo geral, os grandes Mestres da história – Da Vinci, Mozart, Darwin e outros – demonstravam uma forma de pensar sensível e fluida, que desenvolveram com a expansão da inteligência social. As pessoas mais rigidamente intelectualizadas e introspectivas podem ir mais longe em seus campos de atuação, mas o trabalho delas em geral acaba carecendo de criatividade, de abertura e de sensibilidade aos detalhes, deficiências que se intensificam com o tempo. No final das contas, a capacidade de "pensar dentro" de outras pessoas não é diferente do sentimento intuitivo que os Mestres cultivam em relação às suas áreas. Desenvolver a capacidade intelectual às custas do social é retardar o próprio progresso para a maestria e limitar o amplo escopo de sua capacidade criativa.

Estratégias para a aquisição de inteligência social

Precisamos, contudo, reconhecer que o homem, com todas as suas qualidades nobres, com a simpatia que nutre pelos mais desprivilegiados, com a benevolência que estende não só a outros seres humanos mas também às mais humildes criaturas vivas, com seu intelecto quase divino que desvendou os movimentos e a constituição do sistema solar – com todos esses poderes enaltecidos –, o homem ainda carrega em sua carcaça as marcas indeléveis de suas origens modestas.

– CHARLES DARWIN

Ao lidar com as pessoas, você vai deparar com problemas que tenderão a extrair de você reações emocionais e a trancá-lo na perspectiva ingênua. Esses problemas incluem batalhas políticas inesperadas, julgamentos superficiais sobre seu caráter ou críticas mesquinhas ao seu trabalho. As quatro estratégias essenciais a seguir, desenvolvidas pelos Mestres do passado e do presente, o ajudarão a enfrentar esses desafios inevitáveis e a manter a mentalidade racional necessária à inteligência social.

1. Fale por meio de seu trabalho

A. Em 1846, o médico húngaro de 28 anos Ignaz Semmelweis começou a trabalhar como assistente no departamento de obstetrícia da Universidade de Viena. A principal doença que flagelava as enfermarias de maternidade na Europa, na época, era a febre puerperal. No hospital onde o jovem Semmelweis trabalhava, uma a cada seis mães morriam da doença pouco depois do parto. Ao dissecarem os cadáveres, os médicos descobriam o mesmo pus esbranquiçado, terrivelmente fétido, e uma quantidade inusitada de carne pútrida. Vendo os efeitos da doença quase todos os dias, Semmelweis não conseguia pensar em outra coisa. E, daí em diante, dedicaria todo o seu tempo à solução do enigma das origens daquele mal.

Na época, a explicação mais comum para a causa da doença girava em torno da ideia de que partículas suspensas no ar, absorvidas pelos pulmões, provocavam a febre. No entanto, para Semmelweis, a explicação não fazia sentido. A epidemia de febre puerperal não parecia depender do clima, das condições atmosféricas ou de qualquer coisa no ar. Ele observou, como alguns outros, que a incidência era muito mais alta entre mulheres que haviam dado à luz com a ajuda de um médico, em vez de uma parteira. Ninguém conseguia explicar a razão dessa diferença, e poucos pareciam impressionados com o fato.

Depois de muito refletir e de estudar exaustivamente a literatura sobre o assunto, Semmelweis chegou à conclusão espantosa de que era o contato direto entre médico e paciente que provocava a moléstia – um conceito revolucionário na época. Enquanto ele desenvolvia sua teoria, ocorreu algo que pareceu comprová-la de maneira conclusiva: um médico importante do departamento cortou o dedo com uma faca, por acidente, ao fazer autópsia numa mulher que morrera de febre puerperal. Em poucos dias, o médico morreu com infecção generalizada. Ao dissecarem seu corpo, constataram que ele apresentava o mesmo pus esbranquiçado e fétido das mulheres.

Agora parecia claro para Semmelweis que, na sala de autópsia, as mãos dos médicos ficavam infectadas e, ao examinar as parturientes e conduzir o parto, eles transmitiam a doença para o sangue delas por meio de várias feridas abertas. Os médicos estavam envenenando as pacientes com a febre puerperal. Se essa era a causa, a solução seria simples – os médicos teriam que lavar e desinfetar as mãos antes de lidar com quaisquer pacientes, prática que ninguém seguia em nenhum hospital na época. Assim, ele instituiu o hábito em sua enfermaria, e a taxa de mortalidade instantaneamente caiu pela metade.

Prestes a fazer, talvez, uma grande descoberta científica – a conexão entre germes e doenças contagiosas –, Semmelweis parecia estar a caminho de uma ilustre carreira. Mas havia um problema. O chefe do departamento, Johann Klein, era extremamente conservador, fazendo questão que seus médicos seguissem a mais estrita ortodoxia e observassem com rigor as práticas vigentes. Para ele, Semmelweis era um médico inexperiente e radical que queria reverter o establishment e conquistar a fama.

Semmelweis discutia com ele o tempo todo sobre a questão da febre puerperal, e, quando o jovem finalmente divulgou sua teoria, Klein ficou furioso. A implicação era que os médicos, inclusive o próprio Klein, vinham matando as pacientes, e isso era inadmissível. (Klein atribuía a taxa de mortalidade mais baixa na enfermaria de Semmelweis a um novo sistema de ventilação que ele havia instalado.) Quando, em 1849, o contrato de Semmelweis com o hospital estava chegando ao fim, Klein se recusou a renová-lo, deixando o jovem sem emprego.

Àquela altura, porém, Semmelweis já havia conquistado vários aliados no departamento médico, principalmente entre os mais jovens. Eles o incentivaram a conduzir alguns experimentos controlados para reforçar seus argumentos, e, então, publicar suas descobertas em um livro que difundiria a teoria em toda a Europa. Semmelweis, porém, não conseguia desviar a atenção da batalha com Klein. A cada dia se sentia mais irado. A adesão de Klein a uma teoria ridícula e desmentida sobre a febre puerperal era criminosa.

Essa cegueira à verdade fazia seu sangue ferver. Por que Semmelweis teria que dedicar tanto tempo a experimentos e à publicação de um livro quando a verdade já era evidente? Decidiu, então, promover uma série de palestras sobre o tema, em que também expressaria seu desprezo pelo hermetismo de muitos profissionais.

Médicos de toda a Europa participaram das palestras de Semmelweis. Embora alguns continuassem céticos, ele conquistou mais adeptos para a causa. Seus aliados na universidade insistiam em que ele mantivesse o impulso, fazendo mais pesquisas e escrevendo um livro. No entanto, depois de alguns meses de palestras, e por motivos que ninguém compreendeu, Semmelweis de repente deixou a cidade e voltou para a sua Budapeste natal, onde encontrou a academia e a clínica que lhe foram negadas em Viena. Parecia que ele não podia mais conviver na mesma cidade com Klein e que precisava de total liberdade para atuar por conta própria – embora Budapeste, na época, ainda estivesse um tanto atrasada em medicina. Os amigos se sentiram traídos. Tinham arriscado sua reputação ao apoiá-lo, e, agora, ele os havia deixado na mão.

Nos hospitais de Budapeste, onde agora trabalhava, Semmelweis instituiu normas de desinfecção tão rigorosas e tirânicas que reduziu em muito as taxas de mortalidade, mas afastou de si quase todos os médicos e enfermeiros com quem trabalhava. Cada vez mais pessoas se voltavam contra ele. O médico impusera a todos suas novas concepções sobre desinfecção, mas, sem livros ou experimentos adequados para demonstrá-las, parecia que ele simplesmente buscava autopromoção ou ficara obcecado com algumas ideias bizarras de sua própria criação. A veemência com que pregava a sua verdade apenas chamava a atenção para a falta de rigor acadêmico. Os médicos também especulavam sobre outras possíveis causas do sucesso dele na redução da incidência de febre puerperal.

Em 1860, ainda sob pressão dos colegas, decidiu enfim escrever o livro que explicaria sua teoria. O que deveria ter sido um volume relativamente pequeno se converteu em um calhamaço de 600 páginas, quase impossível de ler, repetitivo e complicado. Seus argumentos se tornaram polêmicos, pois enumeraram os médicos que se opuseram a ele e que, portanto, eram assassinos. Nesses trechos, o tom tornava-se quase apocalíptico.

Seus adversários resolveram, então, sair da obscuridade. Semmelweis se comprometera a escrever, mas trabalhara tão mal que descobriam furos em seus argumentos ou apenas denunciavam seu tom violento, o que já era muito destrutivo. Os ex-aliados não aderiram à sua causa. Na verdade, passaram a odiá-lo. Seu comportamento se tornou cada vez mais pretensioso e inconstante, até ser demitido do hospital. Praticamente sem um tostão e abandonado por todos, adoeceu e morreu em 1865, aos 47 anos.

B. Como estudante de medicina na Universidade de Pádua, Itália, em 1602, o inglês William Harvey (1578-1657) começou a levantar dúvidas sobre todo o conceito relativo ao coração e sua função como órgão. O que ele havia aprendido se baseava nas teorias do médico grego Galeno, do século II d.C., para o qual parte do sangue era produzida no fígado e outra parte no coração, de onde era transportado pelas veias e absorvido pelo corpo, fornecendo nutrientes. De acordo com a teoria, o sangue fluía lentamente do fígado e do coração para as várias partes do corpo a serem irrigadas, mas não retornava – era simplesmente consumido. A grande dúvida de Harvey era a quantidade de sangue no corpo. Como o organismo podia produzir e consumir tanto líquido?

Nos anos seguintes, sua carreira prosperou, culminando com sua nomeação como médico do rei Jaime I. Durante esse período, ele continuou refletindo sobre as mesmas questões referentes ao sangue e ao papel do coração. Até que, em 1618, lançou uma teoria: o sangue flui pelo corpo rapidamente, com o coração atuando como bomba. Não é produzido e consumido; em vez disso, circula de forma contínua.

O problema em sua teoria é que não havia como verificá-la diretamente. O único meio disponível era a vivissecção de animais e a dissecação de cadáveres humanos. No entanto, quando se abria o coração de animais, o órgão se comportava de maneira errática e bombeava com muita rapidez. Os mecanismos do coração eram complexos e, para Harvey, só seria possível deduzi-los por meio de experimentos controlados – como o uso de elaborados torniquetes nas veias humanas – e jamais seriam observáveis a olho nu.

Depois de muitos experimentos controlados, Harvey sentiu que estava certo, mas sabia que teria que desenvolver com cuidado a estratégia do próximo passo. Sua teoria era radical. Derrubava muitos conceitos de anatomia que eram aceitos havia séculos. Ele sabia que publicar os resultados a que chegara até então apenas despertaria antipatias e criaria muitos inimigos para si próprio. Então, refletindo sobre a relutância natural das pessoas em aceitar novas ideias, decidiu fazer o seguinte: postergaria a divulgação dos resultados de suas descobertas até comprovar sua teoria e reunir mais evidências. Enquanto isso, envolveria seus pares em novos experimentos e dissecações, sempre pedindo a opinião deles. Cada vez mais, os colegas acatavam e apoiavam a teoria. Aos poucos, convenceu a maioria deles. Em 1627, foi nomeado para a mais alta posição no Colégio de Médicos, praticamente garantindo emprego para o resto da vida e libertando-se da preocupação de que a teoria comprometesse seu sustento.

Como médico da corte, a princípio de Jaime I e depois de Carlos I, que ascendeu ao trono em 1625, Harvey trabalhou com diligência para conquistar a simpatia real. Atuava como diplomata na corte e evitava se alinhar a qualquer facção ou se envolver em qualquer intriga. Trabalhava com humildade. Expunha previamente suas descobertas ao rei, para conquistar sua confiança e seu apoio. Na área rural, descobriu um jovem que havia fraturado as costelas no lado esquerdo do peito, deixando uma cavidade pela qual era possível observar e tocar o coração. Levou o jovem para a corte e o usou para demonstrar a Charles a natureza das contrações e expansões do coração, e como o coração funcionava como uma bomba de sangue.

Em 1628, publicou os resultados de vários anos de trabalho, abrindo o livro com uma dedicatória muito inteligente a Carlos I:

Ao mais sereno dos reis! O coração animal é a base da vida, seu principal órgão, o sol de seu microcosmo; do coração dependem todas as suas atividades, do coração emerge toda a sua vivacidade e força. Da mesma maneira, o rei é a base do reino, o sol de seu microcosmo, o coração do Estado; dele ascende todo o poder e dele brota toda a graça.

O livro provocou agitação, sobretudo no Continente, onde Harvey era menos conhecido. A contestação principal partiu de médicos mais velhos, que não conseguiam aceitar uma teoria que revirava tão intensamente seus conceitos sobre anatomia. Em relação às numerosas publicações lançadas para desacreditar suas ideias, Harvey quase sempre manteve silêncio. Ataques esporádicos de médicos eminentes o levavam a enviar-lhes cartas pessoais em que, com muita educação, refutava a contestação com argumentos convincentes.

Como ele havia previsto, com a força de sua posição na profissão médica e na corte e graças à grande quantidade de evidências que acumulara ao longo dos anos, que foram descritas com clareza no livro, a nova teoria lentamente conquistou aceitação. Na época de sua morte, em 1657, seu trabalho já havia sido acolhido como parte da doutrina e da prática médica. Como seu amigo Thomas Hobbes depois escreveria: "Harvey foi o único homem que conheço que, despertando a inveja, estabeleceu uma nova doutrina durante a vida."

◆

Os relatos históricos de Semmelweis e Harvey revelam nossa tendência de ignorar o papel crítico da inteligência social em nossa área de atuação, inclusive na ciência. Por exemplo, a maioria das versões da história de Semmelweis enfatiza a miopia trágica de homens como Klein, que pressionou o jovem húngaro além dos limites de sua resistência. Já o caso de Harvey salienta o brilho teórico como principal causa de seu sucesso. Mas, em ambos os exemplos, a inteligência social desempenhou um papel crucial. Semmelweis a ignorou por completo; irritava-se com qualquer referência ao relacionamento humano; tudo o que importava para ele era a verdade. Porém, em seu zelo, alienou desnecessariamente Klein, que já havia enfrentado outros conflitos com estudantes, mas nunca com tanta intensidade. Em consequência de sucessivos questionamentos, Semmelweis criou uma situação insustentável que obrigou Klein a demiti-lo, o que, para o jovem, significou perder uma posição importante na universidade, por meio da qual podia difundir suas ideias. Desgastado pela batalha com Klein, ele não expôs sua teoria de forma clara e razoável, demonstrando espantoso pouco caso pela importância de convencer os outros. Se ao menos tivesse dedicado algum tempo a expor seus argumentos por escrito, teria salvado ainda mais vidas no longo prazo.

O sucesso de Harvey, por outro lado, deveu-se em grande parte à sua habilidade social. Ele sabia que mesmo os cientistas precisam conquistar a simpatia das autoridades. Além disso, envolveu outras pessoas em seu trabalho, engajando-as emocionalmente em sua teoria. Publicou seus resultados em um livro bem-fundamentado e fácil de ler. Em seguida, deixou que sua obra falasse por si mesmo, consciente de que, caso tentasse se promover depois da publicação, apenas chamaria a atenção para si, desviando-a do seu trabalho. Tampouco alimentou a mesquinharia alheia, não se envolvendo em batalhas irrelevantes e deixando que qualquer contestação às suas teorias se desgatassem sozinhas.

Compreenda que o seu trabalho é o meio mais poderoso à sua disposição para expressar sua inteligência social. Ao ser eficiente e detalhista no que faz, você *demonstra* que pensa no grupo e promove a causa dele. Ao tornar o que faz ou o que propõe claro e fácil de seguir, você *mostra* que se preocupa com a audiência ou com o público mais amplo. Ao envolver outras pessoas em seus projetos e aceitar com elegância o feedback que elas lhe dão, você *revela* que está à vontade com a dinâmica de grupo. A boa qualidade do trabalho também o protege das conspirações e das hostilidades – é difícil ter o que questionar diante de resultados positivos. Se estiver sofrendo pressões de manobras políticas dentro do grupo, não perca a cabeça e não se desgaste com a mediocridade. Mantendo-se concentrado no trabalho e cultivando os relacionamentos sociais, você continuará a aumentar seu nível de habilidades e se destacará entre todos os outros que fazem muito barulho mas não produzem nada.

2. Elabore a persona apropriada

Desde cedo na vida, Teresita Fernández (nascida em 1968) tinha a sensação de que espiava o mundo ao redor à distância, como um voyeur. Durante a infância passada em Miami, ela ficava observando os adultos, entreouvindo suas conversas, tentando desvendar os segredos de seu estranho universo. Já mais velha, aplicava suas habilidades de observadora aos colegas de turma. Na escola de ensino médio, os alunos deviam se enquadrar em uma das várias tribos. Ela percebia com clareza as regras e convenções a serem cumpridas pelos participantes desses grupos, assim como os comportamentos que eram considerados corretos. Sentia-se alienada de todas essas diferentes tribos, e, por isso, permaneceu de fora.

Teresita tinha uma experiência semelhante em relação à própria cidade de Miami. Embora sentisse afinidade com a cultura cubana, como integrante da primeira geração de cubano-americanos, não conseguia se identificar com o estilo feliz e praiano lá predominante. Seu espírito era mais sombrio e irascível. Tudo isso acentuava a autopercepção de forasteira, de uma pessoa que não se encaixava em lugar algum. Existiam colegas assim na escola, que tendiam a se voltar para o teatro ou para outras artes – áreas em que ser pouco convencional era mais aceito. Teresita sempre gostara de fazer coisas com as próprias mãos e, dessa forma, começou a frequentar aulas de artes. Mas a arte que ela produzia na escola de ensino médio não parecia se conectar com o lado mais resoluto de seu caráter. Era fácil demais. O trabalho lhe parecia muito superficial; ela sentia que faltava alguma coisa.

Em 1986, ainda incerta sobre o rumo de sua vida, matriculou-se numa universidade pública de Miami. Seguindo suas inclinações na escola, fez um curso de escultura. Mas o trabalho em cerâmica, com sua maciez e maleabilidade, despertou-lhe o mesmo sentimento que já se manifestara anos atrás, em suas primeiras experiências com arte, ao fazer coisas meramente decorativas. Até que um dia, passeando pelo prédio, ela observou alguns artistas trabalhando com metal, construindo peças de tamanho considerável. Aquelas placas de aço produziram-lhe um efeito visceral, diferente do impacto de qualquer trabalho de arte que ela já tinha visto. Sentiu, na hora, que, de alguma forma, aquele era o material certo para ela. Acinzentado, pesado e resistente, exigia grande esforço para ser moldado. As propriedades do aço correspondiam à resiliência e persistência que trazia em si mesma e que sempre quisera expressar.

Assim, começou a se dedicar com fervor ao material recém-descoberto. Trabalhar com metal exigia acessar a fundição e usar maçaricos. O calor tropical de Miami podia tornar a tarefa bastante desconfortável durante o dia, por isso ela passou a trabalhar em suas esculturas somente à noite. O hábito a levou a adotar uma jornada de trabalho inusitada – começava às nove horas da noite, prosseguia até as duas ou três horas da madrugada e depois dormia durante boa parte do dia seguinte. Além do ar mais fresco, trabalhar à noite tinha outras vantagens: com poucas pessoas por perto, o estúdio ficava muito tranquilo e propício ao trabalho sério. Nessas condições, conseguia se concentrar profundamente, fazendo experiências e cometendo erros que ninguém via. Em outras palavras, podia ousar e assumir riscos.

Aos poucos, Teresita começou a dominar o material. Ao fazer suas esculturas, tinha a sensação de estar forjando e transformando a si mesma. Estava interessada em criar peças grandiosas e imponentes, mas, para tanto, precisava desenvolver o próprio método. Primeiro, desenhava as peças no papel; depois, trabalhava com pequenas seções que podia manusear sozinha. Então, na quietude do estúdio, montava o conjunto da escultura. Em pouco tempo, suas obras começaram a ser exibidas dentro do departamento e no campus.

Quase todos ficavam muito impressionados com o trabalho dela. Despontando sob o sol radiante de Miami, suas enormes esculturas de aço transmitiam aquele senso de poder que ela sempre sentira em seu âmago. Porém, em breve, outras reações às suas obras a surpreenderam. Como poucas pessoas a tinham visto no trabalho, parecia que as esculturas emergiam sem esforço – como se ela tivesse algum dom especial. Essa impressão chamou a atenção para a personalidade dela. A escultura era em grande parte de domínio masculino. Como ela era uma das poucas mulheres que trabalhavam com aço pesado, os espectadores projetavam nela todos os tipos de preconceitos e fantasias. O contraste entre a fragilidade de sua aparência feminina e a grandiosidade de seus trabalhos gigantescos era gritante, e todos se perguntavam como ela conseguia produzir aquelas obras e queriam saber quem ela realmente era. Intrigados por sua personalidade e pela maneira como produzia as belas esculturas, que pareciam emergir do nada, os admiradores a consideravam misteriosamente atraente, uma mistura de ridigez e maciez, uma anomalia, a mágica dos metais.

Sob todo esse escrutínio, Teresita de repente se conscientizou de que já não era o voyeur de antes, que só observava os outros à distância. Convertera-se em centro das atenções. O mundo das artes a acolhera. Pela primeira vez na vida sentia que se encaixava, e queria preservar o interesse que os outros demonstravam por seu trabalho. Agora que fora levada a se expor, seria natural que quisesse conversar sobre si mesma e sobre suas experiências, mas ela intuiu que seria um erro esvaziar o efeito poderoso que o trabalho dela exercia sobre o público revelando quantas horas dedicava às esculturas e como as obras eram, na verdade, resultado de muito trabalho e disciplina. Às vezes, ela raciocinava, o que não se desvenda é ainda mais eloquente e contundente. Por isso, decidiu alimentar a imagem que os outros tinham dela e de seu trabalho. Para tanto, criaria um ar de mistério ao seu redor, recusando-se a falar sobre seu processo de trabalho, não compartilhando os detalhes de sua vida e permitindo que as pessoas projetassem nela as próprias fantasias.

À medida que prosseguia na carreira, porém, algo sobre a persona que criara nos anos de universidade não parecia mais adequado. Ela percebeu um elemento em sua personalidade pública que poderia se voltar contra si – se não fosse cuidadosa, o público a julgaria por sua aparência física, como uma jovem mulher atraente. Deixariam de vê-la como artista séria. Esse distanciamento poderia parecer um disfarce para a falta de inteligência, como se ela simplesmente estivesse tateando seu caminho às cegas, em vez de percorrê-lo em igualdade de condições com os melhores representantes de sua área. Esse era um preconceito que as mulheres tinham que enfrentar no campo das artes. Qualquer hesitação ou vacilação na hora de falar sobre seu trabalho envolvia o perigo de alimentar o preconceito de que ela era frívola, que apenas titubeava nas artes. Portanto, aos poucos, desenvolveu um novo estilo, que lhe parecia mais adequado – tornou-se assertiva e passou a falar com autoridade sobre o conteúdo da sua obra, embora ainda cultivasse certo mistério sobre seus métodos. Ela não era fraca nem vulnerável, tendo pleno domínio do tema. Se os artistas homens precisam parecer sérios e articulados, ela, como mulher, teria que parecer ainda mais séria e articulada. Seu tom confiante era sempre educado e respeitoso, mas ela deixava claro que tinha conteúdo.

Com o passar do tempo, Teresita Fernández tornou-se famosa no mundo inteiro como artista conceitual que trabalhava com todos os tipos de materiais, e continuou a jogar com a aparência, ajustando-a à mudança das circunstâncias. O artistas carregam o estereótipo de que são desorganizados e que se interessam apenas pelo que está acontecendo no mundo das artes. Ela combateria essas expectativas. Assim, transformou-se em uma palestrante eloquente, expondo seu trabalho e suas ideias ao grande público. As plateias ficavam intrigadas com a discrepância entre as superfícies bem-compostas e agradáveis de seus trabalhos e o conteúdo complexo e desafiador de seu discurso. Ela se tornou conhecedora de muitas outras áreas fora das artes, combinando esses interesses em seu trabalho, e, no processo, expôs-se a uma ampla variedade de pessoas fora de seu contexto específico. Aprendeu a se misturar igualmente bem com os trabalhadores que produziam o grafite para suas peças e com os marchands que expunham e comercializavam suas obras – uma flexibilidade que tornava sua vida de artista muito mais fácil. Em resumo, sua persona pública se converteu em outra forma de arte: um material que ela podia moldar e transformar de acordo com suas necessidades e desejos.

◆

De modo geral, não se reconhece nem se discute essa realidade, mas a personalidade que projetamos para o mundo desempenha papel fundamental em nosso sucesso e em nossa ascensão para a maestria. Veja a história de Teresita Fernández. Caso apenas se fechasse em si mesma e se concentrasse em seu trabalho, ela permitiria que os outros a definissem de uma maneira que poderia ter retardado seu avanço. Se, depois dos primeiros êxitos, tivesse alardeado as horas de prática dedicadas ao trabalho com metalurgia, as pessoas passariam a vê-la como mera artesã. Inevitavelmente a teriam rotulado de artista que usa o metal como estratagema para se promover e chamar atenção. Poderiam ter encontrado falhas de caráter a serem exploradas. A arena pública, nas artes ou em qualquer outro empreendimento, pode ser impiedosa. Capaz de olhar para si mesma e para o mundo das artes com um mínimo de distanciamento e objetividade, Fernández intuiu o poder de que se investiria ao se tornar consciente de sua persona e ao assumir o controle da dinâmica de sua aparência.

Entenda o seguinte: as pessoas tendem a julgá-lo com base em sua aparência visível. Se você não for cuidadoso e apenas presumir que é melhor ser você mesmo, começarão a lhe atribuir todos os tipos de qualidades que em nada refletem o que você é, mas que correspondem ao que querem ou esperam ver. Tudo isso pode confundi-lo, deixá-lo inseguro e roubar sua atenção. Ao internalizar esses julgamentos, você terá dificuldade para se concentrar no seu trabalho. Sua única proteção será reverter essa dinâmica e moldar de modo consciente sua aparência, criando uma imagem que lhe seja adequada e controlando as avaliações das pessoas a seu respeito. Vez por outra, talvez seja adequado dar um passo para trás e criar algum mistério ao seu redor, reforçando sua presença. Outras vezes, talvez seja preferível ser mais direto e impor uma aparência mais específica. O ideal é nunca se fixar numa única imagem nem se tornar totalmente previsível. Assim, sempre estará um passo à frente do público.

Você deve encarar a criação da persona como um elemento fundamental da inteligência social, não como algo perverso ou demoníaco. Todos usamos máscaras na arena social, desempenhando diferentes papéis para nos ajustar aos diversos ambientes que frequentamos. Nesse caso, você está apenas consciente do processo. Encare-o como um teatro. Ao criar uma persona misteriosa, instigante e magistral, você estará atuando para o público, oferecendo-lhe algo interessante e prazeroso. Permitirá que projetem suas fantasias no seu personagem ou que concentrem a atenção em outras qualidades cênicas. Na vida privada, você pode tirar a máscara. Neste mundo diversificado e multicultural, é melhor aprender a se integrar e a se misturar em todos os tipos de ambientes, desenvolvendo o máximo de flexibilidade. É preciso ter prazer na criação dessas personas – isso irá ajudá-lo a atuar melhor na arena pública.

3. Veja a si mesmo como os outros o veem

Temple Grandin (ver Capítulo 1, páginas 57 a 60, para mais informações) recebeu cedo o diagnóstico de autismo, e tinha muito a superar na vida. No entanto, ao terminar o ensino médio, conseguiu se transformar – pelo desejo intenso e pela disciplina férrea – em uma estudante talentosa, com um futuro promissor em ciências. Ela compreendeu que suas maiores deficiências estavam no âmbito social. Tinha a capacidade quase telepática de captar os humores e necessidades dos animais, mas, no tocante aos humanos, ocorria quase o oposto. As pessoas eram traiçoeiras demais para ela; geralmente pareciam se comunicar umas com as outras por meio de pistas sutis, não verbais. Ela se sentia uma alienígena ao observar as interações dessas estranhas criaturas.

Parecia-lhe que não havia nada que pudesse fazer em relação à sua falta de sensibilidade com os outros. No entanto, era capaz de controlar o próprio trabalho. E resolveu que seria tão eficiente em qualquer trabalho que sua desvantagem social se tornaria irrelevante. No entanto, depois de se formar no ensino superior, com graduação em comportamento animal, e começar a trabalhar como consultora em instalações para alimentação e manuseio de gado, ela se deu conta, após cometer uma série de erros, de que essa sua percepção não era nem um pouco realista.

Em certa ocasião, Temple foi contratada pelo gerente de uma fábrica para melhorar o design geral das instalações. Fez um excelente trabalho, mas logo começou a perceber que as máquinas apresentavam problemas a toda hora, como se fossem consequências de falhas no design que ela projetara. Sabia que aquele mau funcionamento não decorria de nenhuma deficiência em seu trabalho, e, com investigações mais profundas, descobriu que as máquinas apresentavam problemas apenas quando determinado operador estava trabalhando. A única conclusão plausível era que ele estava sabotando o equipamento para prejudicá-la. Isso não fazia sentido para ela – por que ele trabalharia de propósito contra os interesses de quem o empregava? Não se tratava de um problema de design, que ela poderia resolver intelectualmente. Ela simplesmente teve que desistir e deixar o emprego.

Em outro momento, um engenheiro a contratou para resolver certo problema em uma fábrica, mas, depois de algumas semanas no trabalho, ela percebeu que outras áreas da fábrica haviam sido muito mal projetadas e, sem dúvida, eram bastante perigosas. Então escreveu ao presidente da empresa chamando a atenção para o fato. O tom da carta foi um pouco duro, pois ela não compreendia como as pessoas podiam ser tão negligentes com relação às questões de projeto. Poucos dias depois, foi despedida. Embora não tenha recebido explicações, não havia dúvida de que a causa fora a carta ao presidente.

Ao remoer esse e outros incidentes semelhantes que entravavam sua carreira, ela sentiu que a fonte do problema era ela mesma. Sabia havia anos que frequentemente irritava as pessoas com suas ações, razão por que a evitavam. No passado, tentara ignorar essa realidade dolorosa, mas, agora, suas deficiências sociais estavam ameaçando sua capacidade de ganhar a vida.

Desde criança, Temple tinha a aptidão peculiar de ver a si mesma como observadora externa, como se estivesse olhando para outra pessoa. Era uma situação passageira e intermitente, mas, como adulta, percebeu que podia usar esse dom para efeitos práticos, vendo seus erros passados como se estivesse observando outra pessoa.

No caso do homem que sabotara suas máquinas, por exemplo, ela se lembrava com nitidez de que pouco interagira com ele e com outros engenheiros e de como se empenhara em fazer tudo sozinha. Recordava-se das reuniões em que apresentara suas ideias para o projeto com lógica rigorosa, sem abri-las para discussão. Quanto à carta para o presidente, lembrava-se de como tinha criticado com rispidez algumas pessoas na frente dos colegas e de como nem sequer tentara interagir com o homem que a demitira. Ao visualizar esses momentos com tanta clareza, finalmente compreendeu o problema: ela fazia os colegas se sentirem inseguros, inúteis e inferiores. Ela ferira seus egos e pagara o preço.

A constatação do que fizera de errado não decorria de empatia, como no caso de outras pessoas, mas, sim, de puro exercício intelectual, como resolver um quebra-cabeça ou um problema de projeto. Entretanto, como suas emoções não estavam muito envolvidas no processo, era mais fácil repassá-lo e fazer as correções necessárias. No futuro, ela discutiria suas ideias com os engenheiros, incluindo-os tanto quanto possível em seu trabalho, e nunca criticaria diretamente as pessoas. Praticaria essa abordagem em todos os trabalhos subsequentes até que se convertesse em sua segunda natureza.

Conforme foi desenvolvendo a inteligência social à sua própria maneira, Temple suavizou sua inabilidade, e sua carreira prosperou. Na década de 1990, já famosa, era sempre convidada a dar palestras – de início sobre suas experiências como profissional que superara o autismo e, depois, como especialista em comportamento animal.

Durante as palestras, supunha que tudo estava correndo bem. Expunha ideias, dava informações e usava slides adequados. No entanto, ao fim de alguns desses eventos, recebeu a avaliação do público e ficou espantada. As pessoas se queixavam de que ela não fazia contato visual, de que lia suas anotações de maneira mecânica e de que não se sintonizava com o público, chegando às raias da grosseria. O público tinha a impressão de que ela simplesmente repetia a mesma palestra sucessivas vezes, com os mesmos slides, como se fosse uma máquina.

Porém, por mais estranho que pareça, nada disso incomodava Temple. Na verdade, ela recebia de bom grado essas avaliações, pois lhe forneciam uma imagem nítida e realista de si mesma, de como os outros a viam, e isso era tudo de que precisava para a autocorreção. E seguiu o processo com grande zelo, determinada a se transformar em uma palestrante competente. Quando já dispunha de avaliações suficientes, mergulhava nelas, em busca de padrões e de críticas que fizessem sentido. Trabalhando com esse feedback, decidiu inserir histórias e até piadas nas exposições, além de atenuar a lógica e a rigidez de seus slides. Reduziu a duração das palestras, treinou para falar sem notas e se comprometeu a responder a todas as perguntas feitas pelo público ao fim do evento.

Para quem vira seus esforços iniciais e anos depois assistia a uma de suas palestras, era difícil acreditar que se tratava da mesma pessoa. Agora ela era uma oradora excepcional, divertida e envolvente, capaz de despertar e manter a atenção do público. Não podiam imaginar como isso tinha acontecido, o que tornava a metamorfose ainda mais miraculosa.

Quase todos nós temos deficiências sociais de algum tipo, variando desde as relativamente inofensivas até as que podem causar problema. Há pessoas que falam demais, que são muito honestas nas críticas ou que ficam ofendidas quando suas ideias não são bem recebidas. Se repetimos esses comportamentos com frequência, tendemos a ofender as pessoas sem nem mesmo saber por quê. Duas são as razões para isso: primeiro, somos rápidos em identificar os erros e defeitos alheios, mas em geral somos emotivos e inseguros ao reconhecer com objetividade os nossos. Segundo, os outros raramente nos dizem a verdade sobre nossos erros, receosos de provocarem conflitos ou de serem malvistos. Dessa forma, é muito difícil perceber nossas falhas, quanto mais corrigi-las.

Às vezes temos a sensação de fazer um trabalho que consideramos brilhante e depois ficamos chocados ao receber um feedback negativo. Nesses momentos, tomamos conhecimento da discrepância entre nossa relação emocional e subjetiva com nosso trabalho e a reação dos outros, que o veem com total objetividade, apontando falhas que nunca percebemos. A mesma discrepância, porém, também existe no nível social. As pessoas veem nosso comportamento como observadores externos e a maneira como nos percebem nunca é a que supomos. A capacidade de nos enxergarmos com olhos alheios seria de enorme benefício para nossa inteligência social. Poderíamos começar a corrigir as falhas, a ver os papéis que desempenhamos na criação de qualquer tipo de dinâmica negativa e a avaliar com mais realismo quem somos.

Para nos vermos com objetividade, devemos seguir o exemplo de Temple Grandin. Podemos iniciar o processo analisando os eventos negativos de nosso passado – pessoas que sabotaram nosso trabalho, chefes que nos demitiram sem motivo lógico, batalhas pessoais com colegas. É melhor começar com acontecimentos que ocorreram há pelo menos alguns meses, cujo conteúdo emocional já se dispersou um pouco. Ao dissecar essas ocorrências, devemos nos concentrar no que *fizemos* para deflagrar ou agravar a dinâmica. Ao rever vários desses incidentes, talvez comecemos a perceber um padrão que indica alguma falha em nosso caráter. Encarar esses eventos sob a perspectiva das pessoas envolvidas relaxará a censura de nossas emoções sobre nossa autoimagem e nos ajudará a compreender nossa contribuição para os incidentes e nossos próprios erros. Também podemos pedir a opinião de pessoas em quem confiamos sobre nosso comportamento, garantindo-lhes que queremos críticas sinceras. Desse modo, desenvolveremos cada vez mais o autodistanciamento, que nos proporcionará o outro lado da inteligência social – a capacidade de nos vermos como realmente somos.

4. Tolere os tolos

Em 1775, aos 26 anos, Johann Wolfgang von Goethe, poeta e romancista alemão, foi convidado a passar algum tempo na corte de Weimar pelo duque Karl August, então com 18 anos. A família do duque vinha tentando transformar o isolado e pouco conhecido ducado de Weimar em um centro literário, e a inclusão de Goethe na corte seria de grande ajuda. Pouco depois de sua chegada, o duque lhe ofereceu uma posição de destaque em seu gabinete, na função de conselheiro pessoal, e, por isso, o poeta resolveu ficar. Ele encarou a oportunidade como uma forma de ampliar suas experiências de mundo e de aplicar algumas ideias iluministas ao governo de Weimar.

Goethe vinha da classe média e nunca havia passado muito tempo em meio à nobreza. Agora, como membro importante da corte do duque, começaria a fase de aprendizagem das boas maneiras aristocráticas. No entanto, depois de apenas poucos meses, concluiu que a vida na corte era insuportável. As atividades dos cortesãos se resumiam em rituais de jogos de cartas, caçadas e infindáveis trocas de fofocas. Qualquer observação espontânea de fulano ou o não comparecimento de beltrano em uma soirée se convertia em algo de grande importância e os cortesãos se esforçavam para interpretar seu significado. Depois do teatro, tagarelavam horas a fio sobre quem havia comparecido, na companhia de quem, ou analisavam o visual das novas atrizes em cena, mas nunca discutiam a peça em si.

Nas conversas, se Goethe ousava propor alguma reforma, logo um cortesão se inflamava, questionando o que aquilo poderia significar para determinado ministro e como a ideia poderia prejudicar sua posição na corte. Assim, a sugestão de Goethe se perdia no debate acalorado. Embora fosse o autor do mais famoso romance da época, *Os sofrimentos do jovem Werther*, ninguém se mostrava muito interessado em suas opiniões. Preferiam expor ao jovem romancista suas próprias ideias e observar suas reações. No final das contas, os interesses dele pareciam se restringir à corte claustrofóbica e às suas intrigas.

Goethe se sentiu preso numa armadilha – aceitara o convite do duque e o levara a sério, mas achou difícil tolerar a vida social a que estava condenado. Como era uma pessoa realista, concluiu que seria inútil reclamar do que não poderia mudar. Assim, nos anos seguintes, aceitando os colegas cortesãos como companhia, concebeu uma estratégia, transformando a necessidade em virtude: falaria muito pouco, raramente opinando sobre qualquer assunto. Deixaria que os interlocutores tagarelassem sobre este ou aquele assunto. Ostentaria uma expressão de interesse, mas, no íntimo, os observaria como se fossem personagens num palco. Seus segredos, seus pequenos dramas e suas ideias fúteis lhe seriam revelados, enquanto Goethe se limitaria a sorrir e sempre ficar do lado deles.

O que os cortesãos não percebiam é que estavam lhe fornecendo um material valioso – para personagens, diálogos e extravagâncias que recheariam as peças e os romances que ele escreveria no futuro. Dessa maneira, ele transformou sua frustração social no mais produtivo e agradável dos jogos.

O grande diretor cinematográfico austro-americano Josef von Sternberg (1894-1969) começou nos estúdios como mensageiro e subiu na hierarquia até se tornar um dos mais bem-sucedidos cineastas de Hollywood nas décadas de 1920 e 1930. Ao longo do caminho, desenvolveu uma filosofia particular que lhe seria útil durante toda a carreira: tudo o que importava era o produto final. A função dele era coordenar o trabalho de todos e orientar a produção de acordo com sua visão, empregando todos os meios necessários para alcançar os objetivos almejados. E os maiores obstáculos para a realização dessa visão eram os próprios atores. Eles pensavam primeiro e acima de tudo na própria carreira. O filme como um todo importava menos que a atenção que recebiam por seu papel. Isso os levava a tentar roubar a cena, o que, inevitavelmente, prejudicava a qualidade do filme. Com esses atores, Von Sternberg teria que encontrar um modo de ludibriá-los para que fizessem sua parte.

Em 1930, Von Sternberg foi convidado a dirigir em Berlim o que viria a ser seu filme mais famoso, *O anjo azul*, protagonizado por Emil Jannings, ator de fama mundial. Ao procurar uma mulher para desempenhar o papel principal feminino, Von Sternberg descobriu uma atriz alemã relativamente desconhecida, Marlene Dietrich, que viria a dirigir em sete filmes, transformando-a em uma grande estrela. Von Sternberg já trabalhara antes com Jannings e sabia que o ator fazia tudo o que podia para prejudicar o fluxo da produção. Considerava uma afronta pessoal qualquer tentativa do diretor de dirigi-lo nas filmagens. O método dele consistia em provocar o diretor para travar brigas inúteis e exauri-lo ao máximo, até que ele desistisse e o deixasse atuar como quisesse.

Mas Von Sternberg estava preparado para isso e partiu para a guerra com suas próprias armas. Jannings exigiu que o diretor aparecesse todas as manhãs em seu camarim e lhe reafirmasse seu amor e sua admiração pelo trabalho dele – Von Sternberg assim agiu, sem queixas. Pediu que o diretor o levasse para almoçar todos os dias e ouvisse suas ideias sobre o filme – Von Sternberg também consentiu, ouvindo com paciência as terríveis sugestões de Jannings. Se Von Sternberg demonstrava atenção por qualquer outro ator, Jannings tinha um acesso de ciúmes, e Von Sternberg tinha que mostrar arrependimento. Ao atender às exigências de Jannings em relação a essas questões menores, o diretor tirou muito da força da estratégia do ator. No set, ele não precisaria se envolver em batalhas mesquinhas. Mas, como o tempo era essencial, teria que induzir Jannings a seguir a sua direção.

Quando, por alguma razão desconhecida, Jannings se recusou a passar por uma porta e entrar em cena, Von Sternberg acendeu a luz mais quente possível para esquentar a nuca dele, forçando-o a avançar. Quando Jannings declamou a primeira cena em um alemão ridiculamente empolado, o diretor o cumprimentou pela entonação e disse que ele seria a única pessoa no filme a falar daquela maneira, o que o deixaria em situação cômica, mas que ele agisse como quisesse. Jannings logo abandonou aquele sotaque rebuscado. Sempre que ele tinha um ataque e ficava no camarim, Von Sternberg dava um jeito para que ele fosse informado de que estava paparicando Marlene Dietrich, o que logo fazia com que o ator ciumento se dirigisse às pressas ao cenário. Cena a cena, Von Sternberg o manobrava para a posição que desejava, conseguindo extrair de Jannings talvez o melhor desempenho de sua carreira.

Como já analisamos no Capítulo 2 (página 88), Daniel Everett e sua família se mudaram para o coração da Amazônia em 1977, para viver entre um povo conhecido como pirahãs. Everett e a esposa eram missionários cuja tarefa era aprender a língua pirahã – que, até então, ninguém conseguira decifrar – e traduzir a bíblia para o idioma indígena. Aos poucos, ele progrediu na missão, usando os vários recursos que aprendera no treinamento em linguística.

Everett havia estudado em profundidade os trabalhos de Noam Chomsky, grande linguista do MIT, que defendia a ideia de que, basicamente, todas as línguas são correlatas, porque a gramática em si está estruturada no cérebro humano e é parte de nosso código genético. Isso significaria que, por natureza, todas as línguas compartilham os mesmos atributos. Convencido de que Chomsky estava correto, Everett trabalhou com afinco para encontrar esses atributos universais em pirahã. No entanto, ao longo dos anos de estudo, começou a descobrir muitas exceções na teoria de Chomsky, o que o deixou confuso.

Depois de muito pensar, Everett chegou à conclusão de que a língua pirahã refletia as muitas peculiaridades da vida daquele povo na selva. Concluiu, por exemplo, que a cultura deles atribuía um valor supremo ao "imediatismo da experiência" – o que não estava diante dos olhos não existia. Em consequência, quase não havia nem palavras nem conceitos para coisas fora da experiência imediata. Ao elaborar essa ideia, ele teorizou que os atributos básicos de todas as línguas não são simplesmente genéticos e universais, mas que cada língua tem elementos que espelham a singularidade de sua cultura. A cultura desempenha um papel mais importante do que poderíamos imaginar em nossa maneira de pensar e de nos comunicarmos.

Em 2005, ele finalmente se sentiu em condições de divulgar suas conclusões e publicou um artigo em um periódico de antropologia, no qual descreveu essas ideias revolucionárias. Esperava que suas descobertas suscitassem debates animados, mas não estava preparado para tudo o que aconteceria em seguida.

Os acadêmicos do MIT (linguistas e alunos de pós-graduação), associados a Chomsky, começaram a assediar Everett. Quando este deu uma palestra em um importante simpósio da Universidade de Cambridge sobre suas descobertas, alguns dos linguistas do MIT compareceram ao evento e o bombardearam com perguntas destinadas a derrubar suas ideias e a embaraçá-lo diante do público. Despreparado para esse tipo de ataque, Everett se atrapalhou e não se saiu bem. A mesma tática se repetiu em outras oportunidades, consistindo, basicamente, em mirar qualquer tipo de inconsistência na descrição de suas teses, no intuito de desacreditar sua ideia como um todo. Alguns dos ataques contra ele se tornaram pessoais – chamavam-no de charlatão em público e questionavam seus motivos. Até o próprio Chomsky sugeriu que Everett estava atrás de fama e dinheiro.

Quando Everett publicou seu primeiro livro, alguns desses linguistas escreveram cartas a críticos que fariam a resenha da obra, na tentativa de dissuadi-los até de considerar as ideias dele, que alegavam estar muito abaixo dos padrões acadêmicos. Chegaram ao ponto de pressionar a rádio National Public, que se preparava para levar ao ar um importante segmento sobre Everett. E o programa foi cancelado.

De início, Everett não conseguiu evitar reações emocionais. Os argumentos de seus detratores não desacreditavam a teoria dele, apenas revelavam alguns possíveis pontos fracos. Pareciam menos interessados na verdade e mais preocupados em deixá-lo em má situação. Rapidamente, porém, ele superou o estágio emocional e passou a reverter esses ataques a seu favor. Todo aquele escrutínio o obrigava a redobrar o cuidado em seus escritos, certificando-se de que suas teses não conteriam furos. Também o fazia se antecipar às críticas mais prováveis, refutando-as de antemão. Essa disciplina o tornou melhor pensador e escritor, ao mesmo tempo que a controvérsia aumentava as vendas de seu livro, angariando muitos defensores. No final, ele acabou recebendo de bom grado os ataques dos inimigos, pelo muito que melhoraram seu trabalho e o fortaleceram.

◆

Ao longo da vida, você sempre encontrará tolos. São tantos que não há como não cruzar com eles. Podemos classificar as pessoas como tolas com base no seguinte critério: na vida prática, o que deve importar é alcançar resultados duradouros e conseguir que o trabalho seja feito da forma mais eficiente e criativa possível. Esse deve ser o valor supremo que orienta as ações das pessoas. Os tolos, por sua vez, adotam uma escala diferente de valores. Atribuem mais importância às questões de curto prazo – ganhar dinheiro hoje, conquistar a atenção do público ou da imprensa agora, passar uma boa imagem neste momento. Eles se orientam pelo ego e pela insegurança. Tendem a gostar dos dramas e das intrigas da política. Ao criticarem, sempre enfatizam pontos que são irrelevantes para o panorama ou argumento geral. Estão mais interessados na carreira e na posição do que na verdade. É fácil identificá-los pelo pouco que conseguem ou pelas dificuldades que criam para os resultados alheios. Não têm bom senso. Dedicam-se ao que não é realmente importante e ignoram problemas que serão desastrosos no longo prazo.

A reação natural aos tolos é se rebaixar ao nível deles. Eles o aborrecem, deixam-no irritado e arrastam-no para a briga. No processo, você se sente pequeno e confuso. Perde o senso do que é realmente relevante. É difícil vencer as discussões com os tolos, convencê-los a ver o seu lado da questão ou mudar o comportamento deles, porque racionalidade e resultados não importam para eles – é mero desperdício de tempo e de energia.

Ao lidar com os tolos, é preciso adotar a seguinte filosofia: eles são parte da vida. Todos nós temos nosso lado tolo, momentos em que perdemos a cabeça e pensamos mais no próprio ego ou nos objetivos de curto prazo. É da natureza humana. Ao reconhecer seu lado tolo, fica mais fácil aceitar o dos outros. Essa atitude lhe permitirá rir dos absurdos deles, tolerar sua presença como se fossem crianças mimadas e evitar a loucura de tentar mudá-los. É tudo parte da comédia humana, e é inútil se aborrecer ou perder o sono por causa deles. Essa atitude de tolerar os tolos deve ser forjada em sua fase de aprendizagem, na qual você com certeza encontrará esse tipo. Se eles estiverem lhe causando problemas, é preciso neutralizar o mal que fazem mantendo a mira em seus próprios objetivos e no que é importante, e ignorando-os tanto quanto possível. O auge da sabedoria, porém, é ir ainda mais longe e explorar a tolice deles – usando-os como material para o seu trabalho, como exemplos de atitudes a evitar, ou buscando maneiras de se aproveitar das ações deles. Dessa forma, as tolices dos tolos ficam em suas mãos, ajudando-o a alcançar os resultados práticos que eles parecem desdenhar.

Desvios

Ao estudar para seu ph.D. em ciências da computação na Universidade de Harvard, Paul Graham descobriu algo sobre si mesmo: tinha profundo desgosto por qualquer tipo de politicagem ou de manobra social. (Para mais informações sobre Graham, ver páginas 106-108.) Ele não era bom nisso e ficava irritado quando o arrastavam para situações em que outras pessoas se comportavam de maneira manipuladora. Suas breves experiências com a política no departamento o convenceram de que não fora talhado para a vida acadêmica. Essa conclusão se fortaleceu anos mais tarde, quando foi trabalhar numa empresa de software. Quase tudo o que faziam era irracional – demitir o pessoal técnico original, promover um vendedor a CEO, admitir intervalos longos demais entre os lançamentos de novos produtos. Todas essas más escolhas ocorriam porque, nos grupos, a política e o ego geralmente prevalecem sobre decisões racionais.

Incapaz de tolerar essa situação, desenvolveu sua própria solução: na medida do possível, evitaria qualquer ambiente que envolvesse politicagem. Isso significava constituir empresas na menor escala possível – uma restrição que o tornou disciplinado e criativo. Mais tarde, quando fundou o *Y Combinator*, uma espécie de sistema de aprendizagem para *startups* de tecnologia, não conseguiu evitar que a empresa crescesse – o sucesso foi muito grande. Para tanto, encontrou duas soluções: primeiro, deixou a cargo da mulher e sócia na empresa, Jessica Livingston, lidar com todas as situações sociais complexas, uma vez que ela possuía alto grau de inteligência social. Segundo, manteve na empresa uma estrutura organizacional muito frouxa e não burocrática.

Se, como Graham, você não tiver a paciência necessária para administrar ou dominar os lados mais sutis e manipuladores da natureza humana, a melhor saída é se manter longe dessas situações tanto quanto possível. Isso eliminará a hipótese de trabalhar em grupos maiores que um punhado de pessoas – após certo número, as considerações políticas se tornam inevitáveis. Também significará trabalhar por conta própria ou em empresas muito pequenas.

Ainda assim, na maioria dos casos é prudente tentar desenvolver rudimentos de inteligência social – ser capaz de reconhecer e interpretar os predadores assim como cativar e desarmar pessoas difíceis. A razão para isso é que, por mais que você tente evitar situações que exijam inteligência social, o mundo é uma grande corte de intrigas, pela qual você dificilmente passará incólume. Suas tentativas conscientes de ficar fora do sistema retardarão sua aprendizagem em inteligência social e podem torná-lo vulnerável às piores formas de ingenuidade, com todos os desastres prováveis daí decorrentes.

> *É uma grande loucura esperar que outras pessoas simpatizem conosco. Sempre encarei cada pessoa como um indivíduo independente, que me empenhei em compreender com todas as peculiaridades, mas da qual não esperei muita consideração. Dessa maneira, fui capaz de travar conversas com todo tipo de gente, e só assim se desenvolve o conhecimento de várias personalidades e das destrezas necessárias para conduzir a vida.*
>
> – JOHANN WOLFGANG VON GOETHE

V

Desperte a mente dimensional: A fase criativa-ativa

À medida que você acumula habilidades e internaliza as regras que governam seu campo de atuação, sua mente quer se tornar mais ativa, procurando usar esse conhecimento de modo mais adequado às suas inclinações. O que impede o florescimento dessa dinâmica criativa natural não é a falta de talento, mas de atitude. Se você se sentir ansioso e inseguro, tenderá a ser conservador na aplicação de seus conhecimentos, preferindo se encaixar no grupo e apegando-se aos procedimentos que aprendeu. Em vez disso, você deve se empenhar em seguir na direção oposta. Depois da fase de aprendizagem, ouse cada vez mais. Não se satisfaça com o que já sabe; em vez disso, expanda seus conhecimentos para áreas correlatas, abastecendo sua mente com combustível para fazer novas associações entre diferentes ideias. Você deve experimentar e observar os problemas de todos os ângulos possíveis. À medida que seu pensamento fica mais fluido, sua mente se torna cada vez mais dimensional, buscando, com intensidade crescente, diferentes aspectos da realidade. No final, você se volta contra as próprias regras que internalizou, reformulando-as e atualizando-as para compatibilizá-las com seu espírito. Essa originalidade o levará ao topo.

A segunda transformação

Wolfgang Amadeus Mozart (1756-1791) sempre viveu cercado de música. O pai, Leopold, era violinista e compositor da corte de Salzburgo, na Áustria, além de professor de música. Durante todo o dia, Wolfgang ouvia Leopold e os alunos praticarem na casa onde morava. Em 1759, a irmã de 7 anos, Maria Anna, começou a estudar piano com o pai. Ela demonstrava grande potencial e praticava o tempo todo. Wolfgang, encantado com as melodias simples que ela tocava, passou a cantarolá-las. Às vezes, sentava-se diante do cravo da família e tentava reproduzir aquelas músicas. Leopold logo detectou algo inusitado no filho. Com apenas 3 anos, o garoto tinha uma notável memória para melodia e um impecável senso de ritmo, tudo sem ter recebido qualquer instrução.

Embora nunca houvesse tentado ensinar música a alguém tão jovem, Leopold resolveu iniciar o treinamento do filho quando o garoto fez 4 anos. Bastaram poucas sessões para o pai perceber que o filho possuía outras qualidades interessantes. Wolfgang ouvia com mais atenção que os outros alunos, sua mente e seu corpo absortos na música. Com tanta capacidade de concentração, aprendia com mais rapidez que qualquer outra criança. Certa vez, quando tinha 5 anos, pegou uma partitura um tanto complexa que se destinava a Maria Anna, e, em 30 minutos, já a tocava com facilidade. Ouvira antes a irmã praticar a peça e, no momento em que viu as notas no papel, lembrou-se dela com nitidez e rapidamente a executou.

Esse foco extraordinário tinha suas raízes em algo que Leopold já detectara desde o começo – o garoto amava intensamente a música em si. Seus olhos se iluminavam de empolgação no momento em que Leopold abria uma partitura desafiadora para que ele a dominasse. Se a peça era nova e difícil, ele a atacava dia e noite, com tamanha determinação que logo a absorvia como parte de seu repertório. À noite, os pais tinham que obrigá-lo a parar de praticar e ir para a cama. Esse amor pela prática parecia apenas aumentar com o tempo. Na hora de brincar com outras crianças, ele sempre descobria uma forma de transformar um simples jogo em algo que envolvesse música. Sua brincadeira favorita, porém, era pegar alguma peça que já vinha tocando e improvisar sobre ela, dando-lhe um toque pessoal criativo e encantador.

Desde os primeiros anos, Wolfgang era excepcionalmente emotivo e sensível. Caracterizava-se por grandes oscilações de humor – era petulante em um momento, mas tornava-se carinhoso logo em seguida. Seu olhar sempre ansioso só se abrandava quando se sentava ao piano.

Um dia, em 1762, quando Leopold Mozart ouviu os dois filhos tocando uma peça para dois pianos, teve uma ideia. A filha, Maria Anna, era uma pianista muito talentosa pelos próprios méritos, e Wolfgang era um verdadeiro prodígio. Juntos, formavam um brinquedo precioso. Tinham um carisma natural e Wolfgang também se destacava pelo jeito teatral de se apresentar. Como mero músico da corte, a renda de Leopold era um tanto limitada, mas ele viu a possibilidade de ganhar fortunas com os filhos. Assim, resolveu levar a família para um grande tour pelas capitais da Europa, tocando para a nobreza e para o povo, e cobrando pelo entretenimento. Para melhorar o espetáculo, fantasiou as crianças – Maria Anna como princesa e Wolfgang como ministro da corte, com cabeleira, casaca e espada na cinta.

Começaram em Viena, onde as crianças encantaram o imperador e a imperatriz. Depois, passaram meses em Paris, onde tocaram na corte real e impressionaram o rei Luís XV. Em seguida, partiram para Londres, onde acabaram ficando mais de um ano, apresentando-se para grandes multidões. E, enquanto a visão das duas crianças em suas fantasias fascinava, a performance de Wolfgang ao piano simplesmente embasbacava o público. O garoto desenvolvera numerosos truques de salão sob a direção cênica do pai. Tocava um minueto em um teclado oculto de sua vista por um pano, usando apenas um dedo. Interpretava com destreza impressionante a mais recente obra de um compositor famoso lendo uma partitura que nunca vira antes. Executava as próprias composições – e era espantoso ouvir uma sonata composta por um menino de 7 anos, por mais simples que fosse. O mais maravilhoso de tudo era a desenvoltura de Wolfgang no teclado: seus dedos minúsculos deslizavam sobre as teclas com incrível agilidade.

À medida que o tour prosseguia, estabeleceu-se um padrão curioso. A família era convidada para circular pela cidade, para uma visita ao campo ou para participar de uma soirée, mas Wolfgang sempre arranjava alguma desculpa para não acompanhar o grupo, simulando uma doença ou fingindo exaustão, pois preferia destinar o tempo livre à sua grande paixão: a música. Seu estratagema favorito era se aproximar dos compositores mais ilustres das cortes que visitavam. Em Londres, por exemplo, conseguiu cativar o grande Johann Christian Bach, filho de Johann Sebastian Bach.

Quando a família foi convidada para uma breve excursão, ele declinou o convite com o pretexto perfeito – Bach já havia prometido lhe dar aulas de composição.

A educação que recebeu dessa maneira, por meio do contato com todos os compositores que conhecia, foi muito além de tudo o que uma criança poderia receber. Embora houvesse quem alegasse que aquela obsessão ainda em idade tão tenra era um desperdício da própria infância, o amor de Wolfgang pela música e por seus constantes desafios era tão forte que, no final das contas, ele extraía muito mais prazer daquela mania que de qualquer outro entretenimento ou brincadeira.

O tour foi um grande sucesso financeiro, mas quase terminou em tragédia. Na Holanda, em 1766, quando a família estava iniciando a viagem de volta, Wolfgang ficou doente, com febre alta. Perdendo peso depressa, alternava estados de consciência e inconsciência, e, a certa altura, pareceu à beira da morte. Mas, miraculosamente, a febre passou, e, com o correr dos meses, ele se recuperou. A experiência, porém, o transformou. Daquele momento em diante, deixou-se dominar por um sentimento de melancolia constante, agravado pela premonição de que morreria jovem.

A família Mozart agora dependia da receita gerada pelas crianças durante as excursões, mas, com o passar do tempo, os convites começaram a escassear. A novidade se desgastara e as crianças já não pareciam tão pequenas e encantadoras. Desesperado por dinheiro, Leopold concebeu um esquema diferente. O filho, aos poucos, tornava-se um compositor sério, capaz de compor em diferentes gêneros. Agora, o necessário era garantir para ele uma posição estável, como compositor da corte, e atrair ofertas para concertos e sinfonias. Com esse objetivo em mente, pai e filho embarcaram, em 1770, para uma série de tours pela Itália, então o centro musical da Europa.

A viagem correu bem. Wolfgang executou sua mágica ao piano diante das principais cortes italianas. Em todos os lugares, era aclamado por suas sinfonias e concertos, obras impressionantes para qualquer compositor, que dirá para um adolescente. Mais uma vez, juntou-se aos mais célebres compositores da época, enriquecendo o conhecimento musical que adquirira em viagens anteriores. Além disso, redescobriu sua maior paixão na música – a ópera. Quando criança, ele sempre tivera a sensação de que estava destinado a compor grandes óperas. Na Itália, assistiu às melhores produções e se deu conta da fonte de seu fascínio – era o drama convertido na mais pura música, o potencial quase ilimitado da voz humana de expressar toda a gama de emoções e o espetáculo como um todo. Sentia uma atração quase primitiva por qualquer tipo de teatro. No entanto, apesar de toda a atenção e inspiração que recebeu, depois de quase três anos visitando as várias cortes da Itália ninguém lhe ofereceu uma posição ou atribuição à altura de seus talentos. Assim, em 1773, pai e filho retornaram a Salzburgo.

Depois de algumas negociações delicadas com o arcebispo de Salzburgo, Leopold enfim conseguiu para o filho um emprego relativamente bem-remunerado como músico e compositor da corte. E, sob todos os aspectos, o arranjo parecia bom: não tendo que se preocupar com dinheiro, Wolfgang teria tempo para se dedicar às composições. No entanto, quase desde o começo, Wolfgang se sentiu desconfortável e agitado. Passara quase a metade da juventude viajando pela Europa, interagindo com as mais brilhantes mentes musicais e ouvindo as mais renomadas orquestras; e agora fora relegado à mediocridade da provinciana Salzburgo, isolado dos centros musicais europeus, numa cidade sem tradição em teatro e em ópera.

Mais problemática, porém, era a frustração crescente que sentia como compositor. Em suas lembranças mais antigas, sua cabeça vibrava com música o tempo todo, mas era sempre música alheia. Sabia que suas peças eram imitações e adaptações inteligentes das obras de outros compositores. Ele sempre fora como uma planta tenra, absorvendo passivamente nutrientes do meio ambiente, na forma dos diferentes estilos que aprendera e dominara. No entanto, sentia em si algo mais ativo, o desejo de expressar sua própria música e de parar de imitar. O solo agora era bastante fértil. Como adolescente, era dominado por todos os tipos de conflitos e emoções – empolgação, depressão, desejos eróticos. Seu grande anseio era expressar esses sentimentos em suas obras.

Então, quase sem se dar conta, começou a experimentar. Escreveu uma série de movimentos lentos para vários quartetos de corda, prolongados e entremeados por estranhas misturas de sentimentos que se intensificavam em grandes crescendos. Quando mostrou essas peças ao pai, Leopold ficou horrorizado. A renda deles dependia de Wolfgang oferecer à corte as melodias agradáveis que os faria sorrir. Se a corte e o arcebispo ouvissem essas novas composições, pensariam que Wolfgang ficara louco. Além disso, as peças eram complexas demais para serem interpretadas pelos músicos da corte de Salzburgo. Ele implorou ao filho que desistisse daquela música estranha ou que ao menos esperasse até conseguir emprego em outro lugar.

Wolfgang cedeu, mas, com o passar do tempo, ficava cada vez mais deprimido. A música que era forçado a compor parecia irremediavelmente morta e convencional; não tinha relação com o que se passava dentro dele. Em consequência, vinha compondo e interpretando cada vez menos peças. Pela primeira vez na vida, estava perdendo o amor pela música. Sentindo-se aprisionado, tornou-se irritadiço. Quando ouvia uma ária de ópera cantada em público, lembrava-se do tipo de música que poderia estar compondo e entrava em depressão. Começou a discutir com o pai o tempo todo, oscilando entre a agressividade e a humildade, quando implorava perdão pela desobediência. Aos poucos, resignou-se com seu destino: morreria em Salzburgo, jovem, sem que o mundo jamais ouvisse a música que reverberava em seu interior.

Em 1781, Wolfgang foi convidado a acompanhar o arcebispo de Salzburgo a Viena, onde o clérigo pretendia exibir os talentos de seus vários músicos. De repente, em Viena, a natureza de seu status como músico da corte ficou clara. O arcebispo lhe dava ordens como se ele não passasse de um simples integrante de seu séquito, mero servo pessoal. O ressentimento que Wolfgang nutrira durante os últimos sete anos aflorou com toda a intensidade. Tinha 25 anos e estava perdendo um tempo valioso. O pai e o arcebispo o tolhiam deliberadamente. Amava o pai e precisava do apoio afetivo da família, mas já não podia tolerar aquelas circunstâncias. Quando chegou a hora de voltar a Salzburgo, fez o impensável – recusou-se a deixar a cidade e pediu demissão. O arcebispo o tratou com o mais ofensivo desprezo, mas depois se acalmou. O pai se aliou ao arcebispo e ordenou que o filho voltasse, prometendo que o perdoaria. Mas Wolfgang já decidira: ficaria em Viena para o que viria a ser o resto de sua vida.

O rompimento com o pai foi definitivo e extremamente doloroso, mas, sentindo que seu tempo era curto e que tinha muito a expressar, atirou-se à música com uma intensidade ainda maior que na infância. Como se toda a sua inspiração tivesse sido reprimida durante muito tempo, explodiu em acessos de criatividade sem precedentes na história da música.

A aprendizagem dos últimos 20 anos o preparara bem para aquele momento. Ele desenvolvera uma memória prodigiosa – era capaz de reter na cabeça todas as harmonias e melodias que absorvera ao longo dos anos. Em vez de notas ou acordes, conseguia pensar em termos de blocos de música, registrando-os com a mesma rapidez com que os ouvia em sua mente. A velocidade com que compunha surpreendia a quem o testemunhava.

Por exemplo, na noite anterior à estreia em Praga da opera *Don Giovanni*, Mozart saiu para beber. Quando os amigos o lembraram de que ainda não havia escrito a abertura, apressou-se em voltar para casa e, enquanto a esposa cantava para mantê-lo acordado, ele escreveu uma de suas aberturas mais populares e mais brilhantes.

Mais importante, os anos que passara aprendendo a compor em todos os gêneros imagináveis agora lhe permitiam expressar algo novo, ampliando suas fronteiras e até transformando-as para sempre, por meio de sua capacidade criativa. Sentindo o tumulto interior, procurou maneiras de converter a música em algo poderoso e expressivo, em vez de mantê-la restrita a uma função meramente decorativa.

Na época, o concerto e a sinfonia para piano tinham se convertido em gêneros um tanto leves e frívolos, com movimentos breves e simples, para pequenas orquestras, com superabundância de melodia. Mozart reformulou completamente essas formas, de dentro para fora. Escreveu-as para orquestras maiores, expandindo, em especial, as seções de violino. As novas orquestras eram capazes de produzir um som mais poderoso que os até então conhecidos. Também ampliou a extensão de seus movimentos sinfônicos, bem além das convenções. No movimento de abertura, estabelecia um tom de tensão e dissonância que continuava a aumentar no segundo movimento lento e culminava numa resolução grandiosa e dramática no final. Dava às composições o poder de expressar medo, tristeza, apreensão, raiva, alegria e êxtase. O público ficava encantado com esse som avassalador, que, de repente, envolvia tantas dimensões novas. Depois dessas inovações, tornou-se quase impossível para os compositores retornarem à música superficial das cortes, até então predominante. A música europeia mudara para sempre.

Essas inovações não emergiram de um desejo consciente de se rebelar ou provocar. Na verdade, seu espírito revolucionário despontou como algo natural, espontâneo e incontrolável. Impelido pela sensibilidade excepcional à música, Mozart simplesmente não podia deixar de personalizar todos os gêneros com que trabalhava.

Em 1786, deparou com uma versão da lenda de Don Juan que o fascinou. Ele imediatamente se identificou com a história do grande sedutor. Como Don Juan, também nutria o sentimento obsessivo de atração e de paixão pelas mulheres, e sentia o mesmo desprezo pelas figuras de autoridade. Mais importante, Mozart sentia que, como compositor, tinha a capacidade suprema de seduzir o público e que a música em si representava a manifestação máxima de sedução, com seu poder irresistível de mexer com nossas emoções. Se convertesse essa história em ópera, poderia transmitir todas essas ideias. Assim, no ano seguinte, começou a trabalhar em sua ópera *Don Giovanni* (Don Juan, em italiano). Para dar vida à história da maneira como imaginara, mais uma vez aplicaria seus poderes de transformação – desta vez ao gênero ópera.

Na época, as óperas tendiam a ser um tanto estáticas e convencionais. Consistiam de recitativos (diálogos verbais, acompanhados do cravo, que transmitiam a história e a ação), árias (partes cantadas em que os intérpretes reagiam às informações do recitativo) e peças corais, apresentando um grande grupo de pessoas cantando juntas. Para essa ópera, Mozart criou algo que fluía como um todo contínuo. Transmitia o caráter de Don Giovanni não só por meio das palavras, mas também pela música, acompanhando a presença do sedutor no palco com um constante efeito trêmulo nos violinos, para representar sua energia sensual nervosa. Conferiu à obra um ritmo acelerado, quase frenético, que ninguém antes presenciara no teatro. Para reforçar ainda mais o valor expressivo da música, inventou conjuntos ou grupos – momentos culminantes e grandiosos em que vários personagens cantavam ao mesmo tempo, às vezes sobrepondo-se uns aos outros, em contraponto elaborado, dando à opera a sensação e a fluidez de um sonho.

Do começo ao fim, *Don Giovanni* ressoa com a presença demoníaca do grande sedutor. Embora todos os outros personagens o condenem, é impossível não admirar Don Giovanni, mesmo quando ele continua impenitente até o fim, gargalhando a caminho do inferno e se recusando a obedecer a autoridade. *Don Giovanni* era diferente de qualquer ópera que já se tinha visto antes, quer na história, quer na música, e estava, talvez, à frente demais de sua época. Muita gente se queixava de que era um tanto pesada e áspera para o ouvido; achavam o ritmo excessivamente acelerado e consideravam a ambiguidade moral muito perturbadora.

Continuando a trabalhar em ritmo criativo delirante, Mozart se exauriu e faleceu em 1791, dois meses depois da estreia de sua última ópera, *A flauta mágica*, aos 35 anos. Somente vários anos depois de sua morte o público alcançou e compreendeu o som radical que ele criara em obras como *Don Giovanni*, que logo entrou para o grupo das cinco óperas executadas com mais frequência em toda a história.

Caminhos para a maestria

Várias coisas se encaixaram na minha mente, e de súbito me ocorreu a qualidade que entrava na formação de um Homem de Realizações, sobretudo na Literatura, e que Shakespeare possuía em profusão – refiro-me à Capacidade Negativa, que se manifesta quando alguém é capaz de conviver com incertezas, Mistérios, dúvidas, sem qualquer estado de irritação, depois do fato e da razão...

– JOHN KEATS

Se refletirmos em profundidade sobre nossa juventude, não só considerando nossas recordações mas também como de fato apreendíamos a realidade, constataremos que experimentávamos o mundo de maneira diferente naquela época. Nossa mente era completamente aberta e cultivávamos todos os tipos de ideias originais surpreendentes. Coisas que hoje vemos como banais, tão simples como o céu à noite e nossa imagem no espelho, nos despertavam admiração. Nossa cabeça transbordava de questões sobre o mundo ao redor. Sem ainda dominar a linguagem, pensávamos de maneira pré-verbal – por imagens e sensações. Quando íamos ao circo, a eventos esportivos ou ao cinema, nossos olhos e ouvidos absorviam o espetáculo com toda a intensidade. As cores pareciam mais vibrantes. Tínhamos o desejo intenso de converter tudo ao nosso redor em jogo, e de brincar com as circunstâncias.

Denominemos essa qualidade de *Mente Original*. A Mente Original era capaz de observar o mundo de forma mais direta – sem a interferência de ideias subjacentes e sem a limitação de expressá-las em palavras. Ela era flexível e receptiva a novas informações. Quando nos lembramos daquela época, não podemos deixar de sentir nostalgia pela intensidade com que percebíamos o mundo. Com o passar do tempo, esse vigor diminui. Passamos a ver o mundo como que através de uma tela de preconceitos e verbalizações; nossas primeiras experiências, sobrepostas ao presente, colorem o que vemos. Não mais percebemos as coisas como são, observando seus detalhes, nem perguntamos por que existem. A mente aos poucos se enrijece, se comprime. Assumimos uma atitude defensiva em relação a um mundo que agora consideramos trivial, que já não nos causa admiração, e ficamos aborrecidos quando nossas crenças ou premissas são atacadas.

Chamemos esse modo de pensar de *mente convencional*. Pressionados para ganhar nosso sustento e nos ajustar à sociedade, forçamos a mente a se encaixar em padrões cada vez mais estreitos. Em alguns momentos, até tentamos preservar o espírito da infância, participando de jogos ou de entretenimentos que nos liberam da mente convencional. Às vezes, quando visitamos um país diferente, onde nem tudo é conhecido, de novo voltamos à infância ao depararmos com o ineditismo ou com a novidade do que estamos vendo. Mas, como nossa mente não está completamente engajada nessas atividades, uma vez que esses estados são muito efêmeros, eles não são gratificantes em um sentido profundo. Não são criativos.

Os Mestres e aqueles que demonstram um alto nível de energia criativa são simplesmente pessoas que conseguem reter em grande parte o espírito da infância, apesar das pressões e das demandas da vida adulta. Essa disposição se manifesta no trabalho e na forma de pensar. As crianças são naturalmente criativas. Elas transformam de maneira ativa tudo ao redor delas, brincam com as ideias e circunstâncias, e nos surpreendem com as coisas que dizem ou fazem. No entanto, a criatividade natural das crianças é limitada; nunca leva a descobertas, invenções ou a grandes obras de arte.

Os Mestres não só conservam o espírito da mente original, como o complementam com a aprendizagem acumulada e com a capacidade de se concentrar profundamente nos problemas ou ideias. Isso leva a um alto nível de criatividade. Mesmo que tenham profundo conhecimento de um assunto, a mente se mantém aberta a alternativas para ver e abordar problemas. São capazes de fazer as perguntas simples que nem passam pela cabeça da maioria das pessoas, mas têm o rigor e a disciplina de prosseguir com as investigações até o fim. Mantêm uma vibração infantil por sua área de atuação e adotam abordagens lúdicas, tornando as horas de trabalho árduo vibrantes e prazerosas. Como as crianças, são capazes de pensar além das palavras – de maneira visual, espacial e intuitiva – e têm maior acesso a formas pré-verbais e inconscientes de atividade mental, tudo isso contribuindo para as suas ideias e criações surpreendentes.

Algumas pessoas mantêm o espírito e a espontaneidade das crianças, mas sua energia criativa se dissipa em milhares de direções, e elas nunca têm paciência e disciplina para resistir à longa fase de aprendizagem. Outras têm disciplina para acumular um conhecimento vasto e tornam-se especialistas em suas áreas, mas, como não têm flexibilidade de espírito, suas ideias nunca vão além do convencional e elas jamais se tornam realmente criativas. Os

Mestres conseguem mesclar os dois atributos – disciplina e entusiasmo infantil – no que denominamos *mente dimensional*. Essa mente não está sujeita às restrições das experiências e dos hábitos. Ela pode se expandir em todas as direções e estabelecer um contato profundo com a realidade, sendo capaz de explorar mais dimensões do mundo. A mente convencional é passiva – devora informações e as regurgita em formas familiares. A mente dimensional é ativa, transformando tudo que digere em algo novo e original, *criando* em vez de *consumindo*.

É difícil explicar exatamente por que os Mestres são capazes de reter o espírito infantil enquanto acumulam conhecimentos, o que é uma proeza quase impossível para tantas outras pessoas. Talvez achem mais complicado abandonar a infância ou, quem sabe, em algum momento tenham intuído os poderes que poderiam desenvolver mantendo vivo o espírito infantil e aplicando-o no trabalho. Seja como for, a formação da mente dimensional nunca é fácil. Em geral, o espírito infantil dos Mestres permanece latente na fase de aprendizagem, enquanto absorvem com paciência todos os detalhes de seu campo de estudo. Esse espírito infantil, então, é reativado à medida que conquistam a liberdade e a oportunidade de aplicar na prática o conhecimento adquirido. Em geral, o processo é conflituoso e os Mestres entram em crise ao enfrentar as demandas dos outros para se conformar e ser mais convencionais. Diante dessas pressões, é até possível que tentem reprimir o espírito criativo, mas, em geral, ele ressurge mais tarde, com o dobro da intensidade.

Todos possuímos uma força criativa inata que quer se tornar ativa. Esse é o dom de nossa mente original, que revela esse potencial. A mente humana é naturalmente inventiva, procurando o tempo todo estabelecer associações e conexões entre coisas e ideias. Ela quer explorar, descobrir novos aspectos do mundo e criar. Expressar essa força é nosso maior desejo, cuja frustração é fonte de sofrimento. O que sufoca a força criativa não é a idade nem a falta de talento, mas nossa atitude. Nós nos sentimos muito confortáveis com o conhecimento que acumulamos. Ficamos com medo de desenvolver novas ideias e relutamos em empreender o esforço necessário. A originalidade implica mais risco – podemos falhar e sermos ridicularizados. Preferimos viver com as ideias e com os hábitos com que já estamos familiarizados, mas pagamos um alto preço por esse comodismo: a mente atrofia por falta de desafios e de novidades; atingimos o limite em nossas áreas de atuação e perdemos o controle sobre nosso destino ao nos tornarmos substituíveis.

No entanto, é preciso saber que todos temos o potencial de reavivar nossa força criativa inata, não importa a idade. A sensação de restabelecimento dessa força criativa tem um imenso efeito terapêutico sobre o ânimo e sobre a carreira. Ao compreender como a mente dimensional funciona e o que contribui para a sua expansão podemos, conscientemente, recuperar nossa elasticidade mental e reverter o processo de atrofia. Os poderes decorrentes da Mente Dimensional são quase ilimitados e estão ao alcance de quase todos nós.

Veja o caso de Mozart. Ele costuma ser considerado o epítome da criança prodígio e do gênio inexplicável, uma aberração da natureza. De que outra maneira explicar suas habilidades extraordinárias, em idade tão tenra, e a explosão de criatividade, nos últimos 10 anos de vida, que culminaram em tantas inovações e em obras atemporais e universais? Na verdade, sua genialidade e inventividade são certamente explicáveis – o que não diminui nem um pouco suas realizações.

Imerso na música e fascinado por ela desde o começo da vida, ele iniciou seus primeiros estudos com um alto nível de foco e intensidade. A mente de uma criança de 4 anos é ainda mais aberta e plástica que a de outra poucos anos mais velha. Boa parte dessa capacidade de atenção decorria de seu profundo amor pela música. Nessas condições, praticar piano não era uma tarefa ou um dever, mas uma oportunidade para expandir seus conhecimentos e explorar novas possibilidades. Aos 6 anos, já acumulara as horas de prática de alguém com o dobro de sua idade. Os anos de excursões pela Europa o expuseram a todas as tendências e inovações possíveis. A mente dele foi inundada por um amplo vocabulário de formas e estilos.

Na adolescência, Mozart passou por uma típica crise criativa, algo que não raro destrói ou desvia do caminho os menos determinados. Durante quase oito anos, sob pressão do pai, do arcebispo e da corte de Salzburgo, e com o encargo de sustentar a família, teve que controlar seu poderoso ímpeto criativo. Nesse ponto crítico da carreira, poderia ter sucumbido a esse desencorajamento, continuando a escrever peças bem-comportadas para a corte. Se assim fosse, teria terminado seus dias entre os compositores menos conhecidos do século XVIII. Em vez disso, rebelou-se e reconectou-se ao espírito infantil – aquele anseio original de transformar a música em sua própria voz, de realizar seus impulsos dramáticos na ópera. Com toda a energia reprimida, com a longa aprendizagem e com a profundidade de seus conhecimentos, sua criatividade naturalmente explodiu depois de ele se libertar da família. A velocidade com que compôs suas obras-primas não foi uma dádiva divina, mas, sim, produto da intensidade com que passou a se expressar em termos musicais, que ele convertia em partituras com extrema facilidade. Longe de ser uma aberração, representava, isto sim, a fronteira mais avançada do potencial criativo que todos possuímos por natureza.

A mente dimensional tem duas necessidades essenciais: a primeira é um alto nível de conhecimento sobre determinada área ou tema de estudo; e a segunda é abertura e flexibilidade para usar esse conhecimento de formas novas e originais. O conhecimento que prepara o terreno para a atividade criativa decorre em grande parte da aprendizagem rigorosa pela qual passamos a dominar todos os fundamentos. Depois de se libertar da necessidade de aprender esses fundamentos, a mente pode se concentrar em questões mais elevadas e criativas. O problema para todos nós é que o conhecimento que adquirimos na fase de aprendizagem – inclusive numerosas regras e procedimentos – pode, aos poucos, converter-se em prisão ao nos trancafiar dentro de certos métodos e formas de pensamento que são unidimensionais. Em vez disso, a mente deve ser forçada a sair de suas posições conservadoras e a se tornar ativa e exploratória.

Despertar a mente dimensional e avançar ao longo do processo criativo exige três passos essenciais: primeiro, escolher a *Tarefa Criativa* adequada, o tipo de atividade que maximizará nossas habilidades e nossos conhecimentos; segundo, desobstruir e abrir a mente por meio de certas *Estratégias Criativas*; e, terceiro, estabelecer as condições mentais ideais para a *Ruptura* ou *Insight*. Finalmente, ao longo de todo o processo, também precisamos tomar cuidado com as *Armadilhas Emocionais* – complacência, monotonia, grandiosidade, entre outras – que o tempo todo ameaçam sabotar ou bloquear o progresso. Se formos capazes de avançar e de superar os obstáculos, conseguiremos liberar nossas poderosas forças criativas latentes.

Primeiro passo: A tarefa criativa

O ponto de partida é mudar o próprio conceito de criatividade, encarando-o sob um novo ângulo. Com frequência, associa-se criatividade a algo intelectual, a determinada maneira de pensar. A verdade é que a atividade criativa envolve todo o eu – nossas emoções, nossos níveis de energia, nossa personalidade e nossa mente. Fazer uma descoberta, inventar algo que se conecte com o público, produzir uma obra de arte com significado, tudo isso demanda tempo e esforço. Chegar a esse ponto geralmente envolve anos de experimentação, vários retrocessos e fracassos, e a necessidade de manter um alto nível de foco. É preciso ter paciência e confiar em que o esforço renderá algo importante. Mesmo que você tenha a mente mais brilhante, repleta de conhecimentos e de ideias, se escolher mal o tema a explorar ou o problema a atacar, o mais provável é que perca o interesse e fique sem energia. Nesse caso, todo o seu brilho intelectual não levará a nada.

A tarefa escolhida deve ter um elemento obsessivo. Como a sua Missão de Vida, ela precisa se relacionar a algo profundo em seu âmago. (Para Mozart, não foi apenas a música, mas, principalmente, a ópera que o envolveu por completo.) Você deve ser como o capitão Ahab em *Moby Dick*, obcecado pela caçada da Grande Baleia-Branca. Com um interesse tão arraigado, você é capaz de resistir aos retrocessos e fracassos, aos dias de labuta e ao trabalho árduo que é sempre parte de qualquer ação criativa. Você até consegue ignorar os céticos e os críticos. E, então, se sentirá pessoalmente comprometido com a solução do problema e não descansará enquanto não cumprir a missão.

Entenda que o que faz o Mestre é a escolha de para onde direcionar a própria energia. Quando Thomas Edison viu sua primeira demonstração do arco elétrico, concluiu que havia deparado com o desafio máximo e com o objetivo perfeito para os quais direcionar suas energias criativas. Imaginar as aplicações da energia elétrica, não apenas para espetáculos sem utilidade prática, mas como algo capaz de substituir a iluminação a gás, exigiria anos de trabalho intenso, mas revolucionaria o mundo. Era o enigma ideal para resolver. Para Rembrandt, só quando descobriu o tema que realmente o fascinava – cenas dramáticas da Bíblia e de outras fontes que expressavam os aspectos mais trágicos da vida – é que sentiu assomar todo o seu potencial e inventou um modo novo de captar e retratar a luz. Marcel Proust sofreu durante anos lutando para encontrar o assunto em que basear sua obra-prima. Finalmente, ao perceber que sua própria vida e seus fracassos na tentativa de escrever um grande romance seriam de fato o tema que estava buscando, toda a inspiração se derramou sobre a produção de um dos maiores trabalhos literários de todos os tempos, *Em busca do tempo perdido*.

Eis a Lei Fundamental da Dinâmica Criativa: seu envolvimento emocional com o que está fazendo se manifestará diretamente em seu trabalho. Quem se dedica com superficialidade ao trabalho, sem entusiasmo e determinação, fica para trás e colhe resultados medíocres. Quando você faz algo apenas por dinheiro, sem compromisso e sem paixão, produz coisas sem alma, sem conexão consigo mesmo. É até possível que não se dê conta desse efeito, mas esteja certo de que o público o perceberá, recebendo sua obra com o mesmo desânimo com que você a produziu. Se estiver empolgado e obcecado na busca, essa vibração se manifestará nos detalhes. Quando sua criação emerge de um lugar profundo, a autenticidade dela é perceptível. Tudo isso se aplica às artes, às ciências e aos negócios. Sua tarefa criativa talvez não se expresse com a mesma intensidade inovadora de Thomas Edison, mas é preciso um mínimo de obsessão para que seus esforços não estejam fadados ao fracasso. Jamais se dedique apenas parcialmente a qualquer empreendimento criativo em sua área de atuação, confiando no próprio brilhantismo para levá-lo avante. É preciso fazer a escolha certa, exercer a opção perfeita, compatíveis com as suas energias e inclinações.

Para ajudar nesse processo, em geral é recomendável preferir algo que apele a seu senso de heterodoxia e desperte sentimentos latentes de rebelião. Talvez o que você queira descobrir esteja sendo ignorado ou ridicularizado pelos outros. O trabalho a ser realizado deve suscitar controvérsias e incomodar pessoas. Ao optar por algo que o encante em termos pessoais, você naturalmente desbravará caminhos inexplorados. Associe essa paixão ao anseio de subverter paradigmas tradicionais e de avançar contra a corrente. A impressão de enfrentar inimigos ou questionadores pode atuar como um poderoso fator de motivação e impregná-lo de energia criativa e de foco.

Dois aspectos precisam ser lembrados sempre: primeiro, a tarefa escolhida deve ser realista, ou seja, seus conhecimentos e habilidades devem torná-lo apto a executá-la. Para atingir seus objetivos, talvez seja necessário aprender algumas outras habilidades, mas é necessário conhecer os fundamentos e já dominar bastante bem o campo de atuação, de modo que a mente possa se concentrar em questões mais complexas e menos rotineiras. Por outro lado, é sempre melhor escolher uma tarefa que envolva algum desafio, que seja considerada ambiciosa para os seus padrões. Essa é a consequência da Lei da Dinâmica Criativa – quanto mais alto for o desafio, mais energia será necessário extrair de seu âmago. Você se erguerá à altura do desafio como condição para avançar e descobrirá poderes criativos em si mesmo, de cuja existência jamais suspeitou.

Segundo, você precisa descartar a necessidade de conforto e segurança. Os empreendimentos criativos são, por natureza, incertos. Você até pode conhecer a tarefa, mas nunca tem certeza absoluta de para onde seus esforços o levarão. Se tudo em sua vida tiver que ser simples e seguro, a natureza incerta da tarefa o encherá de ansiedade. Se você se preocupar com o que os outros poderão pensar e com a maneira como sua posição no grupo talvez seja prejudicada, jamais criará algo realmente novo. De modo inconsciente, atrelará sua mente a certas convenções, e suas ideias se tornarão rasas e sem viço. Se você teme fracassar ou enfrentar um período de instabilidade mental e financeira, você infringirá a Lei Fundamental da Dinâmica Criativa, e seus medos se refletirão nos resultados. Veja a si mesmo como um explorador. Você não encontrará nada de novo se não estiver disposto a se afastar da praia.

Segundo passo: Estratégias criativas

Pense na mente como um músculo que se retrai com o passar do tempo, a não ser que seja exercitado de forma consciente. Dois são os fatores que causam essa retração. Primeiro, em geral preferimos cultivar os mesmos raciocínios e abordagens, pois nos proporcionam um senso de consistência e de familiaridade. Preservar os mesmos métodos também nos poupa de muitos esforços. Somos criaturas que se apegam aos hábitos. Segundo, sempre que trabalhamos com afinco em certo problema ou ideia, nossa mente naturalmente estreita o foco, por causa da tensão e do esforço indispensáveis. Isso significa que, quanto mais progredimos em nossa tarefa criativa, menos oportunidades ou pontos de vista alternativos tendemos a considerar.

Esse processo de enrijecimento aflige a todos nós, e é melhor admitir que compartilhamos essa deficiência. O único antídoto é adotar estratégias que relaxem a mente e admitam formas de pensar diferentes. Trata-se de algo não só essencial para o processo criativo, mas também extremamente terapêutico para a psique. As cinco estratégias para o desenvolvimento dessa flexibilidade, apresentadas a seguir, foram extraídas das lições e das histórias dos Mestres mais criativos, do passado e do presente. Seria prudente adaptar e adotar todas elas, até certo ponto, estendendo e relaxando a mente em todas as direções.

A. CULTIVE A CAPACIDADE NEGATIVA

Em 1817, o poeta inglês John Keats, então com 22 anos, escreveu uma carta ao irmão em que expôs suas ideias mais recentes sobre o processo criativo. O mundo ao nosso redor, escreveu, é muito mais complexo do que podemos imaginar. Com as limitações dos sentidos e da consciência, vislumbramos somente uma parte restrita da realidade. Além disso, tudo no Universo se encontra em estado de fluxo contínuo. Palavras ou ideias simples não podem captar essa mutação constante e essa complexidade. A única solução para uma pessoa esclarecida é deixar que a mente mergulhe nas experiências, sem formular julgamentos sobre seus significados. Deve-se permitir que ela sinta dúvidas e incertezas durante o máximo de tempo possível. Enquanto continuar nesse estado de perplexidade e prospectar profundamente os mistérios do Universo, as ideias emergirão mais dimensionais e reais do que se, ao contrário, tivéssemos saltado para conclusões e houvéssemos formulado julgamentos precipitados.

Para tanto, prosseguiu, devemos ser capazes de negar o próprio ego. Somos, por natureza, criaturas medrosas e inseguras. Não gostamos do inusitado e do desconhecido. Para compensar essa deficiência, nós nos afirmamos por meio de opiniões e de ideias que nos fazem parecer fortes e seguros. Muitas dessas opiniões não são produtos de reflexões profundas, baseando-se mais em conceitos e teorias alheios. Além disso, depois que aderimos a essas ideias, admitir que estão erradas é ferir nosso ego e nossa vaidade. As pessoas realmente criativas são capazes de, temporariamente, suspender o próprio ego e experimentar o que estão vendo, sem a necessidade de expressar julgamento, durante tanto tempo quanto possível. Estão mais do que dispostas a deixar que suas opiniões mais acalentadas sejam contestadas pela realidade. Essa capacidade de tolerar e até de cultivar mistérios e incertezas é o que Keats denomina *capacidade negativa*.

Todos os Mestres possuem essa capacidade negativa, que atua como fonte de seu poder criativo. Essa qualidade lhes permite cultivar uma ampla gama de ideias e experimentos, o que, por sua vez, torna mais fecundo e mais inventivo o trabalho deles. Durante toda a sua carreira, Mozart nunca assumiu nenhuma posição definida em relação à música. Em vez disso, absorveu os estilos que ouvia ao seu redor e os incorporou como parte das próprias manifestações. Em um estágio mais avançado da carreira, ouviu pela primeira vez a música de Johann Sebastian Bach – algo muito diferente de suas composições, e, sob certos aspectos, mais complexo. A maioria dos artistas ficaria na defensiva, descartando o que desafiava os próprios princípios. Ao contrário, Mozart abriu a mente para novas possibilidades, estudando o uso do contraponto de Bach durante quase um ano e inserindo-o em seu próprio vocabulário. A inovação conferiu à sua música uma qualidade inédita e surpreendente.

Quando jovem, Albert Einstein ficou fascinado pelo paradoxo aparente de duas pessoas que observam o mesmo facho de luz – uma seguindo-o à velocidade da luz e a outra em repouso, na Terra – e como o facho de luz pareceria o mesmo para ambos os observadores. Em vez de recorrer às teorias disponíveis para ignorá-lo ou para refutá-lo, durante 10 longos anos ele contemplou esse paradoxo, em estado de capacidade negativa. Operando dessa maneira, foi capaz de considerar quase todas as soluções possíveis, até que deparou com a que o levou à sua teoria da relatividade. (Para mais informações a esse respeito, ver Capítulo 6, página 320.)

Isso pode parecer algum tipo de conceito poético, mas, na verdade, cultivar a capacidade negativa será o fator isolado mais importante em seu sucesso como pensador criativo. Em ciências, a tendência é cultivar ideias compatíveis com os próprios preconceitos e nas quais se *quer* acreditar. Essa propensão orienta inconscientemente suas escolhas sobre como verificar essas ideias, em um processo conhecido como *viés de confirmação*. Partindo desse tipo de distorção, você escolherá os experimentos e as informações que ratificam aquilo em que já acreditava. A incerteza de não conhecer as respostas de antemão é demais para a maioria dos cientistas. Nas artes ou nas letras, suas ideias se solidificarão em torno de dogmas políticos ou visões de mundo preconcebidas, motivo pelo qual o que em geral se expressa são opiniões em vez de observações autênticas da realidade. Para Keats, William Shakespeare era o modelo ideal por não ter julgado seus personagens mas, em vez disso, ter-se aberto às palavras deles, exprimindo a realidade até daqueles que eram considerados maus. A necessidade da certeza é a maior doença de que padece a mente humana.

Para pôr em prática a capacidade negativa, é preciso desenvolver o hábito de suspender a necessidade de julgar tudo o que cruza seu caminho, considerando perspectivas opostas às suas próprias opiniões a fim de experimentar novas percepções. Observa-se uma pessoa ou acontecimento durante algum tempo, deliberadamente evitando formar opinião. Procura-se o que não é comum – por exemplo, ler livros de autores desconhecidos, que escrevem sobre diferentes áreas ou que se enquadram em outras escolas de pensamento. Tenta-se de todas as maneiras romper o curso normal do pensamento e descartar o sentimento de que já se conhece a verdade.

No intuito de negar o ego, é preciso adotar uma espécie de humildade em relação ao conhecimento. O grande cientista Michael Faraday expressou essa atitude reconhecendo o seguinte fato: o conhecimento científico progride constantemente. As principais teorias de uma época acabam sendo desmentidas ou alteradas em algum momento do futuro. A mente humana é fraca demais para ter uma visão nítida e perfeita da realidade. A ideia ou a teoria hoje em voga, que parece tão atualizada, vigorosa e verdadeira, quase certamente será contestada ou ridicularizada daqui a algumas décadas ou séculos. Portanto, é melhor lembrar-se disso e não cultivar com muito zelo as próprias ideias nem ter tanta convicção de suas verdades.

A capacidade negativa não deve ser um estado mental permanente. A fim de produzir qualquer tipo de trabalho, devemos impor limites ao que merece nossa consideração; precisamos organizar nossos pensamentos em padrões mais ou menos coerentes, deles extraindo conclusões. Por fim, temos que formular certos julgamentos. A capacidade negativa é uma ferramenta que usamos no processo de abrir a mente temporariamente para mais possibilidades. Depois que essa via de pensamento leva a avenidas mentais mais amplas e desobstruídas, podemos atribuir às ideias uma forma mais clara e permitir que avancem sem tantas restrições, retornando a essa atitude de capacidade negativa sempre que nos sentirmos ultrapassados e empacados.

B. ABRA ESPAÇO PARA A SERENDIPIDADE

O cérebro é um órgão que se desenvolveu para fazer conexões. Ele opera como sistema duplo de processamento, em que todas as informações que recebe são constantemente comparadas com outras informações. Está sempre buscando semelhanças, diferenças e relações entre os dados em processamento. Para se tornar um Mestre, sua tarefa deve ser alimentar essa inclinação natural, a fim de criar as condições ideais para estabelecer novas associações originais entre ideias e experiências. E uma das melhores formas de conseguir esse resultado é abrir mão dos controles conscientes e permitir que o acaso entre no processo.

A razão para isso é simples. Quando nos dedicamos a determinado projeto, nossa atenção tende a se tornar muito estreita, por nos concentrarmos de maneira tão intensa. Ficamos tensos. Nesse estado, a reação da mente é tentar reduzir a quantidade de estímulos a serem administrados. Nós nos fechamos em relação ao mundo no intuito de focarmos no que é prioritário. Com isso, fica mais difícil percebermos outras possibilidades e sermos mais abertos e criativos. Quando estamos mais relaxados, a atenção naturalmente se amplia e absorvemos mais estímulos.

Muitas das descobertas mais interessantes e profundas em ciências ocorreram quando o pensador não estava concentrado diretamente no problema, mas se preparando para dormir, para pegar uma condução ou para ouvir uma piada – em momentos de atenção difusa, quando algo inesperado entra na esfera mental e provoca uma conexão inédita e fértil. Essas associações e descobertas aleatórias são conhecidas como *serendipidade* – a ocorrência de algo que não estamos esperando – e, embora, por sua natureza, não haja como forçar sua ocorrência, é possível atraí-la ao processo criativo por meio de dois passos simples.

O primeiro passo é ampliar ao máximo a busca. Para isso, na fase de pesquisa do projeto, procura-se mais do que é necessário e expande-se a pesquisa para outros campos, lendo e absorvendo qualquer informação correlata. Quando se tem uma teoria ou hipótese específica sobre o fenômeno, examinam-se o máximo de exemplos e possíveis contestações. Talvez isso pareça cansativo e ineficiente, mas é preciso confiar no processo. Como consequência o cérebro fica cada vez mais estimulado pela variedade de informações. Como disse William James, a mente "transita de uma ideia para outra... envolvendo as mais inusitadas combinações de elementos, as mais sutis associações por analogia; em outras palavras, parece que de repente somos lançados em um caldeirão fervente de ideias, onde tudo crepita e borbulha em atividade frenética". Gera-se, assim, uma espécie de impulso mental, pelo qual a mais tênue chance de ocorrência dispara uma ideia fértil.

O segundo passo é manter a abertura e o relaxamento. Em fases de grande tensão e busca, você se concede momentos de liberação. Faz exercícios físicos, envolve-se em atividades fora do trabalho (Einstein tocava violino) ou reflete sobre algo diferente, por mais trivial que seja. Quando uma nova ideia imprevista desponta em sua mente, você não a ignora por parecer irracional nem a descarta por não se encaixar no foco estreito de sua atividade principal. Em vez disso, dedica-lhe atenção integral e explora para onde ela o levará.

Talvez o melhor exemplo desse processo seja a descoberta por Louis Pasteur da imunologia e da possibilidade de evitar doenças contagiosas pela inoculação. Pasteur passou anos demonstrando que várias doenças são provocadas por micro-organismos ou germes, um conceito novo na época. Ao desenvolver a teoria dos germes, expandiu seu conhecimento para ramos totalmente diferentes da medicina e da química. Em 1879, ao pesquisar a cólera aviária, já havia preparado culturas da doença quando o trabalho foi interrompido por outros projetos, e durante vários meses as culturas ficaram intocadas no laboratório. Ao voltar à pesquisa, injetou as culturas nas galinhas e ficou surpreso quando todas as aves inoculadas se recuperaram bem da doença. Imaginando que as primeiras culturas haviam perdido a virulência por causa do fator tempo, mandou preparar outras variedades, que injetou imediatamente nas mesmas galinhas e também em outras. As novas galinhas morreram, como era de esperar, mas as primeiras, que já haviam sido inoculadas, sobreviveram.

Muitos médicos já tinham testemunhado fenômenos semelhantes, mas não lhes deram atenção ou se recusaram a perceber seu significado. Pasteur tinha conhecimentos tão amplos e profundos sobre seu campo de atuação que a sobrevivência das galinhas logo lhe chamou a atenção. Ao pensar em profundidade sobre o que o fenômeno poderia representar, deu-se conta de que havia deparado com algo totalmente novo em medicina – a inoculação do corpo contra uma doença ao injetar-lhe pequenas doses da própria doença. A amplitude da busca e a abertura de espírito lhe permitiram fazer a conexão e a descoberta "aleatória". Como o próprio Pasteur observou, "o acaso só favorece a mente preparada".

Essas descobertas por serendipidade são comuns em ciências e em inovações tecnológicas. A lista incluiria, entre centenas de outras, as descobertas dos raios X por Wilhelm Röntgen e da penicilina por Alexander Fleming, assim como a invenção da prensa tipográfica por Johannes Gutenberg. Talvez um dos exemplos mais curiosos tenha ocorrido com o grande inventor Thomas Edison. Ele vinha trabalhando havia muito tempo e com grande afinco na melhoria dos mecanismos do rolo de papel à medida que se movia no telégrafo e registrava os vários pontos e traços. O trabalho não ia bem, e o que mais o incomodava era o ruído que a máquina produzia enquanto o papel avançava – emitindo "um som ligeiro, musical e ritmado, parecendo uma conversa humana, entreouvida indistintamente".

Ele queria se livrar daquele som de algum modo, mas, nos cinco meses seguintes, mesmo depois de deixar de lado o trabalho com o telégrafo, aquele ruído incessante continuava a incomodá-lo. Um dia, ao pensar nisso outra vez, uma ideia espantosa lhe ocorreu – talvez tivesse deparado por acaso com uma forma de registrar a voz humana. Em seguida, passou vários meses imerso na ciência do som, o que o levou aos primeiros experimentos no esforço para a criação do fonógrafo, que gravaria a voz humana usando um processo muito semelhante à tecnologia do telégrafo.

Essa descoberta mostra a essência da mente criativa. Nela, todos os estímulos que entram no cérebro são processados, revirados e reavaliados. Nada é interpretado apenas com base na aparência. Um zumbido contínuo nunca é neutro, nunca é percebido como apenas um som, mas, sim, como algo a interpretar, uma possibilidade, um sinal. Dezenas dessas possibilidades não levam a nada, porém, para a mente aberta e fluida, além de elas merecerem consideração, sua investigação pode ser um prazer. A percepção em si se converte em um exercício estimulante de raciocínio.

Uma das razões pelas quais a serendipidade desempenha um papel tão importante nas descobertas e invenções é a própria limitação da mente. Não podemos explorar todas as hipóteses e imaginar todas as possibilidades. Ninguém teria sido capaz de inventar o fonógrafo na época de Edison por meio do processo racional de imaginar rolos de papel que registrassem o som. Estímulos externos aleatórios nos induzem a associações que não nos ocorreriam de maneira espontânea. Como sementes levadas pelo vento, elas precisam do solo fértil da mente aberta e preparada para germinar e brotar como uma ideia significativa.

As estratégias de serendipidade também podem ser interessantes nas artes. Por exemplo, o escritor Anthony Burgess, na tentativa de esvaziar a mente de ideias improdutivas, resolveu em várias ocasiões escolher palavras ao acaso, em livros de referência, e usá-las para orientar a trama de um romance, de acordo com a sequência e as associações de ideias. Depois de dispor de pontos de partida aleatórios, a mente consciente assumia o controle e os desenvolvia em romances extremamente bem-elaborados, com estruturas surpreendentes. O artista surrealista Max Ernst fez algo semelhante numa série de pinturas inspiradas por sulcos profundos num assoalho de madeira que havia sido raspado sucessivas vezes. Para tanto, colocou folhas de papel sobre o chão e esfregou um lápis grafite sobre elas. Com base nas formas que dali resultaram, desenvolveu desenhos surrealistas e alucinatórios. Nesses exemplos, ideias ao acaso foram usadas para forçar a mente a criar novas associações e para instigar a criatividade. Essa combinação de acaso e de elaboração consciente em geral produz efeitos inéditos e vibrantes.

Para ajudá-lo a cultivar a serendipidade, convém sempre ter à mão lápis e papel. No momento em que lhe ocorrer alguma ideia ou observação, tome nota. É preciso estar preparado para fazer anotações a qualquer momento, principalmente nos de semiconsciência, na sonolência do adormecer e do despertar. Assim, você registra qualquer ideia inesperada e interessante que lhe vier à mente, como desenhos, citações, etc. Dessa maneira, torna-se possível experimentar as ideias mais absurdas. A justaposição de tantos fragmentos aleatórios é capaz de deflagrar várias associações.

Em geral, deve-se adotar um raciocínio mais *analógico*, tirando maior proveito da capacidade associativa da mente. Pensar em termos de analogias e metáforas pode ser bastante útil no processo criativo. Por exemplo, um argumento que se usava nos séculos XVI e XVII para demonstrar que a Terra não se movia era o de que uma pedra que caía de uma torre aterrissava em sua base. Caso a Terra se movesse, argumentavam, a pedra cairia em algum ponto mais afastado da base. Galileu, que costumava raciocinar em termos de analogias, via a Terra como uma espécie de barco à vela no espaço. Conforme explicou aos incrédulos quanto ao movimento da Terra, uma pedra lançada do mastro de um barco em movimento também aterrissa em sua base.

As analogias podem ser exatas e lógicas, como a comparação estabelecida por Isaac Newton entre a fruta que caiu da macieira em seu jardim e a Lua que gravita em torno da Terra no espaço. Ou podem ser vagas e ilógicas, como a do jazzista John Coltrane, que se refere às suas composições como catedrais de som. Em todo caso, você deve se treinar para recorrer constantemente a analogias como meio de reformular e de expandir suas ideias.

C. ESTIMULE A MENTE – A CORRENTE

Em 1832, ao navegar pela costa da América do Sul e se embrenhar no interior, Charles Darwin percebeu vários fenômenos estranhos – ossos de animais extintos havia muito tempo, fósseis marinhos perto do topo de montanhas no Peru e animais em ilhas que eram ao mesmo tempo semelhantes e muito diferentes de seus congêneres no continente. Em suas anotações, começou a especular sobre o que aquilo poderia significar. Sem dúvida, a Terra parecia muito mais velha do que indicava a Bíblia, e ficava cada vez mais difícil imaginar que todas as formas de vida tivessem sido criadas de uma só vez e ao mesmo tempo. Com base nessas especulações contínuas, passou a examinar com cuidado redobrado os animais e vegetais. Assim, descobriu ainda mais anomalias na natureza, e tentou encontrar um padrão nessas discrepâncias. Ao visitar o arquipélago de Galápagos, já quase no fim da viagem, deparou com tanta biodiversidade em uma área tão reduzida que, finalmente, identificou o elemento comum: a ideia da evolução em si.

Nos 20 anos seguintes, Darwin ampliou o processo que iniciara quando jovem. Especulou como de fato ocorreria a variedade entre as espécies e, para testar suas ideias, passou a manter e a alimentar diferentes tipos de pombos. A teoria da evolução que estava desenvolvendo dependia da movimentação das plantas e dos animais em vastas áreas do globo, algo mais fácil de imaginar com animais que com plantas – por exemplo, como será que aquela vegetação tão luxuriante brotou e se expandiu em ilhas vulcânicas relativamente recentes? Na época, a maioria das pessoas acreditava que se tratava de ação divina. E, assim, Darwin partiu para uma série de experimentos, embebendo várias sementes em água salgada para averiguar quanto tempo elas sobreviveriam em um meio tão adverso e se ainda germinariam. Considerando as correntes oceânicas, calculou que muitas variedades de sementes poderiam viajar mais de 1.600 quilômetros em cerca de 40 dias e ainda germinar.

À medida que suas ideias se consolidavam, decidiu intensificar as pesquisas, dedicando oito anos ao estudo de muitas espécies de um tipo de crustáceo, a craca, a fim de comprovar ou desmentir suas especulações. O esforço acabou confirmando suas hipóteses e acrescentando-lhe alguns desdobramentos. Certo de que havia descoberto algo significativo depois de tanto trabalho e persistência, finalmente publicou suas conclusões sobre o processo evolutivo que denominou seleção natural.

A teoria da evolução, conforme formulada por Charles Darwin, representa uma das realizações mais espantosas do pensamento criativo humano, uma demonstração inequívoca dos poderes da mente. A evolução é algo que não se pode ver e que, portanto, exige o uso intenso da imaginação – para formular uma hipótese do que poderia ter acontecido com a Terra no curso de milhões e milhões de anos, um período de tempo tão longo que não temos de fato como conceituá-lo. Também demanda a capacidade de conceber um processo que ocorreria por si mesmo, sem a intervenção de uma força espiritual. A teoria de Darwin só poderia ter sido deduzida a partir da observação de evidências e da formulação de associações de ideias sobre o que suas descobertas poderiam significar. A hipótese da evolução, assim enunciada, resistiu ao teste do tempo e veio a ter profundas ramificações sobre quase todas as formas de ciência. Por meio de um processo mental que denominaremos *Corrente*, Charles Darwin tornou visível para todos nós tudo o que é completamente invisível para os olhos humanos.

A Corrente é como uma carga elétrica mental que ganha força por meio de um processo de alternância contínuo. Observamos algo no mundo que chama nossa atenção e nos faz refletir sobre seu significado. Em consequência, desenvolvemos várias explicações possíveis. Ao refletirmos sobre o fenômeno outra vez, nós o vemos de maneira diferente, à luz das várias ideias que imaginamos para explicá-lo. É até possível que realizemos experimentos para confirmar ou alterar nossas especulações. E, quando mais uma vez analisamos o fenômeno, semanas ou meses depois, constatamos cada vez mais aspectos de sua realidade oculta.

Se não tivéssemos especulado sobre o resultado do que observamos, simplesmente teríamos feito uma observação que não nos levaria a lugar algum. Se houvéssemos especulado sem continuar a analisar e a verificar, apenas teríamos ficado com algumas ideias vagas na cabeça. No entanto, ao repetir o ciclo, envolvendo especulação e observação/experimento, somos capazes de prospectar a realidade com uma profundidade cada vez maior. A Corrente é um diálogo constante entre nossas especulações e a realidade. Se mergulharmos fundo o bastante no processo, seremos capazes de desenvolver teorias que explicam algo muito além de nossos recursos limitados.

A Corrente nada mais é que a intensificação dos poderes elementares da consciência humana. Nossos ancestrais mais primitivos observavam algo inusitado ou deslocado – galhos quebrados, folhas mastigadas, marcas de cascos ou patas. Usando pura imaginação, deduziam que algum animal havia passado por lá. A suposição era verificada pelo rastreamento das pegadas. Por meio desse processo, o que não era imediatamente visível aos olhos (a passagem de um animal) se tornava visível. Tudo o que aconteceu desde aquela época foi a elaboração contínua dessa capacidade de investigação para níveis cada vez mais altos de abstração, a ponto de, com ela, ser possível compreender as leis mais ocultas da natureza – como a evolução e a relatividade.

Com muita frequência, a Corrente entra em *curto-circuito*. As pessoas veem algum fenômeno no contexto cultural ou no meio ambiente que lhes desperta emoções e se apressam em especular, sem paciência para desenvolver possíveis explicações que poderiam ser verificadas por mais observações. Elas se desconectam da realidade e, assim, imaginam qualquer coisa. Por outro lado, muitos outros, em especial na academia e nas ciências, acumulam montanhas de informações e dados de estudos e estatísticas mas nunca se aventuram em especular sobre as ramificações mais amplas dessas informações nem as integram numa teoria. Eles têm medo de especular porque o processo parece subjetivo e não científico, não compreendendo que a especulação é o coração e a alma da racionalidade humana, nossa maneira de nos conectarmos com a realidade e de enxergarmos o invisível. Preferem se prender aos fatos e aos estudos e manter uma visão micro a se envolver com especulações que poderiam estar equivocadas.

Às vezes, o medo da especulação se disfarça de ceticismo. É o que se vê em pessoas que adoram contestar teorias ou explicações, mas não chegam a lugar algum. Tentam passar por céticos, como sinal de inteligência superior, porém, de fato, estão seguindo um caminho mais fácil – é muito simples ficar de fora e desfiar argumentos contra uma ideia para invalidá-la. Em vez disso, você deve adotar a trajetória de todos os pensadores criativos e avançar na direção oposta. Nesse caso, além de especular, você ousa com as ideias, o que o induz a trabalhar com afinco para confirmar ou desmentir suas teorias, penetrando a realidade no processo. Como disse o grande físico Max Planck, os cientistas "devem cultivar uma imaginação intuitiva vívida, pois as novas ideias não são geradas por dedução, mas por uma imaginação criativa artística".

A Corrente tem aplicações muito além da ciência. O célebre inventor Buckminster Fuller estava sempre em busca de ideias que possibilitassem novas invenções e tecnologias. No começo da carreira, Fuller observou que muitas pessoas tinham ótimas ideias, mas receavam colocá-las em prática. Prefeririam se envolver em discussões ou críticas, escrevendo sobre suas fantasias, mas nunca aplicando-as ao mundo real. No intuito de distinguir-se dos sonhadores, ele adotou uma estratégia para desenvolver o que denominou "artefatos". Ao trabalhar em suas ideias, que, às vezes, eram bastante ousadas, fazia modelos do que imaginava, e, se parecessem factíveis, prosseguia, construindo protótipos. Ao converter as ideias em objetos tangíveis, verificava se eram potencialmente interessantes ou meramente ridículas. Então, as ideias que, de início, pareciam fantasias, deixavam de ser especulações para se converter em realidade. Ele levava, em seguida, os protótipos para outro nível, produzindo artefatos destinados ao público, para ver qual seria a reação.

Um desses artefatos foi o automóvel Dymaxion, que ele revelou ao público em 1933. O modelo foi concebido para ser muito mais eficiente, manobrável e aerodinâmico que os veículos da época, destacando-se por movimentar-se sobre três rodas e por ter a forma de gota. Além disso, podia ser montado com rapidez e a baixo custo. Ao tornar público o artefato, ele descobriu várias falhas no design e o reformulou. Embora o projeto não tenha dado em nada prático, sobretudo porque a indústria automobilística levantou todos os tipos de obstáculos, o Dymaxion acabou influenciando futuros designers e levou muita gente a questionar a abordagem convencional rígida do design de automóveis. Fuller aplicaria a estratégia do artefato a todas as suas ideias, inclusive à mais famosa – a cúpula geodésica.

O processo de Fuller de produzir artefatos é um ótimo modelo para qualquer tipo de nova intenção ou ideia em negócios e comércio. Digamos que você tenha uma ideia para um novo produto. Você o projeta e lança por conta própria, mas logo constata uma discrepância entre sua empolgação pelo produto e a reação um tanto indiferente do público. O que faltou foi o diálogo com a realidade, que é a essência da Corrente. Em vez disso, é melhor produzir um protótipo – uma forma de especulação – e ver como as pessoas respondem. Com base nas avaliações daí decorrentes, é possível refazer o trabalho e relançá-lo, repetindo o ciclo várias vezes, até aperfeiçoá-lo. As reações do público o levarão a refletir com mais profundidade sobre o que está sendo produzindo. Esse feedback o ajudará a tornar visível o que, em geral, é invisível aos seus olhos – a realidade objetiva de seu trabalho e as falhas que lhe são imperceptíveis como autor, mas que se tornam ostensivas e incômodas para o público em geral. Essa alternância entre ideias e artefatos o ajudará a criar algo cativante e eficaz.

D. ALTERE SUA PERSPECTIVA

Considere a reflexão uma forma ampliada de visão, que permite captar mais do mundo. E encare a criatividade como a capacidade de expandir mais a visão, para além das fronteiras convencionais.

Quando percebemos um objeto, os olhos transmitem para o cérebro apenas seu esboço ou suas características mais notáveis, deixando que a mente preencha as lacunas, o que nos proporciona uma estimativa rápida e um tanto exata do que estamos enxergando. Os olhos não estão prestando muita atenção em todos os detalhes, mas, sim, notando padrões. Nossos processos mentais recorrem a atalho semelhante. Quando ocorre algo ou quando conhecemos alguém, não paramos para pensar em todos os aspectos ou detalhes, mas, em vez disso, vemos esboços ou padrões que se encaixam em nossas expectativas e em nossas experiências. Enquadramos os objetos ou pessoas em categorias. Como acontece com a visão, pensar em profundidade sobre todos esses acontecimentos, objetos ou pessoas deixaria o cérebro exausto. Infelizmente, transferimos esse atalho mental para quase tudo – essa é a principal característica da mente convencional. Podemos imaginar que, ao resolver um problema ou ao realizar uma ideia, estamos sendo altamente racionais e meticulosos; porém, como ocorre com os olhos, não temos consciência da intensidade com que nossos pensamentos se encaixam nas mesmas seções estreitas e nas mesmas categorizações precipitadas.

As pessoas criativas conseguem resistir a esses atalhos. Elas são capazes de observar um fenômeno de vários ângulos diferentes, percebendo aspectos que ignoramos porque olhamos apenas em linha reta. Às vezes, depois que divulgam uma de suas descobertas ou invenções, nos surpreendemos com o fato de ser algo tão óbvio e nos perguntamos por que ninguém pensou nisso antes. É porque as pessoas criativas realmente observam o que está oculto à primeira vista, sem partir para generalizações ou classificações apressadas. Não importa se essa capacidade é natural ou aprendida: a mente pode ser treinada para se soltar e escapar das limitações. Para isso, é preciso se conscientizar dos padrões típicos em que a mente se encaixa e de como romper esses padrões e alterar sua perspectiva por meio de esforço deliberado. Ao se engajar nesse processo, você ficará impressionado com as ideias e com a criatividade que serão liberadas. Eis alguns dos padrões e atalhos mais comuns e algumas maneiras de evitá-los.

Olhar para o "o quê", em vez de para o "como"

Digamos que algo dê errado em um projeto. Nossa tendência é buscar uma causa única ou uma explicação simples, que revele como resolver o problema. Se o livro que estamos escrevendo não está ficando bom, nós nos concentramos na redação pouco inspirada ou no conceito mal orientado por trás dele. Ou se a empresa em que trabalhamos não vem apresentando um bom desempenho, voltamo-nos para os produtos que produzimos e comercializamos. Embora imaginemos que estamos sendo racionais ao pensar dessa maneira, quase sempre os problemas são mais complexos e holísticos. Na verdade, nós os estamos simplificando, com base na lei de que a mente sempre procura atalhos.

Olhar para o "como" em vez de para o "o quê" significa focar na estrutura – em como as partes se relacionam com o todo. Quanto ao livro, talvez ele não esteja ficando bom porque não está bem organizado, e a má organização é consequência de ideias sobre as quais não refletimos. Nossa mente está em desordem, o que se manifesta no trabalho. Pensando dessa forma, somos forçados a ir mais fundo nas partes e em como elas se relacionam com o conceito total; ao aprimorar a estrutura, melhoraremos a redação. No caso da empresa, devemos analisar com mais profundidade a organização em si – a qualidade da comunicação interpessoal, a rapidez e a fluidez com que se transmitem informações. Se as pessoas não se comunicam, se não estão em sintonia, nenhuma mudança no produto ou no marketing melhorará o desempenho.

Tudo na natureza tem uma estrutura, a maneira como as partes se relacionam umas com as outras, o que em geral é fluido e difícil de conceituar. Nossa mente tende a separar as coisas, a pensar em termos de substantivos, não de verbos. Em geral, deve-se prestar mais atenção nas relações entre as coisas, porque esse enfoque proporciona uma percepção melhor do panorama geral. Foi observando a relação entre eletricidade e magnetismo, e a relatividade de seus efeitos, que os cientistas deflagraram toda uma revolução no pensamento científico, de Michael Faraday a Albert Einstein. Essa revolução está para acontecer em um nível mais mundano: em nosso pensamento cotidiano.

Precipitar-se para generalidades e ignorar os detalhes

Nossa mente sempre parte para generalizações apressadas sobre as coisas, com frequência baseada em informações insuficientes. Formamos opiniões depressa, em conformidade com nossas ideias anteriores, e não prestamos muita atenção aos detalhes. Para combater esse padrão, precisamos, às vezes, deslocar o foco do *macro* para o *micro* – atribuindo muito mais ênfase aos detalhes, à imagem mais restrita. Quando Darwin quis se certificar de que sua teoria era exata, dedicou oito longos anos de sua vida ao estudo exclusivo das cracas. Observando atentamente essa minúcia microscópica da natureza, alcançou uma confirmação da teoria mais ampla.

Quando Leonardo da Vinci quis criar todo um novo estilo de pintura, algo mais natural e emocional, dedicou-se ao estudo obsessivo dos detalhes. Passou horas a fio experimentando diferentes incidências de luz sobre sólidos geométricos, para testar como a luz poderia alterar a aparência dos objetos. Encheu centenas de páginas de seus cadernos com a exploração das várias gradações de sombra em todas as combinações possíveis. Concentrou-se com a mesma atenção nas dobras das vestes, nos tipos de penteados, nas várias mudanças fugazes do semblante humano. Ao admirarmos suas obras, não temos consciência desses esforços, mas sentimos como suas pinturas são muito mais vivas e realistas, como se o artista tivesse captado todo o vigor da realidade.

De modo geral, tente abordar os problemas ou ideias com a mente muito aberta. Deixe que o estudo dos detalhes oriente seu pensamento e molde suas teorias. Pense em tudo na natureza, ou no mundo, como uma espécie de holograma – a menor parte refletindo algo essencial do todo. A imersão nos detalhes combate a tendência do cérebro para a generalização e aproxima o observador da realidade. Empenhe-se, porém, para não se fascinar pelos detalhes e perder de vista a maneira como se refletem no todo e se encaixam numa ideia mais ampla. Esse seria simplesmente o outro lado da mesma doença.

Confirmar os paradigmas e desprezar as anomalias

Em todas as áreas de atuação sempre há paradigmas inevitáveis – maneiras convencionais de explicar a realidade. Essa tendência é importante, pois, sem esses paradigmas, seríamos incapazes de compreender o mundo. Às vezes, porém, esses mesmos modelos acabam dominando nossa forma de pensar. Costumamos procurar padrões no mundo que confirmem aquilo em que já acreditamos. O que não se encaixa nos paradigmas – as anomalias – tende a ser ignorado ou descartado. Na verdade, são as anomalias em si que contêm as informações mais proveitosas. Elas em geral nos revelam as falhas de nossos padrões e nos abrem novas maneiras de ver o mundo. Você deve se transformar em detetive, deliberadamente identificando e observando as mesmas anomalias que as pessoas tendem a desconsiderar.

No final do século XIX, vários cientistas observaram o fenômeno estranho de metais raros, como o urânio, que emitem raios luminescentes de natureza desconhecida, sem qualquer exposição à luz. Mas ninguém prestou muita atenção no fato. Presumia-se que algum dia surgiria uma explicação racional para esse fenômeno, algo que se enquadrasse nas teorias gerais sobre a matéria. No entanto, para a cientista Marie Curie, essa anomalia era exatamente a questão que precisava ser investigada. Ela intuiu que o fenômeno tinha o potencial de expandir nosso conceito de matéria. Durante quatro longos anos, Marie, com a ajuda do marido, Pierre, dedicou a vida ao estudo do fenômeno, que acabou denominando *radioatividade*. A descoberta veio a alterar por completo a visão da matéria em si pelos cientistas, que, até então, considerava apenas elementos estáticos e fixos, mas agora se revelava muito mais volátil e complexa.

Quando Larry Page e Sergey Brin, fundadores do Google, examinaram os mecanismos de busca existentes na década de 1990, eles se concentraram nas falhas aparentemente triviais de sistemas como AltaVista, ou seja, nas anomalias. Esses mecanismos de busca, que constituíam as *startups* mais promissoras da época, classificavam as ocorrências sobretudo com base no número de vezes em que o objeto fora mencionado em determinado artigo. Embora o método não raro produzisse resultados inúteis ou irrelevantes, a falha era considerada apenas uma peculiaridade do sistema, que acabaria sendo eliminada ou simplesmente aceita. Ao focarem nessa anomalia, Page e Brin identificaram uma debilidade gritante em todo o conceito e desenvolveram um algoritmo de classificação muito diferente – baseado na relação entre as páginas e o termo procurado –, o que transformou de forma radical a eficácia e o uso da ferramenta.

Para Charles Darwin, o ponto crucial da teoria decorreu da observação das mutações. As variações estranhas e aleatórias dos seres vivos são a causa do surgimento e da evolução de uma nova espécie. Pense nas anomalias como deflagradoras e norteadoras da evolução. Elas geralmente representam o futuro, mas, à primeira vista, parecem estranhas. Ao estudá-las, pode-se vislumbrar o futuro antes de qualquer outra pessoa.

Focar no que está presente, esquecer o que está ausente

Em *Estrela de prata*, romance policial de Arthur Conan Doyle, Sherlock Holmes resolve um crime prestando atenção no que não aconteceu – o cão da família não latiu. Isso indicava que o assassino era alguém que o animal conhecia. A história mostra como a pessoa comum geralmente não está atenta ao que denominaremos *pistas negativas*, algo que deveria ter acontecido mas não aconteceu. Nossa tendência natural é focarmos nas informações positivas, considerar apenas o que podemos ver e ouvir. Somente os tipos mais criativos como Holmes pensam de maneira mais abrangente e rigorosa, levando em conta as informações que faltam em um evento; percebendo as ausências tanto quanto as presenças.

Durante séculos, os médicos presumiram que as doenças eram provocadas exclusivamente por agentes externos que atacavam o corpo – um germe contagioso, uma corrente de ar frio, vapores contaminados, e assim por diante. O tratamento dependia da descoberta de medicamentos que se contrapusessem aos efeitos danosos desses fatores ambientais. Até que, no começo do século XX, o bioquímico Frederick Gowland Hopkins, estudando os efeitos do escorbuto, teve a ideia de inverter a perspectiva. O que causava o escorbuto não era algo que atacava de fora, mas algo que *faltava* no corpo – nesse caso, o que veio a ser conhecido como vitamina C. Pensando de forma criativa, ele não considerou o que estava presente, mas o que estava ausente, a fim de resolver o problema. Isso levou a seu trabalho revolucionário sobre vitaminas, que alterou por completo o conceito de saúde.

Nos negócios, a tendência natural é observar o que já está presente no mercado e pensar em como torná-lo melhor ou mais barato. A abordagem mais eficaz – equivalente a ver a pista negativa – é concentrar a atenção em alguma necessidade que não está sendo atendida, no que está ausente. Para isso é necessário mais reflexão e um esforço maior de conceituação, mas as recompensas podem ser imensas quando se identifica uma carência insatisfeita. Um modo interessante de iniciar esse processo mental é partir de uma nova tecnologia disponível e considerar como ela poderia ser aplicada de forma muito diferente, atendendo a alguma necessidade latente, que talvez exista, mas que não é de todo evidente. Se a necessidade for óbvia demais, outras pessoas já a estarão considerando.

Afinal, a capacidade de mudar a perspectiva é uma função da imaginação. Precisamos aprender a imaginar mais possibilidades do que em geral consideramos, sendo tão abertos e radicais nesse processo quanto possível. Trata-se de algo tão importante para inventores e empresários quanto para artistas. Veja o caso de Henry Ford, pensador altamente criativo. Nos primeiros estágios da fabricação de automóveis, Henry Ford imaginou um tipo de empresa diferente da predominante na época. Ele queria produzir em massa o automóvel, ajudando a criar a cultura de consumo, que sentia estar chegando. Mas os operários de suas fábricas demoravam mais de 12 horas para produzir um único automóvel, o que era lento demais para atingir seu objetivo.

Um dia, pensando em métodos para acelerar a produção, Ford observou os trabalhadores correndo para todos os lados, o mais rápido que podiam, em torno do automóvel em fabricação, imóvel sobre uma plataforma. Ford não pensou nas ferramentas e em como podiam ser melhoradas, tampouco se preocupou em aumentar a velocidade dos operários ou em contratar mais mão de obra – pequenas mudanças que não seriam suficientes para chegar à dinâmica da produção em massa. Em vez disso, ele *imaginou* algo completamente diferente. De repente, como um lampejo, ele viu carros se movimentando em linha, entre sucessivos postos de trabalho estacionários, cada trabalhador executando apenas algumas tarefas à medida que os veículos avançavam de uma para outra posição. Em poucos dias, experimentou a ideia e se deu conta da importância do que estava a ponto de realizar. Quando ela foi totalmente implementada, em 1914, a linha de montagem era capaz de produzir um carro em 90 minutos. Com o passar do tempo, ele aprimorou ainda mais o processo que proporcionava essa miraculosa economia de tempo.

À medida que você libera a mente e desenvolve a capacidade de mudar sua perspectiva, lembre-se do seguinte: as emoções que sentimos em qualquer momento exercem uma influência desmedida sobre a forma como percebemos o mundo. Se estamos com medo, tendemos a enfatizar os perigos de alguma ação. Se nos sentimos ousados, tendemos a ignorar os riscos potenciais. O que se deve fazer, então, é não só alterar a perspectiva mental mas também inverter a disposição emocional. Por exemplo, se você estiver enfrentando muita resistência e sofrendo retrocessos em seu trabalho, tente encarar a situação como algo de fato muito positivo e produtivo. Essas dificuldades o tornarão mais corajoso e mais consciente das falhas a serem corrigidas. Nos exercícios físicos, a resistência é uma maneira de fortalecer o corpo, o mesmo acontecendo com a mente. Atue do mesmo modo em relação aos bons tempos, quando tudo parece dar certo – conscientizando-se do perigo de se tornar complacente, de ficar viciado em receber toda a atenção, e assim por diante. Essas inversões liberarão a imaginação para conceber mais possibilidades, o que afetará seu método de trabalho. Se você encarar os retrocessos como oportunidades, é mais provável que isso se converta em realidade.

E. RETORNE ÀS FORMAS PRIMITIVAS DE INTELIGÊNCIA

Como vimos na Introdução (página 17), nossos ancestrais mais primitivos desenvolveram várias formas de inteligência anteriores à invenção da linguagem, o que os ajudou na árdua luta pela sobrevivência. Eles pensavam sobretudo em termos de imagens visuais, tornando-se mestres em perceber padrões e em discernir detalhes importantes no ambiente. Perambulando por vastos espaços abertos, desenvolveram o raciocínio espacial e aprenderam a se orientar nos mais diferentes contextos, usando pontos de referência e a posição do sol. Eram capazes de pensar em termos mecânicos e se tornaram extremamente habilidosos na coordenação das mãos e dos olhos para criar coisas.

Com a invenção da linguagem, o intelecto de nossos ancestrais se desenvolveu em ritmo acelerado. Ao pensar com palavras, podiam imaginar muito mais possibilidades no mundo circundante, que, então, eram capazes de transmitir aos outros e de converter em ação. Assim, o cérebro humano progrediu ao longo dessas linhas evolutivas como instrumento multitarefa, extremamente flexível, capaz de pensar em vários níveis, combinando muitas formas de inteligência com todos os sentidos. Mas, ao longo do percurso, surgiu um problema. Aos poucos, perdemos a flexibilidade intelectual e nosso raciocínio ficou muito dependente das palavras. No processo, também reduzimos as ligações com os sentidos – visão, olfato e tato – que antes desempenhavam um papel tão importante em nossa inteligência. A linguagem é em grande parte um sistema concebido para a comunicação social. Baseia-se em convenções compartilhadas por todos e mais ou menos rígidas e estáveis, de modo a possibilitar o entendimento mútuo com um mínimo de ruído. No entanto, quando se trata da incrível complexidade e fluidez da vida, ela com frequência nos deixa em uma situação precária.

A gramática das línguas nos aprisiona em certas formas de lógica e de maneiras de pensar. É como disse o escritor Sidney Hook: "Quando Aristóteles elaborou sua tábua de categorias, que para ele representavam a gramática da existência, estava projetando a gramática da língua grega no cosmos." Alguns linguistas já se referiram ao grande número de conceitos que não dispõem de termos específicos que os descrevam na nossa língua. Se não há palavras para denotar certos conceitos, tendemos a não pensar neles. Assim, a linguagem é, não raro, uma ferramenta muito limitada e restritiva em comparação com os poderes múltiplos da inteligência humana.

Nos últimos 100 anos, com o rápido desenvolvimento das ciências, da tecnologia e das artes, nós, humanos, tivemos que usar o cérebro para resolver problemas cada vez mais complexos, e as pessoas realmente criativas desenvolveram a capacidade de pensar além da linguagem para recuar às formas primitivas de inteligência, que nos serviram durante milhões de anos.

De acordo com o célebre matemático Jacques Hadamard, a maioria de seus colegas pensa em termos de imagens, criando o equivalente visual do teorema que estão tentando elaborar. Michael Faraday era um grande pensador visual. Quando concebeu a ideia de linhas de força eletromagnéticas, antecipando-se às teorias de campo do século XX, ele as avistou com os olhos da mente antes de escrever sobre elas. A estrutura da tabela periódica ocorreu ao químico Dmitry Mendeleyev durante um sonho, no qual ele deparou com os elementos diante de seus olhos, em um esquema visual. A lista de pensadores renomados que recorreram a imagens é enorme, e talvez o mais notável deles tenha sido Albert Einstein, que um dia escreveu: "As palavras de uma língua, sejam escritas ou faladas, não parecem desempenhar qualquer papel em meu mecanismo de pensamento. As entidades psíquicas que parecem servir como elementos no pensamento são certos sinais e imagens mais ou menos claras, que podem ser reproduzidos e combinados voluntariamente."

Inventores como Thomas Edison e Henry Ford pensavam não apenas em termos visuais, mas também por meio de modelos tridimensionais. Diz-se que Nikola Tesla, grande engenheiro eletricista e mecânico, era capaz de visualizar com minúcias uma máquina inteira e todas as suas partes, que ele então construía de acordo com o que imaginara.

A razão para essa "regressão" às formas de pensamento visuais é simples. A memória operacional humana é limitada. Usando imagens, podemos conceber ao mesmo tempo, num relance, muitas coisas diferentes. Ao contrário das palavras, que podem ser impessoais e rígidas, a visualização é algo que criamos, que atende às necessidades específicas do momento e que pode representar uma ideia de modo mais fluido e realista que as palavras. O uso de imagens para compreender o mundo talvez seja a forma mais primitiva de inteligência, capaz de nos ajudar a evocar ideias que depois verbalizamos. Enquanto as palavras são abstratas, as imagens ou modelos de súbito tornam nossas ideias mais concretas, o que atende à nossa necessidade de perceber as coisas com os sentidos.

Mesmo que pensar dessa maneira não seja natural para você, usar diagramas e modelos para compreender melhor o processo criativo pode ser bastante produtivo. No começo de suas pesquisas, Charles Darwin, que, normalmente, não era um pensador visual, recorreu a uma imagem para conceituar a evolução – uma árvore com galhos irregulares. Aquilo significava que todas as formas de vida emergiram de uma semente; alguns galhos da árvore já maduros, outros ainda crescendo e produzindo novos brotos. A imagem se mostrou extremamente útil, e ele voltou a ela várias vezes. Os biólogos moleculares James D. Watson e Francis Crick criaram um grande modelo tridimensional da molécula do DNA, com o qual podiam interagir e alterar; esse modelo desempenhou função importante na descoberta e na descrição do DNA.

O uso de imagens, diagramas e modelos ajuda a revelar padrões em seu pensamento e novas direções a seguir, que seriam difíceis de imaginar somente com palavras. Com as ideias exteriorizadas em um diagrama ou modelo relativamente simples, é possível visualizar todo o conceito de uma vez, o que ajuda a organizar massas de informações e acrescentar-lhes novas dimensões.

Essa imagem ou modelo conceitual pode resultar de uma reflexão intensa, que foi como Watson e Crick conceberam o modelo tridimensional do DNA; ou pode ocorrer em momentos de inconsciência ou semiconsciência – durante um sonho ou um devaneio. Na segunda hipótese, a visualização exige certo grau de relaxamento. Se pensar demais, você produzirá algo muito literal. Permita que sua atenção divague, brinque com as fronteiras do conceito, relaxe a consciência e deixe que as imagens lampejem em sua mente.

No começo da carreira, Michael Faraday teve aulas de desenho e pintura com o objetivo de reproduzir os experimentos a que assistia em várias palestras. E acabou descobrindo que os desenhos o ajudavam a pensar de várias maneiras. A conexão mão-cérebro é algo profundamente estruturado nos seres humanos; quando tentamos esboçar algum objeto, devemos observá-lo com atenção, desenvolvendo uma sensação nos dedos para dar vida ao que queremos reproduzir. Essa prática pode ajudá-lo a pensar em termos visuais e a liberar a mente das verbalizações constantes. Para Leonardo da Vinci, desenhar e pensar eram sinônimos.

Um dia, o escritor e polímata Johann Wolfgang von Goethe fez uma descoberta curiosa sobre o processo criativo de um amigo, o grande escritor alemão Friedrich Schiller. Em visita à casa de Schiller, disseram-lhe que o escritor havia saído, mas que retornaria em breve. Goethe resolveu esperar e se sentou diante da escrivaninha do amigo. De repente, sentiu vertigem, a cabeça rodando. Quando se dirigia à janela, a sensação desaparecia. Percebeu então que algum tipo de odor estranho e nauseante emanava de uma gaveta na escrivaninha. Ao abri-la, ficou estupefato ao ver maçãs estragadas, algumas em avançado estado de putrefação. Quando a esposa de Schiller entrou no cômodo, ele lhe perguntou sobre as maçãs e sobre o fedor. A resposta foi que ela mesma, regularmente, enchia as gavetas com as maçãs – o marido gostava do cheiro e dizia que produzia seus trabalhos mais criativos ao inalar aquele odor.

Outros artistas e pensadores conceberam artifícios semelhantes para estimular o processo criativo. Durante suas reflexões profundas sobre a teoria da relatividade, Albert Einstein gostava de segurar uma bola de borracha, que apertava a intervalos. Para trabalhar, o escritor Samuel Johnson precisava de um gato sobre a mesa, que às vezes acariciava, para fazê-lo ronronar, e uma fatia de laranja. Parece que apenas com esses estímulos sensuais ele conseguia a motivação adequada para o trabalho.

Todos esses casos se relacionam com o fenômeno da sinestesia – momentos em que uma percepção evoca outra, pertencente ao domínio de outro sentido. Por exemplo, determinado som nos lembra uma cor, certa imagem nos evoca um cheiro. Estudos demonstraram que a sinestesia é muito mais comum entre artistas e pensadores. Já se especulou que o aguçamento dessa faculdade decorre de um alto grau de conectividade no cérebro, atributo que também contribui para a inteligência. Pessoas criativas não pensam apenas com palavras, mas usam todos os sentidos, aplicam o corpo inteiro no processo. Elas encontram pistas sensoriais que estimulam o pensamento em muitos níveis – seja um cheiro intenso, seja uma sensação táctil. Isso significa que são mais abertas a formas alternativas de pensar, de criar e de sentir o mundo. Desfrutam de uma variedade mais ampla de experiências sensoriais.

Você também deve expandir as noções de pensamento e de criatividade além dos limites das palavras e das verbalizações. Estimular o cérebro e os sentidos em várias direções ajuda a liberar a criatividade primordial e a recuperar a mente original.

Terceiro passo: A ruptura criativa – Tensão e insight

Na vida criativa de quase todos os Mestres, constatamos o seguinte padrão: eles começam os projetos cheios de intuição e empolgação sobre as possibilidades de sucesso. O projeto está profundamente ligado a algo pessoal e essencial, e lhes parece muito vívido.

À medida que essa excitação nervosa inicial os inspira em certas direções, eles começam a dar forma ao conceito, estreitando suas possibilidades e canalizando suas energias para ideias que se tornam cada vez mais distintas. Entram numa fase de foco intenso. Mas os Mestres sempre possuem outro atributo que complica o processo de trabalho: não se satisfazem facilmente com o que estão fazendo. Embora se sintam empolgados, também têm dúvidas sobre o valor do trabalho. Cultivam altos padrões internos. Conforme progridem, passam a detectar falhas e dificuldades na ideia original que não haviam previsto de início.

Ao mesmo tempo que o processo se torna cada vez mais consciente e menos intuitivo, aquela ideia a princípio tão vívida começa a parecer desgastada. É um sentimento incômodo, e eles se dedicam ainda mais ao trabalho na tentativa de encontrar uma solução. Quanto mais tentam, mais tensão e frustração acabam criando. No começo, a mente estava apinhada de ricas associações; agora, parece presa a uma linha estreita de pensamento, que não suscita as mesmas conexões. A certa altura do processo, indivíduos menos brilhantes simplesmente desistiriam ou se satisfariam com padrões mais baixos – com um projeto medíocre e mal-acabado. Os Mestres, porém, são mais fortes. Já passaram por isso antes e, em nível inconsciente, compreendem que devem persistir e que a frustração, ou o sentimento de bloqueio, tem um propósito.

A certa altura, quando a tensão se torna insuportável, resolvem relaxar durante algum tempo. Talvez seja apenas uma questão de interromper o trabalho e dormir; mas também pode ser uma paralisação mais longa, uma pausa para se dedicar durante algum tempo a outro trabalho. O que quase sempre acontece nesses casos é que a ideia perfeita para concluir o trabalho lhes ocorre como uma revelação.

Depois de 10 longos anos de reflexão incessante sobre o problema da relatividade geral, Albert Einstein decidiu, uma noite, simplesmente desistir. Já era o suficiente. Estava além de suas forças. Foi para a cama cedo e, ao acordar, deparou com a solução. O compositor Richard Wagner trabalhara tanto em sua ópera *O ouro do Reno* que ficou com um bloqueio. Frustrado, deu um longo passeio pelo bosque, deitou-se e adormeceu. Numa espécie de sonho, sentiu-se afundando em um curso d'água, que fluía com rapidez. O som da água corrente transformou-se em acordes musicais. Até que ele despertou assustado, com a sensação de afogamento. Voltou para casa e tomou nota dos acordes do sonho, que pareciam reproduzir com perfeição o som do riacho. Os acordes se tornaram o prelúdio da ópera, o leitmotiv que percorre toda a obra e uma de suas peças mais admiráveis.

Essas histórias são tão comuns que indicam algo essencial sobre o cérebro e sobre o modo como ele alcança certos piques de criatividade. Podemos explicar esse padrão da seguinte maneira: se continuássemos tão empolgados quanto no começo do projeto, mantendo aquele sentimento intuitivo que deflagrou todo o processo, jamais seríamos capazes de assumir a distância necessária para observar nosso trabalho com objetividade e aprimorá-lo. A perda do vigor inicial nos leva a elaborar e a retrabalhar a ideia. Obriga-nos a não nos satisfazermos cedo demais com uma solução fácil. A rigidez e a frustração cada vez maiores, decorrentes da dedicação obstinada a um problema ou a uma ideia, naturalmente conduz a um ponto de ruptura. Percebemos que não estamos chegando a lugar algum. Esses momentos são avisos do cérebro para relaxar, pelo tempo que for necessário, e a maioria das pessoas criativas, consciente ou inconscientemente, aceita a recomendação.

Quando relaxamos, não estamos conscientes de que, abaixo da superfície da consciência, as ideias e as associações que desenvolvemos continuam a borbulhar e a evoluir. Menos pressionado, o cérebro é capaz de, por um momento, voltar ao estado inicial de empolgação que, a essa altura, já foi enriquecido por todo o trabalho árduo. Agora, o cérebro tem condições de encontrar a síntese adequada do trabalho, que até então se esquivava de nós, por estarmos sendo muito rígidos na abordagem. Talvez a ideia dos sons de água corrente em *O ouro do Reno* tivesse aflorado antes, sob diferentes formas, no cérebro de Wagner, enquanto ele se esforçava para encontrar a abertura certa. Somente ao desistir da busca e ao adormecer no bosque ele conseguiu acessar sua mente inconsciente e permitir que a ideia que vinha fermentando dentro de si viesse à tona sob a forma de um sonho.

O segredo é se conscientizar desse processo e ir tão longe quanto possível com as dúvidas, com os retrabalhos e com o esforço, ciente do valor e do propósito da frustração e do bloqueio criativo que você está enfrentando. Veja a si mesmo como seu próprio mestre zen. Esses mentores os levam a piques de dúvida e de tensão, sabendo que esses momentos em geral precedem a epifania.

Entre as inúmeras histórias de grandes insights e descobertas, talvez a mais estranha de todas seja a de Évariste Galois, promissor estudante de matemática francês que, na adolescência, revelou uma genialidade excepcional em álgebra. Em 1831, aos 20 anos, se envolveu em uma disputa por uma mulher, e foi desafiado para um duelo. Na noite anterior ao duelo, certo de que morreria, Galois se sentou e tentou resumir todas as suas ideias sobre equações algébricas, que vinham assediando-o havia vários anos. De repente, as ideias fluíram, e até novos conceitos lhe ocorreram. Ele escreveu durante toda a noite, em ritmo frenético. No dia seguinte, como havia previsto, morreu no duelo, mas, nos anos que se seguiram, suas anotações foram lidas e publicadas, revolucionando completamente a álgebra superior. Alguns de seus registros indicavam rumos para a matemática que, na época, estavam tão à frente de seu tempo que é difícil sondar de onde teriam surgido.

Esse é um exemplo um tanto extremo, mas a história revela algo elementar sobre a necessidade de tensão. O sentimento de que temos tempo para completar nosso trabalho produz um efeito debilitante e traiçoeiro sobre a mente. A atenção e o raciocínio ficam difusos. A falta de intensidade dificulta a entrada do cérebro em um ritmo mais acelerado. As conexões não se completam. Para tanto, é preciso trabalhar com prazos, sejam reais ou autoimpostos. Ao deparar com o menor tempo possível para terminar o trabalho, a mente atinge o nível necessário. As ideias se amontoam. Você não pode se dar ao luxo de se sentir frustrado. Todos os dias representam um desafio intenso, e todas as manhãs você acorda com ideias e associações originais, que o impulsionam para a frente.

Se você não tiver prazos, imponha-os a si mesmo. O inventor Thomas Edison compreendeu que trabalhava muito melhor sob pressão. Deliberadamente conversava com a imprensa sobre uma invenção antes de concluí-la. Suas declarações geravam alguma publicidade e interesse no público quanto às possibilidades da invenção iminente. Se ele falhasse ou permitisse passar muito tempo, sua reputação sofreria as consequências; assim, a mente passava a trabalhar em velocidade vertiginosa, e ele fazia acontecer. Nesses casos, a mente é como um exército acuado contra o mar e a montanha, incapaz de recuar. Sentindo a proximidade da morte, toda a tropa combate com vigor inesperado.

Armadilhas emocionais

Quando chegamos à fase criativa-ativa de nossa carreira, encaramos novos desafios que não são simplesmente mentais ou intelectuais. O trabalho é mais exigente; estamos por conta própria e os riscos são mais altos. Nosso trabalho agora é mais exposto ao conhecimento público, sujeito, portanto, a um escrutínio rigoroso. Talvez tenhamos as ideias mais brilhantes e uma mente capaz de superar as maiores dificuldades intelectuais, mas, se não formos cuidadosos, cairemos em armadilhas emocionais. Ficaremos muito inseguros, ansiosos demais com as opiniões alheias ou excessivamente autoconfiantes. Ou nos sentiremos entediados e perderemos o gosto pelo trabalho duro, que é sempre indispensável. É difícil nos desvencilharmos dessas arapucas; carecemos da perspectiva necessária para ver o que deu errado. É melhor estar preparado para essas armadilhas e nunca cair nelas. Eis as ameaças mais comuns à espreita no nosso caminho.

Complacência: Na infância, o mundo parecia um lugar encantado. Tudo o que encontrávamos tinha intensidade e despertava admiração. Agora, de nosso ponto de vista maduro, consideramos ingênuas as reações de arrebatamento, algo que superamos com nossa sofisticação e nossa vasta experiência do mundo real. Palavras como "encantamento" ou "deslumbramento" são objetos de escárnio. Mas imagine por um momento que ainda cultivamos essas reações extasiadas. O fato de a vida ter começado naturalmente tantos bilhões de anos atrás, de uma espécie consciente como a nossa ter surgido e evoluído até a forma presente, de já havermos saído de nosso planeta e visitado a Lua, de compreendermos leis fundamentais da física, e assim por diante, tudo isso devia nos encher constantemente de espanto. Nossas atitudes céticas e cínicas envolvem o risco de nos alienarmos de muitas questões interessantes, e até da realidade em si.

Depois que passamos por uma rigorosa fase de aprendizagem e que começamos a flexionar os músculos criativos, não há como deixar de sentir satisfação pelo que aprendemos e pelo ponto a que chegamos. Espontaneamente, começamos a não dar valor a algumas ideias que aprendemos e desenvolvemos. Aos poucos, paramos de fazer as mesmas perguntas que nos assediavam até então. Já conhecemos as respostas. Até nos sentimos superiores. Sem nos conscientizarmos disso, a mente se estreita e se enrijece à medida que a complacência se infiltra na alma, e, ainda que tenhamos conquistado reconhecimento público por nosso trabalho passado, sufocamos nossa própria criatividade e jamais a recuperamos. Faça de tudo para combater essa tendência, preservando ativa sua capacidade de deslumbramento. Lembre-se o tempo todo de quão pouco você realmente sabe, e de como o mundo continua misterioso.

Conservadorismo: Se você conquistar algum tipo de atenção ou sucesso por seu trabalho nesta fase, cuidado com o grande perigo do conservadorismo. Essa ameaça se manifesta sob várias formas. Você começa a se apaixonar pelas ideias e estratégias que deram certo no passado. Por que se arriscar a mudar seu estilo no meio do percurso ou se adaptar a novos métodos de trabalho? É melhor persistir no que foi testado e comprovado. Você também tem uma reputação a proteger – é melhor não dizer nem fazer nada que cause perturbação. Você se vicia no conforto material que conquistou e, antes de se dar conta, passa a defender ideias em que julga acreditar, mas que, na verdade, decorrem da necessidade de agradar ao público, aos patrocinadores ou a quem quer que seja.

A criatividade é, por natureza, um ato de ousadia e de rebelião. Você não aceita o status quo nem a sabedoria convencional. Questiona as próprias regras que aprendeu, experimenta e testa as fronteiras. O mundo está ansioso por ideias mais ousadas, por pessoas que não tenham medo de especular nem de investigar. O conservadorismo estreita suas buscas, atrela-o às ideias confortáveis e o leva a uma espiral descendente – à medida que a centelha criativa o abandona, você se agarra com cada vez mais força às ideias mortas, aos sucessos do passado e à necessidade de manter seu status. Adote como objetivo a criatividade, não o conforto, e suas chances de sucesso serão muito maiores.

Dependência: Na fase de aprendizagem, você dependia de mentores e de outras pessoas em níveis hierárquicos mais altos para avaliar seu desempenho na área em que atuava. Se não tomar cuidado, você manterá essa necessidade de aprovação ao longo da fase seguinte. Só que, em vez de depender do julgamento de seu trabalho pelo Mestre, você agora – sempre inseguro sobre seu trabalho e sobre como ele será julgado – passa a depender das opiniões do público. Isso não significa que você deva ignorar esses julgamentos, mas, sim, que é preciso primeiro trabalhar com afinco para desenvolver critérios de avaliação próprios e para conquistar um alto grau de independência. Assim, você adquire a capacidade de ver seu próprio trabalho com certo distanciamento; quando o público reagir, você terá condições de distinguir entre o que merece atenção e o que deve ser ignorado. Seu objetivo, afinal, é internalizar a voz do Mestre para se tornar ao mesmo tempo mentor e aluno de si mesmo. Do contrário, você não terá padrões internos para avaliar seu próprio trabalho e ficará ao sabor das opiniões alheias.

Impaciência: Essa talvez seja a mais perigosa de todas as armadilhas, algo que o ameaça o tempo todo, por mais disciplinado que se considere. Você se convence de que seu trabalho está concluído e bem-feito, quando, na verdade, é a impaciência que está pressionando e influenciando seu julgamento. Você tende a perder a energia que o diferenciava quando era mais jovem e tinha mais garra. De forma inconsciente, descamba para a repetição – aplicando as mesmas ideias e processos, como uma espécie de atalho. Infelizmente, o processo criativo exige intensidade e vigor incessantes. Cada exercício, problema ou projeto é diferente. Apressar-se para chegar ao fim ou requentar velhas ideias apenas produzirá resultados medíocres.

Leonardo da Vinci compreendeu os perigos da impaciência e adotou como lema a expressão *ostinato rigore*, que se traduz como "rigor obstinado" ou "prática perseverante". Para cada projeto em que se envolvia – e no fim da vida chegavam aos milhares – ele repetia o mote, e atacava cada um com o mesmo vigor e determinação. A melhor maneira de neutralizar nossa impaciência natural é cultivar uma espécie de prazer na dor – como os atletas, você passa a gostar do exercício exaustivo, da superação dos limites e da renúncia às práticas simplistas e ineficazes.

Grandiosidade: Às vezes, o grande perigo decorre mais do sucesso e do elogio que da crítica. Se aprendermos a lidar bem com a crítica, ela pode nos fortalecer e nos ajudar a corrigir as falhas em nosso trabalho. O elogio quase sempre causa danos. Muito lentamente, a ênfase se desloca da alegria do processo criativo para o amor pela atenção e pelo ego inflado. Sem percebermos, alteramos e moldamos nosso trabalho para atrair os louvores por que tanto ansiamos. Não compreendemos o fator sorte, que sempre contribui para o sucesso – em geral dependemos de estar no lugar certo, na hora certa. Em vez disso, passamos a pensar que nosso brilhantismo atraiu naturalmente nosso sucesso e atenção, como se estivéssemos fadados a esse desfecho. Depois de decolar, o ego só volta ao chão por força de um fracasso retumbante, que também deixa cicatrizes. Para evitar esse destino, é preciso ter uma visão mais ampla. Sempre há outras pessoas por aí que o superam em genialidade. A sorte com certeza desempenha um papel, assim como a ajuda do mentor e de todos aqueles que no passado pavimentaram seu caminho. O que em última instância deve motivá-lo é o trabalho em si e o processo. A atenção do público significa de fato perturbação e distração. Essa atitude é a única defesa contra as armadilhas engendradas pelo ego.

Inflexibilidade: Ser criativo envolve certos paradoxos. Você deve conhecer seu campo de atuação por dentro e por fora, e, mesmo assim, questionar suas premissas mais arraigadas. Deve ser ingênuo o suficiente para suscitar certas questões, mas também otimista o bastante para acreditar que resolverá o problema; e, ao mesmo tempo, deve duvidar regularmente de ter atingido o objetivo, sujeitando seu trabalho a uma autocrítica intensa. Tudo isso exige muita flexibilidade, o que significa não se prender demais a determinada mentalidade. É preciso adotar uma atitude compatível com as circunstâncias.

Não é fácil nem espontâneo cultivar a flexibilidade. Quando você passa algum tempo empolgado e esperançoso em relação a certa ideia, é complicado adotar uma posição mais crítica. Por outro lado, ao observar o próprio trabalho com intensidade e questionamento, você perde temporariamente o otimismo e o amor pelo que faz. Evitar esses problemas exige prática e, em geral, requer alguma experiência – uma vez que já tenha superado um período de dúvidas, você achará mais fácil na próxima vez. Em todo caso, é preciso evitar os extremos emocionais e descobrir formas de levantar dúvidas e, ao mesmo tempo, preservar o otimismo – sensação difícil de descrever em palavras, mas que, de alguma maneira, todos os Mestres experimentam.

◆

Todos estamos tentando nos sentir mais conectados com a realidade – com outras pessoas, os tempos em que vivemos, o mundo natural, nossa personalidade e nossa singularidade. A cultura da qual fazemos parte tende, de vários modos e cada vez mais, a nos alienar do mundo real. Buscamos conforto no álcool e em outras drogas, praticamos esportes perigosos e adotamos comportamentos arriscados apenas para despertar do sono das experiências diárias e alcançar uma sensação de contato maior com a realidade. No final das contas, porém, a maneira mais satisfatória e poderosa de sentir essa conexão é por meio de atividades criativas. Quando nos engajamos no processo criativo, nos sentimos mais vivos que nunca, pois estamos fazendo algo, em vez de meramente consumindo, como Mestres da pequena realidade que concebemos. Agindo assim, estamos, de fato, criando e melhorando nosso próprio eu.

Embora envolva muita dor, o prazer decorrente de todo o processo de criatividade é tão intenso que nos leva a querer repeti-lo. É por isso que pessoas criativas persistem reiteradamente em seus empreendimentos, apesar de toda ansiedade e insegurança que suscitam. É a forma como a natureza nos recompensa pelo esforço; se não tivéssemos essas recompensas, as pessoas não se engajariam em atividades criativas, e a humanidade sofreria perdas irreparáveis. Esse prazer também será a sua recompensa, qualquer que seja a intensidade com que você se dedique ao processo.

Estratégias para a fase criativa-ativa

Não pense em por que questionar, simplesmente não pare de questionar. Não se preocupe com o que você não pode responder e não tente explicar o que você não pode conhecer. A curiosidade se justifica por si só. Você não fica perplexo ao contemplar os mistérios da eternidade, da vida, da estrutura maravilhosa por trás da realidade? E este é o milagre da mente humana – usar suas construções, conceitos e fórmulas como ferramentas para explicar o que o homem vê, sente e toca. Tente compreender um pouco mais a cada dia. Cultive a sagrada curiosidade.

– ALBERT EINSTEIN

Ao superarem a fase de aprendizagem, todos os futuros mestres deparam com o mesmo dilema: ninguém jamais os instruiu sobre o processo criativo, e não existem livros ou professores a quem recorrer. Lutando sozinhos para se tornarem mais ativos e mais imaginativos com o conhecimento que adquiriram, desenvolvem seus próprios processos – os mais compatíveis com os respectivos temperamentos e campos de atuação. E nessas evoluções criativas podemos detectar alguns padrões básicos e certas lições fundamentais para todos. A seguir, as histórias de nove Mestres revelam nove abordagens estratégicas diferentes para os mesmos objetivos. Seus métodos podem ser aplicados em qualquer área, pois se relacionam com os poderes criativos do cérebro, que são atributos de todas as pessoas. Tente absorver cada uma delas, enriquecendo seu próprio conhecimento do processo de maestria e ampliando seu arsenal criativo.

1. A voz autêntica

Quando garoto, na Carolina do Norte, John Coltrane (1926-1967) começou a aprender música como passatempo. Era um jovem ansioso, que precisava de uma válvula de escape para toda a sua energia acumulada. Começou com a trompa, passou para a clarineta e finalmente se fixou no saxofone. Tocou na banda da escola e, para quem o ouviu naquela época, era um membro inexpressivo do grupo.

Então, em 1943, a família se mudou para a Filadélfia. Uma noite, pouco depois de se instalarem na cidade, Coltrane assistiu a uma performance de Charlie Parker, grande saxofonista do *bebop*, e logo ficou fascinado. (Ver página 43.) Nunca ouvira nada parecido, jamais imaginara aquelas possibilidades em música. Parker tinha um estilo todo especial de modular e cadenciar com o saxofone, como se o instrumento tivesse se fundido com a própria voz. Ao ouvir suas interpretações, até parecia possível sentir o que ele sentia. Daquele momento em diante, John Coltrane parecia possuído. Seguir as pegadas de Parker, à sua própria maneira, seria, agora, a sua Missão de Vida.

Coltrane não tinha certeza de como alcançar isso, mas sabia que Parker era um estudioso de todos os tipos de música e que praticava o instrumento com mais afinco que qualquer outro músico. Esses atributos se encaixavam muito bem com as próprias inclinações de Coltrane – lobo solitário, ele gostava acima de tudo de estudar e de expandir seus conhecimentos. Começou tomando lições de teoria em uma escola de música local. E passou a praticar dia e noite, com tamanha intensidade que o instrumento ficava manchado de sangue. Nos intervalos entre os exercícios, ia para a biblioteca pública e ouvia música clássica, ansioso por absorver todas as possibilidades harmônicas concebíveis. Praticava escalas como um fanático, deixando a família louca. Pegava livros de exercícios para piano e os usava no saxofone, arrancando do instrumento todos os sons concebíveis em música ocidental. Começou a tocar em bandas da Filadélfia, conseguindo sua primeira chance de verdade na orquestra de Dizzy Gillespie. Este o convenceu a mudar para o sax tenor, a fim de se aproximar mais do som de Charlie Parker, e em poucos meses Coltrane já dominava o novo instrumento – em consequência de infindáveis horas de prática.

Nos cinco anos seguintes, Coltrane pularia de banda em banda, cada uma com seu próprio estilo e repertório. Essa vida nômade caía bem para ele – que sentia a necessidade de internalizar todos os estilos de música possíveis. Mas isso também acarretava alguns problemas. Na hora de executar um solo, parecia desajeitado e hesitante. Tinha um senso incomum de ritmo. Cultivava um estilo muito peculiar, que nem sempre era o que melhor combinava com as características das bandas. Na hora dos solos, sentindo-se envergonhado, procurava imitar o jeito de tocar de outra pessoa. A intervalos de poucos meses, experimentava novos sons, dando a impressão de que se perdera em meio a tantas especulações e experimentações.

Em 1955, Miles Davis – líder do mais famoso quarteto de jazz na época – resolveu correr o risco e convidar o jovem Coltrane para seu grupo. Como todos no mundo da música, ele sabia que o jovem era o intérprete tecnicamente mais brilhante, resultado de muitas horas de prática. Mas também detectara em seu trabalho algo estranho, uma nova espécie de som se esforçando para vir à tona. Encorajou Coltrane a seguir o próprio caminho e nunca olhar para trás. Nos meses seguintes, Davis passaria por momentos de arrependimento – ele permitira algo que era difícil de integrar ao grupo. Coltrane tinha um estilo de começar acordes nos momentos mais estranhos. Alternava passagens rápidas com tons longos, dando a impressão de que várias vozes emergiam do instrumento ao mesmo tempo. Ninguém jamais havia escutado um som como aquele. O tom de sua música era igualmente peculiar; ele comprimia o bocal de tal maneira que parecia estar extraindo do instrumento sua própria voz grave. Percebia-se naquele som tão diferente um fundo de ansiedade e agressão que conferia à música um senso de urgência.

Embora muita gente não compreendesse aquele novo som estranho, alguns críticos começaram a reconhecer algo vibrante nele. Um comentarista descreveu o que saía do saxofone de Coltrane como "folhas de som", como se ele estivesse tocando grupos de notas de uma vez e arrebatando o ouvinte com sua música. Embora estivesse recebendo reconhecimento e atenção, Coltrane ainda se sentia agitado e inseguro. Ao longo de todos aqueles anos de prática e de interpretação, vinha procurando algo que mal conseguia expressar com palavras. Queria personalizar seu som ao extremo, torná-lo a manifestação perfeita de seus sentimentos – quase sempre emoções de natureza espiritual e transcendental, realmente difíceis de verbalizar. Em certos momentos, suas performances ganhavam vida, mas, em outros, a sensação de sua própria voz se tornava esquiva e fugidia. Talvez, na verdade, todos os seus conhecimentos o tolhessem e inibissem. Em 1959, deixou a banda de Miles Davis para formar seu próprio quarteto. Daí em diante, experimentaria e tentaria quase tudo, até encontrar o som que vinha buscando.

Sua canção "Giant Steps", de seu primeiro álbum importante, foi um exercício de música heterodoxa. Usando progressões de acordes peculiares, que avançavam em terças, com mudanças constantes de teclas e grupos de notas, a música era impelida freneticamente para a frente. O álbum foi um enorme sucesso; várias peças dele se transformaram em padrões de jazz, mas o experimento não o entusiasmou. Agora queria voltar à melodia, a algo mais livre e mais expressivo, e retornou à música de sua infância – o spiritual. Em 1960, produziu seu primeiro hit, uma versão estendida da canção "My Favorite Things", do musical da Broadway *A noviça rebelde*. Ele a tocava no saxofone soprano, em estilo que parecia quase East Indian, acrescentando-lhe um toque de música negra, tudo perpassado por sua estranha propensão para mudanças de acordes e de escalas rápidas. Era uma mistura estranha de música experimental e música popular, diferente de tudo o que já se havia feito.

Coltrane era agora como um alquimista, engajado em uma busca quase impossível pela descoberta da essência da música em si, no intuito de fazê-la expressar de maneira mais profunda e direta suas emoções, e a fim de conectá-la com seu inconsciente. E, aos poucos, parecia que ele se aproximava de seu objetivo. Sua balada "Alabama", escrita em resposta ao bombardeio, em 1963, de uma igreja em Birmingham pela Ku Klux Klan, parecia captar algo fundamental do momento e do espírito da época. Dava a impressão de ser a encarnação da tristeza e do desespero. Um ano depois, era lançado seu álbum *A Love Supreme*. Foi gravado em um único dia, e fazer a música foi como uma experiência religiosa para ele. O novo lançamento tinha tudo o que procurava – movimentos ampliados, que se prolongavam até o ponto que ele considerava natural (algo inédito no jazz), produzindo nos ouvintes efeito semelhante ao transe, embora ainda contendo o som vigoroso e o brilhantismo técnico que o tornara conhecido. Era um álbum que expressava o fator espiritual que ele não conseguia traduzir em palavras. O lançamento logo virou sensação, atraindo para a sua música todo um novo público.

As pessoas que, na época, assistiram às suas performances ao vivo exaltaram a singularidade da experiência. Eis como a descreveu o saxofonista Joe McPhee: "Achei que ia morrer de emoção, que simplesmente ia explodir na hora. O nível de energia continuou aumentando, e pensei: 'Meu Deus, não vou aguentar!'" O público ficava enlouquecido, muita gente gritando com a intensidade do som. Parecia que a música do saxofone de Coltrane era a manifestação direta de algum sentimento profundo e que ele era capaz de empurrar o público para onde quisesse. Nenhum outro artista de jazz conseguia produzir um efeito tão intenso no público.

Como parte do fenômeno Coltrane, toda mudança que ele introduzia no jazz era adotada imediatamente – canções estendidas, grandes grupos, tamborins e sinos, sons orientais, e assim por diante. O homem que havia passado 10 longos anos absorvendo os estilos de todas as formas de música e jazz agora se tornara ditador de tendências. A carreira meteórica de Coltrane, porém, foi interrompida em 1967, quando ele morreu aos 40 anos com câncer no fígado.

◆

Na era de Coltrane, o jazz se tornou uma celebração da individualidade. Músicos como Charlie Parker transformaram o solo de jazz em elemento central de qualquer trabalho. Mas que voz é essa que se manifesta com tanta nitidez na obra dos grandes talentos? Não é algo que conseguimos converter com exatidão em palavras. Os músicos expressam a percepção profunda de sua natureza, de sua compleição psicológica peculiar e até de seu inconsciente. É algo que aparece em seu estilo, em seus ritmos. Mas essa voz não emerge de maneira natural e espontânea. Alguém que pegue um instrumento e tente expressar esses atributos de início produzirá nada mais que ruídos. O jazz, e qualquer outra forma de música, é uma linguagem, com sintaxe e léxico. Assim, o paradoxo extremo é que os músicos mais capazes de impressionar por sua individualidade são os que primeiro mergulham mais completamente em um longo período de aprendizagem. No caso de Coltrane, o processo se desdobrou em estágios nítidos – pouco mais de 10 anos de aprendizagem intensa e depois outros 10 anos de talvez a mais espantosa explosão criativa em música moderna, que se estendeu até a sua morte.

Ao passar tanto tempo aprendendo a estrutura, desenvolvendo a técnica e absorvendo todos os estilos e formas de tocar possíveis, Coltrane construiu um vasto vocabulário. Depois que tudo isso ficou gravado em seu sistema nervoso, a mente dele pôde se concentrar em coisas maiores. Em ritmo cada vez mais rápido, conseguiu moldar todas as técnicas que aprendera, transformando-as em algo mais pessoal. Aberto como era à exploração e à experimentação, foi capaz de descobrir por serendipidade as ideias musicais que lhe pareceram mais compatíveis consigo mesmo. Depois de tudo o que aprendeu e dominou, conseguia combinar ideias e estilos com o máximo de singularidade. Sendo paciente e persistente, transpirava individualidade de modo espontâneo e natural. Ele personalizava todo gênero em que trabalhou, de blues a sucessos da Broadway. Sua voz autêntica – em tom ansioso e urgente – era reflexo de sua singularidade nativa, e nele se desenvolveu em processo longo e orgânico. Ao expressar seu eu mais profundo e suas emoções mais primitivas, exercia um impacto visceral sobre os ouvintes.

Entenda que o maior obstáculo à criatividade é a impaciência, o desejo quase irreprimível de apressar o processo, de expressar algo e de fazer sucesso. O que acontece nesses casos é que não se chega a dominar os fundamentos, a dispor de um vocabulário próprio. O que se supõe ser criatividade e singularidade não passa de imitação do estilo alheio. O público, porém, não se engana com facilidade. As pessoas percebem a falta de rigor, a veia imitativa, o anseio de conquistar atenção, e viram as costas para os impostores ou os recebem com o mínimo de entusiasmo, que logo passa, condenando-os ao esquecimento. A melhor trajetória é seguir os passos de Coltrane e amar o aprendizado em si mesmo. Quem passar 10 anos absorvendo as técnicas e convenções de sua área, experimentando-as, dominando-as, explorando-as e personalizando-as, sempre encontrará sua voz autêntica e dará à luz algo único e expressivo.

2. O fato de maior rendimento

V. S. Ramachandran (nascido em 1951) sempre foi fascinado por qualquer espécie de fenômeno estranho da natureza. Conforme narrado no Capítulo 1 (ver página 44), em idade ainda muito tenra ele começou a colecionar conchas de praias perto de sua casa, em Madras. Ao pesquisar o assunto, sua atenção foi atraída pelas variedades mais peculiares de conchas, como o múrex. Logo ele acrescentava esses espécimes inusitados à sua coleção. Com os anos, passou a se interessar mais por fenômenos anormais em química, astronomia e anatomia humana. Talvez tenha intuído que essas anomalias preenchiam algum tipo de propósito na natureza, que o atípico, a aberração, tem algo interessante a nos dizer. Talvez tenha sentido que ele mesmo – apaixonado por ciências, enquanto outros garotos eram atraídos pelos esportes ou jogos – também era uma pequena anomalia.

Na década de 1980, como professor de psicologia visual da Universidade da Califórnia, em San Diego, deparou com um fenômeno que instigou seu interesse por anomalias, no sentido mais profundo – a síndrome do membro fantasma. Nesse caso, os indivíduos que sofriam a amputação de um membro continuavam a ter sensação e dor naquela parte do corpo que não existia mais. Em suas pesquisas como psicólogo visual, Ramachandran se especializara em ilusões de óptica – casos em que o cérebro acrescentava incorretamente informações ao que os olhos haviam processado. Os membros fantasmas representavam uma ilusão de óptica em escala muito mais ampla, com o cérebro gerando sensações onde elas não mais eram possíveis. Por que o cérebro enviaria esses sinais? O que esse fenômeno nos indica sobre o cérebro em geral? E por que tão poucas pessoas se interessavam por essa condição? Ele ficou obcecado por essas questões e leu tudo o que podia sobre o tema.

Um dia, em 1991, soube de um experimento realizado pelo Dr. Timothy Pons, do Instituto Nacional de Saúde dos Estados Unidos, que o surpreendeu com suas possíveis ramificações. O experimento de Pons se baseou em uma pesquisa da década de 1950, em que Wilder Penfeld, neurocirurgião canadense, mapeara as áreas do cérebro humano que regulavam sensações em várias partes do corpo. Esse mapa acabou sendo aplicado também aos primatas.

No experimento de Pons, ele trabalhou com macacos cujas fibras nervosas do cérebro para um dos braços haviam sido secionadas. Ao testar o mapa dos cérebros desses animais, Pons descobriu que quando ele tocava a mão do braço morto não havia atividade na área correspondente do cérebro, como se esperava. Mas, quando tocava a face deles, de repente as células do cérebro que correspondiam à mão inativa começavam a disparar com rapidez, além das correspondentes à face. As células nervosas do cérebro que governam as sensações na mão de alguma maneira haviam migrado para a área da face. Era impossível saber ao certo, mas parecia que os macacos estavam experimentando sensações na mão morta quando se tocava em sua face.

Inspirado por essa descoberta, Ramachandran resolveu conduzir um experimento surpreendente por sua simplicidade. Levou para o escritório um jovem que, em consequência de um acidente de carro, havia sofrido amputação do braço esquerdo, pouco acima do cotovelo, e agora tinha forte sensação do membro fantasma. Usando um cotonete, Ramachandran tocou as pernas e o estômago do homem, que relatou sensações completamente normais. Mas quando Ramachandran tocou em determinada parte de seu rosto, o homem acusou sensação em ambas as faces e no polegar da mão fantasma. Movimentando o cotonete pelo rosto do paciente, Ramachandran encontrou outras áreas correspondentes a outras partes da mão amputada. Os resultados foram semelhantes aos do experimento de Pons.

As implicações desse teste simples foram profundas. Até então se supunha em neurociência que as conexões do cérebro são constituídas na gestação ou nos primeiros anos de vida e se mantêm inalteradas. Os resultados desse experimento contestaram essa premissa. No caso, depois de um acidente traumático, parecia que o cérebro havia mudado de forma drástica, desenvolvendo toda uma nova rede de conexões em um período de tempo um tanto curto. Isso significava que o cérebro humano seria muito mais plástico do que se imaginava. Nessa ocorrência, o cérebro se transformara de maneira estranha e, à primeira vista, inexplicável. Mas e se esse poder de transformação fosse aproveitado para usos terapêuticos positivos?

Com base nesse experimento, Ramachandran resolveu passar para outro campo de atuação, transferindo-se para o departamento de neurociência da Universidade da Califórnia, dedicando seu tempo e sua pesquisa a transtornos neurológicos anômalos. Também resolveu avançar mais um passo em seu experimento sobre membros fantasmas. Muitos pacientes que haviam passado por amputação de membros relatavam uma espécie estranha de paralisia, altamente dolorosa. Sentiam o membro amputado, queriam movê-lo mas não podiam, e tinham câimbra, às vezes excruciante. Ramachandran especulou que, antes da amputação, o cérebro aprendera a experimentar o braço ou a perna como se estivesse paralisado e, depois da amputação, continuou a senti-lo da mesma maneira. Seria possível, considerando a plasticidade do cérebro, desaprender essa paralisia? E, assim, concebeu mais um experimento bastante simples para testar essa ideia.

Usando um espelho que mantinha no escritório, construiu seu próprio aparato. Pegou uma caixa de papelão, removeu a tampa e fez dois buracos para os braços na frente dela. Então, colocou o espelho em posição vertical no meio da caixa. Os pacientes eram instruídos a passar o braço bom por um dos buracos e a parte remanescente do braço secionado pelo outro. Em seguida, deviam manobrar o espelho até que a imagem do braço bom fosse vista na posição onde deveria estar o outro braço. Ao movimentar a imagem refletida e vê-la como prolongamento do coto, os pacientes quase instantaneamente relatavam alívio na sensação de paralisia. A maioria dos que levaram a caixa para casa e praticaram o exercício conseguiu desaprender a falsa percepção, para seu grande alívio.

Mais uma vez, o significado da descoberta foi profundo. Não só o cérebro se mostrou mais flexível, mas também os sentidos se revelaram muito mais interconectados do que se supunha até então. Os módulos cerebrais correspondentes aos sentidos não estão isolados, mas sobrepostos. Nessa experiência, os estímulos visuais puros alteraram a sensação do tato. Mas, além disso, o experimento também questionou a noção de dor. A dor, ao que tudo indicava, era como que uma opinião do corpo sobre como o organismo percebia a própria saúde. Essa percepção podia ser ludibriada ou manipulada, como demonstrara o experimento do espelho.

Em outros experimentos, Ramachandran preparou o cenário de modo que a imagem vista pelos pacientes fosse a do braço de um estudante, não a do próprio, sobreposta ao membro fantasma. Os pacientes não tinham sido informados do esquema, e, quando o estudante movia o braço, eles experimentavam a mesma sensação de alívio da paralisia. Bastava a visão do movimento para produzir o efeito. Concluiu-se que a sensação de dor parecia cada vez mais subjetiva e suscetível a alterações.

Com o passar do tempo, Ramachandran aperfeiçoaria esse estilo criativo de investigação, que, aos poucos, se transformava em arte, o que o elevava à categoria de um dos principais neurocientistas do mundo. Por fim, desenvolveu certas diretrizes para a sua estratégia. Procuraria qualquer evidência de anomalias em neurociência ou em campos correlatos, algo que suscitasse questões com o potencial de desafiar a sabedoria convencional. Conforme seus critérios, ele deveria ser capaz de demonstrar que se tratava de um fenômeno real (algo como telepatia não se enquadrava nessa categoria), suscetível de ser explicado pela ciência, e que tivesse importantes implicações para além dos limites de sua própria área de estudo. Se outros o ignorassem por parecer muito estranho, tanto melhor – todo o campo de pesquisa seria exclusivamente dele.

Além disso, ele buscava ideias que pudesse verificar por meio de experimentos simples – sem equipamentos complexos e dispendiosos. Havia percebido que quem conseguia grandes verbas para pesquisas, incluindo todo o aparato tecnológico, se envolvia em jogos políticos para justificar suas despesas. E passava a depender da tecnologia, em vez de desenvolver o próprio raciocínio. Também se tornava conservador, com medo de causar perturbações com suas conclusões. Ele preferia trabalhar com cotonetes e espelhos, travando conversas detalhadas com os pacientes.

Por exemplo, ele ficou intrigado com um transtorno neurológico conhecido como apotemnofilia – o desejo de pessoas perfeitamente saudáveis de ter um membro amputado, com algumas delas se submetendo de fato à cirurgia. Há quem tenha especulado que esse transtorno bem conhecido é consequência da necessidade de atenção, ou é manifestação de uma forma de perversão sexual, ou que, na infância, os pacientes tinham visto algum amputado cuja imagem, de alguma maneira, ficara impressa na mente como ideal. Em todas essas especulações, as pessoas pareciam duvidar da realidade da sensação em si – era tudo psicológico, sugeriam.

Por meio de entrevistas simples com vários pacientes, Ramachandran fez algumas descobertas que afastaram essas ideias. Todos os casos envolviam a perna esquerda, o que era muito curioso. Depois de conversar com os pacientes, pareceu claro para Ramachandran que eles não estavam atrás de atenção, nem apresentavam perversões sexuais, mas, sim, que experimentavam um desejo intenso, em consequência de sensações inequívocas. Com uma caneta, todos marcaram o ponto exato em que queriam a amputação.

Ao submeter os pacientes a testes simples de resposta galvânica da pele (que possibilitam registros de dores pouco intensas), ele descobriu que tudo estava normal, exceto quando dava agulhadas na parte da perna que o paciente desejava que fosse amputada. Nesse caso, a intensidade da reação era desmedida. O paciente experimentava aquela parte do membro como se estivesse presente demais, intensa demais, e essa sensação exagerada só poderia ser eliminada por meio da amputação.

Em um trabalho subsequente, conseguiu localizar danos neurológicos na parte do cérebro que gera e controla a noção de imagem corporal, algo que ocorre no nascimento ou em idade muito tenra. Isso significava que o cérebro era capaz de gerar uma imagem corporal extremamente irracional em pessoas que, sob outros aspectos, eram perfeitamente saudáveis. Também parecia que a noção do eu é muito mais subjetiva e fluida do que imagináramos. Se nossa experiência do próprio corpo é produzida no cérebro e está sujeita a desarranjos, então, talvez também nossa noção do eu seja uma construção ou ilusão, algo que criamos para se adequar a nossos propósitos e que pode se tornar disfuncional. As implicações aqui vão além da neurociência e penetram no reino da filosofia.

◆

O mundo animal pode ser dividido em dois tipos – especialistas e oportunistas. Os especialistas, como gaviões ou águias, têm uma habilidade dominante, da qual dependem para a sobrevivência. Quando não estão caçando, podem entrar em modo de completo relaxamento. Os oportunistas, por outro lado, não têm uma especialidade particular. Dependem, ao contrário, da capacidade de farejar e de aproveitar qualquer oportunidade. Estão em estado de tensão constante e exigem estímulo contínuo. Nós, humanos, somos os grandes oportunistas do mundo animal, os menos especializados dos seres vivos. Todo o cérebro e o sistema nervoso se voltam para a busca de qualquer tipo de abertura. Nossos ancestrais mais primitivos não partiram de uma ideia para a criação de ferramentas que os ajudassem a rapinar e a matar. Em vez disso, depararam com uma pedra, talvez uma inusitadamente afiada ou alongada, e viram uma possibilidade. Ao pegá-la e manuseá-la, ocorreu-lhes a ideia de usá-la como ferramenta. Essa inclinação oportunista da mente humana é a fonte e a base de nossa capacidade criativa, e é ao explorar essa propensão do cérebro que maximizamos esses poderes.

No entanto, no caso de empreendimentos criativos, é comum encontrarmos pessoas que os abordam da forma errada. Isso geralmente aflige os jovens e inexperientes, que começam com objetivos ambiciosos, um negócio, uma invenção ou um problema a ser resolvido. E partem, então, em busca de métodos para atingir o objetivo. A procura pode tomar milhares de rumos, cada um dos quais leva a determinado desfecho, mas nos quais também é possível que acabem exaustos e nunca encontrem a chave para alcançar sua meta. Muitas variáveis contribuem para o sucesso. Os tipos mais experientes e sábios, como Ramachandran, são oportunistas. Em vez de começarem com um objetivo amplo, saem à procura do fato de maior rendimento – alguma evidência empírica que pareça estranha e que não se encaixe no paradigma, mas que, ainda assim, seja instigante. Essa pequena anomalia se destaca e lhes chama a atenção, como a pedra pontiaguda. Ainda não estão certos de seu objetivo e tampouco têm em mente uma aplicação para o fato que descobriram, mas estão abertos para qualquer destino a que aquilo os leve. Se investigarem, descobrirão algo que desafiará as convenções predominantes e que oferecerá oportunidades infindáveis de conhecimento e de aplicação.

Ao procurar por fatos de grande rendimento, é preciso seguir certas diretrizes. Embora você esteja começando em determinado campo de atuação que conhece em profundidade, não deve permitir que sua mente se limite a essa disciplina. Em vez disso, é importante ler periódicos e livros das mais diferentes áreas. Às vezes você encontra anomalias interessantes em disciplinas não relacionadas que talvez tenham muitas implicações úteis em seu campo de atuação. É preciso manter a mente totalmente aberta – nada é insignificante ou irrelevante demais para não merecer atenção. Se alguma anomalia suscita dúvidas sobre suas próprias crenças ou premissas, tanto melhor. Você deve especular sobre seu significado, processo que norteará suas pesquisas subsequentes, mas não determinará suas conclusões. Se sua descoberta parece ter ramificações profundas, você deve explorá-la com o máximo de intensidade. É melhor investigar 10 desses fatos e apenas um deles render uma grande descoberta do que examinar 20 ideias que contribuem para o sucesso mas têm implicações triviais. Você é o caçador supremo, sempre alerta, olhos perscrutando a paisagem à procura do fato que revelará uma realidade antes oculta, com profundas consequências.

3. Inteligência mecânica

Desde os primeiros anos de vida, os irmãos Wilbur Wright (1867-1912) e Orville Wright (1871-1948) demonstraram interesse um tanto inusitado pelo funcionamento das partes de qualquer dispositivo, em especial dos brinquedos complicados que o pai trazia para casa após suas viagens como bispo de uma igreja evangélica. Os dois desmontavam os brinquedos, ávidos por descobrir o que os fazia funcionar. Depois os montavam de novo, sempre com alguma modificação.

Embora os garotos fossem bons alunos, não concluíram o ensino médio. Queriam viver em um mundo de máquinas, e o único conhecimento que os interessava era o que se relacionava com o projeto e a construção de algum novo dispositivo. Eram extremamente práticos.

Em 1888, o pai precisou imprimir com urgência um folheto. Para ajudá-lo, os irmãos montaram às pressas uma pequena prensa, usando as dobradiças da capota de uma velha carroça, molas enferrujadas e outras peças de sucata. A máquina trabalhou muito bem. Inspirados pelo sucesso, melhoraram o projeto, usando peças melhores, e abriram a própria gráfica. Quem conhecia o negócio maravilhou-se com aquela estranha máquina que os irmãos haviam arranjado, capaz de imprimir mil páginas por hora, o dobro da produção normal.

Os dois, porém, tinham um espírito inquieto. Precisavam de desafios constantes, e, em 1892, Orville descobriu a válvula de escape perfeita para a criatividade deles. Com a invenção da bicicleta segura (a primeira com duas rodas do mesmo tamanho), os Estados Unidos foram arrebatados pela febre do ciclismo. Os irmãos compraram as próprias bicicletas, participaram de corridas e ficaram fanáticos pelo esporte. Em pouco tempo, estavam desmontando suas bicicletas e fazendo pequenos ajustes. Depois de vê-los trabalhando no quintal, amigos e conhecidos passaram a trazer suas bicicletas para que eles as consertassem. Em poucos meses passaram a dominar a tecnologia das bicicletas e resolveram abrir a própria oficina, em Dayton, Ohio, sua cidade natal, onde vendiam, consertavam e até modificavam os modelos mais recentes.

Aquela parecia ser a combinação perfeita para as suas habilidades. Podiam fazer várias mudanças nas bicicletas, levá-las para testes, sentir o que funcionava ou não e, então, aprimorá-las. Empenhavam-se em tornar as bicicletas mais manejáveis e aerodinâmicas, mudanças que alteravam qualitativamente a experiência de pedalar e proporcionavam ao ciclista o sentimento de exercer completo controle. Insatisfeitos com os designs existentes, resolveram que o passo seguinte seria construir estruturas de alumínio e desenhar as próprias bicicletas personalizadas. No entanto, esse passo seria um grande desafio, pois exigiria meses de aprendizado para ser capaz de produzir estruturas adequadas. O menor erro poderia causar os mais terríveis acidentes. No esforço para aprender o ofício, compraram muitas das mais recentes ferramentas, construíram o próprio motor de um cilindro para movimentá-las e logo se tornaram mestres em bicicletas. Quem pedalava as bicicletas dos irmãos Wright sentia de imediato a superioridade daquela versão, cujas melhorias tecnológicas em breve se tornariam padrão da indústria.

Em 1896, ao convalescer de uma lesão, Wilbur leu um artigo que o assediaria durante anos. Referia-se à morte de Otto Lilienthal, importante projetista de planadores e especialista em aviação, na época em plena expansão. Ele morrera num acidente com seu mais novo planador. A fotografia dos planadores que Otto havia produzido, todos em funcionamento, surpreenderam Wilbur – pareciam as asas de uma ave pré-histórica gigantesca. Por ser um homem de visão, Wilbur podia imaginar a sensação de voar por conta própria, e a ideia o empolgou. Mas o que mais o surpreendeu no artigo foi que, ao longo de muitos anos de voos de teste, talvez na casa das centenas, Lilienthal nunca conseguira voar tempo suficiente para sentir a necessidade de melhorias, o que provavelmente causara sua morte.

Vários anos depois, os jornais estavam cheios de histórias sobre os novos pioneiros da aviação, muitos dos quais pareciam se aproximar do objetivo de construir a aguardada máquina voadora motorizada. Agora o esforço se convertera em corrida para ser o primeiro a alcançar o sucesso. Como sua curiosidade sobre o assunto era cada vez maior, Wilbur decidiu escrever para o Instituto Smithsonian, em Washington, pedindo todas as informações disponíveis sobre aeronáutica e máquinas voadoras. Nos meses seguintes, ele se debruçou sobre o material, estudando a física e a matemática por trás dos voos, os desenhos de Leonardo da Vinci e os planadores do século XIX. Por fim, acrescentou à lista de leitura livros sobre pássaros, que ele agora começava a observar e a estudar. E quanto mais lia, mais o dominava a estranha sensação de que ele e o irmão de fato poderiam ganhar a corrida.

À primeira vista, parecia uma ideia absurda. Os homens que atuavam naquele novo campo eram todos especialistas, com incrível conhecimento técnico, alguns com títulos universitários impressionantes. Projetar e construir máquinas voadoras era um empreendimento caro, que poderia chegar a milhares de dólares e resultar em nada mais que outro acidente. O favorito para ganhar a corrida era Samuel Langley, secretário do Instituto Smithsonian, que contava com enormes subsídios do governo para realizar seu trabalho e já havia produzido com sucesso um modelo não tripulado, movido a vapor. Os irmãos eram de origem modesta, e o único dinheiro que tinham era o pequeno lucro da oficina de bicicletas. Mas o que faltava a todos os outros, na opinião de Wilbur, era um mínimo de bom senso.

Esses aviadores partiam da premissa de que o importante era pôr uma máquina no ar usando algum tipo de motor poderoso, e cuidariam do resto depois que conseguissem voar. A proeza em si, de voar com algo mais pesado que o ar, impressionaria o público, chamaria a atenção e atrairia apoio financeiro. Essa abordagem resultou em muitos acidentes; em redesenhos constantes, na busca do motor perfeito e de novos materiais; e em muitos desastres. Não estavam chegando a lugar algum, e a explicação era simples. Como Wilbur sabia, o segredo para construir algo corretamente é a repetição. Apenas pondo as mãos nas bicicletas, desmontando-as, montando-as de novo e aprimorando-as, para depois pedalá-las e sentir como funcionavam, é que os irmãos foram capazes de projetar uma variedade superior de bicicleta. Como os projetistas das máquinas voadoras não conseguiam mantê-las no ar por mais de um minuto, eles estavam presos em um círculo vicioso – nunca voavam tempo suficiente para aprender a voar e para testar adequadamente seus projetos ou sentir como funcionavam. Em consequência, estavam fadados ao fracasso.

Wilbur ficou chocado com outra grande falha que detectou no pensamento deles: todos valorizavam em excesso a importância da estabilidade. Pensavam em termos de um navio flutuando no ar. Os navios são concebidos para manter o equilíbrio e para se movimentar da forma mais estável e direta possível; na água, balançar de um lado para outro é muito perigoso. Com base nessa analogia, os primeiros aeronautas resolveram desenhar as asas de suas máquinas voadoras em forma de V, para compensar rajadas de vento súbitas e manter a aeronave em linha reta. Mas Wilbur sentiu que raciocinar em termos de navios era uma analogia imprópria. Em vez disso, muito mais adequado era pensar em termos de bicicleta. A bicicleta é inerentemente instável. O ciclista deve aprender depressa a manter a bicicleta em posição segura e a dirigi-la da maneira certa, inclinando-se para os lados. O piloto de uma máquina voadora, imaginou, deveria ser capaz de inclinar e de virar para a direita ou para a esquerda, de subir e de descer, em vez de se manter em linha horizontal rígida, como um navio. Tentar livrar a máquina dos efeitos do vento era de fato muito perigoso, pois eliminaria a capacidade do piloto de se ajustar.

Com esse conhecimento, foi muito fácil para Wilbur convencer o irmão de que a máquina voadora deveria ser seu próximo e grande desafio. Teriam que usar os lucros esparsos da oficina de bicicletas para financiar o projeto. Isso os obrigaria a ser criativos, usando peças de sucata e nunca tentando nada além de seus meios. Em vez de começar com um dispositivo grandioso para testar suas ideias, precisariam desenvolver lentamente o projeto perfeito, como haviam feito com a prensa tipográfica e com a bicicleta.

Resolveram, então, começar da maneira mais modesta possível. Desenharam várias pipas ou papagaios, a fim de determinar qual seria o melhor formato. Depois, baseados no que já tinham aprendido, confeccionaram o planador em si. Queriam aprender a voar. O método costumeiro de lançar um planador do alto de uma montanha era muito perigoso. Em vez disso, decidiram transferir seus experimentos para Kitty Hawk, Carolina do Norte, cidade conhecida por ter os ventos mais fortes dos Estados Unidos. Ali, nas dunas de areia, poderiam alçar voo de pequenas elevações, voar bem perto do chão e aterrissar suavemente no solo de areia macia. Só no ano de 1900 realizaram mais voos de teste do que Lilienthal tentara ao longo de muitos anos. Aos poucos, aperfeiçoaram o projeto e melhoraram os materiais e a configuração – por exemplo, aprenderam a fazer asas mais longas e finas, para melhorar a sustentação. Em 1903, tinham um planador que se sustentava no ar por longas distâncias, com notável controle de curvas e de inclinações. Era de fato uma bicicleta voadora.

Agora era a hora de dar o passo final – acrescentar o motor e as hélices ao planador. Como antes, examinaram os projetos dos rivais e perceberam outra deficiência: eles haviam modelado as hélices com base nas de barcos, mais uma vez optando pela estabilidade. Fundamentados em suas próprias pesquisas, os irmãos concluíram que as lâminas deveriam ser arqueadas, como as asas das aves – o que daria mais impulso à aeronave. Na tentativa de adquirir o motor mais leve para impulsionar a máquina, concluíram que o que queriam estava muito acima de seu orçamento. Assim, com a ajuda de um mecânico na oficina, construíram o próprio motor. No total, o custo de sua máquina voadora foi de mil dólares – muito menos que qualquer um dos projetos dos concorrentes.

Em 17 de dezembro de 1903, Wilbur pilotou a máquina voadora em Kitty Hawk durante nada menos que 59 segundos – o primeiro voo autopropulsionado, tripulado e controlado pelo homem. Ao longo dos anos, os irmãos melhoraram o projeto e aumentaram o tempo de voo. Para os outros concorrentes da corrida, foi um mistério completo como dois homens sem nenhuma experiência em engenharia ou aeronáutica, e sem apoio financeiro de qualquer espécie, conseguiram chegar primeiro.

O desenvolvimento do avião representa uma das maiores realizações tecnológicas da humanidade, com profundas ramificações para o futuro. Simplesmente não havia precedente ou modelo em que basear a máquina voadora. Era o mais autêntico enigma, para cuja solução se precisava do mais alto grau de engenhosidade.

Na história de sua invenção, podem-se observar duas abordagens radicalmente diferentes. De um lado, havia um grande grupo de engenheiros e projetistas, com formação em ciências, que viam o problema em termos abstratos: como lançar e impulsionar a máquina, como superar a resistência do vento, e assim por diante. Eles se concentraram na tecnologia e se empenharam em construir as partes mais eficientes – os motores mais potentes, as asas mais bem desenhadas, tudo isso baseado em complexas pesquisas de laboratório. Dinheiro não era problema. O processo dependia de especialização – indivíduos que focavam em diferentes partes e que se especializavam em diversos materiais. Em muitos casos, o projetista acabava não sendo o piloto; outra pessoa fazia os voos de teste.

Do outro lado, estavam dois irmãos cuja origem era completamente diferente. Para eles, o prazer e a empolgação do projeto estava em fazer tudo por conta própria. Desenharam a máquina, construíram-na e pilotaram-na. O modelo dependia não de tecnologia superior, mas, sim, do maior número de testes, gerando uma curva de aprendizado ótima. O processo revelava falhas a serem superadas e desenvolvia neles sensibilidade em relação ao produto, algo que jamais poderia ser obtido por raciocínio abstrato. A ênfase se deslocava das partes para a experiência de voo total; da potência para o controle. Como o dinheiro era um importante fator restritivo, atribuíram grande importância à capacidade de extrair o máximo do mínimo.

As diferenças entre as duas abordagens ficam claras nas analogias que escolheram como base dos projetos. Os pensadores abstratos optaram pela analogia com o navio, trabalhando com as semelhanças da navegação em meio estranho (água ou ar), o que os levava a dar maior importância à estabilidade. Os irmãos Wright escolheram a bicicleta, que enfatizava o ciclista ou piloto, a interação amigável entre usuário-máquina e a funcionalidade total. O foco no piloto, em vez de no meio, acabou sendo a solução certa para o enigma, pois levou ao desenho de algo que podia ser manobrado. Desse ponto de partida, seria fácil desenvolver um aeroplano mais complexo.

Entenda que a inteligência mecânica não é uma forma de pensamento degradada em comparação com o raciocínio abstrato. É, de fato, a fonte de muitas de nossas habilidades de raciocínio e capacidades criativas. Nosso cérebro evoluiu até o tamanho atual em decorrência das operações complexas de nossas mãos. Ao trabalhar com materiais resistentes para criar ferramentas, nossos ancestrais desenvolveram padrões de pensamento que transcendiam o trabalho manual em si. Os princípios subjacentes à inteligência mecânica podem ser resumidos nos seguintes termos: não importa o que esteja projetando ou produzindo, você mesmo deve testá-lo e experimentá-lo. A segregação das duas fases vai fazê-lo perder contato com a questão da funcionalidade. Já com o trabalho intenso e a integração entre produção e experimentação, você desenvolve sensibilidade em relação ao produto. Ao agir assim, sente e percebe as falhas do projeto. Você não considera as partes em separado, mas o modo como elas interagem, experimentando o produto como um todo. O que você está tentando criar não surgirá como que por mágica, depois de alguns acessos de inspiração criativa. Ao contrário, evoluirá lentamente, ao longo de um processo gradual, à medida que as falhas forem corrigidas. No final, você ganhará com a habilidade do artesanato, não com a persuasão do marketing. Essa habilidade envolve a criação de algo com uma estrutura elegante e simples, extraindo o máximo de seus materiais – uma forma avançada de criatividade. Esses princípios se combinam com a inclinação natural do cérebro, e não é recomendável transgredi-los.

4. Poderes naturais

Depois de se formar em arquitetura na Espanha, em 1973, Santiago Calatrava sentia certa ansiedade sempre que pensava em exercer a profissão. (Para mais informações sobre Calatrava, ver páginas 102-106). Sua ambição no começo da vida era se tornar artista, mas se viu atraído pela arquitetura como uma forma mais ampla de expressão – algo funcional, ainda que escultural; algo que podia ser realizado em grande escala, no âmbito público. A arquitetura envolve muitas restrições quando se trata efetivamente de executar a estrutura – os desejos do cliente, o orçamento, os materiais disponíveis, a paisagem e até questões políticas. Nos trabalhos dos grandes arquitetos da história, como Le Corbusier, podemos ver muito de seu estilo pessoal no produto final, mas, no caso de inúmeros outros, o trabalho do autor é sobrepujado pelas várias restrições e interferências. Calatrava sentia que ainda não dominava elementos suficientes para se afirmar como arquiteto. Caso fosse trabalhar em uma empresa de arquitetura, suas energias criativas seriam soterradas por todas as pressões comerciais, e ele jamais se recuperaria.

Assim, tomou uma decisão incomum. Cursaria o Instituto Federal de Tecnologia, em Zurique, para se graduar em engenharia civil. Sua intenção era compreender os limites do que era possível no projeto de edifícios e estruturas. Sua ideia era, algum dia, tentar a construção de edifícios capazes de se mover, transgredindo alguns dos princípios mais fundamentais da arquitetura. Para tanto, estudou projetos da Nasa, que fabricou vários dispositivos que podiam se dobrar e se expandir, tornando-os práticos para missões espaciais. Esses projetos exigiam o domínio de novos princípios de engenharia, aos quais Calatrava passou a se dedicar.

Depois de se formar em engenharia, em 1981, finalmente começou a praticar a arquitetura e a engenharia. Agora, era bem versado nos aspectos técnicos do trabalho e nas necessidades básicas para completar um projeto, mas ninguém o havia instruído no processo criativo em si.

Seu primeiro grande projeto surgiu em 1983, quando lhe pediram para redesenhar a fachada de uma estrutura já existente – um enorme depósito para a Ernsting, conhecida fabricante de roupas na Alemanha. Sua proposta foi revestir a estrutura com alumínio não tratado, o que envolveria todo o edifício, mas, em cada lado, a luz do sol criaria efeitos diferentes, às vezes surpreendentes. Para Calatrava, a principal parte do projeto era a dos portões das três entradas de carga, cada uma em diferentes lados do depósito. Ali, ele poderia experimentar suas ideias de movimento e retratilidade. Assim, sem saber ao certo onde e como iniciar o processo, começou a esboçar as várias possibilidades das portas. Quando criança, adorava desenhar, e estava sempre esboçando alguma coisa. Tornara-se tão habilidoso com lápis ou pincel que desenhava quase qualquer coisa com grande velocidade e exatidão. Esboçava com a mesma facilidade com que pensava, suas visões sendo transmitidas com enorme velocidade para o papel.

Sem nenhuma ideia de para onde se encaminhava, começou a desenhar em aquarela, pondo no papel tudo o que lhe vinha à mente, quase que por livre associação. Por alguma razão, ocorreu-lhe a imagem de uma baleia encalhada na praia, e ele a desenhou. Depois de uma pausa, voltou ao desenho, e metamorfoseou a baleia no depósito, os dentes e a boca da baleia se abrindo como o portão de carga. Agora, compreendia a imagem. Era como se o depósito tivesse virado a bíblica baleia de Jonas, expelindo caminhões e materiais pela boca. Na margem do desenho, escreveu: "O edifício como organismo vivo." Ao olhar fixamente para o esboço, sua atenção foi atraída para os olhos um tanto grandes da baleia, que ele havia pintado ao lado da boca/portão de carga. Parecia uma metáfora interessante e indicava uma nova direção.

Começou, então, a fazer diferentes desenhos de olhos nas laterais do depósito, os quais se convertiam em portas. Agora, os desenhos incluíam mais detalhes e se tornavam mais arquitetônicos, à medida que ele desenhava as verdadeiras laterais e as portas do depósito, de maneira mais realista, mas ainda com base na abertura e no fechamento dos enormes olhos. No final, o esboço se converteria efetivamente no projeto das portas dobráveis, que se erguiam e se curvavam como pálpebras.

Ao concluir o processo de design, Calatrava havia gerado um grande número de esboços, e, à medida que os folheava em ordem sequencial, percebia uma progressão muito interessante – das imagens vagas do inconsciente para desenhos cada vez mais exatos. Mesmo nos traços mais acurados da fachada, porém, ainda se viam alguns elementos artísticos e lúdicos. Olhar a sucessão de desenhos era quase como assistir à revelação gradual de uma fotografia à moda antiga. Adotar essa forma de ataque era muito gratificante. Dava-lhe a sensação de criar algo vivo. Ao trabalhar dessa maneira, permitia que suas emoções se envolvessem profundamente, à medida que jogava com todos os tipos de metáforas, míticas e freudianas.

Depois de pronto, seu desenho produzia um efeito estranho e poderoso. Trabalhando apenas com a fachada do edifício, ele criara a aparência de um templo grego, o alumínio ondulando como colunas de prata. Os portões de carga acrescentavam um toque surreal, e, quando recolhidos para cima, deixavam o edifício ainda mais parecido com um templo. Tudo isso se mesclava perfeitamente com a funcionalidade da estrutura. Foi um grande sucesso, e rendeu-lhe visibilidade imediata.

Com o passar do tempo, foram surgindo encomendas cada vez mais importantes. Trabalhando com projetos em escala crescente, Calatrava percebia com clareza os perigos à sua frente. A conclusão de um projeto podia demorar 10 anos ou mais, desde o esboço inicial até o acabamento da construção em si. Nesse meio-tempo, problemas e conflitos poderiam surgir, o que talvez acabasse comprometendo a visão inicial. Com orçamentos maiores vinham mais restrições e a necessidade de agradar a muitas pessoas diferentes. Se não fosse cuidadoso, seu desejo de transgredir as regras e de expressar sua visão pessoal se perderia no processo. Assim, à medida que sua carreira progredia, algo dentro dele o trazia de volta para o método que desenvolvera no depósito da Ernsting, levando-o a aprimorá-lo ainda mais.

Ele sempre começava com os desenhos. Os esboços à mão se tornavam cada vez mais incomuns na era da computação gráfica, que passara a dominar muitos aspectos do projeto arquitetônico na década de 1980. Engenheiro por formação, Calatrava conhecia as vantagens que os computadores ofereciam para processar modelos e testar a solidez das estruturas. Se trabalhasse, porém, exclusivamente com computador, ele não poderia criar da mesma maneira como quando trabalhava com lápis ou pincel e papel. A intervenção da tela do computador interrompia o processo onírico do esboço, bloqueando a interação direta que lhe proporcionava com o inconsciente.

Agora, seus desenhos para um único projeto chegavam às centenas. O processo criativo sempre começava da mesma forma descomprometida, promovendo todos os tipos de associações. Em geral, o ponto de partida eram sentimentos ou emoções que o projeto sugeria. Daí resultava uma imagem, ainda que vaga. Por exemplo, quando lhe encomendaram um projeto para a expansão do Museu de Arte de Milwaukee, a primeira imagem que lhe veio à mente e que, em seguida, passou para o papel foi a de uma ave se preparando para voar. Essa primeira impressão passaria pelas engrenagens de seu processo de esboço. Por fim, o telhado do prédio que ele projetara apresentava dois enormes painéis que se abriam e fechavam de acordo com a luz solar, dando a impressão de que uma enorme ave pré-histórica estava prestes a voar sobre o lago Michigan.

Muitas dessas primeiras associações livres giravam em torno da natureza – plantas, árvores, figuras humanas em várias poses, esqueletos – e se combinavam intimamente com a paisagem. Aos poucos, a forma geral da estrutura entrava em foco, à medida que ele tornava a ideia cada vez mais racional e arquitetônica. O processo incluía a construção de modelos, às vezes partindo de uma forma escultural abstrata, que, em versões subsequentes, se convertiam no projeto da estrutura em si. Todos esses desenhos e esculturas eram como exteriorizações de seu processo mental inconsciente e não verbal.

Inevitavelmente, à medida que se aproximava da fase de construção, ele passava a enfrentar restrições, como os materiais a serem usados e as considerações orçamentárias. Persistindo, porém, em sua estratégia inicial, esses fatores eram para ele meros desafios criativos: por exemplo, como poderia incluir certos materiais na visão que esboçara, para que tudo se integrasse e funcionasse? Se fosse uma estação de trem ou de metrô, como conseguir que as plataformas e os movimentos dos trens se encaixassem na visão geral, e até aumentassem sua funcionalidade? Esses desafios o empolgavam.

O maior perigo em seu caminho era o de, com o passar do tempo, sua energia diminuir e o projeto se arrastar durante anos, levando-o a perder o contato com sua visão original. Para combater essa tendência, Calatrava mantinha uma atitude de insatisfação constante. Os desenhos nunca lhe pareciam muito adequados, jamais o agradavam de todo. Tinham que ser aprimorados e aperfeiçoados continuamente. Esforçando-se pela perfeição e cultivando o sentimento constante de incerteza, o projeto nunca se congelava em algo rígido e inerte. Precisava estar vivo no momento em que o pincel tocava o papel. Se o que estivesse projetando começasse a parecer inerte, era hora de recomeçar. Esse método demandava não só paciência, como também grande dose de coragem, quando era necessário apagar o trabalho de vários meses. Manter a vivacidade, porém, era ainda mais importante.

Com o passar do tempo, quando fazia a retrospectiva de todos os seus projetos, Calatrava tinha uma sensação estranha. O projeto que desenvolvera dava a impressão de não ter surgido dentro de si mesmo. Não era algo que tivesse criado a partir da própria imaginação parecia que a natureza em si o havia induzido a esse processo orgânico e maravilhosamente eficaz. Os projetos se fixavam em sua mente a partir de alguma emoção ou ideia, e, aos poucos, cresciam com os desenhos, sempre vivos e fluidos como a vida em si, da mesma maneira como a evolução de uma planta culminava com a flor. Impregnado dessa energia durante o trabalho, ele manifestava essas sensações nas próprias estruturas, despertando perplexidade e admiração no público.

◆

Como o processo criativo é uma questão ardilosa, para a qual não recebemos treinamento, em nossos primeiros esforços criativos quase sempre estamos por nossa própria conta, para o bem ou para o mal. E, nessas circunstâncias, temos que produzir algo compatível com nossas peculiaridades e nossa profissão. Muitas vezes, porém, erramos muito no desenvolvimento do processo, em especial quando estamos sob pressão para produzir resultados e com medo de não chegarmos a lugar nenhum. Na abordagem que Calatrava desenvolveu para seu trabalho, podemos discernir padrões e princípios com amplas aplicações, uma vez que se baseiam nas inclinações e nas forças do cérebro humano.

Primeiro, é essencial incluir no processo criativo um período inicial indeterminado e irrestrito. Nele, você se permite sonhar e divagar, começando de modo descontraído e difuso e deixando que o projeto se associe a certas emoções poderosas, que se manifestam naturalmente à medida que você se concentra em suas ideias. É sempre fácil restringir suas ideias em estágio mais avançado, tornando o projeto cada vez mais realista e racional. Porém, se ele já começa com um sentimento de pressão e de limitação, sob o efeito de aspectos restritivos como financiamento, competição e diversidade de opiniões, logo de início se inibem os poderes associativos do cérebro e o trabalho é convertido em algo triste e árido.

Segundo, é melhor ter amplo conhecimento de seu campo de atuação e de outros correlatos, dando ao cérebro mais oportunidades de associações e conexões. Para manter a vivacidade do processo, não se contente com a primeira ideia, como se sua visão inicial representasse o ponto final. É preciso cultivar uma profunda insatisfação com seu trabalho e fomentar a necessidade de melhorar sempre, juntamente com o sentimento de dúvida – você não tem certeza absoluta de para onde ir em seguida, condição que reforça o espírito criativo e o mantém vigoroso. Qualquer resistência ou obstáculo que cruze seu caminho deve ser visto como mais uma chance de melhorar o seu trabalho.

Por fim, deve-se cultivar a lentidão como virtude. Quando se trata de empreendimentos criativos, o tempo é sempre relativo. Não importa que o projeto demore meses ou anos, você sempre se sentirá impaciente e ansioso para chegar ao final. A iniciativa mais importante para desenvolver a capacidade criativa é combater essa impaciência natural. É preciso desfrutar o laborioso processo de pesquisa; apreciar o cozimento em fogo brando da ideia; explorar o crescimento orgânico que naturalmente toma forma com o passar do tempo. Você não deve prolongar artificialmente o processo, o que gera seus próprios problemas (todos precisamos de prazos); no entanto, quanto mais deixar que o projeto absorva suas energias mentais, mais fecundo ele se tornará. Imagine-se alguns anos depois, no futuro, recordando o trabalho realizado. Desse ponto de vista, os meses ou anos adicionais que você dedicou ao processo não parecerão tão dolorosos ou trabalhosos. A sensação de perda de tempo é uma ilusão do presente, que não tardará a desaparecer. O tempo é seu grande aliado.

5. O campo aberto

O pai de Martha Graham, o Dr. George Graham, foi um dos poucos médicos pioneiros, na década de 1890, a se especializar no tratamento de doenças mentais. (Para mais informações sobre Martha Graham, ver páginas 43 e 82). Em família, ele não falava muito sobre seu trabalho, mas um tema que ele discutia abertamente com a filha a deixou fascinada. Ao trabalhar com os pacientes, o Dr. Graham desenvolvera a capacidade de julgar em grande parte as condições mentais deles com base na linguagem corporal. Conseguia avaliar o nível de ansiedade de cada um pela maneira como caminhavam, como movimentavam os braços ou como fixavam os olhos em algo. "O corpo não mente", dizia-lhe com frequência.

Na escola do ensino médio, em Santa Bárbara, na Califórnia, Martha desenvolveu interesse pelo teatro. Mas, desde a noite do ano 1911 em que o Dr. Graham levou a filha de 17 anos a Los Angeles para ver um espetáculo da famosa dançarina Ruth St. Denis, a única coisa em que ela pensava era se tornar dançarina. Influenciada pelo pai, ficou intrigada com aquela capacidade de expressar emoções sem palavras, exclusivamente por meio do movimento do corpo. Assim que St. Denis abriu sua própria escola de dança (junto com o parceiro, Ted Shawn), em 1916, Martha logo se matriculou. Boa parte da coreografia era uma espécie de balé livre, com ênfase em fazer com que tudo parecesse fácil e natural. Havia muitas posturas e muitos movimentos com lenços, como no trabalho de Isadora Duncan.

De início, Martha não foi considerada uma dançarina promissora. Tímida, sempre ficava no fundo da sala. Sua compleição física não era a mais adequada para a arte (não tinha o corpo flexível típico das bailarinas), e demorava para assimilar a coreografia. Mas, quando ela apresentou seu primeiro solo, St. Denis e Shawn viram algo que lhes pareceu surpreendente: ela emanava uma energia que jamais imaginaram naquela novata. Transpirava carisma. St. Denis a comparou a "um jovem tornado" quando começou a se movimentar no palco. Tudo o que lhe ensinavam ela convertia em algo mais intenso e agressivo.

Depois de vários anos, ela se tornou uma das principais alunas, grande bailarina da trupe e professora do método Denishawn, como veio a ser conhecido. Em pouco tempo, porém, começou a se cansar dessa forma de dança, pois não se adequava a seu temperamento. Para se distanciar um pouco da escola, mudou-se para Nova York, mas continuou ensinando o mesmo método para poder se sustentar. Até que um dia, em 1926, talvez aborrecido com o fato de ela ter deixado a trupe, Ted Shawn a surpreendeu com um ultimato – ela teria que pagar 500 dólares pelo direito de ensinar os exercícios Denishawn e pelo uso do material de dança. Do contrário, ela estaria terminantemente proibida de usar o método deles, tanto em suas aulas quanto em seu trabalho pessoal.

Para Martha, aquilo provocou uma crise. Aos 32 anos, já não era jovem o bastante para a carreira de dançarina. Suas economias mal chegavam a 50 dólares, o que significava que jamais conseguiria pagar Shawn, mesmo que quisesse. Para ganhar algum dinheiro extra, já tentara trabalhar em espetáculos de dança populares na Broadway, e detestara a experiência, prometendo nunca mais voltar. No entanto, ao ponderar suas escolhas, tinha uma ideia recorrente. Ela sempre visualizara uma espécie de dança que não existia no mundo, mas que mexia com seus anseios mais profundos, como dançarina e como espectadora. A dança que imaginava era o oposto exato do método Denishawn, que agora lhe parecia uma sucessão de gestos vazios e afetados. O que concebia era algo mais parecido com o que vira em arte moderna – um tanto áspero e às vezes dissonante, cheio de energia e ritmo. Aquilo a impressionava como uma forma visceral de dança, e, ao pensar nisso, seus pensamentos se voltavam para o pai e suas conversas sobre o corpo, sobre o que os animais expressavam por meio de seus movimentos.

A dança com que sonhava era rigorosa, baseada em um novo tipo de disciplina – de modo algum flutuante e espontânea como o estilo Denishawn, mas, sim, algo que teria sua própria linguagem. Ela não conseguia afastar o vislumbre da beleza dessa dança inexistente. Nunca mais contaria de novo com essa chance. Com a idade, vem o conservadorismo e a necessidade de conforto. Para criar o que não estava lá, precisaria fundar sua própria escola e trupe de dança, desenvolvendo a técnica e a disciplina por conta própria. Para se sustentar, daria aulas, ensinando os movimentos da nova dança, em vias de criação. O empreendimento envolveria um grande risco e o dinheiro seria um problema constante, mas o desespero para criar o que imaginava a impulsionava para superar qualquer obstáculo.

Semanas depois do ultimato de Ted Shawn, ela partiu para a ação. Alugou um espaço e, para mostrar aos alunos que aquele era um novo estilo de dança, revestiu as paredes com pano de juta. Ao contrário de outros estúdios de dança, o dela não teria espelhos. Os dançarinos teriam que se concentrar intensamente no que ela ensinasse e aprender a se corrigir, sentindo o movimento em seus corpos, em vez de ficar de olhos fixos nas imagens. Tudo o que ela queria nessa nova forma de dança se voltaria para fora, diretamente ao público, sem autoconsciência.

De início, tudo pareceu quase impossível. Seus alunos eram poucos, na conta exata para cobrir o aluguel. Muitas vezes, tinham que esperar, enquanto, aos poucos, ela inventava um novo tipo de movimento ou exercício, que eles, então, praticavam e refinavam juntos. Algumas apresentações iniciais, embora um pouco desajeitadas, conseguiram atrair mais alunos, o suficiente para Martha pensar em criar uma pequena trupe. Exigia desse grupo a mais rigorosa disciplina. Estavam criando uma nova linguagem e precisariam trabalhar com afinco. A cada semana ela desenvolvia um novo conjunto de exercícios, que dariam aos dançarinos mais controle, além de novos mecanismos de movimento inteiramente inéditos. Ela e os alunos passaram um ano inteiro trabalhando e aperfeiçoando uma nova técnica simples, até que ela se tornasse natural.

Para diferenciar o novo método de outras formas de dança, ela concentrou toda a ênfase no tronco, que denominava "casa da verdade pélvica". Ela havia concluído que extraía o máximo de expressividade do corpo ao contrair o diafragma e ao movimentar o tronco. Esse seria o ponto focal, não o rosto nem os braços, que tornavam a dança romântica demais. Desenvolveu, então, inúmeros exercícios para fortalecer essa área, e estimulou os dançarinos a sentir as emoções profundas que se desencadeavam ao usar esses músculos.

Grande parte da motivação nessa fase inicial veio do desejo de criar algo que nunca tivesse sido visto no palco. Na dança ocidental, por exemplo, a queda de um dançarino era tabu – sinal de erro e de perda de controle. Ela resolveu mudar o conceito e criar uma nova sequência de quedas controladas, em que o dançarino se fundia com o solo e dele se reerguia muito lentamente. Para tanto, era necessário desenvolver uma nova série de músculos. Por fim, ela elaborou ainda mais o conceito, usando o chão como espaço sobre o qual o dançarino se movimentava, com a sinuosidade de uma cobra. No novo sistema, de repente também o joelho se tornou um novo instrumento de expressão – uma dobradiça sobre a qual o dançarino se movimenta e se balança, criando o efeito de imponderabilidade.

Aos poucos, à medida que o trabalho progredia, ela via a nova forma de dança que concebera ganhar vida. Para reforçar o efeito de novidade, Martha resolveu desenhar e confeccionar o vestuário do grupo. Essas roupas, feitas de tecido elástico, conferiam aos dançarinos formas quase abstratas, acentuando seus movimentos precisos. Em vez da decoração de contos de fadas até então predominante nos balés, seus cenários eram mínimos e austeros. Os dançarinos usavam pouca maquiagem. Tudo seria concebido para destacá-los do palco e para tornar explosivos seus movimentos.

A reação à sua primeira série de performances foi eletrizante. O público nunca vira nada parecido. Muita gente manifestou insatisfação e repulsa. Mas também não faltou quem achasse o trabalho insolitamente emocional, conferindo à dança uma intensidade expressiva que nunca suspeitaram ser possível. O trabalho suscitou respostas extremas, um indício de seu impacto. Com o passar do tempo, o que de início parecera tão grosseiro e deselegante passou a ser aceito, uma vez que Martha Graham de fato havia criado um novo gênero – a dança moderna tal como a conhecemos hoje. Para evitar que a inovação se convertesse em outra convenção, ela sempre se empenharia em surpreender o público, nunca repetindo velhos padrões e sim mudando constantemente os temas, da mitologia grega para a tradição americana e para imagens da literatura. Durante quase 60 anos depois da formação de sua trupe, ela continuou a se esforçar para criar aquele sentimento de novidade e urgência que sempre almejara.

◆

É provável que o maior obstáculo à criatividade humana seja a decadência natural que se estabelece depois de algum tempo, em qualquer tipo de contexto ou profissão. Tanto nas ciências quanto nos negócios, certa maneira de pensar ou agir bem-sucedida se converte depressa em paradigma, tornando-se um procedimento convencional. Com o passar do tempo, as pessoas se esquecem da razão inicial que determinou a inovação e simplesmente seguem por automatismo um conjunto de técnicas. Nas artes, alguém adota um estilo novo e vibrante, compatível com o espírito da época. Ele se destaca por ser tão diferente. Os imitadores brotam por toda parte. Em breve, a novidade vira moda, algo a que se conformar, mesmo que a conformidade tenha ares de rebelião e inconformismo. O fenômeno talvez se prolongue por 10 ou 20 anos; mas aos poucos se transforma em clichê, em mais um estilo, sem emoção ou necessidade. Nada na cultura escapa dessa dinâmica enfraquecedora.

Talvez não tenhamos consciência desse fenômeno, mas padecemos das formas e convenções que entorpecem nossa cultura. Esse problema, porém, cria ótimas oportunidades para os tipos criativos, como a demonstrada pelo exemplo de Martha Graham. O processo avança da seguinte maneira: você começa olhando para dentro. Descobre em seu interior algo a expressar que se destaca pela singularidade e que reflete suas inclinações. É preciso se certificar de que não se trata de algo detonado por alguma tendência ou modismo, mas que vem de dentro de si mesmo e se manifesta com intensidade. Talvez seja um som que não se ouve na música em geral, ou uma história que ninguém conta ou um gênero literário que não se encaixa nas categorias convencionais. E até pode ser uma nova maneira de fazer negócios. Deixe que a ideia, o som ou a imagem criem raízes em seu interior. Depois que intuir a possibilidade de uma nova linguagem ou de uma nova forma de fazer as coisas, é preciso tomar a decisão consciente de combater as convenções que já estariam mortas e que, portanto, devem ser descartadas. Martha Graham não criou sua obra a partir do nada; o trabalho que desenvolveu correspondia ao que o balé e a dança moderna da época não lhe estavam oferecendo. Ela partiu das convenções e as virou de ponta-cabeça. A adoção dessa estratégia conferirá ao seu trabalho uma espécie de ponto de referência reverso e uma nova maneira de moldá-lo.

Como Martha Graham, não se deve confundir inovação com espontaneidade sem controle. Nada se torna mais repetitivo e enfadonho tão rápido quanto a expressão sem raízes na realidade e na disciplina. É preciso fortalecer sua nova ideia com todo o conhecimento que você adquiriu em seu campo de atuação, mas com o propósito de reformá-lo, como Martha agiu com o método Denishawn. No fundo, o que se está fazendo é criar algum espaço em uma cultura congestionada, reivindicando para si um espaço aberto em que finalmente seja possível plantar algo novo. As pessoas anseiam pelo novo, pelo que expressa o espírito da época de modo original. Ao criar algo inédito, também se cria o próprio público, e alcança-se a posição máxima de poder na cultura.

6. Refinamento intelectual

Yoky Matsuoka (ver Capítulo 1, páginas 46-48) sempre teve a sensação de ser diferente dos outros. Não pela aparência física nem pelas roupas, mas, sim, por seus interesses. Durante a adolescência, vivida no Japão do começo da década de 1980, deveria se concentrar em algo que viria a ser sua carreira. No entanto, à medida que amadurecia, seus interesses apenas se ampliavam. Gostava de física e matemática, mas também era atraída por biologia e fisiologia. Era atleta talentosa, promissora como tenista profissional, até que uma lesão a afastou das competições. Acima de tudo, adorava trabalhar com as mãos e mexer em máquinas.

Para seu alívio, ao iniciar os estudos de graduação na Universidade da Califórnia, em Berkeley, deparou com um tema que parecia abrir todos os tipos de questões que saciariam sua ânsia por uma ampla gama de conhecimentos – a robótica, uma tecnologia relativamente nova na época. Depois de se formar, ansiosa por explorar o assunto com mais profundidade, entrou no programa de mestrado em robótica do MIT. Parte de seu trabalho no departamento era ajudar no projeto de construção de um robô em grande escala, e logo optou por trabalhar exclusivamente com o desenho das mãos da máquina. Ela sempre fora fascinada pela complexidade e pela habilidade das mãos humanas. Com a chance de combinar tantos de seus interesses (matemática, fisiologia e trabalhos manuais), parecia que encontrara enfim seu nicho.

Ao começar o trabalho com as mãos, porém, mais uma vez se deu conta de como era diferente em sua maneira de pensar. Os outros alunos do departamento, na maioria homens, tendiam a reduzir tudo a questões de engenharia – como dotar o robô de tantas opções mecânicas quanto possível, para que ele pudesse se movimentar e agir de maneira razoavelmente humana. Pensavam no robô basicamente como uma máquina. Sua construção exigia resolver uma série de questões técnicas e criar uma espécie de computador móvel, capaz de imitar alguns padrões de pensamento básicos.

A abordagem de Yoky era muito diferente. Ela queria criar algo o mais natural e anatomicamente correto possível. Esse seria o verdadeiro futuro da robótica, e realizar esse objetivo significava se envolver em questões que se situavam em um nível muito mais elevado – o que transmite vida a alguma coisa e lhe confere complexidade organizacional? Para ela, era tão importante estudar evolução, fisiologia humana e neurociência quanto mergulhar na engenharia. Talvez aquilo complicasse seu plano de carreira, mas ela seguiria suas próprias inclinações e veria para onde a levariam.

Ao prosseguir com o projeto, Yoky tomou uma decisão-chave: começaria construindo um modelo de mão robótica que replicasse ao máximo a mão humana. No esforço para executar essa enorme tarefa, seria forçada a compreender o efetivo funcionamento de cada parte. Por exemplo, ao tentar recriar os vários ossos da mão, deparou com diversas saliências e reentrâncias que eram aparentemente irrelevantes. Os ossos e as articulações do dedo indicador, por exemplo, têm uma saliência que o torna maior em um lado. Ao estudar esse detalhe, descobriu sua função – dar-nos a capacidade de agarrar objetos no centro da mão com mais força. Parecia estranho que essa saliência tivesse sido desenvolvida pela evolução especificamente com esse propósito. Era provável que fosse alguma mutação que acabou sendo parte de nosso aprimoramento, na medida em que a mão se tornava cada vez mais importante para o progresso humano.

Prosseguindo na mesma linha, passou a se concentrar na palma da mão robótica, o que concluíra ser, de muitas maneiras, o aspecto principal do projeto. Para a maioria dos engenheiros, a mão robótica devia ser projetada para produzir o máximo de força e de maneabilidade. Para isso, embutiam nela diversos mecanismos, mas, para fazê-la funcionar, também precisavam comprimir numerosos motores e cabos no lugar mais conveniente, a palma, tornando-a completamente rígida. Depois de projetar mãos dessa forma, passavam a bola para os engenheiros de software, que tentavam resolver o problema da maneabilidade. No entanto, em consequência da rigidez da palma, o polegar nunca era capaz de tocar o mindinho, e os engenheiros sempre acabavam aceitando a mesma mão robótica altamente limitada.

Yoky partiu do outro extremo. O objetivo dela era descobrir os fatores que contribuíam para a destreza das mãos, e não havia dúvida de que um dos requisitos críticos era a palma curva e flexível. Raciocinando nesse nível mais elevado, era evidente que os motores e cabos deveriam ser colocados em outro lugar. Em vez de entulhar toda a mão com esses mecanismos, para que tudo pudesse se movimentar ela concluiu que o mais importante componente da mão era o polegar, a chave de nossa capacidade de agarrar objetos. Era onde poria mais força.

E prosseguiu nesse caminho, descobrindo cada vez mais detalhes que contribuíam para a maravilhosa mecânica da mão humana. Enquanto trabalhava dessa maneira peculiar, outros engenheiros debochavam dela e de sua estranha abordagem biológica. Que desperdício de tempo, diziam-lhe. No final, porém, o que ela chamara de banco de testes anatomicamente correto logo se tornou o modelo para a indústria, revelando toda uma gama de possibilidades para próteses de mãos, validando sua abordagem e rendendo-lhe fama e reconhecimento pelas habilidades em engenharia.

Isso foi, no entanto, apenas o começo de seu esforço para compreender a natureza orgânica da mão e, por fim, para literalmente recriá-la. Depois do mestrado em robótica, voltou ao MIT para um ph.D. em neurociência. Hoje, com seu conhecimento profundo dos sinais nervosos que tornam a conexão entre mão e cérebro tão singular, ela persegue o objetivo de criar uma prótese de mão capaz de efetivamente conectar-se com o cérebro, funcionando e transmitindo sensações como se fosse real. Para tanto, continua a trabalhar com conceitos sofisticados, como a influência da conexão entre mão e cérebro sobre nossa forma de pensar.

No laboratório, ela realizou testes para ver como as pessoas manipulam objetos ambíguos com os olhos fechados, estudando como os exploram com as mãos e registrando os neurossinais complexos que são gerados no processo. Yoky se pergunta se não poderia haver alguma ligação entre esse tipo de especulação manual e os processos de pensamento abstrato (talvez envolvendo sinais nervosos semelhantes), como quando deparamos com um problema que parece de difícil solução. O propósito dela é embutir essas sensações exploratórias na mão protética. Em outros experimentos, nos quais os indivíduos movimentam mãos em contexto de realidade virtual, ela descobriu que quanto mais as pessoas são induzidas a sentir aquela mão como parte de seus corpos, mais alto é o grau de controle que exercem sobre o órgão. Embora sua execução prática ainda esteja anos à frente, o projeto da mão protética conectada ao cérebro terá consequências tecnológicas muito além da robótica.

Em muitos campos de atuação, constatamos e diagnosticamos a mesma doença mental, que denominaremos *prisão técnica* e que significa o seguinte: para aprender uma disciplina ou habilidade, em especial as mais complexas, devemos estudar muitos detalhes, tecnologias e procedimentos que são padrões na solução de problemas. No entanto, se não somos cuidadosos, ficamos presos ao hábito de usar as mesmas técnicas e estratégias que tanto se impregnaram em nossa mente. É sempre mais simples seguir essa trajetória. No processo, perdemos de vista o panorama geral, o propósito do que estamos fazendo, como cada problema que enfrentamos é diferente e exige uma abordagem diferente. Adotamos uma espécie de visão afunilada.

Essa prisão técnica aflige representantes de todos os campos de atuação. Yoky Matsuoka topou com uma solução para esse problema que a empurrou para a fronteira mais avançada de sua área de trabalho. Ocorreu-lhe como reação à abordagem da engenharia, que até então prevalecia na robótica. A mente dela naturalmente funciona melhor em escala mais ampla, ponderando as conexões o tempo todo, em alto nível – o que faz da mão humana uma perfeição tão extraordinária, como a mão influenciou quem somos e como pensamos. Com questões tão abrangentes orientando sua pesquisa, ela evita concentrar um foco estreito sobre questões técnicas sem compreender o panorama mais amplo. O raciocínio nesse nível libera a mente para investigar a partir dos mais diferentes ângulos: por que os ossos da mão são dessa maneira? O que torna a palma da mão tão maleável? Como o sentido do tato influencia nosso pensamento, de uma forma geral? Isso permite a ela se aprofundar nos detalhes sem perder o senso do todo e das razões que o justificam.

Você também deve adotar esse modelo em seu trabalho. Seu projeto ou problema precisa estar relacionado com algo maior – uma questão de mais relevância, uma ideia mais abrangente, um objetivo inspirador. Sempre que seu trabalho começar a parecer monótono, retorne ao propósito ou ao conceito mais amplo que o motivou em primeiro lugar. Ao se lembrar constantemente de seu propósito, você evitará se fixar em certas técnicas e não se tornará obcecado por detalhes triviais. Desse modo, explorará as forças naturais do cérebro humano, que tendem a buscar conexões em níveis cada vez mais altos.

7. O sequestro evolutivo

No verão de 1995, Paul Graham (ver Capítulo 2, página 106-108) ouviu uma história no rádio, promovendo as possibilidades ilimitadas do comércio on-line, que, na época, mal existia. A promoção partiu do Netscape, que tentava despertar interesse por seu negócio, às vésperas de sua oferta pública inicial de ações (IPO). Na época, Graham estava numa encruzilhada. Depois de se tornar ph.D. em engenharia da computação pela Universidade Harvard, caíra num padrão: encontrava alguns trabalhos de consultoria em tempo parcial no negócio de software; depois de poupar algum dinheiro, deixava o emprego e se dedicava à sua verdadeira paixão – arte e pintura – até suas economias acabarem, quando, então, arranjava outro trabalho. Aos 31 anos, estava ficando cansado daquela rotina, e detestava prestar consultoria. A perspectiva de ganhar muito dinheiro desenvolvendo algo para a internet de repente lhe pareceu muito atraente.

Graham convocou, então, seu velho parceiro de programação em Harvard, Robert Morris, e vendeu-lhe a ideia de se associarem em uma nova empresa, embora Graham ainda não imaginasse por onde começariam ou o que fariam. Depois de alguns dias de conversa, resolveram desenvolver um software para a criação de lojas virtuais. Uma vez definido o conceito, tiveram que enfrentar um grande obstáculo. Naqueles dias, para alcançarem um público mais amplo, os programas deveriam ser escritos para o Windows. Como hackers consumados, eles odiavam tudo o que se relacionava com o Windows, e nunca tinham se dado ao trabalho de aprender a programar aplicativos para essa plataforma. Preferiam programar em Lisp e rodar os programas em Unix, sistema operacional de código aberto.

Resolveram, então, adiar o inevitável e escrever o programa para Unix. Convertê-lo depois para o Windows seria fácil, mas, ao tentarem fazê-lo, se defrontariam com terríveis consequências – depois de lançar o programa para Windows, teriam que lidar com os usuários e aperfeiçoar o software com base nesse feedback. Isso significava que seriam obrigados a pensar e a programar para Windows durante meses, talvez anos. A perspectiva era terrível e eles pensaram seriamente em desistir.

Um dia pela manhã, Graham, que dormira em um colchão no apartamento de Morris, em Manhattan, acordou repetindo certas palavras que provavelmente lhe ocorreram durante um sonho: "Você poderia controlar o programa clicando em links." Ele se levantou de supetão ao perceber o que essas palavras podiam significar – a possibilidade de desenvolver um programa para comércio on-line que rodaria no próprio servidor web. As pessoas o usariam via Netscape, clicando em vários links na página da web. Isso significava que ele e Morris contornariam o roteiro usual de escrever um programa que os usuários baixariam para seu desktop. Tal solução eliminaria a necessidade de mexer com o Windows. Ainda não havia nada desse tipo, mas parecia uma saída óbvia. Empolgado, explicou a epifania a Morris, e resolveram tentar. Em poucos dias, terminaram a primeira versão, e ela funcionou muito bem. Sem dúvida, o conceito de um aplicativo na web funcionaria.

Nas semanas seguintes, refinaram o software e encontraram um investidor anjo que entraria com 10 mil dólares iniciais por 10% das ações da empresa. No começo, foi muito difícil despertar o interesse de empreendedores pelo conceito. Aquele foi o primeiro programa rodado na internet para constituir um negócio on-line, na fronteira do comércio eletrônico. Aos poucos, porém, a iniciativa começou a decolar.

A novidade da ideia, que Graham e Morris haviam concebido em grande parte por causa da antipatia em relação ao Windows, revelou todos os tipos de vantagens imprevistas. Trabalhando diretamente na internet, podiam gerar um fluxo contínuo de novos lançamentos do software e testá-los imediatamente. Também tinham condições de interagir com os consumidores, recebendo feedback instantâneo sobre o programa, melhorando-o em dias, em vez de meses, como ocorria com softwares para desktop. Sem experiência em gestão de empresas, não pensaram em contratar vendedores; em vez disso, eles próprios telefonavam para os clientes potenciais. No entanto, como de fato formavam a linha de frente da empresa, eram os primeiros a ouvir as reclamações e sugestões dos consumidores, o que lhes aguçava a sensibilidade em relação às deficiências do programa, facilitando as correções e melhorias. Por se tratar de algo único, não tinham concorrentes com que se preocupar; ninguém lhes roubaria a ideia, pois eram os únicos loucos o bastante para empreendê-la.

Obviamente, eles cometeram vários erros ao longo do caminho, mas a ideia era forte demais para fracassar; e, em 1998, venderam sua empresa, a Viaweb, para o Yahoo! por 50 milhões de dólares.

Passados alguns anos, quando Graham olhava para trás e se lembrava da experiência, o processo que ele e Morris adotaram o surpreendia. Isso o fazia lembrar de outras invenções da história, como a dos microcomputadores. Os microprocessadores, que possibilitaram os microcomputadores, haviam sido desenvolvidos, de início, para o controle de sinais de trânsito e de máquinas automáticas de vendas. Nunca se havia pensado neles para uso em computadores. Os primeiros empreendedores a tentá-lo foram alvo de piadas; seus computadores pioneiros nem pareciam dignos do nome – eram muito pequenos e de baixa capacidade. Mas algumas pessoas perceberam que essas máquinas lhes poupavam tempo, aumentavam sua produtividade e serviam de passatempo, e contribuíram para que a ideia decolasse. A mesma história já ocorrera com os transistores, que, nas décadas de 1930 e 1940, foram concebidos e aplicados em produtos eletrônicos para fins militares. Só no começo da década de 1950 é que vários indivíduos tiveram a ideia de aplicar a tecnologia em aparelhos de rádio para o público, logo dando origem ao que viria a se tornar o produto eletrônico mais popular da história.

O interessante em todos esses casos foi o processo peculiar que levou a essas invenções: em geral os inventores depararam por acaso com a tecnologia disponível; depois, ocorreu-lhes a ideia de que a tecnologia poderia ser usada para outros propósitos; e, finalmente, experimentaram diferentes protótipos até encontrarem o mais adequado. O que possibilita esse processo é a disposição do inventor de ver as coisas do cotidiano sob uma luz diferente e de imaginar novos usos para elas. Para quem se prende a visões rígidas, a familiaridade de uma aplicação tradicional os impede de perceber outras possibilidades. A grande questão está na importância de cultivar uma mentalidade flexível e adaptável, algo que, quase sempre, é suficiente para distinguir um inventor ou um empreendedor bem-sucedido do resto da multidão.

Depois de capitalizar o sucesso da Viaweb, Graham teve a ideia de escrever ensaios para a internet – sua forma um tanto peculiar de blog. Esses ensaios o converteram em celebridade entre jovens hackers e programadores de todos os lugares. Em 2005, foi convidado por estudantes de graduação do departamento de ciências da computação de Harvard para dar uma palestra. Em vez de entediar os estudantes e a si próprio com a análise de diferentes linguagens de programação, resolveu debater a ideia das próprias *startups* de tecnologia – por que algumas são sucessos retumbantes ao passo que outras são fracassos desastrosos? O evento foi tão instigante, e as ideias de Graham tão esclarecedoras, que os alunos começaram a assediá-lo com perguntas sobre os próprios planos para *startups*. Ao ouvi-los, sentiu que alguns daqueles conceitos estavam corretos, mas que os jovens precisavam de muita orientação e suporte.

Graham sempre pensara em investir nas ideias de outras pessoas. Ele próprio se beneficiara de um investidor anjo em seu projeto, e lhe parecia justo retribuir o favor, ajudando outros jovens. O problema era por onde começar. A maioria dos investidores anjos tinha alguma noção de finanças antes de investir e costumava começar em escala reduzida para ganhar experiência. Graham não sabia nada de negócios. Para compensar essa deficiência, teve uma ideia que, à primeira vista, parecia ridícula – investiria simultaneamente 15 mil dólares em 10 *startups*. E selecionaria as 10 divulgando sua oferta e escolhendo as melhores candidatas. Durante alguns meses, ele orientaria essas novatas, até o ponto de lançamento da ideia. Por esse trabalho, ficaria com 10% de qualquer empresa bem-sucedida. Seria como um sistema de aprendizagem para os fundadores, mas, na verdade, havia outro propósito – para ele, seria como um curso intensivo em investimentos.

Mais uma vez, ele recrutou Robert Morris como parceiro no negócio. Umas duas semanas depois do início do treinamento, porém, ele e Morris perceberam que tinham começado algo poderoso. Considerando a experiência deles com a Viaweb, estavam em condições de dar conselhos objetivos e eficazes. As ideias das *startups* que estavam orientando pareciam muito promissoras. Talvez o sistema que haviam adotado como forma rápida de treinamento fosse em si um modelo interessante. A maioria dos investidores anjos se associa a apenas umas poucas *startups* por ano; em geral, estão muito ocupados com os próprios negócios. Mas e se Graham e Morris se dedicassem em tempo integral a esse sistema de aprendizagem? Poderiam produzir em massa o serviço. Talvez tivessem condições de incubar centenas, em vez de dezenas, dessas *startups*. No processo, aprenderiam a realidade dos negócios por meio da prática cotidiana do empreendedorismo. E o crescimento exponencial do conhecimento e da experiência resultaria em cada vez mais empresas bem-sucedidas.

Se aquilo realmente desse certo, eles não só ganhariam muito dinheiro como também exerceriam um impacto decisivo sobre a economia, injetando no sistema milhares de hábeis empreendedores. Batizaram a nova empresa de Y Combinator e a consideraram sua grande contribuição para mudar a economia mundial.

Treinaram os aprendizes com base em todos os princípios que haviam aprendido ao longo do percurso – o benefício de buscar novas aplicações para tecnologias existentes e de identificar necessidades que não estão sendo atendidas; a importância de manter relacionamentos estreitos com os clientes; as vantagens de preservar a simplicidade e o realismo das ideias; o valor de criar produtos superiores e de vencer por meio da maestria no campo de atuação em vez de se fixar em ganhar dinheiro.

À medida que os aprendizes acumulavam conhecimento e experiência, também eles se aprimoravam como mentores e como empreendedores. Por estranho que pareça, descobriram que os atributos mais importantes dos empreendedores bem-sucedidos não são nem a natureza de suas ideias nem as universidades que cursaram, mas, sim, algo pessoal – a disposição de adaptar as próprias ideias e de tirar proveito das possibilidades que não haviam imaginado de início. Foi essa fluidez mental que Graham havia identificado em si mesmo e em outros inventores. Outro atributo essencial de caráter é a determinação extrema.

Ao longo dos anos, a Y Combinator continuou a crescer a taxas espantosas. Hoje, está avaliada em 500 milhões de dólares, com potencial inequívoco de mais crescimento.

Geralmente, temos uma ideia equivocada sobre a capacidade criativa e inventiva da mente humana. Imaginamos que as pessoas criativas primeiro têm um insight interessante que, então, passam a elaborar e a refinar, de maneira mais ou menos linear. A verdade, porém, é muito mais desorganizada e complexa. A criatividade se assemelha a um processo conhecido na natureza como sequestro evolutivo. Na evolução, os acidentes e as contingências desempenham uma função de extrema importância. Por exemplo, as penas evoluíram das escamas dos répteis, com o propósito de manter as aves aquecidas. (As aves evoluíram dos répteis.) Mas, por fim, as penas propiciaram a adaptação ao processo de voar, à medida que novas espécies desenvolviam asas. Para nossos ancestrais primatas, a forma das mãos evoluiu em grande parte em consequência da necessidade de agarrar galhos com rapidez e agilidade. Os primeiros hominídeos, caminhando no solo, passaram a usar as mãos para manipular rochas, fabricar ferramentas e gesticular como forma de comunicação. Talvez a linguagem em si, que, de início, se desenvolvera como ferramenta estritamente social, tenha sido sequestrada para se tornar um meio de raciocínio, fazendo com que a própria autoconsciência humana fosse produto do acaso.

A criatividade humana costuma seguir um caminho semelhante, talvez indicando uma espécie de fatalidade orgânica para a criação de algo. As ideias não nos ocorrem a partir do nada. Em vez disso, deparamos com algo por acidente – na história de Graham, um anúncio de rádio ouvido ao acaso ou perguntas do público depois de uma palestra. Se formos experientes o bastante e já tiver chegado a hora, o encontro acidental deflagrará em nossa mente algumas associações e ideias interessantes. Ao observar os materiais específicos com que podemos trabalhar, de repente topamos com outra maneira de usá-los. Ao longo de todo o percurso, surgem contingências que revelam diferentes caminhos a serem seguidos, que, se nos parecem promissores, passamos a percorrer, sem saber ao certo para onde levarão. Em vez de um processo em linha reta da concepção à fruição, a criatividade é mais como a copa das árvores, cheia de galhos e ramificações.

A lição é simples: o que constitui a verdadeira criatividade é a abertura e a adaptabilidade do espírito. Quando vemos ou experimentamos algo, é preciso observá-lo de vários ângulos, para ver outras possibilidades além das mais óbvias. Imaginamos que os objetos ao nosso redor podem ser usados e cooptados para vários propósitos. Não devemos nos prender às nossas ideias originais por teimosia, nem porque nosso ego está preso às suas verdades. Em vez disso, precisamos avançar a partir do que se nos apresenta no momento, explorando as diferentes ramificações. Só assim convertemos escamas em penas, que propiciam o voo. Portanto, a diferença não reside em nenhum poder criativo no cérebro, mas em nossa visão de mundo e na fluidez com que somos capazes de reformular o que vemos. Criatividade e adaptabilidade são inseparáveis.

8. Pensamento dimensional

Em 1798, Napoleão Bonaparte invadiu o Egito na tentativa de transformá-lo em colônia, mas a invasão fracassou quando os ingleses intervieram, no esforço para deter a expansão dos franceses. Um ano depois, quando a guerra se arrastava, um soldado que trabalhava no reforço de um forte francês, perto da cidade de Rosetta, escavou o chão e encontrou uma rocha. Ao extrair a rocha, descobriu que era alguma espécie de relíquia do Egito antigo – uma placa de basalto coberta de inscrições. Napoleão fora motivado a invadir o Egito em parte por sua curiosidade intensa pelo país e pela cultura, e levara com as tropas cientistas e historiadores franceses para analisar as preciosidades que esperava encontrar.

Ao analisarem a placa de basalto, que veio a ser conhecida como Pedra de Roseta, os estudiosos franceses ficaram empolgados. Ela continha textos escritos em três sistemas diferentes – no alto, hieróglifos egípcios; no meio, o que é conhecido como demótico (linguagem e escrita das pessoas comuns do Egito antigo); e, embaixo, grego clássico. Ao traduzir o texto em grego, descobriram que se tratava de uma proclamação comum, celebrando o reinado de Ptolomeu V (203-181 a.C.). No fim do texto, porém, dizia-se que a mensagem devia ser escrita em três versões, ou seja: o conteúdo era o mesmo em demótico e em hieróglifos. Com o texto em grego como chave, de repente pareceu possível decifrar as outras duas versões. Como os últimos hieróglifos conhecidos haviam sido escritos em 394 d.C., qualquer pessoa capaz de lê-los já havia morrido muito tempo atrás, o que os transformava em língua morta e intraduzível, convertendo em mistério aparentemente insolúvel o conteúdo de tantas inscrições em templos e em papiros. Agora, talvez fosse possível desvendar esses segredos.

A pedra foi enviada para uma instituição no Cairo, mas, em 1801, os ingleses derrotaram os franceses no Egito e os expulsaram do país. Conscientes do grande valor da Pedra de Roseta, eles a caçaram no Cairo e a levaram para Londres, onde está até hoje, no Museu Britânico. À medida que reproduções da pedra passaram a circular, intelectuais de todas as partes da Europa se envolveram numa competição para serem os primeiros a decifrar os hieróglifos e a resolver os mistérios.

Alguns hieróglifos eram delineados em retângulos, conhecidos como cartuchos. Concluiu-se que esses cartuchos continham os nomes de várias figuras reais. Um professor sueco conseguira identificar o nome de Ptolomeu em demótico, e especulou sobre os valores sonoros dos caracteres. Mas o entusiasmo inicial pela decifração dos hieróglifos aos poucos se extinguiu, e muita gente voltou a recear que eles continuariam indecifráveis. Quanto mais se avançava na solução do enigma, mais dúvidas eram levantadas sobre o sistema de escrita representado pelos símbolos em si.

Em 1814, entrou na disputa o inglês Dr. Thomas Young, que logo se tornou o principal candidato a ser o primeiro a decifrar a pedra. Embora médico por profissão, ele se envolvera em todas as ciências e era considerado uma espécie de gênio. Contava com as graças da elite inglesa e dispunha de pleno acesso aos vários papiros e relíquias que os ingleses haviam confiscado, inclusive a pedra em si. Além disso, era rico e independente, podendo dedicar todo o tempo ao estudo. Assim, atirando-se ao trabalho com grande entusiasmo, Young começou a fazer algum progresso.

Em busca da solução do problema, ele adotou uma abordagem quantitativa. Contava a quantidade de vezes que determinada palavra, como "deus", aparecia no texto em grego; depois, procurava uma palavra que aparecesse o mesmo número de vezes em demótico, pressupondo que eram o mesmo termo. Fez todo o possível para que as letras em demótico se encaixassem no esquema – se a palavra que parecia equivaler a "deus" parecesse longa demais, ele simplesmente deduzia que certas letras não tinham significado. Também assumiu que os três textos estavam na mesma ordem, e que podia comparar as palavras com base na localização. Às vezes, acertava; com mais frequência, não chegava a lugar algum. Fez algumas descobertas importantes – que demótico e hieróglifos se relacionavam, um como uma espécie de forma escrita menos formal que a outra; e que o demótico usava um alfabeto fonético para soletrar nomes estrangeiros, mas que era, sobretudo, um sistema de pictogramas. Entretanto, sempre acabava em becos sem saída, e nunca chegou perto de solucionar os hieróglifos. Depois de alguns anos, acabou desistindo.

No meio-tempo, apareceu um jovem que dava a impressão de ser um candidato improvável a vencer a corrida – Jean-François Champollion (1790-1832). Vinha de uma cidade pequena, perto de Grenoble, e de uma família relativamente pobre. Até os 7 anos Champollion não recebera educação formal. Mas tinha uma vantagem sobre os demais: desde os primeiros anos, gostava da história das civilizações antigas. Queria descobrir novos fatos sobre as origens da humanidade e, para tanto, passou a estudar línguas antigas – grego, latim e hebraico, assim como várias outras línguas semíticas –, todas as quais, aos 12 anos, dominava com notável agilidade.

Logo sua atenção foi atraída para o Egito antigo. Em 1802, ouviu sobre a Pedra de Roseta e disse ao irmão mais velho que seria o primeiro a decifrá-la. No momento em que começou a estudar o Egito antigo, identificou-se de imediato com tudo o que tinha a ver com aquela civilização. Quando criança, desenvolvera uma poderosa memória visual. Desenhava com habilidade excepcional. Via os escritos em livros (mesmo em livros franceses) como se fossem desenhos, em vez de alfabetos. Quando pôs os olhos nos hieróglifos pela primeira vez, eles lhe pareceram quase familiares. Em breve, o relacionamento dele com os hieróglifos chegava às raias da obsessão.

Para realmente progredir, concluiu que teria que aprender a língua conhecida como copta. Depois que o Egito se tornou colônia romana, em 30 a.C., a velha língua, demótico, aos poucos se extinguiu, e foi substituída pelo copta – mistura de grego e egípcio. Após a conquista do Egito pelos árabes e a conversão da nação ao islamismo, adotando o árabe como idioma oficial, os cristãos remanescentes na terra preservaram o copta como idioma. Na época de Champollion, apenas alguns cristãos ainda continuavam a falar a velha língua, em sua maioria, monges e padres. Em 1805, um desses monges passou pela cidade de Champollion, e os dois logo ficaram amigos. O monge lhe ensinou os rudimentos de copta e, ao voltar, poucos meses depois, trouxe-lhe um livro de gramática. O garoto trabalhou com a língua dia e noite, com um fervor que os outros viam como loucura. E escreveu ao irmão: "Não faço outra coisa. Sonho em copta... traduzo para essa língua tudo o que passa pela cabeça." Quando, mais tarde, foi estudar em Paris, conheceu outros monges e praticou o idioma a ponto de dizerem que ele falava a língua em extinção tão bem quanto qualquer nativo.

Contando com apenas uma reprodução de baixa qualidade da Pedra de Roseta, começou a atacá-la com várias hipóteses, que, mais tarde, se revelaram equivocadas. Ao contrário do que ocorrera com os outros, porém, o entusiasmo de Champollion nunca diminuiu. O problema para ele era o tumulto político da época. Filho confesso da Revolução Francesa, ele veio a apoiar a causa de Napoleão exatamente quando o imperador já se enfraquecia. Na época em que o rei Luís XVIII assumiu o trono como novo soberano francês, as simpatias de Champollion por Napoleão lhe custaram o emprego como professor. Anos de pobreza e de saúde debilitante o levaram a abandonar o projeto, mas, em 1821, por fim reabilitado pelo governo e morando em Paris, Champollion retomou a busca com energia e determinação renovadas.

Depois de se afastar do estudo dos hieróglifos durante algum tempo, voltou às suas pesquisas com nova perspectiva. O problema, concluiu, era que os outros abordavam a decifração como se envolvesse algum tipo de código matemático. Mas Champollion, que falava dezenas de línguas e lia muitos idiomas mortos, compreendia que a linguagem evolui ao acaso, influenciada pelo influxo de novos grupos na sociedade e moldada pela passagem do tempo. Elas não são fórmulas matemáticas, mas organismos vivos, em desenvolvimento constante. São, acima de tudo, complexas. Sua abordagem em relação aos hieróglifos era mais holística agora. Seu propósito era descobrir que tipo de escrita era aquela – pictogramas (literalmente, figuras representando algo), ideogramas (figuras representando ideias), algum tipo de alfabeto fonético ou, talvez, uma mistura dos três.

Com tudo isso em mente, tentou algo em que, estranhamente, ninguém até então havia pensado – comparou o número de palavras nas seções em grego e em hieróglifos. Chegou a 486 palavras no texto grego e a 1.419 sinais hieroglíficos. Champollion vinha trabalhando com base na premissa de que os hieróglifos eram ideogramas, cada símbolo representando uma ideia ou palavra. Com essa discrepância nos números, a premissa já não era válida. Tentou, então, identificar grupos de símbolos hieroglíficos que constituiriam palavras, mas chegou a apenas 180. Não conseguiu encontrar relação numérica clara entre os dois textos. Assim, a única conclusão possível era que a escrita hieroglífica era um sistema misto de ideogramas, pictogramas e alfabeto fonético, tornando-a mais complexa do que qualquer um havia imaginado até então.

Em seguida, resolveu experimentar algo que qualquer outra pessoa teria considerado insano e inútil – aplicar seus poderes visuais aos textos em demótico e em hieróglifos, observando exclusivamente as formas das letras e dos sinais. Ao fazê-lo, começou a ver padrões e correspondências – por exemplo, determinado sinal nos hieróglifos, como a imagem de uma ave, tinha uma equivalência grosseira em demótico, a imagem da ave tornando-se menos realista e parecendo mais uma forma abstrata. Com base em sua incrível memória fotográfica, conseguiu identificar centenas dessas equivalências entre os símbolos, embora não pudesse dizer o que qualquer uma delas significava. Continuavam meras imagens.

Munido desse conhecimento, partiu para o ataque. Na Pedra de Roseta, analisou o cartucho real em demótico que já havia sido identificado como contendo o nome de Ptolomeu. Sabendo, agora, dos muitos sinais equivalentes entre hieróglifos e demótico, transpôs os símbolos demóticos para o que deveriam parecer na versão hieroglífica, a fim de criar o que seria o termo correspondente a Ptolomeu. Para sua surpresa e deleite, ele encontrou a palavra, o que veio a ser a primeira decifração bem-sucedida de um hieróglifo. Ciente de que esse nome provavelmente estava escrito em alfabeto fonético (como todos os nomes estrangeiros), deduziu os sons equivalentes em demótico e em hieróglifos para Ptolomeu. Com as letras P, T e L agora identificadas, descobriu outro cartucho em um documento em papiro, que tinha certeza de ser o de Cleópatra, adicionando assim novas letras ao seu conhecimento. Ptolomeu e Cleópatra tinham duas letras diferentes para T. Para outras pessoas, essa constatação talvez fosse frustrante, mas Champollion compreendeu que se tratava apenas de uma homofonia – como "paço" e "passo". Conhecendo cada vez mais letras, continuou decifrando os nomes de todos os cartuchos reais disponíveis, o que lhe proporcionou um valioso conjunto de informações alfabéticas.

Até que, em setembro de 1822, tudo se esclareceu da maneira mais surpreendente, em apenas um dia. Descobrira-se em uma área desolada do Egito um templo cujas paredes e estátuas estavam cobertas de hieróglifos. Desenhos exatos dos hieróglifos caíram nas mãos de Champollion, que, ao observá-los, surpreendeu-se com algo curioso: nenhum dos cartuchos correspondia aos nomes que ele já havia identificado. Resolveu, então, aplicar o alfabeto fonético que já havia desenvolvido a um deles, mas só conseguiu ver a letra S no fim. O primeiro símbolo lembrou-lhe a imagem do sol. Em copta, parente distante do egípcio antigo, o termo para sol é *Re*. No meio do cartucho havia um símbolo de tridente cujas pontas misteriosamente pareciam formar um M. Com grande empolgação, ele se deu conta de que aquilo poderia ser o nome de Ramses, faraó do século XIII a.C., significando que os egípcios tinham um alfabeto fonético que remontava não se sabe a que distância no passado – uma descoberta extraordinária. Mas ele precisava de mais provas para ter certeza.

Outro cartucho nos desenhos do templo tinham o mesmo símbolo em forma de M. O primeiro símbolo no cartucho era o de uma íbis. Conhecendo a história do Egito antigo, ele sabia que a ave simbolizava o deus Tot. Esse cartucho agora podia ser soletrado como Tot-mu-sis, ou Tutmés, outro nome de antigos faraós. Em outra parte do templo, viu uma palavra em hieróglifos composta inteiramente das letras equivalentes a M e S. Pensando em copta, traduziu a palavra como *mis*, que significa "dar à luz". Como era de esperar, no texto em grego da Pedra de Roseta encontrou uma frase que se referia a "aniversário", e identificou o equivalente na seção em hieróglifos.

Emocionado com o que descobrira, correu pelas ruas de Paris à procura do irmão. Gritou por ele ao entrar no quarto: "Consegui!", e desmaiou, caindo no chão. Depois de quase 20 anos de obsessão incansável, enfrentando inúmeros problemas, dificuldades e retrocessos, Champollion descobrira a chave dos hieróglifos em poucos meses de trabalho intenso.

Depois da descoberta, ele continuaria a traduzir palavra por palavra e a esclarecer a natureza exata dos hieróglifos. No processo, transformaria totalmente nosso conhecimento e compreensão do Egito antigo. Suas primeiras traduções revelaram que os hieróglifos, como ele suspeitava, eram uma combinação sofisticada de todas as três formas de símbolos e equivaliam a um alfabeto, muito antes de qualquer um ter imaginado a invenção do alfabeto. Não se tratava de uma civilização retrógrada de sacerdotes, que dominavam uma cultura escravagista e preservavam seus segredos por meio de símbolos misteriosos, mas uma sociedade vibrante, com uma linguagem escrita complexa e bela, que poderia ser considerada em pé de igualdade com a Grécia Antiga.

Quando sua descoberta foi divulgada, Champollion logo virou herói na França. Mas o Dr. Young, seu principal rival, não podia aceitar a derrota. Passou os anos seguintes acusando Champollion de fraude e plágio, incapaz de admitir que alguém de origem tão modesta pudesse realizar uma proeza intelectual tão espantosa.

A história de Champollion versus o Dr. Young contém uma lição elementar sobre o processo de aprendizado e ilustra duas abordagens clássicas ao problema. Young atacou o enigma dos hieróglifos de fora para dentro, impulsionado pela ambição de ser o primeiro a decifrar o mistério e ganhar fama com a descoberta. Para acelerar o processo, reduziu o sistema de escrita dos egípcios antigos a fórmulas matemáticas bem arrumadas, presumindo que representavam ideogramas. Dessa maneira, enfrentou o desafio da decifração como se fosse uma questão quantitativa. Para isso, teve que simplificar o que veio a se revelar um sistema de escrita extremamente complexo e de várias camadas.

Champollion fez o oposto. Sua motivação era o desejo autêntico de compreender as origens da humanidade e o amor profundo pela cultura egípcia antiga. Queria chegar à verdade, não conquistar fama. Por encarar a tradução da Pedra de Roseta como sua Missão de Vida, dispôs-se a dedicar 20 anos ou mais ao trabalho, ou o que fosse necessário para resolver o enigma. Não atacou o problema de fora para dentro e mediante fórmulas, mas submeteu-se a uma fase de aprendizagem rigorosa de línguas antigas e de copta. Seu conhecimento de copta acabou se revelando decisivo para desvendar o segredo. Como dominava várias línguas, sabia como elas podiam parecer inescrutáveis, refletindo a complexidade de qualquer grande sociedade. Quando enfim voltou à Pedra de Roseta com atenção concentrada em 1821, sua mente deslocou-se para a fase criativa-ativa. Ele então reformulou o problema em termos holísticos. A decisão de primeiro analisar os dois sistemas – demótico e hieróglifo – de maneira puramente visual foi uma jogada de gênio criativo. No final, pensou em dimensões mais amplas e descobriu aspectos suficientes da língua para desvendá-la.

Muita gente, em vários campos de atuação, tende a seguir o método de Young. Se estão estudando economia, ou o corpo humano e saúde, ou o funcionamento do cérebro, tendem a trabalhar com abstrações e simplificações, reduzindo problemas muito complexos e interativos a fórmulas, estatísticas e órgãos isolados a serem dissecados. Essa abordagem pode oferecer uma visão parcial da realidade, muito à semelhança de como dissecar um cadáver pode revelar alguma coisa sobre o ser humano. Mas, com essas simplificações, perdem-se os elementos vivos e pulsantes.

Siga o modelo de Champollion. Não se apresse. Dê preferência a uma abordagem holística. Analise o objeto de estudo de tantos ângulos quanto possível, conferindo ao raciocínio novas dimensões. Você perceberá que as partes do todo interagem umas com as outras e não devem ser observadas de forma totalmente isolada. Mentalmente, vai se aproximar da verdade complexa e da realidade do objeto de estudo. No processo, grandes mistérios serão desvendados diante dos seus olhos.

9. Criatividade alquímica e o inconsciente

A artista Teresita Fernández (nascida em 1968) sempre foi fascinada pela alquimia – forma primitiva de ciência cujo objetivo era transformar materiais básicos em ouro. (Para mais informações sobre ela, ver páginas 177-180). Para os alquimistas, a natureza atua por meio de interações constantes dos opostos – terra e fogo, sol e lua, macho e fêmea, claro e escuro. Eles acreditavam que, reconciliando de alguma maneira esses opostos, seria possível descobrir os segredos mais profundos da natureza, conquistando o poder de criar algo do nada e de converter poeira em ouro.

Para Teresita, a arte da alquimia se parece sob muitos aspectos com o processo artístico e criativo em si. Primeiro, um pensamento ou ideia se agita na mente do artista. Lentamente, ele transforma a ideia em uma obra de arte material, que cria um terceiro elemento, uma reação no espectador – algum tipo de emoção que o artista deseja provocar. É um processo mágico, equivalente a criar algo do nada, um tipo de transmutação de poeira em ouro.

A alquimia depende da reconciliação de várias qualidades opostas, e, ao refletir sobre si mesma, Teresita pode identificar muitos impulsos contrários que se reconciliam em seu trabalho. Ela se sente atraída pelo minimalismo – forma de expressão que se comunica por meio das menores quantidades de material possíveis. Gosta da disciplina e do rigor que esse despojamento de materiais impõe a seu processo mental. Ao mesmo tempo, preserva traços de romantismo e se interessa por tudo que produz fortes reações emocionais nos observadores. Em suas obras, gosta de misturar o sensual com o austero. Já percebeu que expressar esse contraste e outras tensões que fervilham em seu interior confere a seu trabalho um efeito particularmente desnorteante e onírico sobre os espectadores.

Desde a infância, Fernández sempre se caracterizou por um peculiar senso de escala. Ela achava estranho e instigante que uma sala ou cômodo pequeno pudesse provocar a sensação de muito mais amplitude e até de vastidão, por meio do layout ou da disposição das janelas. As crianças em geral são obcecadas pela escala, brincando com versões miniaturizadas do mundo adulto, mas agindo como se essas miniaturas representassem objetos reais muito maiores. A maioria de nós perde esse interesse à medida que envelhece, mas, em sua obra *Eruption* (Erupção), de 2005, Teresita nos desperta a consciência das emoções potencialmente perturbadoras que podem ser evocadas pela manipulação de nosso senso de escala. A obra é uma escultura para chão, relativamente pequena, na forma de borrão, que lembra a paleta de um artista. Compõe-se de milhares de contas de vidro transparentes, dispostas em camadas sobre a superfície. Sob as contas, jaz a imagem ampliada de uma pintura abstrata, cujas cores se refletem nas contas, dando à obra a aparência da cratera de um vulcão borbulhante. Não podemos ver a imagem subjacente nem temos consciência de que as contas são transparentes. Nossos olhos são atraídos pelo efeito, e, de fato, nossa imaginação vai muito além da realidade. Nos menores espaços, ela suscitou o sentimento de uma paisagem profunda e vasta. Sabemos que é uma ilusão, mas somos movidos pelas sensações e tensões despertadas pela peça.

Ao trabalharem em espaços públicos externos, os artistas geralmente seguem uma de duas direções – criam algo que se mescla com a paisagem de maneira interessante ou, ao contrário, se destaca do contexto e chama a atenção. Ao construir sua peça *Seattle Cloud Cover* (Cobertura de nuvens de Seattle) em 2006 – no Parque Olímpico de Esculturas, em Seattle, Washington –, Teresita optou por algo intermediário entre essas duas abordagens opostas. Ao longo da extensão de uma passarela para pedestres sobre os trilhos de uma ferrovia, ela colocou grandes painéis de vidro coloridos, revestidos de imagens fotográficas de nuvens. Os painéis, que se prolongam para cima como teto, são semitransparentes, salpicados com centenas de pontos translúcidos, sempre à mesma distância uns dos outros, revelando pedaços do céu. Ao caminharem pela passarela, os transeuntes veem fotografias realistas de nuvens, que se sobressaem contra o céu real quase sempre cinza de Seattle, mas que, às vezes, são iluminadas pelo sol ou se tornam caleidoscópicas no poente. A alternância entre real e irreal torna difícil distinguir entre as duas condições – efeito surreal que desperta sentimentos de desorientação entre os observadores.

Talvez o máximo da expressividade alquímica de Teresita Fernández se manifeste em sua obra *Stacked Waters* (Águas sobrepostas) de 2009, no Museu de Arte Blanton, em Austin, no Texas. Nessa tarefa, ela se defrontou com o desafio de criar uma peça imponente para o vasto espaço aberto do átrio do edifício, um imenso saguão que se abre para o restante da exposição. A área geralmente é banhada por uma luz intensa proveniente de uma grande claraboia. Em vez de se empenhar em criar uma escultura para o espaço, ela tentou inverter toda a nossa experiência de arte. Quando se entra em um museu ou galeria, quase sempre isso é feito a partir de um senso de distância e frieza; simplesmente se observa algo durante alguns momentos e depois se passa para a peça seguinte. Almejando um contato mais visceral com o espectador do que o suscitado pelas esculturas convencionais, ela resolveu explorar as paredes brancas e frias do átrio e o fluxo contínuo de visitantes como base de seu experimento alquímico.

Para isso, cobriu as paredes com milhares de tiras de acrílico altamente reflexivas, saturadas de espirais de cores, com tonalidades do azul ao branco. O efeito total para quem caminha pelo átrio é o de estar imerso em uma enorme piscina de água azul, que cintila sob a luz do sol. Ao subirem as escadas, os visitantes veem nas faixas de acrílico sua própria imagem refletida, com distorções estranhas, semelhantes ao efeito de ver objetos através da água. Quando se observam as faixas de perto, fica claro que tudo é ilusão, criada por uma pequena quantidade de materiais. Mesmo assim, a sensação de água, a impressão de estar imerso, continua intensa e estranha. Dessa forma, os espectadores se tornam parte da obra de arte em si, pois seus reflexos contribuem para criar a ilusão. A experiência de se movimentar nesse espaço onírico nos torna conscientes, mais uma vez, da tensão entre arte e natureza, ilusão e realidade, frio e calor, úmido e seco, e provoca poderosas reações intelectuais e emocionais.

Nossa cultura depende sob muitos aspectos da criação de padrões e de convenções que todos devemos observar. Essas convenções muitas vezes se expressam em termos de opostos – bom e mau, belo e feio, doloroso e prazeroso, racional e irracional, intelectual e sensual. A crença nesses opostos dá ao mundo um senso de coesão e conforto. Imaginar que algo pode ser intelectual *e* sensual, prazeroso *e* doloroso, real *e* irreal, bom *e* mau, masculino *e* feminino é caótico e perturbador demais para nós. A vida, porém, é mais fluida e complexa, nossos desejos e experiências não se encaixam com perfeição nessas categorias ordeiras.

Como demonstra o trabalho de Teresita Fernández, real e irreal são conceitos que existem para nós como ideias e construções, e, portanto, podem ser manipulados, alterados, comandados e transformados à vontade. As pessoas que pensam em dualidades – acreditando que existem coisas "reais" e "irreais", como entidades distintas, que nunca podem se combinar em algo diferente, em elemento alquímico – são pouco criativas, e produzem obras previsíveis e efêmeras. Quando adotamos uma abordagem dualista na vida, reprimimos muitas verdades observáveis, mas, no inconsciente e nos sonhos, superamos a necessidade de criar categorias para tudo, e conseguimos com facilidade mesclar ideias e sentimentos aparentemente díspares e contraditórios.

Sua tarefa como pensador criativo é não só explorar ativamente o inconsciente e as contradições de sua personalidade, mas também examinar paradoxos semelhantes no mundo. Expressar essas tensões em seu trabalho, não importa o meio, exercerá um poderoso impacto sobre os outros, levando-os a perceber verdades e sensações inconscientes, que foram abafadas ou reprimidas. Na sociedade em geral, você combate as várias contradições esmagadoras – por exemplo, a maneira como a cultura que defende o ideal de livre expressão está abarrotada de códigos opressivos do politicamente correto que embotam a livre expressão. Em ciências, você desenvolve ideias que se opõem ao paradigma existente ou que parecem inexplicáveis por serem tão heterodoxas. Tudo isso contém um rico manancial de informações sobre a realidade, que é mais fértil e mais complexa do que se percebe de imediato. Ao explorar a zona caótica e fluida, abaixo da consciência, onde os opostos se encontram, você ficará surpreso com as ideias vibrantes e frutíferas que emergirão.

Desvios

Na cultura ocidental, desenvolveu-se o mito de que as drogas ou até a loucura podem provocar acessos criativos da mais alta ordem. Como explicar de outra forma as músicas que John Coltrane produziu sob o efeito de heroína, ou as grandes obras do dramaturgo August Strindberg, que parecia clinicamente demente? O legado de ambos se caracteriza por uma espontaneidade e uma liberdade que parecem ir além dos poderes da mente racional e consciente.

No entanto, esse é um clichê facilmente desmentido. O próprio Coltrane admitiu ter produzido seus piores trabalhos durante os poucos anos em que foi viciado em heroína. A droga estava destruindo-o e a seus poderes criativos. Superou o vício em 1957, e nunca mais recaiu. Os biógrafos que mais tarde analisaram as cartas e os diários de Strindberg descobriram um homem muito descontrolado em público, mas que, na vida privada, era extremamente disciplinado. O efeito de loucura que caracteriza suas peças, ao que tudo indica, foi elaborado com muita consciência.

Criar obras de arte expressivas ou fazer descobertas ou invenções exige muita disciplina, autocontrole e estabilidade emocional. Requer o domínio das formas de seu campo de atuação. As drogas e a loucura apenas destroem essa capacidade. Não se deixe levar pelos mitos e clichês românticos, muito comuns nos meios culturais, sobre a criatividade – fomentando a desculpa ou a panaceia de que a maestria pode ser alcançada com facilidade. Quando se analisa a criatividade excepcional dos Mestres, não há como ignorar, de modo algum, a prática exaustiva, a disciplina incansável, as grandes dúvidas e a determinação apaixonada para superar obstáculos de todos os tipos. A energia criativa é fruto desse esforço, e nada mais.

Nossa vaidade, nossas paixões, nosso espírito de imitação, nossa inteligência abstrata e nossos hábitos atuam há muito tempo; a tarefa da arte é desfazer esse trabalho, fazendo-nos viajar de volta pelo caminho que percorremos, às profundezas onde o que realmente existiu se oculta desconhecido dentro de nós.

– MARCEL PROUST, escritor francês

VI
Combine o intuitivo com o racional: Maestria

Todos nós temos acesso a uma forma superior de inteligência, algo que nos possibilita ver mais do mundo, antecipar tendências e reagir com rapidez e exatidão a qualquer circunstância. Nós a cultivamos quando mergulhamos profundamente em um campo de estudo e quando permanecemos fiéis a nossas inclinações, por mais heterodoxas que possam parecer aos outros. Por meio dessa imersão intensa, ao longo de muitos anos, passamos a internalizar e a desenvolver uma sensibilidade intuitiva em relação aos componentes complexos de nossa área de atuação. Quando combinamos esse sentimento intuitivo com processos racionais, expandimos nossa mente para além dos limites mais amplos de nosso potencial. Nessas condições, passamos a ter poderes que se aproximam da força instintiva dos animais, com a vantagem extraordinária que a consciência humana nos proporciona. Essa capacidade decorre da plena realização de todo o potencial de nosso cérebro, e alcançaremos naturalmente esse nível de inteligência se seguirmos nossas inclinações até o fim.

A terceira transformação

Para o escritor Marcel Proust (1871-1922), seu destino parecia ter sido definido muito cedo. Ele nasceu incrivelmente pequeno e frágil; durante duas semanas esteve à beira da morte, mas, finalmente, vingou. Quando criança, tinha acessos frequentes de doenças, que o mantinham em casa durante meses. Aos 9 anos, sofreu o primeiro ataque de asma e quase faleceu. A mãe, Jeanne, preocupada o tempo todo com a saúde do filho, enchia-o de cuidados e acompanhava-o nas idas regulares ao campo, para se recuperar.

Foi numa dessas viagens que se definiu o padrão de sua vida. Como passava muito tempo sozinho, apaixonou-se pela leitura. Adorava ler sobre história e devorava todas as formas de literatura. Sua válvula de escape física eram longas caminhadas pelo campo, durante as quais certas paisagens pareciam cativá-lo. Ele parava e admirava durante horas a fio as macieiras, os espinheiros floridos ou qualquer espécie de planta exótica. Achava fascinante o espetáculo de formigas em marcha ou de aranhas nas teias. Em breve, acrescentaria livros de botânica ou entomologia à sua lista de leitura. Sua companhia mais próxima naqueles primeiros anos foi a mãe, cujos laços com o filho superavam todos os limites. Além das semelhanças físicas, compartilhavam interesses parecidos nas artes. Ele não conseguia ficar longe dela mais que um dia, e, nas poucas horas em que estavam separados, escrevia-lhe longas cartas.

Em 1886, leu um livro que mudaria o curso de sua vida para sempre. Foi o relato histórico da conquista da Inglaterra pela Normandia, de Augustin Thierry. A narrativa dos eventos era tão vívida que Marcel se sentia transportado no tempo. O escritor aludia a certas leis atemporais da natureza humana que se revelavam ao longo da história, e a possibilidade de descobrir essas lei deixava Marcel tonto de tanta empolgação. Os entomologistas eram capazes de descobrir os princípios ocultos que regiam o comportamento dos insetos. Poderia um escritor fazer o mesmo em relação aos seres humanos e à sua natureza complexa? Cativado pela capacidade de Thierry de dar vida à história, Marcel teve o lampejo de que essa seria sua Missão de Vida – tornar-se escritor e esclarecer as leis da natureza. Assombrado pela impressão de que não viveria muito tempo, teria que apressar o processo e fazer todo o possível para desenvolver sua capacidade de escrever.

Na escola em Paris, onde morava, Marcel impressionava os colegas com suas excentricidades. Já lera tanto que sua cabeça fermentava de ideias; falava sobre história, sobre literatura romana antiga e sobre a vida social das abelhas, tudo na mesma conversa. Misturava passado e presente, referindo-se a um autor romano como se estivesse vivo, ou descrevendo um amigo como se fosse um personagem da história. Seus grandes olhos, que um amigo depois descreveu como os de uma mosca, pareciam penetrar nos interlocutores. Nas cartas aos amigos, era capaz de dissecar as emoções e os problemas deles com tanta exatidão que chegava a ser irritante, mas, em seguida, voltava a atenção para si mesmo, expondo impiedosamente as próprias fraquezas. Apesar da propensão para ficar sozinho, era muito sociável e cativante. Sabia lisonjear e conquistar as pessoas. Ninguém era capaz de decifrá-lo nem ter ideia do que o futuro reservava para ele.

Em 1888, Marcel conheceu uma cortesã de 37 anos, Laure Hayman, uma entre as muitas amantes de seu tio, e, para ele, foi um caso de paixão instantânea. Ela era como uma personagem de romance. Suas roupas, suas maneiras coquetes e o poder que exercia sobre os homens o fascinavam. Encantando-a com sua conversa inteligente e suas boas maneiras, logo se tornaram amigos íntimos. Na França, havia muito, era forte a tradição dos salões – reuniões onde pessoas com mentalidade semelhante discutiam ideias literárias e filosóficas. Na maioria dos casos, os salões eram dirigidos por mulheres, e, dependendo do status social da anfitriã, podiam atrair artistas, pensadores e políticos importantes. Laure tinha seu próprio salão, que contava com a frequência assídua de artistas, boêmios, atores e atrizes. Em breve, Marcel se tornaria frequentador regular.

Ele considerava a vida social nesses escalões superiores da sociedade francesa infinitamente fascinante. Era um mundo cheio de sinais sutis – o convite de alguém para um baile ou a disposição dos convidados na mesa de jantar indicava a situação da pessoa na sociedade, se estava em ascensão ou queda. As roupas, os gestos e certas frases numa conversa levavam a comentários intermináveis sobre suas implicações. A atenção que ele dedicava à história e à literatura agora se voltava também para o mundo da alta sociedade. Assim, desbravou o caminho para outros salões e, em pouco tempo, se misturava com a aristocracia.

Embora estivesse decidido a se tornar escritor, Marcel nunca conseguira definir sobre o que queria escrever, e isso o incomodava muito. Agora, porém, ele tinha a resposta: esse mundo social seria a colônia de formigas que ele analisaria com a mesma impiedade de um entomologista. Para isso, começou a reunir personagens para romances. Um desses personagens seria o conde Robert de Montesquieu, poeta, esteta e decadente notório, que tinha uma acentuada fraqueza por homens jovens e bonitos. Outro era Charles Haas, epítome de sofisticação e expert colecionador de arte, que sempre se apaixonava por mulheres de classe social mais baixa. Estudou esses personagens, ouviu atentamente sua maneira de falar, seguiu seus maneirismos e, em suas anotações, tentava dar-lhes vida em pequenos esquetes literários. Em suas obras, Marcel foi um grande mímico.

Tudo sobre o que escrevia tinha que ser real, algo que houvesse testemunhado ou experimentado em primeira mão; do contrário, seus escritos seriam insossos. No entanto, o medo que tinha de relações pessoais íntimas trazia-lhe um problema. Sentindo-se atraído por homens e mulheres, tendia a manter distância quando se tratava de algum tipo de relação física ou emocional estreita. Essa restrição tornava difícil para ele escrever sobre romance e amor. Iniciou, então, uma prática que lhe foi útil. Caso se sentisse atraído por determinada mulher, fazia amizade com o noivo ou namorado dela e, depois de conquistar a confiança dele, sondava-o sobre os detalhes mais íntimos da relação. Mais tarde, em sua própria mente, reconstruía o caso, sentindo profundamente os altos e baixos, os acessos de ciúmes, como se tudo estivesse acontecendo com ele. Agia assim com ambos os gêneros.

O pai de Marcel, médico de prestígio, começou a se desesperar com o filho. Marcel ia a festas todas as noites, voltava de madrugada e dormia o dia inteiro. Para se encaixar na alta sociedade, gastava muito dinheiro. Parecia não ter disciplina nem aspirações profissionais. Com os problemas de saúde e com a mãe sempre a mimá-lo, o pai receava que Marcel se tornasse um fracasso e um ônus constante, e tentou empurrá-lo para uma carreira. Marcel acalmava-o da melhor maneira possível – em um dia, dizia ao pai que estudaria Direito; no outro, falava em conseguir emprego como bibliotecário. Na verdade, porém, estava apostando tudo na publicação de seu primeiro livro, *Os prazeres e os dias*. Seria uma coletânea de histórias e de esquetes da sociedade em que se infiltrara. Como Thierry com a Conquista Normanda, daria vida a esse mundo. Com o sucesso de seu livro, superaria a resistência do pai e de todos os outros céticos. Para garantir seu êxito e transformá-lo em algo mais que um livro, *Os prazeres e os dias* exporia os belos desenhos de uma dama da alta sociedade com quem fizera amizade, e seria impresso em papel da mais alta qualidade.

Depois de numerosos atrasos, o livro finalmente foi publicado em 1896. Embora a maioria das resenhas tenha sido positiva, sempre se referiam à obra como refinada e sofisticada, com alguma conotação de superficialidade. Ainda mais incômodo: o livro vendeu muito pouco. Considerando os custos de impressão, foi um enorme fiasco financeiro, e a imagem pública de Marcel Proust se consolidou para sempre – era um dândi, um esnobe que escrevia sobre o único mundo que conhecia, um jovem que carecia de senso prático.

As pressões da família para que escolhesse uma carreira se tornavam mais intensas. Ainda confiante em sua capacidade, concluiu que a única solução era escrever outro romance, mas algo que fosse o oposto de *Os prazeres e os dias*. Seria muito mais longo e denso que o primeiro livro. Na nova obra, misturaria memórias da infância e experiências sociais recentes. Retrataria a vida de pessoas de todas as classes sociais e de todo um período da história francesa. A obra não poderia ser considerada superficial; mas, à medida que se alongava, não conseguia imaginar como consolidá-la em algo lógico, ou até como congregá-la em um todo que parecesse uma história. Assim, perdeu-se na imensidão de sua ambição e, em fins de 1899, apesar de já ter escrito centenas de páginas, desistiu do projeto.

Começou a ficar cada vez mais deprimido e desanimado. Estava cansado dos salões e da convivência com os ricos. Não tinha uma carreira e ainda morava na casa dos pais, de cujo dinheiro dependia para sobreviver. Sentia-se o tempo todo ansioso com a saúde, certo de que morreria em poucos anos. Escutava inúmeras histórias de colegas da escola, que agora eram membros destacados da sociedade, chefes de família. Em comparação, ele se via como um fracasso total. Tudo o que realizara até então fora escrever uns poucos artigos para jornais sobre a alta sociedade e um livro que o tornara motivo de chacota em Paris. Só lhe restava confiar na devoção contínua da mãe.

Em meio a todo aquele desespero, teve uma ideia. Durante vários anos, devorara os trabalhos do crítico de arte e pensador inglês John Ruskin. O plano dele era aprender inglês e traduzir as obras de Ruskin para o francês. Esse projeto envolveria anos de pesquisa acadêmica sobre os vários temas em que Ruskin se especializara, como arquitetura gótica. Também ocuparia boa parte de seu tempo, o que o forçaria a adiar qualquer ideia de escrever um romance. Mas mostraria aos pais que suas intenções de prover o próprio sustento eram sérias e que já havia escolhido uma carreira. Agarrando-se a esse plano como sua última esperança, dedicou-se à tarefa com toda a sua energia.

Depois de vários anos de trabalho intenso, algumas de suas traduções de Ruskin foram publicadas com muita aclamação. As introduções e os ensaios que acompanhavam as traduções finalmente se sobrepuseram à reputação de diletante ocioso que o assombrava desde a publicação de *Os prazeres e os dias*. Passou a ser visto como intelectual sério. Nesse trabalho, cultivara o próprio estilo de escrever; internalizando a obra de Ruskin, agora escrevia ensaios profundos e exatos. Desenvolvera, enfim, alguma disciplina, algo a ser cultivado e apurado. Em meio a esse sucesso modesto, porém, sua rede de apoio emocional foi abalada. Em 1903, o pai morreu. Dois anos depois, a mãe, incapaz de superar a perda, também faleceu. Mãe e filho até então nunca tinham se separado, e ele, desde a infância, imaginara com pavor o momento da morte da mãe. Agora, se sentia completamente sozinho, e temia que já não tivesse motivo para viver.

Nos meses seguintes, aos poucos se afastou da sociedade e, ao avaliar sua vida até aquele ponto, discerniu um padrão que efetivamente lhe ofereceu um fio de esperança. Para compensar sua debilidade física, dedicara-se à leitura, e, no processo, descobrira sua Missão de Vida. Ao longo dos últimos 20 anos, acumulara vasto conhecimento sobre a sociedade francesa – uma variedade ampla de personagens da vida real, de todos os tipos e classes, vivia em sua mente. Escrevera milhares de páginas – inclusive o romance fracassado, esquetes breves para os jornais e vários ensaios. Adotando Ruskin como mentor, ao traduzir suas obras desenvolvera disciplina e alguma organização.

Havia muito, pensava na vida como um processo de aprendizagem, em que todos nos instruímos lentamente sobre os caminhos do mundo. Algumas pessoas aprendem a ler os sinais e a ouvir as lições dessa aprendizagem, desenvolvendo-se no percurso; outras não. Ele se submetera a uma longa aprendizagem de 20 anos, sobre literatura e natureza humana, que o transformara de forma profunda. Apesar dos problemas de saúde e dos fracassos, nunca desistira. Tanta experiência e persistência devia significar alguma coisa – talvez algum tipo de destino. Todos os seus fracassos teriam um propósito, concluiu, se soubesse explorá-los. Seu tempo não havia sido desperdiçado.

O que ele precisava fazer era pôr todo o seu conhecimento para trabalhar. Isso significava retornar ao romance interrompido, de que sempre se esquivara. Ainda não sabia de que iria tratar, mas o material estava todo lá, na cabeça dele. Se, em sua solidão, não podia trazer de volta sua mãe, sua infância e sua juventude, ele de alguma maneira lhes daria vida em toda a sua plenitude no estúdio de seu apartamento, onde agora se refugiara. O que importava era pôr mãos a obra. Alguma coisa resultaria daquele esforço.

No outono de 1908, comprou numerosos cadernos, do tipo que usava na escola, e começou a enchê-los de anotações. Escreveu ensaios sobre estética, esquetes de personagens, memórias da infância. Ao mergulhar fundo no processo, sentiu uma mudança interior. Ele não sabia de onde vinha, mas uma voz emergiu, sua própria voz, que seria a do próprio narrador. A história giraria em torno de um jovem que se liga neuroticamente à mãe e não consegue forjar a própria identidade. Descobre que quer ser escritor, mas não sabe dizer sobre o que pretende escrever. Com os anos, passa a analisar os âmbitos sociais da boemia urbana e da aristocracia rural. Disseca as várias pessoas que conhece, revelando a essência de seu caráter, que jaz abaixo de suas personalidades sociais levianas. Vive vários casos de amor fracassados, em que sofre os extremos do ciúme. Depois de várias aventuras e do senso furtivo de fracasso, à medida que avança na vida, já no fim do romance, descobre sobre o que quer escrever – será o livro que o leitor acabou de ler.

O romance seria intitulado *Em busca do tempo perdido*, que, afinal, conta boa parte da própria vida de Proust, com muitos dos vários personagens que conheceu, disfarçados sob pseudônimos. Ao longo da narração, cobre toda a história da França, do momento em que nasceu até o presente. É um retrato da sociedade como um todo; o autor é o entomologista que revela as leis que governam o comportamento de todos os habitantes do formigueiro. Sua única preocupação agora é a saúde. A tarefa que tem pela frente é imensa. Viveria o suficiente para completá-la?

Depois de vários anos, terminou o primeiro volume da obra, conhecido como *No caminho de Swann*. Publicado em 1913, as resenhas foram extremamente positivas. Ninguém jamais havia lido um romance como aquele. Parecia que Proust criara seu próprio gênero – parte romance, parte ensaio. Mas, quando estava planejando a parte final do livro, a guerra irrompeu em toda a Europa e o negócio de publicação de livros foi paralisado. Proust continuava a trabalhar no romance sem descanso; ao fazê-lo, porém, algo estranho acontecia – o livro continuava aumentando de tamanho e escopo, um volume atrás do outro. Seu método de trabalho era em parte responsável por aquela expansão. Colecionara ao longo dos anos milhares de fragmentos de histórias, de personagens, de lições sobre a vida e de leis de psicologia, que, aos poucos, reunia no romance como os fragmentos de um mosaico. Não conseguia antever o fim.

E, ao aumentar de tamanho, o livro de repente assumiu uma forma diferente – a realidade e a ficção se entrelaçaram. Quando precisava de um novo personagem, como uma debutante rica, buscava seu equivalente na sociedade e se fazia convidar para todos os bailes onde pudesse estudá-la. As frases que ela usava acabavam aparecendo no livro. Uma noite, reservou vários camarotes no teatro para os amigos. Neles reuniu pessoas da vida real em que baseara seus personagens. Depois, participou de um jantar; e, em torno da mesa, pôde observar, como um químico, os vários elementos de seu livro interagindo diante de seus olhos. Nenhum deles, evidentemente, sabia o que estava acontecendo. Tudo se transformava em material para o livro – não só o passado, mas os acontecimentos e encontros do presente de súbito lhe sugeriam nova ideia ou direção.

Quando queria escrever sobre certas plantas e flores que o haviam obcecado na infância, dirigia-se até o campo e passava horas perdido em observações, tentando chegar à essência da singularidade dos espécimes e ao que tanto o fascinara, no intuito de recriar a sensação original para o leitor. Convertendo em ficção o conde de Montesquieu com o personagem chamado Charlus, notório homossexual, visitou os mais secretos bordéis de homens em Paris que se sabia serem frequentados pelo conde. O livro teria que ser tão real quanto possível, inclusive com a descrição de cenas de sexo. Para coisas que não podia testemunhar pessoalmente, pagava a outros para contar-lhe fofocas, dar-lhe informações e até espionar. À medida que o livro crescia em extensão e em intensidade, parecia que aquele contexto social fictício ganhava vida dentro dele, e, sentindo-a no âmago, a história fluía com facilidade cada vez maior. Para explicar a sensação, recorria a uma metáfora, que incluiu no romance – ele era como uma aranha na teia, onde sentia a mais leve vibração, conhecendo-a tão bem quanto o mundo que criara e dominara.

Depois da guerra, o livro de Proust continuou a ser publicado, um volume depois do outro. Os críticos se mostraram perplexos com a profundidade e a amplitude da obra. Ele havia criado, ou melhor, recriado, todo um mundo. Mas não se tratava apenas de um romance realista, pois boa parte do trabalho incluía discursos sobre arte, psicologia, os segredos da memória e a atuação do cérebro em si. Proust sondara tão profundamente sua própria psicologia que fizera descobertas a respeito da memória e do inconsciente que pareciam bastante exatas. Transpondo volume após volume, os leitores tinham a sensação de que, na verdade, estavam vivenciando e experimentando esse mundo por dentro, e as reflexões do narrador se convertiam em seus próprios pensamentos – as fronteiras entre o narrador e o leitor se dissipando. Era um efeito mágico; parecia a vida em si.

Esforçando-se para terminar o volume final, o ponto em que o narrador enfim seria capaz de escrever o romance que estávamos lendo, Proust tinha pressa. Sentia a energia se extinguindo e a morte se aproximando. Durante todo o processo de edição, fazia os editores pararem a impressão no momento em que sentia que algum novo incidente que presenciara devia ser incluído no livro. Agora, sentindo que o fim era iminente, pediu que sua assistente tomasse algumas notas. Enfim compreendera a percepção da morte, e precisou reescrever uma cena anterior, que envolvia um moribundo. O que escrevera antes não correspondia à realidade psicológica. Morreu dois dias depois, jamais chegando a ver os sete volumes impressos.

Caminhos para a maestria

O cozinheiro Ting estava retalhando uma raposa para lorde Wen-hui... "Ah, isso é maravilhoso!", disse lorde Wen-hui. "Imagine a habilidade alcançando tais píncaros!" O cozinheiro Ting pousou a faca e respondeu: "O que realmente importa para mim é o Caminho ou Princípio (Tao), que vai além da habilidade. Quando comecei a retalhar raposas, tudo o que eu via era a raposa em si. Depois de três anos, eu não mais via toda a raposa. E, agora – agora eu o faço com o espírito, e não a vejo com os olhos. A percepção e a compreensão deixam de interferir e o espírito se movimenta para onde quer."

– CHUANG TZU, escritor chinês da Antiguidade

Ao longo da história, lemos sobre Mestres em todas as manifestações concebíveis do empreendimento humano, descrevendo a sensação de se verem, de repente, investidos da mais elevada capacidade intelectual, depois de anos de imersão na respectiva área de atuação. Bobby Fischer, grande

Mestre do xadrez, se referiu à capacidade de se antecipar mentalmente às várias movimentações das peças no tabuleiro; depois de algum tempo, era como se visse "campos de força" que lhe permitiam prever todo o decurso do jogo. O pianista Glenn Gould já não se limitava às notas nem aos trechos avulsos, mas captava toda a arquitetura da música e a expressava em sua interpretação. Albert Einstein, de súbito, descobriu não só a solução de um problema, mas toda uma nova maneira de observar o Universo, graças a uma imagem mental. Thomas Edison falou da visão que lhe ocorrera de iluminar toda uma cidade com luz elétrica, sistema complexo que vislumbrara em uma única epifania.

Em todos esses casos, praticantes de várias habilidades descreveram a sensação de *ver mais*. De repente, foram capazes de apreender toda uma situação por meio de uma imagem, de uma ideia ou de uma combinação de imagens e ideias. Todos se deram conta dessa capacidade como uma *intuição* ou *sensibilidade*.

Considerando o poder que essa inteligência é capaz de nos proporcionar e as enormes contribuições dos Mestres que a possuem para a cultura, seria lógico que a intuição de alto nível fosse objeto de inúmeros livros e debates, e que a forma de pensamento capaz de induzi-la fosse elevada à categoria de ideal por todos nós que a almejamos. No entanto, por mais estranho que pareça, esse não é o caso. Essa forma de inteligência é ignorada, relegada aos contextos inexplicáveis do misticismo e do ocultismo, ou atribuída à genialidade inata ou à genética. Há até quem tente desbancar esse tipo de poder, alegando que esses Mestres exageram suas experiências e que seus assim chamados poderes intuitivos não passam de manifestações do intelecto normal, reforçado por seu conhecimento e experiência singulares.

A explicação para esse desprezo generalizado é simples: nós, humanos, reconhecemos uma única forma de pensamento e de inteligência – a racionalidade. O pensamento racional é sequencial por natureza. Vemos o fenômeno A, deduzimos a causa B e, talvez, antecipamos a reação C. Em todos os casos de pensamento racional, reconstruímos os vários passos para chegar a alguma conclusão ou resposta. Essa forma de pensamento é extremamente eficaz e nos conferiu grandes poderes. Nós a desenvolvemos para nos ajudar na interpretação do mundo e para controlá-lo de alguma maneira. Em geral, o processo que se adota quando se chega a uma resposta por meio da análise racional pode ser examinado e verificado, razão por que o temos em tão alta conta. Preferimos o que pode ser reduzido a fórmulas e descrito com exatidão. Mas as intuições que acometem os vários Mestres já mencionados não se reduzem a fórmulas, e o que fizeram para possibilitá-las não pode ser reconstruído. Não havia como entrar na mente de Albert Einstein e experimentar a mesma apreensão súbita da relatividade do tempo. E como, para nós, a racionalidade é o único modo legítimo de inteligência, essas experiências de "ver mais" devem ser formas de pensamento racional que apenas acontecem com mais rapidez, ou são simplesmente miraculosas por natureza.

O problema que enfrentamos aqui é que a intuição de alto nível, a manifestação mais elevada da maestria, envolve um processo qualitativamente diferente da racionalidade, mas que é ainda mais exato e perceptivo por acessar partes mais profundas da realidade. Embora seja uma forma de inteligência legítima, é preciso reconhecer e aceitar suas características específicas. E, ao compreendê-la, concluímos que não se trata de um atributo sobrenatural, mas, sim, de algo intrinsecamente humano e acessível a todos.

Vamos tentar interpretar esse raciocínio examinando como ele funcionaria em duas maneiras muito diferentes de conhecimento – as ciências naturais e a guerra.

Se fôssemos estudar determinado animal no intuito de compreendê-lo, desdobraríamos nossa análise em várias partes. Estudaríamos seus vários órgãos, seu cérebro e sua estrutura anatômica para ver como ele se adaptou ao meio ambiente, diferenciando-se de outros animais. Observaríamos seus padrões de comportamento, o método como obtém alimentos e seus rituais de acasalamento. Também veríamos como atua no ecossistema. Dessa forma, montaríamos uma imagem exata do animal, examinando-o de todos os ângulos. No caso da guerra, adotaríamos uma abordagem semelhante, dividindo-a em partes – manobras de campo, armamentos, logística, estratégia. Depois de conhecermos em profundidade esses temas, poderíamos analisar os resultados de uma batalha e chegar a conclusões interessantes; ou, com alguma experiência de campo, teríamos condições de liderar um exército em batalha e fazer um trabalho eficaz.

No entanto, quando levamos essas análises um passo além, constatamos que falta algo. O animal não é apenas a soma das partes, algo que compreendemos reunindo seus componentes. Ele tem suas próprias experiências e emoções, que desempenham funções de extrema importância em seu comportamento, mas que são elementos para nós invisíveis e imensuráveis. Também se caracteriza por interações complexas com o meio ambiente, que não só se distorcem quando as decompomos em partes, mas que, por serem fluidas e dimensionais, não são perceptíveis a olho nu. No caso da batalha, sob o calor da luta, tornamo-nos suscetíveis ao que é conhecido como brumas da guerra – elemento altamente imprevisível que entra em ação quando duas forças opostas se enfrentam e nada pode ser antecipado com exatidão. A situação é sempre fluida na medida em que um lado reage ao outro e o inesperado intervém. Essa batalha em tempo real tem um elemento cambiante e interativo que não pode ser reduzido às partes componentes nem a análises simples, e também não é visível ou mensurável.

Esse elemento invisível, que constitui toda a experiência do animal e que faz da guerra uma atividade orgânica e fluida, pode ter várias denominações. Para os chineses antigos, que o compreendiam muito bem, era conhecido como Tao ou Caminho, e esse Caminho habita tudo no mundo e é inerente às relações entre as coisas. O Caminho é visível para o expert – na culinária, na carpintaria, na guerra ou na filosofia. Nós o chamaremos de *dinâmica,* a força viva que inevitavelmente atua em tudo o que estudamos ou fazemos. É como toda a coisa funciona e como as relações evoluem a partir do âmago. Não é a movimentação das peças no tabuleiro de xadrez, mas todo o jogo, envolvendo as psicologias dos jogadores, suas estratégias em tempo real, suas experiências passadas que influenciam o presente, o conforto das cadeiras em que estão sentados, a maneira como as energias deles os afetam mutuamente – em suma, tudo o que intervém, de repente e ao mesmo tempo.

Por meio da intensa imersão em determinado campo de atuação durante um longo período, os Mestres passam a compreender todas as partes envolvidas no que estão estudando. Chegam a um ponto em que tudo isso se internaliza e no qual deixam de ver as partes, mas desenvolvem uma *sensibilidade intuitiva em relação ao todo*. Eles literalmente veem ou sentem a dinâmica. Nas ciências da vida, temos o exemplo de Jane Goodall, que estudou os chimpanzés nas selvas da África Oriental durante anos, vivendo entre eles. Interagindo o tempo todo com os animais, chegou a um ponto em que começou a pensar como um chimpanzé, percebendo elementos da vida social deles que nenhum outro cientista era capaz de detectar. Na verdade, desenvolveu uma sensibilidade intuitiva em relação à maneira como atuavam não só como indivíduos, mas também como grupo, componente inseparável da vida deles. Nessas condições, descobriu aspectos da vida social dos chimpanzés que mudaram para sempre nossos conceitos sobre o animal. Entretanto, por dependerem desse nível de intuição profundo, essas conclusões não são menos científicas que as resultantes de outros métodos.

Na guerra, podemos citar como exemplo o grande general alemão Erwin Rommel, de quem se dizia possuir a forma mais apurada de sensibilidade já relatada na história das batalhas. Era capaz de sentir exatamente onde o inimigo estava planejando em atacar e de frustrar seus planos; podia também lançar uma ofensiva justo contra o ponto fraco das linhas de defesa do adversário. Parecia ter olhos na nuca e capacidade oracular de ler o futuro. E fazia tudo isso nos desertos da África do Norte, onde era quase impossível detectar com nitidez o terreno. O poder de Rommel, porém, não era nenhuma força oculta da natureza. Ele apenas conhecia com muito mais profundidade que outros generais todos os aspectos da batalha. Constantemente sobrevoava o deserto em seu próprio avião, desenvolvendo uma noção precisa do terreno. Tinha formação de mecânico e, como tal, conhecia a fundo seus blindados e o que podia esperar deles. Estudou em profundidade a psicologia das forças inimigas e de seus comandantes. Interagia com quase todos os seus soldados e tinha uma percepção muito nítida do que podia exigir deles. O que quer que estudasse, fazia-o com extrema intensidade e profundidade. Até que, a certa altura, todos esses detalhes passaram a se internalizar, como parte de sua natureza. Eles se fundiram em seu cérebro, proporcionando-lhe uma sensibilidade aguçada do todo e uma percepção nítida dessa *dinâmica interativa*.

A capacidade de desenvolver essa apreensão intuitiva do todo e de sentir essa dinâmica interativa é simplesmente função do tempo. Já se tendo demonstrado que o cérebro se transforma depois de cerca de 10 mil horas de prática, esses poderes seriam o resultado da transformação que acontece no cérebro depois de umas 20 mil horas ou mais de treinamento. Com tanta prática e experiência, todos os tipos de conexões entre diferentes conhecimentos se desenvolvem no cérebro. Portanto, os Mestres apuram o senso de como tudo interage organicamente e conseguem intuir em instantes padrões e soluções. Essa forma de pensamento fluida não ocorre por meio de processos; ela se manifesta através de lampejos e vislumbres, ou insights, quando o cérebro estabelece conexões súbitas entre diferentes conhecimentos, levando-nos a sentir a *dinâmica* em tempo real.

Algumas pessoas gostam de imaginar que essas intuições também se formam em sequência, mas se sucedem rápido demais para que o pensador perceba os passos. Esse raciocínio decorre do desejo de reduzir todas as formas de inteligência ao mesmo nível racional. No entanto, no caso de uma descoberta como a teoria da Relatividade Especial (ou Restrita), se o próprio Albert Einstein, em retrospectiva, não conseguiu reconstruir os passos que o levaram a esse insight sobre a relatividade do tempo, por que então supor que essa sucessão de fases ocorre de fato? Devemos confiar na experiência e na descrição desses Mestres, todos dotados de altos níveis de autoconsciência e de capacidade analítica.

Seria um equívoco, porém, imaginar que os Mestres estão apenas seguindo suas intuições e indo além do pensamento racional. Primeiro, foi por meio de todo o trabalho árduo, da profundidade de seu conhecimento e do desenvolvimento da capacidade analítica que alcançaram esse alto nível de inteligência. Segundo, quando experimentam a intuição ou o insight, eles sempre submetem a epifania a um alto grau de reflexão e de raciocínio. Em ciências, passam meses ou anos confirmando suas intuições. Nas artes, precisam elaborar as ideias que lhes ocorrem por intuição e lhes dar forma pelo raciocínio. Para nós, é difícil imaginar essa interação, pois consideramos intuição e racionalidade processos mutuamente exclusivos, embora, de fato, nesse patamar operem juntos, de maneira integrada. O raciocínio dos Mestres é orientado pela intuição, que, por seu turno, decorre da intensidade do foco racional. Os dois componentes se fundem.

Embora o tempo seja um fator crítico no desenvolvimento da maestria e da sensibilidade intuitiva, essa variável não é neutra nem simplesmente quantitativa. Uma hora do pensamento de Einstein aos 16 anos não equivale a uma hora de um aluno comum do ensino médio dedicada à solução de um problema de física. Não basta estudar um assunto durante 20 anos e, então, destacar-se como Mestre. O tempo que conduz à maestria depende da intensidade do foco.

Assim, a chave para atingir esse nível de inteligência superior é garantir a fecundidade *qualitativa* dos anos de estudo. Não nos limitamos a absorver informações – nós as internalizamos e as personalizamos, descobrindo modos de aplicar na prática esse conhecimento. Procuramos conexões entre os vários elementos que estamos aprendendo, leis ocultas que percebemos na fase de aprendizagem. Se enfrentamos fracassos ou retrocessos, não os esquecemos com rapidez, pois eles afetam nossa autoestima. Em vez disso, refletimos sobre eles em profundidade para descobrir o que deu errado e verificar a formação de padrões em nossos erros. À medida que progredimos, começamos a questionar algumas das premissas e convenções que aprendemos no percurso. Em breve, começamos a experimentar e ficamos cada vez mais ativos. Em todos os pontos e nos vários momentos que levam à maestria, atacamos o estudo com intensidade. Todas as situações e todas as experiências encerram lições profundas. Estamos sempre atentos, jamais nos deixando levar pela corrente.

Quem melhor exemplifica esse uso do tempo na perseguição da maestria é Marcel Proust, cujo grande romance *Em busca do tempo perdido* aborda esse tema em si. Para Proust, assim como para muitos dos que o conheceram na juventude, ele próprio parecia a pessoa menos capaz de alcançar a maestria, pois, à primeira vista, dava a impressão de desperdiçar muito tempo valioso. Aparentemente, tudo o que ele sempre fazia era ler livros, caminhar, escrever cartas intermináveis, frequentar festas, dormir durante o dia e publicar artigos superficiais sobre a alta sociedade. Quando enfim se dedicou à tradução de Ruskin, demorou muito e se envolveu em tarefas que pareciam irrelevantes, como viajar para locais descritos por Ruskin, o que nenhum outro tradutor pensaria em fazer.

O próprio Proust se queixou inúmeras vezes do tempo que desperdiçara quando jovem e de quão pouco realizara, mas essas queixas não podem ser levadas a sério, porque ele nunca desistiu. Apesar da fraqueza física e das crises de depressão, continuava a tentar novos empreendimentos e a ampliar o escopo de seus conhecimentos. Era incansável e persistente. Esses momentos de autoquestionamento eram sua maneira de se impelir para a frente e de se lembrar do pouco tempo que ainda lhe restava. Tinha uma aguçada consciência do senso de destino, de um propósito geral para seu estranhamento, e acreditava que estava fadado a cumpri-lo por meio de seus escritos.

O que tornou aqueles 20 anos qualitativamente diferentes dos de uma pessoa comum foi a intensidade da atenção. Não se limitava a ler livros – ele os analisava e aprendia lições valiosas, que aplicava à própria vida. Todas essas leituras incutiram em seu cérebro vários estilos que enriqueceriam seu próprio estilo. Não se restringia a frequentar as altas rodas sociais – esforçava-se para compreender as pessoas e para descobrir suas motivações secretas. Não se satisfazia em estudar sua própria psicologia, mas se aprofundava de tal maneira nos vários níveis de consciência dentro de si que tinha insights sobre o funcionamento da memória, os quais viriam a ofuscar muitas descobertas da neurociência. Não se satisfazia em traduzir Ruskin, mas empenhava-se em habitar a mente do próprio autor. No final das contas, usou a morte da própria mãe para intensificar seu desenvolvimento. Com a partida dela, teria que superar a depressão por meio de suas obras, e também precisaria encontrar uma maneira de recriar o sentimento entre eles nos livros que estava escrevendo. Como veio a narrá-las, todas essas experiências eram como sementes. Uma vez tendo iniciado seu romance, passara a atuar como jardineiro, cultivando e cuidando das plantas que haviam lançado raízes tantos anos antes.

Por seus próprios esforços, transformou-se de aprendiz em escritor e tradutor maduro, e daí em romancista, que imaginava sobre o que escrever, que voz assumir e como abordar os próprios temas. A certa altura, depois de ter começado a escrever o romance, passou por uma terceira transformação. Memórias e ideias inundaram sua mente. À medida que o livro se expandia, ele intuía a forma geral e as relações entre os muitos fragmentos do mosaico. O imenso romance tinha uma dinâmica viva, pulsante, que agora se manifestava cheia de energia em seu interior. O autor se incorporara nos personagens e em toda uma fatia da sociedade francesa, que era o tema de seu livro. Mais importante, assumira a alma do narrador (que é o próprio Proust), e, no romance, é como se estivéssemos, literalmente, vivenciando os pensamentos e as sensações de outra pessoa. Conseguia produzir esse efeito com os poderes intuitivos que desenvolvera ao longo de 30 anos de trabalho e de análise constantes.

Como Proust, você também deve preservar o senso de destino e se sentir o tempo todo conectado a ele. Você é único, e sua singularidade tem um propósito. É preciso encarar todo retrocesso, fracasso ou dificuldade como provações ao longo do caminho, como sementes plantadas para a colheita futura. Nenhum momento é desperdiçado se você presta atenção nas lições contidas em cada experiência. Ao se dedicar constantemente ao tema que atende a suas inclinações e ao abordá-lo de muitos ângulos diferentes, você está simplesmente fertilizando o solo para que essas sementes se desenvolvam. Talvez não veja o processo no momento presente, mas está acontecendo. Ao manter a ligação com sua Missão de Vida, você inconscientemente topará com as escolhas certas. Com o passar do tempo, a maestria chegará.

Os poderes intuitivos de alto nível sobre os quais estamos falando têm raízes em nosso desenvolvimento como animais pensantes; seguem um propósito evolutivo cuja compreensão é extremamente útil, algo bastante relevante nos tempos em que vivemos.

As raízes da intuição magistral

Para quase todos os animais, a velocidade é o fator crítico da sobrevivência. Poucos segundos podem significar a diferença entre evitar um predador e deparar com a morte. Para aumentar a velocidade, os organismos desenvolveram instintos apurados. As reações instintivas são imediatas e, em geral, disparadas por certos estímulos. Às vezes, os organismos são dotados de instintos tão ajustados às circunstâncias que parecem ter capacidades misteriosas.

Veja, por exemplo, o caso da vespa amofila. Com uma velocidade incrível, a vespa amofila é capaz de picar suas várias vítimas — aranhas, besouros, lagartas — no lugar exato para paralisá-las, mas não matá-las. Na carne inerte, põe os ovos, fornecendo às larvas alimento fresco com que se regalar durante vários dias. Em cada uma dessas vítimas, o ponto ideal é diferente — por exemplo, na lagarta, é preciso atingir três pontos separados para paralisar toda a criatura. Por se tratar de uma operação tão delicada, às vezes a vespa erra e mata a vítima, mas, em geral, a taxa de sucesso é bastante alta para garantir a sobrevivência da prole. Nesse processo, não há tempo para escolher o tipo de vítima nem o ponto exato a atingir. É instantâneo, como se a vespa estivesse dentro das vítimas, sentindo seus centros nervosos e percebendo seus pontos vulneráveis.

Nossos ancestrais primitivos tinham seus próprios conjuntos de instintos, muitos dos quais continuam latentes dentro de nós até hoje. No entanto, à medida que desenvolviam lentamente a capacidade de raciocínio, esses antepassados tinham que se afastar de suas circunstâncias imediatas e depender menos dos instintos. Para perceber os padrões de comportamento dos animais que perseguiam, precisavam relacioná-los a outras ações que não eram perceptíveis de imediato. Também deviam agir de maneira semelhante na hora de localizar fontes de comida ou de caminhar as longas distâncias que percorriam a pé. Com essa capacidade de se distanciar do meio ambiente e de identificar padrões, desenvolveram uma grande acuidade mental, mas essa evolução também envolveu um grande perigo — volumes crescentes de informações a serem processadas pelo cérebro e a consequente perda de velocidade na reação aos acontecimentos.

Essa lentidão poderia nos fadar à extinção como espécie se não fosse um poder compensatório desenvolvido pelo cérebro humano. Anos de rastreamento de presas e de observação do meio ambiente propiciaram a nossos ancestrais uma grande sensibilidade em relação ao contexto, com toda a sua complexidade. Conhecendo os padrões de comportamento de vários animais, conseguiam prever onde os predadores atacariam e onde as presas se esconderiam. Passaram a conhecer tão bem as longas distâncias percorridas que podiam avaliar esses espaços com rapidez e eficácia, sem necessidade de raciocínios e cálculos. Em outras palavras, desenvolveram uma forma primitiva de intuição. Pela experiência e prática contínuas, nossos antepassados recuperaram parte do imediatismo e da velocidade que haviam perdido. Voltaram a ser capazes de reagir intuitivamente, em vez de instintivamente. Nesse nível, a intuição era mais poderosa que o instinto, uma vez que não se associava a circunstâncias ou a estímulos muito específicos, sendo aplicáveis em âmbitos de ação muito mais amplos.

O cérebro desses ancestrais ainda não estava sobrecarregado de todas as informações resultantes da linguagem e da complexidade da vida em grandes grupos. Ao interagir tão diretamente com o meio ambiente, cada indivíduo desenvolvia uma sensibilidade intuitiva em poucos anos. Mas, para nós, que vivemos em contextos muito mais complexos, o processo pode demorar de 15 a 20 anos. Nossa *intuição de alto nível*, porém, tem raízes firmes na versão primitiva.

A intuição, tanto a primitiva quanto a de alto nível, é, basicamente, induzida pela memória. Quando recebemos informações de qualquer espécie, nós as armazenamos em redes mnemônicas no cérebro. A estabilidade e a durabilidade dessas redes dependem da repetição, da intensidade da experiência e da profundidade de nossa atenção. Se assistirmos pouco atentos a uma aula de língua estrangeira, dificilmente reteremos os ensinamentos em qualquer nível que seja. Porém, se estivermos no país onde a língua é falada, ouviremos as mesmas palavras e construções reiteradamente no contexto; tenderemos a prestar mais atenção inclusive por necessidade, e os registros na memória serão muito mais estáveis.

De acordo com o modelo desenvolvido pelo psicólogo Keneth Bowers, sempre que enfrentamos um problema – um rosto que precisamos reconhecer, uma palavra ou frase de que precisamos lembrar –, redes mnemônicas no cérebro se ativam à medida que a busca da resposta se orienta para determinados caminhos. Tudo isso ocorre abaixo do nível da consciência. Quando determinada rede está suficientemente ativada, de repente tomamos consciência de um possível nome para um rosto, ou de uma frase que talvez seja apropriada. Todas essas ocorrências são formas de intuição de baixo nível que se manifestam na vida cotidiana; não temos condições de reconstruir os passos que nos levaram ao reconhecimento da face da pessoa nem à lembrança de seu nome.

As pessoas que passam anos estudando determinado assunto ou campo de atuação desenvolvem tantas dessas redes ou caminhos mnemônicos que o cérebro se encontra constantemente em estado de busca e de descoberta de novas conexões entre várias informações. Quando se defrontam com algum problema complexo, a busca toma várias direções, abaixo do nível de consciência, norteada pelo senso intuitivo de onde talvez encontrem a resposta. Com a ativação de todas as espécies de redes mais ou menos correlatas, ideias e soluções de súbito vêm à superfície. As que parecem mais adequadas e profícuas ficam na memória e suscitam ações. Em vez de precisar raciocinar à procura da resposta, mediante um processo gradual, as soluções afloram com um sentimento de imediatismo e urgência. O número extremamente elevado de experiências e de redes mnemônicas que fica gravado na mente permite que o cérebro dos Mestres explore uma área tão ampla que tem as dimensões e a sensibilidade da realidade em si, da *dinâmica*.

Para alguém como o Mestre de xadrez Bobby Fischer, o número de vezes em que ele experimentou conjuntos de circunstâncias semelhantes e testemunhou os vários movimentos e reações de diversos adversários gerou poderosos traços de memória, levando-o a internalizar inúmeros padrões. A certa altura de seu desenvolvimento, todas essas lembranças se fundiram em um todo, proporcionando-lhe uma sensibilidade aguçada em relação à dinâmica geral do jogo. Ele já não se limitava a ver simples movimentações no tabuleiro de xadrez nem a evocar os vários contra-ataques que praticara no passado, mas conseguia recuperar e imaginar longas sequências de movimentos potenciais, que se apresentavam como campos de força, varrendo o tabuleiro como um todo. Com visão geral do jogo tão apurada, era capaz de enredar os oponentes muito antes de se darem conta do que estava acontecendo, paralisando-os com a mesma rapidez e exatidão com que a vespa amofila aferroa as presas.

Em campos de atuação como esportes ou guerra, ou em qualquer empreendimento competitivo em que o tempo é essencial, as decisões dos Mestres, baseadas na intuição, serão muito mais eficazes do que se tivessem tentado analisar todos os componentes para elaborar as melhores respostas. Há informações demais a serem processadas em muito pouco tempo. Embora, de início, tenha sido desenvolvido pela rapidez que proporciona, o poder da intuição se converteu em uma capacidade a ser aplicada às ciências e às artes, ou a qualquer campo de atuação em que predominem elementos complexos, mesmo que o tempo já não seja, necessariamente, fator crítico.

Essa intuição de alto nível, como qualquer habilidade, exige prática e experiência. De início, nossas intuições podem ser tão tênues que nem mesmo prestamos atenção ou confiamos nelas. Todos os Mestres se referem a esse fenômeno. Mas, com o passar do tempo, aprendem a atentar para essas ideias rápidas que lhes ocorrem. E passam a agir com base nelas e a verificar sua validade. Algumas não levam a lugar nenhum, mas outras oferecem insights notáveis. Com o passar do tempo, os Mestres descobrem que podem explorar cada vez mais essas intuições de alto nível, que agora cintilam por todo o cérebro. Ao acessarem com mais regularidade esse nível de pensamento, conseguem fundi-lo ainda mais profundamente com as formas de pensamento racionais.

Entenda que a razão por que desenvolvemos essa forma de inteligência intuitiva é nos ajudar a processar camadas complexas de informação e ter acesso ao todo. E, no mundo de hoje, a necessidade de explorar esse nível de pensamento é mais importante que em qualquer outra época. Todas as carreiras profissionais são difíceis e exigem o cultivo de muita paciência e disciplina. Tantos são os elementos a dominar que o processo pode parecer ameaçador. Precisamos aprender a dominar os aspectos técnicos, a participar do jogo social e político, a lidar com as reações do público ao nosso trabalho, a interpretar o contexto sempre mutante de nosso campo de atuação. Quando adicionamos a esse volume de estudo já assustador a vasta quantidade de informações agora disponível, a ser mantida sempre atualizada, tudo parece estar além de nossa capacidade.

O que ocorre com muita gente ao se defrontar com tamanha complexidade é sentir uma súbita desmotivação, antes mesmo de tentar qualquer coisa. Cada vez mais pessoas nesse ambiente superaquecido enfrentarão a tentação de desistir. Irão cada vez mais pender para o que é fácil e confortável; optarão com frequência crescente pela mentalidade convencional; cairão na armadilha das fórmulas sedutoras, que oferecem conhecimento rápido e fácil. Perderão o gosto pelo desenvolvimento de habilidades que exigem tempo e resiliência – muitas vezes as fases iniciais do aprendizado de uma habilidade podem ferir nossa autoestima, na medida em que nos conscientizamos de nossas inaptidões e deficiências. Esses indivíduos se queixarão do mundo e culparão os outros por seus problemas; encontrarão justificativas políticas para desistir, quando, na verdade, simplesmente não conseguem enfrentar o desafio de se envolver com assuntos complexos. Ao tentar simplificar a vida mental, desconectam-se da realidade e neutralizam todos os poderes desenvolvidos pelo cérebro humano ao longo de milhões de anos.

Esse anseio pelo simples e fácil contamina todos nós, na maior parte das vezes de forma inconsciente. A única solução é a seguinte: precisamos aprender a mitigar nossa ansiedade ao nos defrontarmos com qualquer coisa que pareça complexa ou caótica. Em nosso avanço da aprendizagem para a maestria, devemos absorver com paciência os vários componentes e habilidades indispensáveis, nunca olhando muito à frente. Em momentos de crise, precisamos cultivar o hábito de manter a calma. Se a situação for complexa e houver quem esteja procurando respostas simples ou as soluções convencionais de sempre, devemos resistir à tentação. Mantemos nossa Capacidade Negativa e certo grau de distanciamento. O que estamos fazendo é desenvolver a tolerância e até o gosto por momentos caóticos, treinando-nos para desenvolver várias possibilidades ou soluções. Estamos aprendendo a gerenciar nossa ansiedade, habilidade-chave em épocas turbulentas.

Para cultivar esse autocontrole, precisamos fazer o possível para desenvolver maior capacidade de memória – uma das qualificações mais importantes no atual contexto de valorização da tecnologia. O problema que nos é imposto pela tecnologia é que aumenta a quantidade de informações à nossa disposição, mas ao mesmo tempo degrada a capacidade de retenção da memória. Os exercícios a que recorríamos para exercitar o cérebro – memorizar números de telefone, fazer cálculos simples, circular pela cidade e registrar itinerários – cada vez mais ficam por conta da tecnologia, e, como qualquer órgão, o cérebro tende a se tornar atrofiado com a falta de uso. Para contrapor essa tendência, não devemos nas horas vagas procurar apenas entretenimento e diversão. Também é importante se dedicar a hobbies – jogos, instrumentos musicais, língua estrangeira – que nos deem prazer mas que também nos ofereçam a chance de fortalecer a memória e de flexibilizar o cérebro. Ao agir assim, podemos nos preparar para processar uma grande quantidade de informações sem nos sentirmos ansiosos ou sobrecarregados.

Persistindo nesse curso de ação durante tempo suficiente, acabaremos recompensados com poderes intuitivos. O monstro animado, pulsante e mutante que é nosso campo de atuação será internalizado e se tornará parte integrante de nosso próprio ser. O desenvolvimento de apenas uma fração desse poder nos distinguirá instantaneamente de todas as outras pessoas que se sentem sobrecarregadas e estressadas pelo esforço de simplificar o que é complexo. Seremos capazes de reagir com mais rapidez e eficácia que os demais. O que nos parecia caótico antes agora será apenas uma situação fluida, com uma dinâmica específica, que devemos sentir e que podemos manejar com relativa facilidade.

O interessante é notar que muitos Mestres, dotados dessa capacidade intuitiva de alto nível, parecem se tornar mais jovens de mente e de espírito com o passar dos anos – algo a ser encorajado em todos nós. Eles não precisam gastar muita energia para compreender certos fenômenos e são capazes de pensar criativamente com velocidade cada vez maior. Se não estiverem debilitados por doenças, podem manter a espontaneidade e a fluidez mental mesmo depois de já terem chegado à terceira idade. Entre eles encontra-se o mestre zen e artista Hakuin, cujas pinturas produzidas na casa dos seus 60 anos são hoje consideradas dentre os melhores trabalhos de seu tempo, notáveis pela espontaneidade de expressão. Outro exemplo é o cineasta espanhol Luis Buñuel, cujos filmes surrealistas pareciam ficar mais fecundos e mais surpreendentes à medida que avançava na faixa dos 60 e dos 70 anos. Porém, o melhor exemplo desse fenômeno é Benjamin Franklin.

Franklin sempre foi um grande observador dos fenômenos naturais, mas essa capacidade só fazia aumentar com o passar do tempo. Já na faixa dos 70 a 80 anos, prosseguia com uma série de especulações que hoje são consideradas muito à frente de seu tempo – inclusive ideias avançadas sobre medicina, meteorologia, física, geofísica, evolução, uso do avião para propósitos militares e comerciais, e muito mais. Conforme envelhecia, recorria à sua extraordinária inventividade para atenuar suas debilidades físicas cada vez mais intensas. Na tentativa de melhorar sua acuidade visual e sua qualidade de vida, inventou as lentes bifocais. Tendo dificuldade em alcançar livros nas prateleiras mais altas da estante, construiu um braço mecânico extensível. Precisando de cópias dos próprios trabalhos e não querendo sair de casa, inventou uma prensa tipográfica capaz de produzir cópias fiéis de documentos em menos de dois minutos. Nos seus últimos anos, desenvolveu ideias sobre política e o futuro dos Estados Unidos que lhe renderam fama de vidente, de alguém com poderes mágicos. Wiliam Pierce, delegado na Convenção Constitucional da Filadélfia, conheceu Franklin quase no fim da vida, e escreveu: "O Dr. Franklin é bem conhecido como o maior filósofo da atualidade; parece compreender todo o funcionamento da natureza... Tem 82 anos e possui a atividade mental de um jovem de 25."

É interessante especular que profundidade a compreensão desses Mestres teria atingido se tivessem vivido mais tempo. Talvez no futuro, com o aumento contínuo da longevidade, testemunhemos exemplos de tipos como Benjamin Franklin alcançando idades cada vez mais avançadas.

O retorno à realidade

O significado de realidade é um tema aberto a discussões intermináveis, mas comecemos nossa definição com um fato inegável: cerca de quatro bilhões de anos atrás, a vida surgiu no planeta na forma de organismos unicelulares. Essas células, ou algumas em especial, foram os ancestrais comuns de todas as formas de vida hoje existentes. Dessa única fonte brotaram as várias ramificações dos seres vivos. Cerca de 1,2 bilhão de anos atrás, apareceram as primeiras criaturas multicelulares; há uns 600 milhões de anos, ocorreu, possivelmente, o mais importante avanço na evolução da vida, com o surgimento do sistema nervoso central, ponto de partida que acabou culminando no cérebro humano. Da explosão de vida cambriana, uns 500 milhões de anos atrás, surgiram os primeiros animais simples, a que se seguiram os vertebrados primitivos. Os primeiros vestígios de seres anfíbios datam de 360 milhões de anos, e cerca de 120 milhões de anos atrás despontaram os primeiros mamíferos. Como nova ramificação dos mamíferos, há mais ou menos 60 milhões de anos, vemos sinais dos primatas mais remotos, dos quais somos descendentes diretos. Os primeiros ancestrais humanos surgiram há cerca de 6 milhões de anos, e, uns 4 milhões de anos atrás, entrou em cena o *Homo erectus*, nosso antepassado mais recente. Há apenas 200 mil anos surgiu o homem anatomicamente moderno, com mais ou menos o mesmo cérebro que hoje possuímos.

Nessa cadeia de circunstâncias extremamente complexa, podemos identificar, em certos pontos de ruptura, um único ancestral do qual nós, humanos, evoluímos (primeiras células, animais simples, mamíferos, depois primatas). Alguns arqueólogos especularam sobre uma única fêmea ancestral, da qual descendem todos os seres humanos modernos. Retrocedendo no tempo, não há dúvida de que o que somos hoje, nossa composição fisiológica específica, está intimamente ligada a cada um desses ancestrais originais, tão remotos quanto as primeiras células vivas. Uma vez que todas as formas de vida descendem dessa origem comum, todas estão interconectadas de alguma maneira, e nós, humanos, estamos estreitamente envolvidos nessa rede. Isso é inegável.

Denominemos *realidade derradeira* essa interconexão da vida. E, em relação a essa realidade, a mente humana tende a seguir uma de duas direções.

De um lado, a mente se afasta dessa interconexão e se concentra nas distinções entre as coisas, segregando os objetos de seus contextos e os analisando como entidades separadas. No outro extremo, essa tendência leva a formas altamente especializadas de conhecimento. No mundo de hoje, vemos muitos sinais dessa propensão, divisões microscópicas de disciplinas em nossas universidades e as mais estreitas especializações em ciências. Na cultura, em geral, estabelecem-se distinções refinadas entre temas estreitamente correlatos ou sobrepostos, e promovem-se debates infindáveis sobre as diferenças. Distinguem-se sociedade militar e sociedade civil, embora na democracia não seja fácil fazer essa divisão. (Talvez, essa discriminação das pessoas em campos de estudo segregados com tanto rigor seja o estratagema mais recente dos detentores de poder, uma versão do "dividir para conquistar".) Nesse tipo de mentalidade, perde-se o senso de interconexão da vida e dos fenômenos, e, ao se tornarem tão especializadas, as ideias também podem ficar muito estranhas e se alienar da realidade.

Em contrapartida, há a tendência oposta do cérebro de fazer conexões entre tudo. Essa propensão é comum entre indivíduos que levam tão longe a busca do conhecimento que essas associações surgem como consequência inevitável. Embora essa condição seja comum nos Mestres, veem-se na história certos movimentos e filosofias em que esse retorno à realidade se difunde na cultura, parte do zeitgeist. Por exemplo, na Antiguidade, o taoísmo, no Oriente, e o estoicismo, no Ocidente, foram movimentos que duraram séculos. Um dos conceitos do taoísmo é o de Caminho, e do estoicismo, o de Logos – princípio ordenador do Universo, que conecta todas as coisas vivas. Eis como Marco Aurélio se manifestou a esse respeito:

> *Lembre-se sempre da maneira como tudo está interligado, de suas interconexões. Todas as coisas têm implicações entre si e em sintonia umas com as outras. Qualquer evento é consequência de outro. As coisas puxam e empurram umas as outras, respiram juntas, e são uma.*

Talvez o melhor exemplo dessa interação seja o Renascimento, movimento cultural cujo ideal foi o Homem Universal – alguém que tenha conseguido conectar todos os ramos do conhecimento e se aproximar da capacidade intelectual do Criador.

Pode ser que hoje estejamos presenciando os primeiros sinais de retorno à realidade, de um Renascimento com feições modernas. Nas ciências, as primeiras sementes desse fenômeno começaram com Faraday, Maxwell e Einstein, que focaram as relações entre os fenômenos, campos de força em vez de partículas. No sentido mais amplo, muitos cientistas estão hoje empenhados ativamente em conectar suas várias especialidades com outras – por exemplo, como a neurociência se interliga a tantas outras disciplinas. Vemos sinais disso inclusive no interesse crescente pelas teorias da complexidade aplicadas a campos de atuação díspares, como economia, biologia e computação. Também o percebemos na ampliação de nosso raciocínio para ecossistemas, como maneira de realmente conceituar as interações dinâmicas na natureza. E ainda o constatamos em saúde e medicina, na abordagem sensata que vem sendo adotada por muitos estudiosos de considerar o corpo como um todo. Essa tendência é o futuro, pois o propósito da consciência em si sempre foi nos conectar à realidade.

Como indivíduos, podemos participar dessa tendência simplesmente buscando a maestria. Na fase de aprendizagem, começamos conhecendo as partes e estabelecendo distinções – a forma certa e errada de proceder, as habilidades individuais a serem dominadas e suas técnicas específicas, as várias regras e convenções que governam o grupo. Na fase criativa-ativa, passamos a combinar essas distinções quando experimentamos, moldamos e alteramos as convenções para adequá-las a nossos propósitos. E, na maestria, completamos o círculo, retornando ao senso do todo. Intuímos e vemos as conexões; abraçamos a complexidade natural da vida; expandimos o cérebro para as dimensões da realidade, em vez de retraí-lo para as especializações mais estreitas. Esse é o resultado inevitável da imersão profunda em um campo. Podemos afirmar que a inteligência é o movimento na direção de um pensamento mais contextual, mais sensível às relações entre as partes.

Pense da seguinte maneira: a maior distinção que se estabelece é entre o eu e o mundo. Há o interior (sua experiência subjetiva) e o exterior. Mas sempre que se aprende algo o cérebro se transforma, na medida em que se fazem novas conexões. A experiência pessoal de algo que ocorre no mundo altera fisiologicamente o cérebro. As fronteiras entre a pessoa e o mundo são muito mais fluidas do que se imagina. Quando se avança para a maestria, o cérebro passa por transformações radicais ao longo dos anos de prática e de experimentação ativa. Não mais se trata do ecossistema simples de anos atrás. O cérebro do Mestre envolve interconexões tão profundas que chega a parecer o mundo físico, convertendo-se em ecossistema vibrante no qual todas as formas de pensamento se associam e se interligam. Essa semelhança crescente entre o cérebro e a vida em si, com toda a sua complexidade, é o auge do retorno à realidade.

Estratégias para atingir a maestria

A mente intuitiva é um dom sagrado e a mente racional é um servo fiel. Criamos uma sociedade que homenageia o servo e despreza o dom.

– ALBERT EINSTEIN

A maestria não é uma função da genialidade nem do talento. É uma função do tempo e do foco intenso, aplicados a determinado campo de atuação ou a certa área de conhecimento. Mas os Mestres também desenvolvem outro elemento, um fator X, que parece místico, mas é acessível a todos. Qualquer que seja o campo de atuação, há, em geral, um caminho consagrado para o topo. É um roteiro que outras pessoas percorreram, e, como somos criaturas conformistas, a maioria opta por essa trajetória convencional. Mas os Mestres dispõem de um poderoso sistema de orientação interior e de um alto nível de autoconsciência. O que serviu a outros no passado nem sempre lhes é adequado, e eles sabem que tentar se encaixar em moldes convencionais apenas lhes deixaria desmotivados, tornando esquiva a realidade que buscam.

Assim, inevitavelmente esses Mestres, à medida que progridem na carreira, fazem uma escolha em um momento decisivo da vida: resolvem traçar o próprio percurso, trajetória que outros talvez considerem heterodoxa, mas que é compatível com seu próprio espírito e ritmo, e que os aproxima da descoberta das verdades ocultas de seus objetos de estudo. Essa escolha decisiva exige autoconfiança e autoconsciência – o fator X indispensável para alcançar a maestria. A seguir, alguns exemplos desse fator X em ação e das escolhas estratégicas dele decorrentes. O propósito desses casos é mostrar a importância dessa qualidade e como podemos adaptá-la às nossas próprias circunstâncias.

1. Conecte-se com o ambiente – Poderes primitivos

Entre os muitos feitos da navegação humana nos mares e oceanos, talvez nenhum seja mais notável e misterioso que as viagens dos povos indígenas da área conhecida como Oceania – abrangendo as ilhas da Micronésia, da Melanésia e da Polinésia. Numa área que é 99,8% água, os habitantes da região, durante muitos séculos, navegaram com destreza pelos vastos espaços entre as ilhas. Uns 1.500 anos atrás, conseguiram percorrer os vários milhares de quilômetros para o Havaí, e, a certa altura, é até possível que tenham chegado a partes da América do Norte e da América do Sul, sempre em canoas com o mesmo desenho e tecnologia da Idade da Pedra. Durante o século XIX, principalmente por causa da interferência do Ocidente e da introdução de mapas e bússolas, os velhos recursos de navegação se extinguiram e as origens de suas habilidades misteriosas continuaram em grande parte desconhecidas. No entanto, na área da Micronésia conhecida como Ilhas Carolinas, alguns ilhéus mantiveram as velhas tradições século XX adentro, e os primeiros ocidentais que viajaram com eles ficaram atônitos com o que testemunharam.

Os ilhéus viajavam em canoas *outrigger* (canoas polinésias, dotadas de um segundo casco estabilizador), equipadas com vela e tripuladas por três ou quatro homens, um atuando como navegador-chefe. Não tinham mapas nem instrumentos de qualquer espécie, e, para os ocidentais que os acompanhavam, a experiência podia ser desconcertante. Partindo à noite ou de dia (não importava para eles), aparentemente não contavam com nada que os orientasse no percurso. As distâncias entre as ilhas eram tão grandes que se viajava durante dias seguidos sem avistar terra. Afastar-se do rumo, mesmo que só um pouco (e tempestades ou mudanças no tempo sem dúvida poderiam desviá-los do percurso) significava nunca mais localizar o destino, e, provavelmente, encontrar a morte – chegar à ilha mais próxima levaria muito tempo, e logo ficariam sem suprimentos. No entanto, embarcavam em suas viagens marítimas com o espírito extremamente relaxado.

O navegador-chefe vez por outra observava o céu noturno ou a posição do sol, mas, principalmente, conversava com os outros ou fitava o horizonte. De vez em quando, um dos homens deitava de barriga para baixo no meio da canoa polinésia e relatava algo que havia detectado. Em geral, davam a impressão de serem passageiros de um trem que avançava suavemente na paisagem. Pareciam até mais calmos à noite. Quando supunham se aproximar do destino, ficavam mais alertas. Seguiam o caminho das aves no céu; olhavam as profundezas da água, tanto quanto a vista alcançava, e, às vezes, a coletavam com as mãos e a cheiravam. Ao chegarem ao destino, era como se estivessem desembarcando na estação ferroviária na hora prevista. Parecia que sabiam exatamente quanto demoraria e da quantidade de suprimento que precisariam para a viagem. No percurso, faziam ajustes perfeitos a quaisquer mudanças nas condições atmosféricas ou nas correntes marítimas.

Curiosos em descobrir como aquilo era possível, alguns ocidentais perguntaram aos navegadores sobre seus segredos, e, ao longo de décadas, esses pesquisadores conseguiram montar o sistema adotado pelos ilhéus. Como os ocidentais descobriram, um dos principais meios de navegação era seguir a trajetória das estrelas no céu noturno. No decurso de séculos, conceberam um mapa do caminho de 14 constelações, que, juntamente com o sol e a lua, descreviam arcos no firmamento, traçando 32 direções diferentes no círculo do horizonte. Esses traçados se mantinham inalterados nas quatro estações. Em suas próprias ilhas, podiam mapear a localização de todas as ilhas da área, determinando sob que estrelas deviam navegar em determinados momentos da noite, e sabiam como a posição mudaria para outra estrela à medida que avançavam rumo ao destino. Os ilhéus não tinham sistema de escrita. Os aprendizes de navegadores precisavam memorizar esse mapa complexo, que se mantinha em movimentação constante.

Durante o dia, mapeavam o percurso pelo sol. Ao meio-dia, sabiam a direção exata em que seguiam com base na sombra projetada pelo mastro. Na aurora ou no poente, usavam a lua ou as estrelas que imergiam ou emergiam no horizonte. Para medir a distância percorrida, escolhiam uma ilha à margem do percurso como ponto de referência. Seguindo as estrelas, calculavam quando passariam pela ilha e quanto tempo restava para chegar ao destino.

Como parte do sistema, imaginavam que a canoa estava completamente parada – com as estrelas se movimentando acima deles e as ilhas no oceano avançando na direção deles e depois se afastando, à medida que passavam. A ideia de canoa fixa facilitava o cálculo da posição do barco no sistema de referências. Embora soubessem que as ilhas não se movimentavam, depois de muitos anos navegando dessa maneira eles literalmente tinham a sensação de que a canoa estava ancorada, o que explicava a impressão de parecerem passageiros de um trem olhando a paisagem em movimento.

Seus mapas celestes eram complementados por dezenas de outros sinais que haviam aprendido a ler. No sistema de aprendizagem deles, os jovens navegadores eram levados para o mar, onde flutuavam durante várias horas. Assim, aprendiam a distinguir as várias correntes, pela forma como as sentiam na pele. Depois de muita prática, conseguiam identificá-las deitando de barriga para baixo no chão da canoa. Também tinham desenvolvido uma sensibilidade semelhante em relação aos ventos, e eram capazes de identificar a direção deles pelo modo como mexiam seus cabelos ou com as velas da embarcação.

Quando se aproximavam de uma ilha, sabiam interpretar o percurso das aves terrestres, que partiam de manhã para pescar e retornavam à tarde para seus ninhos. Também liam as mudanças na fosforescência da água, que indicavam a proximidade da terra, assim como se as nuvens distantes refletiam terra abaixo delas, ou apenas oceano. Ao sentirem a água com os lábios, detectavam mudanças de temperatura que indicavam terra iminente. E havia muito mais desses indicadores; os ilhéus tinham aprendido a ver tudo nesse contexto como possível indício.

O mais notável era que o navegador-chefe mal parecia prestar atenção a essa complexa rede de sinais. Apenas olhares ocasionais para cima ou para baixo indicavam qualquer tipo de observação. Evidentemente, os Mestres navegadores conheciam tão bem o mapa do céu que bastava ver uma estrela para sentir onde estavam todas as outras. Além disso, tinham aprendido a ler com tanta fluência os outros sinais de navegação que tudo se tornara natural para eles. Tinham enorme sensibilidade em relação a esse ambiente, inclusive de todas as variáveis que pareciam torná-lo caótico e perigoso. Como disse um ocidental, esses Mestres eram capazes de viajar centenas de quilômetros, de ilha a ilha, com a mesma facilidade com que um taxista experiente consegue percorrer os labirintos de Londres.

Em algum momento da história, os primeiros navegadores da região devem ter sentido muito medo, ao se defrontarem com a necessidade de percorrer grandes distâncias no oceano em busca de outras fontes de alimento, dando-se conta dos grandes perigos da empreitada. O oceano deve ter parecido muito mais caótico que aqueles minúsculos retalhos de terra, que eram suas ilhas. Aos poucos, superaram o medo e desenvolveram um sistema extremamente adequado ao ambiente em que viviam. Nessa parte do mundo, o céu noturno é extremamente claro durante boa parte do ano, garantindo-lhes a possibilidade de usar a posição cambiante das estrelas com grande eficácia. O uso de embarcações pequenas lhes permitia manter um contato mais estreito com a água, que eles haviam aprendido a ler com exatidão, como a terra ondulante em suas ilhas. Imaginarem-se estacionados na água, enquanto as ilhas e o firmamento se movimentavam, ajudava-os a rastrear os pontos de referência e produzia um efeito calmante. Não dependiam de uma única ferramenta ou instrumento; esse sistema complexo estava totalmente em suas mentes. Ao desenvolver ligações profundas com o ambiente e ao interpretar todos os sinais valiosos, os ilhéus se aproximavam da capacidade instintiva dos animais, como as várias espécies de aves capazes de percorrer todo o globo por meio de sua extrema sensibilidade em relação aos campos geomagnéticos do planeta.

Note que a capacidade de se conectar profundamente com o ambiente é a forma mais primitiva e, sob muitos aspectos, mais poderosa de maestria. Ela se aplica com a mesma eficácia às águas da Micronésia e a qualquer campo de atuação ou a qualquer organização burocrática da atualidade. Conquistamos esse poder primeiro e acima de tudo nos transformando em observadores. É preciso ver tudo ao nosso redor como um sinal potencial a ser decifrado. Nada deve ser interpretado pela aparência. Como os ilhéus, podemos desdobrar essas observações em vários sistemas. Há as pessoas com quem trabalhamos e interagimos – tudo o que fazem e dizem revelam algo oculto abaixo da superfície. Podemos observar nossas interações com o público, como reagem ao nosso trabalho, como suas preferências se encontram em fluxo constante. Também podemos mergulhar em todos os aspectos de nossa área, prestando muita atenção, por exemplo, nos fatores econômicos que desempenham papel tão importante. E, assim, passamos a agir como a aranha proustiana, sentindo as mais leves vibrações em nossa teia. Ao longo dos anos, à medida que avançamos nesse caminho, começamos a combinar nosso conhecimento desses vários componentes em uma sensibilidade aguçada e abrangente em relação ao contexto em si. Em vez de nos sobrecarregarmos para acompanhar um ambiente complexo e mutável, nós o conhecemos por dentro e somos capazes de sentir as mudanças antes que aconteçam.

Para os ilhéus das Carolinas, não havia nada de heterodoxo no modo como desenvolviam a maestria; os métodos deles eram perfeitamente compatíveis com as circunstâncias. Mas, para nós, em nossa era de tecnologias avançadas, essa maestria envolve uma escolha não convencional. Para nos tornarmos observadores sensíveis e astutos, não podemos sucumbir a todas as distrações oferecidas pela tecnologia; precisamos ser um pouco primitivos. Os instrumentos básicos de que dependemos devem ser os olhos para observar e o cérebro para analisar. As informações que nos são transmitidas por vários veículos de comunicação são apenas pequenos componentes de nossa conexão com o contexto. É fácil nos encantarmos com os poderes que a tecnologia nos proporciona e vê-los como fins, não como meios. Quando isso acontece, mergulhamos no ambiente virtual, e o poder de nossos olhos e cérebro aos poucos se atrofia. Você deve ver o ambiente como uma entidade física e sentir as próprias conexões com o contexto como algo visceral. Se há algum instrumento pelo qual você deve se apaixonar é o cérebro humano – a mais admirável e espantosa ferramenta de processamento de informações já concebida no universo conhecido, cuja complexidade nem sequer começamos a sondar e cujos poderes dimensionais superam de longe, em sofisticação e utilidade, a mais avançada tecnologia.

2. Explore suas forças – Foco supremo

A. Nos primeiros anos de vida do filho, os pais de Albert Einstein (1879-1955) tinham motivos para preocupação. O pequeno Albert demorou muito para falar, e suas primeiras tentativas com a linguagem sempre foram titubeantes. (Ver páginas 42 e 81 para mais informações sobre Einstein.) Tinha o estranho hábito de murmurar primeiro para si mesmo as palavras que diria em voz alta. Os pais receavam que o filho tivesse alguma deficiência mental e consultaram um médico. Em pouco tempo, porém, ele deixou de lado a hesitação com as palavras e revelou algumas capacidades mentais ocultas – era bom com quebra-cabeças, tinha jeito para algumas ciências e adorava tocar violino, em especial qualquer coisa de Mozart, cujas músicas interpretava repetidas vezes.

Os problemas, no entanto, recomeçaram à medida que avançava na escola. Não se destacava como bom aluno. Detestava memorizar tantos fatos e números. Odiava a autoridade rigorosa dos professores. Suas notas eram medíocres e, preocupados com o futuro dele, os pais resolveram matricular o filho de 16 anos numa escola mais liberal, na cidade de Aarau, perto de Zurique, sua cidade natal. Essa escola adotava um método desenvolvido pelo educador reformista suíço Johann Pestalozzi, que enfatizava a importância do aprendizado por meio das próprias observações do aluno, estimulando o desenvolvimento de ideias e intuições. Mesmo disciplinas como matemática e física eram ensinadas dessa forma. Não havia exercícios nem fatos a memorizar; em vez disso, o método atribuía extrema importância às formas visuais de inteligência, que Pestalozzi considerava fundamentais para o pensamento criativo.

Nessa atmosfera, o jovem Einstein floresceu. Ele achou o lugar bastante estimulante. A escola encorajava os alunos a aprender por conta própria, seguindo por onde os levassem suas inclinações, e, para Einstein, isso significava sondar de maneira cada vez mais profunda a física newtoniana, que era sua grande paixão, e os avanços recentes em eletromagnetismo. Em seus estudos de Newton, ele deparou com alguns problemas no conceito newtoniano de Universo que o perturbaram profundamente, levando-o a muitas noites de insônia.

De acordo com Newton, todos os fenômenos da natureza podem ser explicados por meio de leis da mecânica simples. Conhecendo-as, teríamos condições de deduzir as causas de quase tudo. Os objetos se movimentam no espaço de acordo com essas leis da mecânica, como a lei da gravidade, e todos esses movimentos podem ser medidos matematicamente. É um universo altamente ordeiro e racional. Mas o conceito de Newton dependia de duas premissas que nunca poderiam ser comprovadas ou verificadas de forma empírica: a existência do tempo e do espaço absolutos, cujas manifestações seriam independentes dos seres vivos e dos objetos inanimados. Sem essas premissas, não haveria padrão de medição. Entretanto, o brilhantismo do sistema newtoniano era algo difícil de questionar, uma vez que, seguindo suas leis, os cientistas mediam com exatidão os movimentos das ondas sonoras, a difusão dos gases ou o deslocamento das estrelas.

No final do século XIX, porém, apareceram as primeiras rachaduras no conceito newtoniano do universo mecânico. Com base no trabalho de Michael Faraday, o grande matemático escocês James Maxwell fez algumas descobertas importantes sobre as propriedades do eletromagnetismo. Desenvolvendo o que se tornou conhecido como teorias de campos, Maxwell afirmou que o eletromagnetismo não podia ser descrito em termos de partículas carregadas, mas, sim, como campos no espaço, com potencial contínuo para se converter em eletromagnetismo. Esses campos consistem em vetores de tensão que podem ser carregados em qualquer ponto. Pelos seus cálculos, as ondas de eletromagnetismo se movem à velocidade de 300 mil quilômetros por segundo, que é a velocidade da luz. Isso não podia ser simples coincidência. Portanto, a luz deve ser manifestação visível de todo um espectro de ondas eletromagnéticas.

Era um conceito inovador no universo da física, mas, para compatibilizá-lo com Newton, Maxwell e outros presumiram a existência de um "éter luminífero", substância que podia oscilar e produzir essas ondas eletromagnéticas, análogas à água para as ondas oceânicas, ou ao ar para as ondas sonoras. Esse conceito adicionava mais um absoluto à equação newtoniana – o do repouso absoluto. A velocidade do movimento dessas ondas só podia ser medida contra o pano de fundo de algo em repouso, que seria o éter em si. Esse éter teria de ser algo estranho – abrangendo todo o Universo, mas não interferindo, de modo algum, no movimento dos planetas ou dos objetos.

Cientistas de todo o mundo vinham lutando havia décadas para demonstrar de alguma maneira a existência desse éter, conduzindo todos os tipos de experimentos complexos, mas parecia uma busca impossível, o que suscitava cada vez mais questões sobre o universo newtoniano e sobre os absolutos dos quais dependia. Albert Einstein devorou tudo a seu alcance sobre o trabalho de Maxwell e as questões por ele levantadas. O próprio Einstein tinha uma necessidade básica de acreditar em leis, na existência de um universo ordeiro, e suas dúvidas sobre essas leis lhe provocavam grande ansiedade.

Um dia, imerso em todos esses pensamentos e ainda frequentando a escola em Aarau, uma imagem surgiu em sua mente: a de um homem movimentando-se à velocidade da luz. Ao refletir sobre essa imagem, ela se converteu numa espécie de enigma, ou o que ele mais tarde viria a denominar experimento mental: se o homem avançasse à velocidade da luz ao lado de um raio de luz, ele seria capaz de "observar esse raio de luz como um campo eletromagnético em repouso, embora oscilando no espaço".

Intuitivamente, porém, isso não fazia sentido por duas razões. No momento em que o homem olhasse para a fonte de luz, a fim de ver o raio, o pulso de luz estaria avançando à frente dele, à velocidade da luz; ele não poderia percebê-lo de outra forma, uma vez que a luz visível viaja a essa velocidade constante. A velocidade do pulso de luz em relação ao observador ainda seria de 300 mil quilômetros por segundo. A lei que governa a velocidade da luz ou de qualquer onda eletromagnética teria que ser a mesma para alguém parado na Terra ou para alguém teoricamente se movimentando à velocidade da luz. Não poderia haver duas leis distintas. No entanto, em tese, ainda se poderia supor que seria possível alcançar e ver a onda em si, antes que ela aparecesse como luz. Era um paradoxo.

No ano seguinte, Einstein se matriculou no Instituto Politécnico de Zurique, e, mais uma vez, sentiu a mesma aversão pela escola tradicional. Não se saiu muito bem em matemática. Detestava a maneira como se ensinava física, e passou a assistir a aulas de matérias de outras áreas. Não parecia um aluno promissor e não atraíra a atenção de nenhum professor ou mentor importante. Logo passou a desprezar a academia e as restrições que impunha ao seu pensamento. No entanto, ainda intrigado por seu experimento mental, continuou a trabalhar nele por conta própria. Passou meses concebendo algo que talvez lhe permitisse detectar o éter e seus efeitos sobre a luz, mas um professor do Politécnico lhe afirmou que seu esforço seria infrutífero. E ofereceu-lhe um trabalho acadêmico, descrevendo todas as tentativas fracassadas de detectar o éter que haviam sido empreendidas por eminentes cientistas, talvez para esvaziar as pretensões de um estudante de 20 anos que se julgava capaz de descobrir o que as mais poderosas mentes do mundo não tinham conseguido desvendar.

Um ano depois, em 1900, Einstein tomou uma decisão revolucionária sobre sua vida. Não era um cientista experimental. Não era bom em conceber experimentos e não gostava do processo. Tinha várias qualidades – era muito bom em resolver enigmas abstratos; convertendo-os em imagens, conseguia manipulá-los e moldá-los à vontade. Em consequência de seu desdém natural pelas autoridades e pelas convenções, conseguia raciocinar de maneira inédita e flexível. Evidentemente, isso significava que nunca seria bem-sucedido no mundo acadêmico. Teria que desbravar o próprio caminho, mas isso se converteria em vantagem. Não seria perturbado pela necessidade de se encaixar ou de aderir aos paradigmas.

Continuando a trabalhar em seu experimento mental dia e noite, finalmente chegou a uma conclusão – devia haver algum equívoco em toda a noção de universo físico descrita por Newton. Os cientistas estavam abordando o problema pelo lado errado: esforçavam-se para demonstrar a existência do éter de modo a manter o esquema newtoniano. Embora admirasse Newton, Einstein não tinha ligações com nenhuma escola de pensamento. Considerando sua decisão de trabalhar por conta própria, poderia ser tão ousado quanto quisesse. Assim, descartaria a ideia do éter em si e todos os absolutos que não pudessem ser verificados. Daí em diante, se empenharia em deduzir as leis, os princípios que regiam o movimento, por meio de sua capacidade de raciocínio e da matemática. Para tanto, não precisava de título acadêmico nem de laboratório. Onde quer que estivesse, poderia trabalhar nesses problemas.

Com o passar do tempo, até se poderia pensar que Einstein era um fracasso. Formara-se pelo Instituto Politécnico de Zurique entre os últimos da turma. Não encontrara emprego como professor e se contentara com o cargo medíocre e mal remunerado de avaliador de invenções no escritório de patentes suíço, em Berna. No entanto, livre para prosseguir por conta própria, empenhou-se com incrível determinação nesse problema específico. Mesmo quando, à primeira vista, trabalhava no escritório de patentes, ele, na realidade, estava imerso na teoria que se formava em sua mente; até ao sair com os amigos para uma caminhada continuava a ruminar suas ideias – tinha a capacidade incomum de ouvir numa "frequência" e raciocinar em outra. Sempre trazia consigo uma pequena caderneta onde anotava todos os tipos de ideias. Refletia sobre seu paradoxo original, com todos os elementos que lhe haviam sido acrescentados, e os revolvia o tempo todo na imaginação, concebendo milhares de possibilidades diferentes. Durante quase todas as horas que passava acordado contemplava o problema dos mais diversos ângulos.

No curso de suas imersões profundas, deparou com dois importantes princípios que o norteariam para territórios ainda mais distantes e inexplorados. Primeiro, concluiu que sua intuição original tinha que estar correta – as leis da física deviam se aplicar igualmente a alguém em repouso e a alguém viajando a velocidade uniforme, numa espaçonave. Nada mais faria sentido. E, segundo, a velocidade da luz era uma constante. Mesmo que uma estrela se movimentando a vários milhares de quilômetros por hora emitisse luz, a velocidade dessa luz continuaria sendo de 300 mil quilômetros por segundo, não mais. Desse modo, aceitava a lei de Maxwell sobre a velocidade variável das ondas eletromagnéticas.

Ao refletir sobre esses conceitos, porém, outro paradoxo despontou em sua mente, na forma de mais uma imagem. Visualizou um trem correndo nos trilhos, com os faróis emitindo raios de luz. Um homem de pé na plataforma veria um raio de luz se movimentando à velocidade esperada. Mas, e se uma mulher correndo nos trilhos se aproximasse do trem ou dele se afastasse? A velocidade da mulher em relação ao trem dependeria da rapidez com que corria e de sua direção, mas não seria o mesmo caso do raio de luz? Decerto, o raio de luz oriundo do trem em relação à mulher viajaria a velocidades diferentes se ela estivesse se afastando do trem ou se aproximando do trem, e a velocidade do raio de luz seria diferente da velocidade em relação ao homem na plataforma. Essa imagem questionava todos os seus princípios até então norteadores.

Durante meses, ele ponderou sobre esse paradoxo, até que, em maio de 1905, resolveu desistir de toda a questão. Parecia insolúvel. Num belo dia ensolarado, em Berna, ele caminhava com um amigo e colega do escritório de patentes, explicando-lhe o beco sem saída a que chegara, sua frustração e a decisão de entregar os pontos. Mal descrevera toda a situação e de repente compreendeu a chave do problema. Ela lhe ocorreu em um poderoso lampejo intuitivo, primeiro com uma imagem e, depois, com palavras – um insight em fração de segundo que alteraria para sempre nosso conceito de universo.

Depois Einstein ilustraria seu vislumbre com a seguinte imagem: suponha que um trem esteja passando pela plataforma em velocidade constante. Um homem está parado no centro da plataforma. No momento exato em que o trem passa, luzes brilham ao mesmo tempo em dois pontos equidistantes, A e B, à direita e à esquerda do homem. Suponha que uma mulher sentada no meio do trem passe exatamente em frente ao homem na plataforma no momento em que as luzes brilham. Ela estará avançando para mais perto do ponto B à medida que o sinal luminoso se aproxima dela. Ela verá o lampejo no ponto B um pouco antes do lampejo no ponto A. O que é simultâneo para o homem na plataforma não é concomitante para a mulher no trem. Dois eventos jamais podem ser considerados simultâneos porque todo padrão de referência em movimento tem seu próprio tempo relativo, e tudo no universo se movimenta em relação a alguma outra coisa. Nas palavras de Einstein: "Não há tique-taque audível em todos os lugares do mundo que possa ser considerado tempo." Se o tempo não é absoluto, tampouco o são o espaço e a distância. Tudo é relativo a tudo o mais – velocidade, tempo, distância, e assim por diante –, exceto a velocidade da luz, que nunca muda.

Essa teoria foi denominada Relatividade Especial (ou Restrita), e, nos anos posteriores, Einstein iria abalar os alicerces da física e da ciência. Vários anos depois, ele repetiria exatamente o mesmo processo na descoberta da Relatividade Geral e do que chamou de "curvatura do espaço-tempo", aplicando a relatividade à força da gravidade. De novo, partiu de uma imagem, um experimento mental sobre o qual refletiu durante quase 10 anos, que culminou com sua teoria revolucionária, em 1915. Dessa teoria, ele deduziu que o percurso dos raios de luz deve ser inclinado pela curvatura do espaço--tempo. E foi mais longe, ao especular sobre a inclinação do arco de raios luminosos estelares tangenciando o sol. Para a perplexidade dos cientistas e do público em geral, durante um eclipse solar, em 1919, os astrônomos confirmaram com exatidão os cálculos de Einstein. Parecia que só alguém com uma capacidade mental sobre-humana poderia deduzir essas mensurações simplesmente por meio do raciocínio abstrato. E assim nascia a fama de Albert Einstein como gênio excêntrico, que perdurou desde então.

Embora gostemos de presumir que gênios como Albert Einstein têm poderes muito além de nossas capacidades, as grandes descobertas dele dependeram de decisões simples que tomou quando jovem. Primeiro, aos 20 anos, resolveu que seria um cientista experimental medíocre. Embora a imersão profunda em matemática e em experimentação fosse a trajetória tradicional na física, ele percorreria seu próprio caminho – uma decisão ousada. Segundo, consideraria sua repulsa inata pela autoridade e pelas convenções um importante ponto forte. Trabalharia livre e desembaraçado de todos os pressupostos que torturavam os cientistas em relação a Newton. Essas duas decisões lhe permitiram explorar suas forças. Também é possível identificar um terceiro fator: o amor pelo violino e pela música de Mozart. A quem se admirava com a sensibilidade dele em relação a Mozart, Einstein respondia: "Está no sangue." Ele queria dizer que tocava com tanta frequência que a música se tornara parte dele, sua essência. Desenvolvera uma compreensão íntima da música. Essa característica se converteria em modelo inconsciente de sua abordagem à ciência: ele pensava dentro dos fenômenos complexos ao refletir sobre a natureza deles.

Embora haja uma tendência a se considerar Einstein o máximo do pensador abstrato, sua maneira de pensar era notavelmente concreta – quase sempre em termos de imagens relacionadas com os objetos do cotidiano, como trens, relógios e elevadores. Raciocinando dessa forma concreta, conseguia revolver os problemas na mente, considerando-os de todos os ângulos enquanto caminhava, conversava com as pessoas ou executava trabalhos de rotina em sua mesa no escritório de patentes. Mais tarde, explicaria que a imaginação e a intuição desempenharam um papel muito mais importante em suas descobertas que seus conhecimentos de ciências e de matemática. Se tinha qualidades extraordinárias, eram a paciência e a extrema determinação. Só depois do que se estimaria em muito mais de 10 mil horas de reflexão sobre um problema, atingia o ponto de transformação. Os vários aspectos de um fenômeno extremamente complexo haviam sido internalizados, propiciando a apreensão intuitiva do todo – nesse caso, a imagem súbita que lhe ocorreu, revelando a relatividade do tempo. Suas duas teorias da relatividade talvez devam ser consideradas as maiores proezas intelectuais da história, frutos de trabalho intenso, não de acessos de genialidade extraordinária e inexplicável.

Muitos são os caminhos para a maestria, e se você for persistente certamente encontrará algum que lhe seja adequado. O principal elemento do processo, porém, é identificar as próprias forças mentais e psicológicas e trabalhar com elas. Ascender ao nível de maestria exige muitas horas de foco e prática. Não se chega lá se o trabalho não for fonte de alegria e se houver o tempo todo uma luta constante e exaustiva para superar as próprias insatisfações e deficiências. É preciso sondar em profundidade o próprio interior e compreender as próprias forças e fraquezas, vantagens e desvantagens, com o máximo de realismo. Conhecendo as próprias forças, é possível explorá-las com extrema intensidade. Quando se parte nessa direção, ganha-se impulso. Sem o fardo das convenções, não se é tolhido pela necessidade de dominar habilidades que vão além das próprias inclinações. Dessa maneira, os poderes criativos e intuitivos aflorarão naturalmente.

B. Ao refletir sobre sua infância na década de 1950, Temple Grandin só se recordava de um mundo sombrio e caótico. Nascida com autismo, lembrava-se das horas que passava na praia, observando os grãos de areia escorrendo por entre os dedos. (Para mais informações sobre Grandin, ver páginas 57-60 e 181-185). Vivia em um mundo de temores constantes – qualquer ruído súbito a sobressaltava. Demorou muito mais que as outras crianças para aprender a linguagem, e, ao fazê-lo, conscientizou-se de como era diferente. Quase sempre sozinha, aproximava-se naturalmente dos animais, em especial de cavalos. Era mais que apenas a necessidade de companhia – de alguma forma, sentia uma identificação e uma empatia inusitadas em relação ao mundo animal. Sua grande paixão era cavalgar pelo campo, nas cercanias de Boston, onde cresceu. Ao cavalgar, aprofundava a ligação com os cavalos.

Até que, certo verão, quando era garota, foi visitar sua tia Ann, que tinha um rancho no Arizona. Temple sentiu uma afinidade instantânea com as reses no rancho, observando-as durante horas. O que mais a intrigava era o brete estreito em que os animais entravam para serem vacinados. A pressão lateral se destinava a relaxá-los enquanto recebiam a injeção.

Desde pequena, sempre tentara se enrolar em cobertores ou se enterrar sob almofadas e travesseiros para, de alguma maneira, sentir-se apertada. Como acontecia com as vacas, qualquer forma de pressão gradual a relaxava. (Algo comum em crianças autistas, o abraço de seres humanos a estimulava em demasia e a fazia se sentir ansiosa; ela não controlava a experiência.) Havia muito sonhava com algum tipo de dispositivo que a apertasse, e, vendo o gado no brete, chegou à solução. Um dia, implorou à tia que a deixasse entrar no brete para ser espremida como uma vaca, e a tia concordou. Durante 30 minutos, experimentou o que sempre quisera, sentindo-se totalmente calma. Foi nesse momento que se deu conta de ter alguma ligação especial com o gado, percebendo que o destino dela de algum modo estava ligado a esses animais.

Curiosa com essa conexão, poucos anos depois, na escola de ensino médio, resolveu pesquisar tudo sobre o gado. Também queria descobrir se outras crianças e adultos autistas tinham a mesma sensação. Encontrou muito poucas informações sobre gado e suas emoções ou sobre como esses animais percebiam o mundo; mas descobriu muito sobre autismo, e devorou os livros relevantes. Assim, descobriu seu interesse por ciências; as pesquisas subsequentes lhe permitiram canalizar sua energia nervosa e explorar o mundo. Sua capacidade de se concentrar totalmente em um assunto era extraordinária.

Aos poucos, transformou-se em aluna promissora, o que a levou a ser aceita numa escola de artes liberais ou bacharelado interdisciplinar, onde se formou em psicologia. Escolhera esse campo de atuação por causa de seu interesse pelo autismo – tinha conhecimento pessoal e íntimo sobre o tema, e essa especialização a ajudaria a compreender com mais profundidade a ciência por trás do fenômeno. Depois de se formar, resolveu fazer doutorado em psicologia na Universidade do Estado do Arizona, mas, ao voltar para o Sudoeste e visitar a tia, retomou o fascínio da infância pelo gado. Sem saber ao certo por onde aquilo a levaria, resolveu mudar a área de concentração para zoologia. Sua tese versaria em grande parte sobre gado.

Temple sempre raciocinara sobretudo em termos visuais, não raro precisando converter palavras em imagens para compreendê-las. Talvez isso fosse consequência da estrutura singular de seu cérebro. Como parte do trabalho de campo na pós-graduação, visitou alguns currais de engorda, e se espantou com o que viu. De repente tornou-se claro para ela que sua propensão a pensar com imagens visuais não era compartilhada pela maioria das pessoas. De que outro modo explicar o projeto altamente irracional da maioria daquelas instalações e a surpreendente falta de atenção aos detalhes, tão visíveis aos seus olhos?

Observava com desânimo os animais serem empurrados ao longo dos bretes, cujo chão era escorregadio. E imaginava como sentiriam, com seus quase 600 quilos, aquela repentina perda de controle, em superfícies tão pouco aderentes. Os animais mugiam e empacavam; batiam uns nos outros, provocando súbitos congestionamentos. Em um curral de engorda, quase todas as vacas paravam a certa altura; algo em seu campo visual obviamente as aterrorizava. Será que ninguém parou para pensar no que provocava aquela reação? Em outro, assistiu ao horrível espetáculo do gado sendo tangido para rampas que as conduziam a um banho de imersão – um tanque cheio de água com desinfetante, para livrá-los de carrapatos e de outros parasitas. A rampa era inclinada demais, resultando em queda muito acentuada; alguns animais caíam de cabeça para baixo e se afogavam.

Com base no que vira, resolveu fazer, para sua dissertação de mestrado, uma análise detalhada da eficiência desses currais de engorda e de como podiam ser melhorados. Com esse intuito, visitou dezenas dessas instalações, e, em cada uma delas, postava-se perto dos bretes, registrando a reação dos animais à medida que eram marcados e vacinados. Por conta própria, aproximava-se dos animais e os tocava. Quando cavalgava, na infância, conseguia sentir o ânimo do cavalo apenas ao tocar-lhe os flancos com as pernas e as mãos. Logo começou a experimentar a mesma reação com o gado, ao pressionar a mão nos flancos dos animais e perceber a mesma resposta relaxada. Também descobriu que, quando estava calma, também os animais reagiam com mais tranquilidade. Aos poucos apurava a sensibilidade aos animais e se dava conta de quanto o comportamento deles era induzido pela percepção de ameaças que nem sempre eram constatadas pelos tratadores.

Logo ficou óbvio para Temple que, no departamento de zoologia, ela era praticamente a única a se interessar pelas emoções e pelas experiências dos animais. Essas questões não eram consideradas científicas. Ela insistiu, porém, nessas linhas de investigação – para seu próprio bem e porque as considerava relevantes para a sua tese. Passou, então, a levar uma câmera fotográfica nas visitas aos currais de engorda. Sabendo que o gado é muito sensível a quaisquer contrastes em seu campo visual, seguia o trajeto dos animais ao longo dos vários bretes, ajoelhando-se e tirando fotografias em preto e branco do ponto de vista dos animais. A câmera detectava todos os tipos de contrastes acentuados no campo de visão dos animais – reflexos ofuscantes, sombras repentinas, o brilho de uma janela. Não havia dúvida para ela de que esses choques visuais é que levavam os animais a empacar várias vezes no percurso. Às vezes, a visão de uma garrafa suspensa ou de uma corrente pendente provocava a mesma reação – de algum modo, essas coisas representavam perigo para o gado.

Obviamente, o instinto daqueles animais não era compatível com a vida em currais de engorda, o que gerava grande estresse. Sempre que os animais se assustavam com algo e reagiam, os tratadores se irritavam e os apressavam, o que apenas agravava o estado de excitação. O número de ferimentos e mortes era espantoso, e o tempo perdido quando os animais se amontoavam era muito grande; no entanto, como ela agora sabia muito bem, a solução para o problema era muito fácil.

Depois de se formar, trabalhou em vários projetos de reforma de currais de engorda em todo o Sudoeste. Para unidades de processamento de carne, projetou instalações muito mais eficazes e menos cruéis que as até então predominantes. Parte das alterações consistia em detalhes simples, como construir rampas curvas, para que o gado não tivesse visão periférica nem visse muito adiante, o que os mantinha mais calmos. Em outra localidade, redesenhou o banho de imersão, atenuando o aclive e incluindo ranhuras profundas no concreto, de modo a diminuir o esforço e dar mais tração aos animais. Além disso, a queda na água era muito mais suave. Também redesenhou a área de secagem, tornando o ambiente muito menos agressivo.

No caso dos banhos de imersão, os vaqueiros e tratadores ficavam olhando para ela como se fosse uma alienígena. Disfarçadamente, debochavam daquele tratamento cuidadoso com os bichos. Depois da conclusão das obras, porém, o escárnio se transfigurava em espanto ao observarem a docilidade com que os animais se aproximavam do tanque e mergulhavam na água, quase sem qualquer reação de protesto. Já não havia ferimentos nem mortes; tampouco se perdia tempo com congestionamentos e ataques de pânico. Esse aumento da eficiência ocorria em todos os projetos dela, o que lhe rendia o respeito relutante e invejoso entre os trabalhadores locais. Aos poucos, foi conquistando fama na área, e, ao refletir sobre quanto avançara, desde os tempos de criança autista com sérias limitações, sentia-se cheia de orgulho por suas realizações.

Com o passar do tempo, o conhecimento dela sobre gado continuava a aumentar, tanto por meio de pesquisa quanto em consequência do contato frequente com as reses. Em breve, seu trabalho se estendia a outros animais, como porcos e, depois, antílopes e alces. Assim, tornou-se uma requisitada consultora de fazendas e zoológicos. Parecia possuir um sexto sentido da vida interior dos animais com que lidava, além de uma extraordinária capacidade de acalmá-los. Ela própria sentia que chegara a um ponto em que podia imaginar o processo mental desses vários animais. Essa percepção aguçada decorria tanto de intensas investigações científicas quanto de notável capacidade de pensar dentro dos animais. Concluiu, por exemplo, que a memória e o pensamento dos animais era impulsionada sobretudo por imagens e outras sensações. Os animais são capazes de aprender, mas esse processo de aprendizado gira em torno de imagens. Ainda que tenhamos dificuldade em imaginar essa modalidade de pensamento, também nós, antes do desenvolvimento da linguagem, raciocinávamos de forma semelhante. A distância entre humanos e animais não é tão grande quanto gostaríamos de acreditar, e essa proximidade a fascinava.

Em relação ao gado, ela captava a disposição deles pelo movimento das orelhas, pela maneira de olhar, pela tensão que sentia ao tocá-los. Ao estudar a dinâmica do cérebro de um animal, tinha a sensação estranha de que, sob muitos aspectos, pareciam seres humanos autistas. A imagem do próprio cérebro dela revelava centros de medo três vezes maiores que o normal. Ela sempre convivia com níveis mais altos de ansiedade que a maioria das pessoas, e a toda hora percebia ameaças no ambiente. O gado, como presa típica, estava sempre alerta e ansioso. Talvez o próprio centro de medo ampliado que a diferenciava fosse remanescente de um passado remoto, quando os seres humanos também eram presas. Hoje, essas reações são, em grande parte, bloqueadas ou ocultas; no entanto, por causa do autismo, o cérebro dela havia retido esse traço ancestral. Também percebera outras semelhanças entre o gado e pessoas com autismo, como a dependência em relação ao hábito e à rotina.

Assim pensando, retrocedeu ao interesse inicial pela psicologia do autismo, passando a estudar com mais profundidade os aspectos pertinentes da neurociência. A situação dela como alguém que emergira do autismo para uma carreira em ciências conferia-lhe uma perspectiva singular sobre o tema. Como fizera com os animais, podia explorá-lo do ponto de vista externo (ciência) e interno (empatia). Estudava as descobertas mais recentes sobre autismo e as relacionava com as próprias experiências. Conseguia esclarecer aspectos dessa condição que nenhum outro cientista era capaz de descrever ou compreender. À medida que se aprofundava no assunto e escrevia livros sobre sua experiência, rapidamente se tornava uma consultora e palestrante reconhecida, assim como um modelo para jovens com autismo.

Hoje, ao recapitular a história de sua vida, Temple Grandin tem uma sensação estranha. Ela emergiu da escuridão e do caos dos primeiros anos de autismo; sua mente a resgatou parcialmente da condição inicial por meio do amor pelos animais e da curiosidade sobre a vida interior deles. Depois da experiência com gado no rancho da tia, interessou-se pela ciência, que, então, abriu-lhe a mente para estudar o autismo em si. Voltando-se para uma carreira em torno dos animais, por meio da ciência e da observação profunda, desenvolveu projetos inovadores e fez descobertas ímpares. Essas descobertas mais uma vez a levaram de volta ao autismo, campo em que podia aplicar a formação e a mentalidade científica. Parecia que o destino a direcionava para os campos que podia compreender e explorar como ninguém, além de alcançar a maestria à sua própria maneira.

◆

Para alguém como Temple Grandin, a possibilidade de alcançar a maestria em qualquer campo de atuação normalmente pareceria um sonho impossível. Os obstáculos para quem sofre de autismo são enormes. Ela, porém, conseguiu encontrar seu caminho para as duas áreas que lhe abriam possibilidades de avanço. Por mais que pareça que a sorte ou o destino a tenha conduzido, ainda criança ela intuiu suas forças naturais – o amor e a sensibilidade aos animais, a capacidade de pensamento visual e o foco obstinado em algo – e se dedicou a elas com toda a energia. A exploração dessas vantagens lhe deu determinação e resiliência para resistir a todos os céticos, a todos que a consideravam estranha e diferente e que achavam os temas que escolhera para estudar muito heterodoxos. Trabalhando em campos de atuação onde pudesse usar sua empatia natural e sua maneira de pensar peculiar com grande eficácia, foi capaz de se aprofundar cada vez mais nessas disciplinas, desenvolvendo uma poderosa percepção interna do mundo dos animais. Depois de alcançar a maestria, aplicou suas habilidades a outro tema de grande interesse: o autismo.

Alcançar a maestria na vida depende, em geral, de nossos primeiros passos. Não se trata somente de uma questão de conhecer nossa Missão de Vida em profundidade, mas também de sentir nossas próprias formas de pensar e nossas perspectivas singulares. A empatia pelos animais e por certos tipos de pessoas talvez não pareça uma habilidade nem uma força intelectual, mas, na verdade, é. A empatia é de extrema importância no aprendizado e no conhecimento. Mesmo os cientistas, conhecidos pela objetividade, praticam uma espécie de pensamento em que se identificam momentaneamente com o tema. Outras qualidades, como a inclinação para formas de pensamento visuais, são vantagens relevantes, não desvantagens. O problema é que nós, humanos, somos demasiado conformistas. Certas qualidades que nos distinguem não raro são ridicularizadas pelos outros, ou criticadas pelos professores. Pessoas dotadas de poderosa percepção visual costumam ser rotuladas como disléxicas, por exemplo. Em consequência desses julgamentos, podemos ver nossas forças como incapacidades e tentar contorná-las para nos encaixarmos no contexto. Mas qualquer coisa que seja típica de nossa compleição é exatamente o atributo em que devemos prestar mais atenção e que precisamos estudar com mais afinco na ascensão para a maestria. A maestria é como nadar – é muito difícil avançar quando criamos nossa própria resistência ou quando nos opomos à corrente. Conheça suas forças e explore-as ao máximo.

3. Transforme-se pela prática – A sensibilidade na ponta dos dedos

Conforme narramos no Capítulo 2 (página 92), depois de se formar pelo Citadel, em 1981, Cesar Rodriguez resolveu se inscrever no programa de treinamento de pilotos da Força Aérea dos Estados Unidos. Mas logo teve que enfrentar a dura realidade – não era dos mais aptos para pilotar caças a jato. Entre os participantes do programa, alguns eram conhecidos como *golden boys*. Eles pareciam ter uma facilidade especial para voar em alta velocidade. Estavam em seu habitat natural. Desde o começo, Rodriguez adorava voar, e tinha a ambição de se tornar piloto de caça, a posição mais cobiçada e destacada na Força Aérea. No entanto, jamais alcançaria esse objetivo se não conseguisse, de algum modo, elevar-se ao nível de habilidade dos *golden boys*. O problema é que ele logo se sentia saturado pelo excesso de informações que os pilotos tinham que processar. O segredo era desenvolver a capacidade de percepção instantânea de todos os instrumentos – uma leitura rápida dos mais relevantes – e ao mesmo tempo manter a sensibilidade quanto às condições do avião no ar. A perda da consciência situacional poderia ser fatal. Para ele, essa capacidade de monitoramento automático só podia ser aprimorada por meio de horas a fio de exercícios no simulador e da experimentação exaustiva em voos reais, até que se tornasse relativamente instintiva.

Rodriguez praticara esportes no ensino médio e conhecia o valor do treino e da repetição, mas, agora, se dedicava a algo muito mais complexo que qualquer esporte ou habilidade que já tinha tentado dominar. Assim que se sentisse à vontade com os instrumentos, enfrentaria a tarefa assustadora de aprender a executar várias manobras em voo e a desenvolver uma sensibilidade quanto às velocidades exatas para iniciá-las. Tudo isso exigia cálculos mentais extremamente rápidos. Os *golden boys* tornavam-se ases nessas manobras com enorme rapidez. Para Rodriguez, esse nível de destreza exigia muita repetição e foco intenso sempre que ele entrava na cabine de comando. Às vezes sentia que o corpo se conectava aos controles antes da mente; os nervos e os dedos comandavam a manobra sem interferência do cérebro; então, conscientemente, tentava recriar esse sentimento.

Depois de superar essa dificuldade, teria que aprender a voar em formação, interagindo com outros pilotos em equipes muito bem coordenadas. Voar em formação significa exercer várias atividades ao mesmo tempo, em operações de complexidade espantosa. Em parte, ele era motivado pela grande empolgação de comandar um caça a jato tão poderoso e sofisticado, como parte de uma equipe altamente capaz, mas o desafio em si de se superar e se destacar entre os melhores também representava uma grande força motivadora. Ele havia percebido que, ao controlar o jato e ao dominar as várias manobras, também desenvolvia uma grande capacidade de concentração. Conseguia se desligar de tudo o mais e mergulhar completamente no momento, o que facilitava o desenvolvimento de novos conjuntos de habilidades.

Aos poucos, com muita determinação e prática, chegou ao topo, incluindo-se entre os poucos capazes de servir como pilotos de caças. Mas havia um último obstáculo na escalada ao cume: voar nos exercícios de grande escala, envolvendo todos os ramos das forças armadas. Nesse caso, o importante era compreender a missão como um todo e atuar em campanha altamente complexa e coordenada, envolvendo terra, ar e mar. Operações dessa magnitude exigiam um nível ainda mais elevado de conscientização, e, às vezes, durante esses exercícios, Rodriguez tinha uma sensação estranha – não estava mais concentrado nos vários elementos físicos do voo nem nos fatores específicos que contribuíam para cada habilidade, passando a pensar e a sentir a campanha no âmbito mais amplo, e em como ele se encaixava nela, da maneira mais integrada possível. Era uma breve sensação de maestria, que logo se desvanecia. Também se deu conta de certa lacuna entre ele e os *golden boys*. Aqueles ases confiavam tanto em suas habilidades naturais que não cultivaram o mesmo nível de concentração. Sob muitos aspectos, ele os havia superado. Depois de participar de alguns desses exercícios, Rodriguez galgara o status de elite.

Em 19 de janeiro de 1991, em poucos minutos, todo o seu treinamento e prática seriam submetidos ao mais rigoroso teste. Poucos dias antes, os Estados Unidos e as forças aliadas haviam lançado a Operação Tempestade no Deserto, em resposta à invasão do Kuwait por Saddam Hussein. Naquela manhã, Rodriguez e seu *wingman*, ou assistente, Craig "Mole" Underhill, que voava em outro avião protegendo sua retaguarda, partiram para o Iraque como componentes de uma força de ataque de 36 aeronaves, dirigindo-se a um alvo perto de Bagdá. Foi o seu batismo de fogo. Voando em modelos F-15, ele e Mole logo localizaram no ar, à distância, dois caças MiG, e resolveram persegui-los. Em segundos, se deram conta de que haviam sido atraídos para uma armadilha, passando de perseguidores a perseguidos, quando dois MiG mergulharam sobre eles de um ponto inesperado.

Percebendo a rapidez com que um dos aviões inimigos se aproximava, Rodriguez se livrou de seus tanques de combustível para conseguir maior velocidade e maleabilidade. Projetou-se, então, rumo ao solo, abaixo do nível do MiG atacante, dificultando de todas as maneiras possíveis a detecção de seu caça pelo radar do inimigo, inclusive voando em ângulo reto, para tornar-se quase imperceptível. Sem captá-lo no radar, o MiG não podia disparar mísseis. Tudo acontecia com rapidez incrível. A qualquer momento seu próprio radar podia se acender, indicando que o inimigo o havia enquadrado e que o derrubaria. Ele só tinha uma chance de escapar: esquivar-se do MiG de modo a deixá-lo perto demais para disparar, arrastando-o para um *dogfight* – combate aéreo circular, a curta distância, que se tornou raro na guerra moderna. No fundo da mente, tentava ganhar tempo para que seu *wingman* o ajudasse, e, de alguma maneira, sentia a presença de Mole, seguindo-o. Mas logo surgiria outro perigo – a entrada em cena do segundo MiG.

Rodriguez tentou todas as manobras evasivas dos manuais. Via o MiG se aproximando cada vez mais, quando, de repente, ouviu Mole, que o seguia e agora manobrava para se posicionar. Ao olhar sobre o ombro, viu o MiG inimigo explodindo – o míssil de Mole o atingira. Enquanto a caçada se desenrolava, tudo ocorrera como Rodriguez queria, mas ele não podia relaxar um segundo. O segundo MiG agora avançava rapidamente.

Mole subiu para 6 mil metros. Ao mergulhar sobre o avião de Rodriguez, o piloto percebeu a presença de Mole logo acima, e começou a manobrar para cima e para baixo, para não cair numa armadilha entre os dois caças inimigos. Aproveitando a confusão momentânea, Rodriguez conseguiu entrar no círculo de manobra do MiG. Agora, o combate se convertera no clássico *dogfight* de dois círculos, em que cada avião tenta se colocar na cauda do outro, em posição de tiro, aproximando-se do solo em loops sucessivos. Assim, fizeram vários círculos, um atrás do outro. Finalmente, a menos de 4 mil metros,

Rodriguez enquadrou o MiG, pronto para disparar os mísseis. O piloto iraquiano recorreu a uma manobra evasiva ousada, virando diretamente para o solo, de cabeça para baixo, na tentativa de circular para a direção inversa e escapar, mas, nos poucos segundos do *dogfight* o piloto iraquiano perdera a consciência de quanto estavam perto do solo, e se espatifou no deserto.

Mole e Rodriguez voltaram à base para se apresentar a seus superiores na missão, mas, ao repassar toda a operação e ao assistir aos vídeos dos encontros, Rodriguez teve uma sensação estranha. Não se lembrava dos detalhes. Tudo acontecera rápido demais. Todo o confronto com os MiGs tinha durado não mais que três a quatro minutos, e o *dogfight* final, uma questão de segundos. De alguma maneira, devia estar raciocinando – havia executado algumas manobras quase perfeitas. Por exemplo, não tinha lembrança do momento em que decidira lançar os tanques de combustível nem de onde viera essa ideia. A hipótese deve ter-lhe ocorrido, no calor do momento, a partir de algo que aprendera; e acabou por lhe salvar a vida. As manobras evasivas que executara com o primeiro MiG surpreenderam os comandantes, tal fora a rapidez e eficácia. Sua percepção e consciência durante o combate devem ter atingido uma acuidade excepcional; havia circulado para a cauda do adversário em ciclos cada vez mais rápidos, em nenhum momento perdendo de vista o solo do deserto, do qual se aproximavam em alta velocidade. Como explicar todas aquelas manobras? Mal se lembrava delas. Tudo o que sabia era que, no momento, não sentira medo, mas, sim, uma forte descarga de adrenalina, fazendo com que seu corpo e sua mente operassem em total harmonia, sob o impulso de um raciocínio que avançava em nanossegundos, rápido demais para ser analisado.

Nos três dias que se seguiram ao combate, não conseguiu dormir, a adrenalina ainda percorrendo suas veias. A experiência o levou a concluir que o corpo possui poderes psicológicos latentes – liberados nos momentos mais dramáticos – que elevam a mente a níveis mais altos de concentração. Rodriguez prosseguiu na carreira, para abater mais um inimigo durante a Tempestade no Deserto, e outro na campanha de Kosovo, em 1999. Foi o melhor piloto em combates recentes, o que lhe rendeu o epíteto de Último Ás Americano.

◆

Em nossas atividades conscientes do dia a dia, em geral percebemos a segregação entre mente e corpo. *Pensamos* no corpo e em nossas atividades físicas. Os animais não sentem essa dicotomia. Quando começamos a aprender qualquer habilidade que tenha um componente físico, essa separação se torna ainda mais perceptível. Precisamos pensar nas várias ações envolvidas nos passos que devemos seguir. Temos consciência de nossa lentidão e de como o corpo responde de forma desajeitada. Em certos momentos, à medida que melhoramos, temos lampejos de como o processo poderia funcionar de forma diferente, de qual seria a sensação se praticássemos a habilidade com fluidez, com a mente não interferindo nos caminhos do corpo. Com esses lampejos, sabemos o que almejar. Se avançamos o suficiente com a prática, a habilidade se torna automática, e temos a impressão de que a mente e o corpo operam como um todo.

Se estamos aprendendo uma habilidade complexa, como comandar um jato de combate, devemos dominar uma série de atividades simples, uma sobre a outra. Cada vez que uma habilidade se automatiza, a mente se libera para se concentrar na imediatamente superior. No fim do processo, quando não há mais habilidades simples para aprender, o cérebro assimilou uma quantidade incrível de informações, e todas foram internalizadas, como parte de nosso sistema nervoso. Toda a habilidade complexa agora está dentro de nós e na ponta dos dedos. Ainda pensamos, mas de maneira diferente – com o corpo e a mente unidos. Passamos por uma transformação. Agora, temos uma forma de inteligência que se aproxima do instinto animal, mas apenas em consequência de uma prática consciente, deliberada e prolongada.

Em nossa cultura, tendemos a denegrir a prática. Imaginamos que os grandes feitos ocorrem naturalmente – que são manifestações de genialidade ou de talentos superiores. Alcançar um alto nível de realização por meio da prática parece banal, pouco inspirador. Além disso, não queremos pensar nas 10 mil ou 20 mil horas que levam à maestria. Esses nossos valores são extremamente contraproducentes – encobrem o fato de que quase todo mundo pode atingir altos níveis de excelência por meio do esforço obstinado, algo que nos deveria encorajar. É hora de combater esse preconceito contra o esforço consciente e de encarar os poderes que conquistamos pela prática e pela disciplina como eminentemente inspiradores e até miraculosos.

A capacidade de dominar habilidades complexas mediante o desenvolvimento de conexões no cérebro é produto de milhões de anos de evolução e fonte de todos os nossos poderes materiais e culturais. Quando sentimos a possibilidade de união total da mente e do corpo nos primeiros estágios da prática, já estamos avançando rumo a esse poder. É a inclinação natural de nosso cérebro avançar nessa direção, aumentando seus poderes pela repetição. Desprezar essa inclinação natural é o cúmulo da loucura, levando a um mundo em que ninguém tem paciência para dominar habilidades complexas. Como pessoas, devemos resistir a essa tendência e venerar os poderes revolucionários que conquistamos pela prática intensa e focada.

4. Internalize os detalhes – A força da vida

Como filho ilegítimo de Piero da Vinci, Leonardo da Vinci (ver páginas 32-36, para mais informações sobre o artista) não podia estudar nem praticar as profissões tradicionais – medicina, Direito e outras –, tampouco lhe era permitido matricular-se em instituições de ensino superior. Assim, criado na cidade de Vinci, perto de Florença, recebeu pouca educação formal. Ele passava boa parte do tempo perambulando no campo e se aventurando nas florestas fora da cidade. Encantava-se com a incrível variedade de vida naqueles bosques e com as maravilhosas formações rochosas e cachoeiras que eram parte da paisagem. Como o pai era tabelião, não faltava papel na casa da família (mercadoria rara naquela época), e, movido por um grande desejo de desenhar tudo o que via em suas andanças, passou a roubar folhas.

Sentava-se numa pedra e desenhava insetos, aves e flores. Nunca recebera nenhuma instrução sobre desenho. Apenas copiava o que o fascinava, e começou a perceber que, ao tentar transmitir a realidade para o papel, tinha que pensar profundamente. Precisava se concentrar em detalhes que em geral passavam despercebidos aos olhos. Ao desenhar plantas, por exemplo, notava as distinções sutis nos estames das várias flores e como eram diferentes uns dos outros. Percebia as transformações por que elas passavam até o desabrochar e tentava captar essas mudanças em esboços sequenciais. Ao se aprofundar com tanta intensidade nos detalhes, tinha intuições do que animava aquelas plantas por dentro, o que as diferenciava e lhes dava vida. Logo, pensar e desenhar se fundiram em sua mente. Desenhando as coisas que o cercavam no mundo, passou a compreendê-las.

O progresso dele no desenho foi tão espantoso que o pai pensou em conseguir-lhe uma posição como aprendiz em um dos vários estúdios de Florença. O trabalho com as artes era uma das poucas oportunidades para filhos ilegítimos. Em 1466, usando sua influência como tabelião respeitado em Florença, garantiu trabalho para o filho de 14 anos na oficina do grande artista Verrocchio. Para Leonardo, era a chance perfeita. Verrocchio fora muito influenciado pelo espírito iluminista da época, e ensinava os aprendizes a abordar o trabalho com a seriedade de cientistas. Por exemplo, moldes de gesso de figuras humanas eram espalhados pelo estúdio, cobertos com várias camadas de tecido. Os aprendizes tinham que aprender a se concentrar e reconhecer as diferentes rugas e sombras que se formavam. Também aprendiam a reproduzi-los com realismo. Leonardo adorava aprender dessa maneira, e logo ficou claro para Verrocchio que aquele jovem aprendiz desenvolvera um olhar excepcional para os detalhes.

Em 1472, Leonardo era um dos principais assistentes de Verrocchio, ajudando-o em suas pinturas de grande porte e assumindo uma parcela considerável das tarefas. No *Batismo de Cristo*, de Verrocchio, Leonardo foi incumbido de pintar um dos dois anjos laterais, trabalho que hoje é o exemplar mais antigo de suas obras. Quando Verrocchio viu o resultado do trabalho de Leonardo, ficou surpreso. O rosto do anjo tinha uma qualidade que ele nunca vira antes – parecia que emanava um brilho interior. O olhar no semblante do anjo parecia inusitadamente real e expressivo.

Embora talvez tenha parecido mágica para Verrocchio, investigações recentes com raios X revelaram alguns dos segredos das primeiras técnicas de Leonardo. As camadas de tinta que aplicava eram excepcionalmente finas, a ponto de não se verem suas pinceladas. De modo gradual, acrescentava mais camadas, cada uma um pouco mais escura que a anterior. Trabalhando dessa forma e experimentando diferentes pigmentos, aprendera a transmitir os contornos delicados da carne humana. Por causa da delicadeza das camadas, a luz que atingia a pintura parecia atravessar a face do anjo e iluminá-la por dentro.

Tamanha destreza revelava que, nos seis anos de aprendizagem no estúdio, provavelmente se dedicara à observação profunda das várias pinturas e ao aperfeiçoamento de um estilo de superposição de camadas, que conferia às suas obras uma feição delicada e viva, transmitindo sensação de textura e profundidade. Também deve ter dedicado muito tempo ao estudo da composição da carne humana em si. Tudo isso demonstrava a incrível paciência de Leonardo, que devia ter muito amor por esse trabalho minucioso.

Com o passar do tempo, depois de deixar o estúdio de Verrocchio e de se estabelecer como artista, Leonardo da Vinci desenvolveu uma filosofia que orientaria suas obras de arte e, mais tarde, também seus trabalhos científicos. Percebeu que outros artistas em geral começavam com um esboço do que planejavam pintar, algo que suscitasse efeito surpreendente ou diáfano.

A mente dele trabalhava de maneira distinta. Começava com foco agudo nos detalhes – diferentes formas de narizes; possíveis trejeitos da boca, sugerindo disposição de ânimo; as veias da mão; os nós complexos das árvores. Esses detalhes o fascinavam. Passara a acreditar que, ao se concentrar nessas minúcias, compreendendo-as, ele, efetivamente, se aproximava do segredo da vida em si, do trabalho do Criador, que infundira sua presença em todos os seres vivos e em todas as formas de matéria. Os ossos da mão e os contornos dos lábios humanos eram tão inspiradores para ele quanto uma imagem religiosa. A pintura era para Leonardo uma jornada à força vital que animava todas as coisas. Nessa busca, acreditava que podia criar obras muito mais emocionais e viscerais. E, para realizar tal empreitada, inventou uma série de exercícios que seguia com incrível rigor.

Durante o dia, fazia longas caminhadas pela cidade e pelo campo, absorvendo com os olhos todos os detalhes do mundo visível. Esforçava-se para perceber algo novo em todas as coisas familiares que observava. À noite, antes de dormir, revia os objetos e detalhes, fixando-os na memória. Tinha obsessão por captar a essência do rosto humano, com toda a sua gloriosa diversidade. Para tanto, visitava todos os lugares onde pudesse encontrar diferentes tipos de pessoas – bordéis, repartições públicas, prisões, hospitais, recantos de orações nas igrejas, festivais. Com sua caderneta sempre à mão, esboçava caretas, expressões de alegria, de dor, de devoção religiosa e de luxúria, em incríveis variedades de rostos. Seguia pela rua pessoas que apresentassem certo tipo de fisionomia ou alguma espécie de deformidade que nunca tinha visto antes, e as esboçava conforme passavam. Enchia folhas inteiras com dezenas de perfis de narizes. Parecia realmente interessado em lábios, achando-os tão expressivos quanto os olhos. Repetia todos esses exercícios em diferentes horas do dia, para captar os vários efeitos da luz cambiante sobre a face humana.

Enquanto ele preparava sua grande obra *A Última Ceia*, seu patrono, o duque de Milão, manifestou uma irritação cada vez maior com Leonardo pela demora em terminá-la. Parecia que só restava completar o semblante de Judas, mas Leonardo não conseguira um modelo adequado. Passara a visitar as áreas mais decadentes de Milão à procura da expressão mais perversa possível, a ser transposta para Judas, mas não a encontrava. O duque aceitou a explicação e, em breve, Leonardo descobriria o modelo que tanto buscava.

Aplicava o mesmo rigor à captura de corpos em movimento. Parte de sua filosofia era que a vida se define pelo movimento contínuo e pela mudança constante. O artista deve ser capaz de imprimir essa sensação de dinamismo nas imagens estáticas. Desde jovem tinha fixação pelos cursos d'água, e se tornara muito eficiente na retratação de cachoeiras, cascatas e águas correntes. Em relação a pessoas, passava horas sentado em calçadas, observando os transeuntes. E apressava-se em rascunhar as silhuetas das figuras, refletindo suas sucessivas mudanças em sequências. (Chegara ao ponto de esboçar com incrível rapidez.) Em casa, preenchia os contornos. Para apurar os olhos no acompanhamento de movimentos em geral, desenvolveu uma série de diferentes exercícios. Por exemplo, um dia, escreveu na caderneta: "Amanhã, faça silhuetas de papelão em vários formatos e as atire do alto do terraço; então, desenhe os movimentos de cada uma em diferentes momentos da queda."

A ânsia de alcançar o cerne da vida explorando os detalhes o levou a realizar pesquisas complexas sobre anatomia humana e animal. Queria ser capaz de desenhar um homem ou um gato de dentro para fora. Dissecava pessoalmente cadáveres, serrando ossos e crânios, e, religiosamente, assistia a autópsias, para ver de perto a estrutura dos músculos e dos nervos. Seus desenhos anatômicos eram muito mais avançados que os de outros artistas da época, pelo realismo e pela exatidão.

Para outros artistas, Leonardo parecia insano pela atenção maníaca que dava aos detalhes; mas, nas poucas pinturas que efetivamente concluiu, os resultados dessa prática rigorosa ainda podem ser vistos e sentidos. Mais do que na obra de qualquer outro pintor contemporâneo, as paisagens de fundo nas suas pinturas pareciam repletas de vida. Via-se cada flor, galho, folha ou pedra em riqueza de detalhes. No entanto, esses fundos não se prestavam apenas a decorar. Por meio do efeito conhecido como *sfumato*, algo peculiar de seu trabalho, suavizava partes dessa retaguarda, a ponto de se fundirem com a figura no primeiro plano, criando um efeito onírico. Era parte da ideia dele de que todas as formas de vida estão profundamente interligadas e se fundem em algum nível.

O rosto das mulheres que ele pintava produzia forte efeito sobre as pessoas, sobretudo sobre os homens, que chegaram a se apaixonar pelas figuras femininas retratadas por ele em cenas religiosas. Não havia nenhum traço sensual óbvio na expressão delas, mas, nos sorrisos ambíguos e na pele acetinada, os homens percebiam poderosos atributos sedutores. Leonardo ouviu muitas histórias de homens que se esgueiravam em várias casas até as suas pinturas e furtivamente acariciavam as mulheres nas imagens e beijavam seus lábios.

A *Mona Lisa*, de Leonardo, foi danificada pelas tentativas de limpá-la e de restaurá-la no passado, dificultando que se possa imaginar como era de início e como seus atributos surpreendentes chocaram o público. Felizmente, temos a descrição do crítico Vasari, anterior às intervenções que a alteraram irreversivelmente:

> *As sobrancelhas, espessando-se em um lugar e afinando-se em outro, seguindo os poros da pele, não poderiam ser mais vivas. (...) O formato da boca, onde o carmim dos lábios se mesclava com os tons da pele do rosto, parecia não ter sido feito de tintas, mas, sim, com carne viva. Na concavidade do pescoço, o espectador atento podia ver o pulsar das veias.*

Muito depois da morte de Leonardo, suas pinturas continuavam a exercer efeitos perturbadores sobre o público. Numerosos guardas de segurança em museus de todo o mundo foram demitidos por suas relações obsessivas e bizarras com as obras dele, e as pinturas de Leonardo continuam entre as mais vandalizadas na história da arte, fatos que atestam como seus trabalhos são capazes de despertar as emoções mais viscerais.

◆

O principal problema dos artistas na época de Leonardo da Vinci era a pressão constante para produzir cada vez mais obras, o que os obrigava a trabalhar em ritmo acelerado para continuar recebendo encomendas e manter-se à vista do público. Obviamente, essa demanda crescente influenciava a qualidade do trabalho. Desenvolveu-se, então, um estilo em que os artistas logo imprimiam em suas pinturas efeitos capazes de impressionar, à primeira vista, os observadores. Para despertar essas sensações, dependiam de cores brilhantes, de justaposições e de composições insólitas, além de cenas dramáticas. No processo, ofuscavam os detalhes no pano de fundo e até no primeiro plano das pessoas que retratavam. Não prestavam muita atenção nas flores e árvores ou nas mãos das figuras retratadas. Tinham que deslumbrar na superfície. Leonardo reconheceu essa tendência logo no começo da carreira, o que o desalentava, contrariando sua natureza de duas maneiras – ele detestava a necessidade de se apressar no trabalho e adorava mergulhar nos detalhes. Não estava interessado em criar efeitos superficiais. O que mais o animava era a ânsia de compreender as formas da vida de dentro para fora e de apreender a força que as torna dinâmicas, de algum modo expressando tudo isso numa superfície plana. E, assim, não se enquadrando, percorreu o próprio caminho, misturando ciência e arte.

Para completar a busca, teria que se tornar o que denominava "universal" – em cada objeto precisaria exprimir todos os detalhes, além de estender esse conhecimento a tantos objetos quantos pudesse estudar. Por meio da pura acumulação desses detalhes, a essência da vida em si se tornaria visível para ele, e sua compreensão dessa força vital transpareceria em suas obras de arte.

Em seu próprio trabalho, você deve seguir o caminho de Leonardo. A maioria das pessoas não tem paciência para assimilar as minúcias e os refinamentos que são intrinsecamente parte de seu trabalho. Apressam-se em produzir efeitos e causar sensações; pensam em grandes pinceladas. O trabalho delas quase sempre revela a falta de atenção aos detalhes – não se conecta profundamente com o público e parece frívolo. Quando se destacam, é algo momentâneo. Você precisa encarar o que produz como algo que tem vida e presença próprias. Esse impacto pode ser algo vibrante e visceral ou insípido e fugidio. O personagem de um romance, por exemplo, ganhará vida para o leitor se o escritor se empenhar em imaginar os detalhes de sua personalidade. O autor não precisará descrever literalmente todas as minúcias de sua criatura; os leitores as *sentirão* no enredo e intuirão o nível de pesquisa que contribuiu para a criação. Todos os seres vivos são um amálgama de sucessivos níveis de detalhes, animados pela dinâmica que os interliga. Quando se vê o próprio trabalho como algo vivo, o caminho para a maestria é estudar e absorver esses detalhes de maneira universal, até o ponto de sentir a força vital e de expressá-la com espontaneidade.

5. Amplie a visão – Perspectiva global

No começo de sua carreira como treinador de boxe, Freddie Roach achava que conhecia o negócio bem o bastante para ser bem-sucedido. (Para mais informações sobre Roach, ver Capítulo 1, páginas 51-54, e Capítulo 3, páginas 140-142). Havia lutado durante anos como profissional; tinha a sensibilidade do pugilista em relação ao jogo. Seu próprio treinador fora o lendário Eddie Futch, que preparara Joe Frazier, entre outros. Depois do fim de sua carreira como pugilista, em meados da década de 1980, foi aprendiz de treinador durante vários anos, sob a orientação do próprio Futch. Por iniciativa própria, praticou novas técnicas de treinamento com base no uso de luvas acolchoadas. Usando essas grandes luvas, podia se exercitar com os lutadores no ringue, ensinando-os em tempo real. O método acrescentou uma nova dimensão ao seu treinamento. Empenhava-se em desenvolver um relacionamento pessoal com os lutadores. E, finalmente, desenvolveu a prática de assistir a vídeos dos adversários, estudando seus estilos e concebendo estratégias eficazes.

No entanto, apesar de todo esse trabalho, sentia que lhe faltava algo. No treinamento, tudo corria bem, mas, nas lutas reais, ele frequentemente observava do canto do ringue que, no calor do combate, seus lutadores seguiam o próprio estilo ou aplicavam apenas parte da estratégia que havia sido combinada. Às vezes, ele e os lutadores conseguiam se entrosar, outras, não. Isso se refletia na porcentagem de vitórias dos aprendizes – boa, mas não ótima. E então se lembrava de seus tempos como pugilista, sob a orientação de Futch. Também ele se saía bem nos treinos, mas, nas lutas de verdade, sob o impulso do momento, deixava de lado toda a estratégia e partia para a briga aos murros. Sempre se esquecia de alguma coisa do treinamento de Futch. O treinador o preparava bem para todos os componentes separados da luta (ataque, defesa e trabalho de pés), porém Roach nunca desenvolvera o senso do todo, ou da estratégia geral. As ligações entre ele e Futch nunca foram muito boas, e, assim, no ringue, sob pressão, de repente voltava à sua maneira natural de lutar. Agora, parecia enfrentar um problema semelhante com seus próprios pugilistas.

Tentando desbravar o caminho através de um processo que lhe ofereceria melhores resultados, Roach concluiu que precisava fazer por seus lutadores o que nunca tinham feito por ele, em sua própria carreira – dar-lhes a percepção do panorama geral da luta. Queria que seguissem o script durante todos os rounds e que a relação entre os lutadores e o treinador se aprofundasse. Começou expandindo o trabalho com luvas, aplicando-o não como um componente do processo de treinamento, mas como ponto focal. Agora, passava horas praticando com os lutadores, durante vários rounds. Dia após dia, sentindo seus socos e apurando a percepção do trabalho de pés deles, podia quase entrar em seus corpos. Sentia o ânimo dos pupilos, o nível de concentração e até que ponto estavam abertos a instruções. Sem dizer uma palavra, alterava o ânimo e o foco de cada um deles pela intensidade que lhes impunha no trabalho com luvas.

Tendo praticado como lutador desde os 6 anos, Roach sentia cada centímetro quadrado do ringue. Com os olhos fechados, sabia exatamente onde se situava no ringue a qualquer momento. Treinando os lutadores durante horas no trabalho com luvas, transmitia-lhes o próprio sexto sentido em relação ao espaço em si, deliberadamente manobrando-os para posições ruins, para que percebessem de antemão como se aproximavam dos espaços perigosos. Do mesmo modo, ensinava-lhes várias formas de evitar essas situações fatais.

Um dia, enquanto estudava o vídeo de um adversário, teve uma epifania – toda a sua maneira de assistir a vídeos estava errada. Em geral, concentrava-se no estilo do lutador, algo que os pugilistas podem controlar e alterar para fins estratégicos. De repente, isso lhe pareceu um modo superficial de observar os adversários. Uma abordagem muito melhor seria identificar os hábitos ou tiques deles, o que eram incapazes de controlar, por mais que tentassem. Todos os lutadores têm esses tiques – sinais profundamente impressos em seus ritmos –, que se convertem em fraquezas potenciais. Descobrir esses tiques e hábitos ofereceria a Roach uma leitura muito mais sólida dos adversários, permitindo-lhe explorar a mente e o coração deles.

Assim, passou a procurar sinais dessas vulnerabilidades nas fitas a que assistia, embora, no começo, precisasse de vários dias para detectar algo significativo. No entanto, depois de assistir a tantas lutas de adversários, apurou a sensibilidade em relação a como se movimentavam e pensavam. Por fim, descobria o que estava procurando – por exemplo, um leve movimento de cabeça que sempre precedia determinado tipo de golpe. Agora que o detectara, era fácil percebê-lo em vários momentos da luta. Depois de repetir esse tipo de análise em inúmeras lutas, ao longo de vários anos, aguçou a capacidade de identificar esses tiques com muito mais rapidez.

Com base nessas descobertas, elaborava uma estratégia completa, intrinsecamente flexível. Dependendo do que o adversário mostrava no primeiro round, Roach tinha várias opções para seu lutador, que surpreendiam e transtornavam o adversário, mantendo-o na defensiva. A estratégia abrangia a luta como um todo. Se necessário, o lutador podia sacrificar um round ou dois, sem nunca perder o controle da dinâmica total. Agora, por meio do trabalho com luvas, repetia a estratégia com o lutador de forma exaustiva. Imitando os tiques e os ritmos do oponente, que conhecia tão bem, mostrava aos lutadores como se aproveitar desses hábitos e fraquezas; também repassava as várias opções a adotar, dependendo do que o adversário revelasse no primeiro round. Quando se aproximava a hora da luta, seus pugilistas tinham a impressão de que já haviam enfrentado e derrubado o adversário por terem praticado com Roach tantas vezes durante o treinamento.

Durante as lutas, as percepções de Roach tornaram-se bem diferentes das de anos atrás. A interação dele com os lutadores era absoluta. A visão do panorama geral – a energia do adversário, como dominar o espaço do ringue em cada round, a estratégia global para ganhar a luta – era um componente fundamental do trabalho de pés, do jogo de cintura, do trabalho com os braços e da maneira de pensar de seus lutadores. Ele quase se sentia no ringue, trocando golpes, mas, agora, tinha a sensação indescritível de controlar a mente dos próprios pupilos e dos adversários. Observava com satisfação crescente como seus pugilistas exauriam aos poucos os oponentes, explorando seus hábitos e entrando na mente deles, exatamente como lhes havia ensinado.

Sua porcentagem de vitórias começou a aumentar para níveis sem precedentes no esporte. As conquistas não se limitavam ao principal lutador de seu plantel, Manny Pacquiao, mas premiavam quase todos os outros. A partir de 2003, foi eleito Treinador de Boxe do Ano cinco vezes. Nenhum outro treinador tinha recebido o prêmio mais de duas vezes. Parece que, no boxe moderno, ele é hoje uma categoria à parte.

Ao analisarmos de perto a carreira de Freddie Roach, vemos um exemplo transparente do desenvolvimento da maestria. O pai, ex-campeão na categoria peso-pena na Nova Inglaterra, empurrou todos os filhos para o esporte em idade muito tenra. O próprio Freddie Roach começou o treinamento sério como lutador aos 6 anos, o que se estendeu até os 18 anos, quando se tornou profissional. Nesse período, atingiu um nível profundo de prática e de imersão no esporte. Nos oito anos seguintes, até aposentar-se como lutador, disputou 53 lutas, o que indicava um ritmo muito intenso. Como alguém que gostava de praticar e de treinar, o número de horas que passava no ginásio na condição de lutador profissional era muito superior ao de outros pugilistas. Depois da aposentadoria, não se afastou do esporte, trabalhando como aprendiz de treinador para Eddie Futch. Ao iniciar a própria carreira como treinador, já acumulara tantas horas de trabalho no esporte que via o boxe sob perspectiva muito mais ampla e profunda que a de outros treinadores. Sentindo que devia almejar um nível ainda mais alto, essa intuição se baseava na profundidade de todos aqueles anos de experiência prática. Inspirado por esse sentimento, foi capaz de analisar o próprio trabalho até aquele ponto e de reconhecer as próprias limitações.

Roach sabia com base na própria carreira que grande parte do boxe é trabalho mental. O lutador que entra no ringue com um senso nítido de propósito e estratégia, imbuído da confiança que resulta da preparação completa, tem muito mais chance de vencer. Uma coisa, porém, é querer oferecer aos lutadores essa vantagem; outra muito diferente é realizar o objetivo. Antes da luta, muitos são os fatores dispersivos, e durante o combate é muito fácil reagir de maneira emocional aos socos e perder o sentido de estratégia. Para superar esses problemas, desenvolveu uma abordagem dupla – elaborava uma estratégia abrangente e fluida, com base na percepção dos hábitos do adversário, e infundia essa estratégia no sistema nervoso dos lutadores, ao longo de horas de trabalho com luvas. Nesse nível, seu treinamento não consistia em elementos individuais que desenvolvia com os lutadores, mas em uma preparação integrada, que simulava de perto a experiência de uma luta sucessivas vezes. A elaboração desse treinamento de alto nível exigiu muitos anos de acertos e de erros, mas, quando tudo se juntou, a taxa de sucesso disparou.

Em qualquer ambiente competitivo envolvendo vencedores e perdedores, o participante com uma perspectiva mais ampla e global sempre predomina. A razão é simples: leva a melhor quem for capaz de pensar além do momento e de controlar toda a dinâmica, por meio de estratégias cuidadosas. Quase todas as pessoas estão sempre presas no presente. Suas decisões são muito influenciadas pelo evento mais imediato; elas se deixam dominar pelas emoções e consideram o problema mais importante do que é na realidade. O avanço para a maestria naturalmente proporciona uma visão mais global, mas é sempre prudente acelerar o processo, treinando-se desde cedo para ampliá-la. É possível fazer isso lembrando-se sempre do propósito geral do trabalho em curso e como ele contribui para seus objetivos de longo prazo. Ao lidar com qualquer problema, é preciso se preparar para ver como ele se relaciona com o panorama mais amplo. Se o seu trabalho não estiver produzindo o efeito almejado, é necessário analisá-lo de todos os ângulos, até encontrar a fonte do problema. Não basta observar os rivais e descobrir as fraquezas deles. "Amplie sua visão e pense mais à frente" deve ser seu lema. Com esse treinamento mental, você desbravará o caminho para a maestria e se destacará ainda mais dos concorrentes.

6. Submeta-se aos outros – A perspectiva de dentro para fora

Conforme narramos no Capítulo 2 (página 88), em dezembro de 1977, Daniel Everett, a esposa, Keren, e os dois filhos chegaram a uma aldeia remota, na selva amazônica do Brasil, onde acabariam passando boa parte dos 20 anos seguintes. A aldeia pertencia a uma tribo de indígenas que habitavam a área chamada pirahã. Everett fora enviado para lá pelo Summer Institute of Languages (SIL) – organização cristã que treina futuros missionários em linguística a fim de capacitá-los a traduzir a Bíblia para línguas indígenas, ajudando a difundir o Evangelho. O próprio Everett era um ministro ordenado.

Os diretores do SIL consideravam o pirahã uma das últimas fronteiras da missão de traduzir a Bíblia para todos os idiomas; representava, talvez, a língua de aprendizado mais difícil para alguém de fora. Os pirahãs viviam havia séculos na mesma bacia amazônica, resistindo a todas as tentativas de assimilação e de ensino do português. Graças a esse isolamento, ninguém que não pertencesse à tribo conseguia compreender ou falar pirahã. Vários missionários haviam sido enviados para lá depois da Segunda Guerra Mundial e nenhum deles fora muito longe. Apesar do treinamento e dos talentos linguísticos, consideravam a língua extremamente esquiva.

Daniel Everett era considerado um dos linguistas mais promissores do SIL, e, quando o Instituto lhe propôs o desafio, ele se mostrou muito empolgado. Os pais da esposa haviam sido missionários no Brasil, e Keren crescera em um ambiente não muito diferente da aldeia pirahã. Parecia que a família estava à altura da missão, e, nos primeiros meses, Everett progrediu bastante. Dedicou-se à língua pirahã com grande energia. Usando os métodos que aprendera no SIL, desenvolvia o vocabulário e aprendia a falar algumas frases rudimentares. Registrava tudo em cartões e os prendia no cinto. Era um pesquisador incansável. Embora a vida na aldeia envolvesse alguns desafios para ele e para a família, sentia-se bem com os pirahãs e achava que os indígenas haviam aceitado a presença da família. Em breve, porém, começou a perceber que nem tudo corria bem.

Parte do método do SIL era a imersão na cultura indígena como a melhor maneira de aprender a língua. Em geral, os missionários são deixados à própria sorte para absorver a cultura local, sem onde se amparar. Talvez inconscientemente, porém, Everett mantinha certa distância dos nativos e sentia alguma superioridade quanto àquela cultura primitiva. E acabou se conscientizando dessa segregação interior depois de vários incidentes que ocorreram na aldeia.

Primeiro, quando já estavam lá havia alguns meses, a esposa e a filha quase morreram de malária. E ficou um tanto decepcionado com a falta de empatia dos pirahãs em relação ao fato. Mais tarde, Everett e a esposa tentaram por todos os meios recuperar a saúde de uma criança pirahã gravemente doente. Os pirahãs pareciam convencidos de que o bebê morreria e se mostravam aborrecidos com os esforços dos missionários. Até que um dia Everett e a esposa descobriram que o bebê estava morto; os indígenas forçaram a criança a ingerir álcool para matá-la. Embora Everett tentasse racionalizar o acontecimento para si mesmo, não conseguia evitar o sentimento de desgosto. Em outra ocasião, sem razão aparente, um grupo de homens pirahãs se embebedou e saiu à procura dele para matá-lo. Ele conseguiu escapar da ameaça, e nada mais aconteceu, mas o incidente o deixou preocupado com a segurança da família.

Mais que qualquer coisa, porém, começou a se sentir desapontado com os próprios pirahãs. Lera muito sobre as tribos amazônicas e, por todos os critérios, os pirahãs não correspondiam às suas expectativas. Praticamente não tinham cultura material – não produziam ferramentas importantes, nem artesanato. Se as mulheres precisavam de cestas, procuravam folhas de palmeiras úmidas, teciam-nas na forma almejada, usavam-nas uma ou duas vezes e logo as descartavam. Não valorizavam as coisas materiais e nada na aldeia destinava-se a durar muito. Tinham poucos rituais, e, tanto quanto sabia, também careciam de folclore e de mitos sobre a criação. Certa vez, foi acordado pelo alarido na aldeia – aparentemente, um espírito que vivia acima das nuvens fora avistado e os advertia para não entrarem na selva. Olhou para onde estavam olhando e não viu nada. Não contaram histórias sobre o fenômeno, não o relacionaram a nenhum mito, apenas alguns aldeões olhavam espantados para o espaço vazio. Pareciam escoteiros num acampamento ou um grupo de hippies em algum tipo de festival – uma tribo que, de alguma forma, havia perdido a própria cultura.

A decepção e o mal-estar coincidiam com a frustração em relação ao próprio trabalho. Tinha feito algum progresso com a língua, no entanto, parecia que, quanto mais palavras e frases aprendia, mais dúvidas e enigmas surgiam. Supunha que havia dominado determinada expressão, mas logo constatava que ela significava algo diferente ou mais amplo do que imaginara de início. Via as crianças aprenderem a língua com muita facilidade, mas, para ele, que agora vivia na aldeia, parecia impossível. Até que um dia experimentou o que mais tarde veio a constatar ter sido o ponto da virada.

A cobertura de sapê da cabana da família precisava ser trocada, e ele resolveu convocar alguns aldeões para o trabalho. Embora tivesse a impressão de que se integrara à vida deles, nunca se aventurara muito longe na selva com os homens pirahãs. Naquela ocasião, se afastaria mais que em qualquer outra para coletar os materiais necessários. De repente, durante essa expedição, viu um lado totalmente diferente deles. Enquanto abria caminho a duras penas em meio à vegetação, os indígenas pareciam deslizar pela mata densa sem serem tocados por um único galho. Como não conseguia acompanhá-los, parou para descansar. Ao longe, ouvia sons estranhos – os homens pirahãs estavam conversando entre si, mas, de alguma maneira, suas palavras soavam como silvos. E constatou que na selva usavam essa forma diferente de comunicação, algo que não se destacava dos sons da floresta. Era uma forma maravilhosa e eficaz de conversar sem atrair atenção, que devia ser muito útil nas caçadas.

Depois disso, passou a sair com eles em outras incursões na selva, e seu respeito por aquele povo foi aumentando. Eles viam e ouviam o que ele não percebia de modo algum – animais perigosos, sinais de algo diferente ou suspeito. Vez por outra, chovia fora da estação chuvosa; na selva, os nativos demonstravam um sexto sentido para o tempo, que lhes permitia saber horas antes quando uma chuva pesada cairia. (Até conseguiam prever a aproximação de um avião com antecedência de horas, embora ele nunca tenha descoberto como o faziam.) Identificavam todas as plantas e sabiam quais eram seus efeitos medicinais. Conheciam a fundo cada centímetro quadrado da selva. Se vissem bolhas ou ondulações no rio, podiam dizer na mesma hora se o movimento fora provocado por uma pedra que caíra ou por algum animal perigoso à espreita. Tinham um domínio do meio ambiente que ele não sentia ao vê-los na aldeia. E, ao se conscientizar disso, começou a compreender que a vida e a cultura deles, as quais, de início, pareciam tão pobres, de acordo com os nossos padrões, eram, na verdade, extremamente ricas. Ao longo de centenas de anos, adotaram um estilo de vida perfeitamente compatível com as condições árduas do contexto.

Agora, ao rememorar os mesmos incidentes que o haviam perturbado tanto antes, conseguia vê-los sob nova luz. Vivendo todos os dias em contato tão íntimo com a morte (a selva estava repleta de perigos e doenças), os silvícolas desenvolveram atitudes de resignação. Não podiam perder tempo ou energia com rituais fúnebres ou com muita empatia. Sentiam quando alguém morreria, e, tendo tanta certeza de que a criança sob os cuidados dos Everett estava condenada à morte, acharam mais fácil e melhor apressar o destino e não olhar para trás. Os aldeões que ameaçaram matá-lo tinham ouvido que ele não gostava que bebessem; receavam que ele fosse mais um forasteiro a tentar lhes impor seus valores e autoridade. Tinham as suas razões para se comportar daquela maneira, mas só com o tempo foi possível compreendê-las com clareza.

Aos poucos, estendeu sua participação na vida deles a outros aspectos – excursões de caça e pesca, coleta de raízes e vegetais nos campos, e assim por diante. Ele e a família passaram a compartilhar refeições e a interagir com o povoado tanto quanto possível; e, dessa forma, lentamente imergiu na cultura pirahã. Embora não fosse óbvio de imediato, daí também resultaram mudanças no aprendizado da linguagem em si. O processo tornou-se mais natural – menos com base no trabalho exaustivo de um pesquisador de campo e mais de maneira espontânea, como algo que vem de dentro, proveniente da simples convivência com a cultura. Ele começou a pensar como um pirahã, a prever suas reações ao que os visitantes ocidentais poderiam lhes perguntar; identificava o senso de humor deles e os tipos de histórias que gostavam de contar em torno da fogueira.

Ao passar a compreender mais aspectos da cultura deles e ao começar a se comunicar com mais eficácia, percebia cada vez mais peculiaridades da língua pirahã. Everett havia sido doutrinado pelas crenças predominantes da linguística de Noam Chomsky. De acordo com Chomsky, todas as línguas têm em comum certos atributos, que denomina Gramática Universal. Essa gramática implica traços neurológicos comuns que possibilitam o aprendizado das línguas pelas crianças. Quanto mais tempo, porém, Everett passava entre os pirahãs, mais indícios percebia de que a linguagem deles não compartilhava alguns desses atributos comuns. Não tinham números nem sistemas de contagem. Tampouco dispunham de palavras específicas para cores, às quais se referiam por meio de frases que designavam objetos reais.

De acordo com a Gramática Universal, o traço mais importante compartilhado por todas as línguas é a denominada *recursividade*, a inserção de frases dentro de frases, conferindo-lhe um potencial quase infinito para relatar experiências. Um exemplo seria: "A comida que você está comendo cheira bem." Everett não conseguiu encontrar nenhuma evidência de recursividade no pirahã. Os indígenas expressavam essas ideias simples por meio de afirmações separadas, como: "Você está comendo comida. Essa comida cheira bem." E as exceções à Gramática Universal começaram a se acumular à medida que ele as procurava.

Ao mesmo tempo, a cultura pirahã começou a fazer cada vez mais sentido para ele, o que alterou seus conceitos a respeito da língua pirahã. Por exemplo, certa vez ele aprendeu uma palavra que um nativo explicou-lhe significar "o que está na sua cabeça quando você dorme". Portanto, significa "sonhar". Mas ela era proferida com certa entonação que os pirahãs usavam ao descrever uma nova experiência. Aprofundando-se nas investigações, descobriu que, para os pirahãs, o sonho é apenas uma forma diferente de experiência, em hipótese alguma ficção. O sonho é tão real e imediato para eles quanto qualquer coisa com que deparam na vida desperta. Dispondo cada vez mais de exemplos desse tipo, uma nova teoria começou a se agitar dentro dele, algo que veio a denominar Princípio da Experiência Imediata (PEI). Segundo ela, para os pirahãs, tudo o que lhes interessa são coisas que podem ser experimentadas aqui e agora, ou que se relacionam com algo que alguém experimentou pessoalmente no passado muito recente.

Isso explicaria certas peculiaridades da língua – cores e números são abstrações que não se encaixam no PEI. Em vez da recursividade, fazem afirmações descritivas do que viram. Essa teoria explicaria a falta de cultura material, de mitos sobre a criação e de histórias que se referem a algo passado. Eles desenvolveram essa forma de cultura como a adaptação perfeita ao contexto em que viviam e às suas necessidades específicas; essas características os deixavam profundamente imersos no presente e bastante felizes. Como não precisavam de nada além da experiência imediata, não tinham palavras para descrever o que para eles não era realidade. A teoria de Everett foi o produto de anos e anos de imersão na cultura indígena. Ao se formar em sua mente, explicou muitas coisas. Não podia ser detectada nem compreendida no curso de poucos meses ou anos observando os nativos como forasteiro.

A conclusão que extraiu de tudo isso, ideia que provocaria muita controvérsia no campo da linguística, é que a cultura desempenha um papel extremamente importante na formação da linguagem, e que as línguas são mais diferentes do que imaginávamos. Embora haja certos aspectos comuns em todas as línguas humanas, não pode haver gramática universal que se sobreponha à relevância da cultura. Só se chega a essa conclusão, afirmou, por meio de anos e anos de intenso trabalho de campo. Quem lança hipóteses de longe, com base em teorias universais, não vê o panorama geral. É necessário muito tempo e esforço para perceber as diferenças, para participar da cultura. E como é tão mais difícil captar certas nuances, a cultura não tem recebido a atenção devida como uma das principais forças modeladoras da linguagem e de como experimentamos o mundo.

Quanto mais fundo Everett mergulhava na cultura pirahã, mais se transformava. Não só se desencantou com a forma impositiva, de cima para baixo, da pesquisa em linguística e das ideias daí decorrentes, mas também com seu trabalho como missionário. Ambas eram tentativas de impor aos pirahãs ideias e valores estrangeiros. Percebeu que a pregação do Evangelho e a conversão para o Cristianismo destruiria completamente a cultura pirahã, que se moldara tão perfeitamente às circunstâncias e que os deixava tão satisfeitos. Com essas ideias, perdeu a fé no cristianismo em si e acabou deixando a Igreja. Ao aprender uma cultura estranha de forma tão profunda, como parte dela, não mais podia aceitar a superioridade de determinada crença ou sistema de valores. Sustentar essa opinião, concluiu, é simplesmente uma ilusão que decorre de se manter à margem, como forasteiro.

◆

Para muitos pesquisadores em circunstâncias semelhantes às de Daniel Everett, a resposta natural é confiar nas habilidades e nos conceitos que aprenderam para efeitos de pesquisa. Isso significaria estudar o pirahã tão atentamente quanto Everett fizera no começo, tomando amplas notas e tentando enquadrar aquela cultura no arcabouço já constituído pelas teorias predominantes em linguística e antropologia. Agindo assim, esses pesquisadores seriam recompensados com artigos em periódicos de prestígio e com posições estáveis na academia. Mas, no final das contas, continuariam olhando de fora, e boa parte de suas conclusões seriam simplesmente confirmações do que já presumiam. A profusão de informações que Everett descobriu sobre a linguagem e a cultura dos pirahãs continuaria ignorada. Imagine a frequência com que isso ocorreu no passado e ainda acontece no presente, e quantos segredos das culturas indígenas se perderam para nós por causa dessa abordagem alienante.

Parte dessa predileção pela perspectiva externa decorre de um preconceito entre os cientistas. A condição de observador externo, muitos diriam, preserva nossa objetividade. Entretanto, que tipo de objetividade é essa quando a perspectiva do forasteiro está corrompida por tantas premissas e teorias pré-digeridas? A realidade dos pirahãs só podia ser vista pelo lado de dentro e com a participação na cultura. Essa posição não corrompe o observador com subjetividade. Os cientistas podem participar do lado de dentro e, ainda assim, reter a capacidade de raciocínio. Everett foi capaz de se distanciar da cultura e conceber a teoria PEI. O intuitivo e o racional, a perspectiva interna e a ciência podem coexistir. Para Everett, a escolha desse caminho interno exigiu uma alta dose de coragem. Significou submeter-se fisicamente aos perigos da vida na selva. Levou a um confronto difícil com outros linguistas e a todos os problemas decorrentes desse conflito para sua futura carreira como professor. Acarretou um profundo desapontamento com o cristianismo, que significara tanto para ele quando jovem. Mas ele se sentiu impelido a fazê-lo pelo desejo de descobrir a verdade. E, ao avançar nessa direção heterodoxa, conseguiu dominar uma língua incrivelmente complexa e deparar com insights inestimáveis sobre a cultura e sobre seu papel mais amplo.

Nunca podemos realmente experimentar as sensações alheias. Sempre ficamos no lado de fora, olhando para dentro, e essa é a causa de tantos mal-entendidos e conflitos. Mas a fonte primordial da inteligência humana decorre do desenvolvimento de neurônios-espelho (ver página 19), que nos dão a capacidade de nos colocarmos no lugar dos outros e de *imaginar* as experiências deles. Por meio da exposição contínua às pessoas e ao tentar pensar dentro delas, passamos a compreender cada vez melhor seus pontos de vista, mas, para tanto, é necessário muito esforço. Nossa tendência natural é projetar no próximo nossos próprios sistemas de crenças e valores, sem nem mesmo termos consciência do processo. Na hora de estudar outra cultura, só pela capacidade de empatia e pela participação na vida de seus membros é que começamos a superar essas projeções naturais e chegamos à realidade de suas experiências. Para isso, precisamos superar nosso grande medo do outro e aprender seus hábitos. Devemos entrar em seus sistemas de crenças e valores, em seus mitos norteadores e em suas maneiras de ver o mundo. Aos poucos, as lentes deformadoras através das quais os vimos pela primeira vez tornam-se menos corruptoras. Ao nos aprofundarmos na alteridade e ao cultivarmos a empatia, descobriremos o que os faz diferentes e aprenderemos sobre a natureza humana. É como Nietszche um dia escreveu: "No instante em que você se posiciona *contra* mim, deixa de compreender minha posição e, em consequência, meus argumentos! Você precisa ser vítima da *mesma paixão*."

7. Sintetize todas as formas de conhecimento – Homem/Mulher Universal

Johann Wolfgang von Goethe (1749-1832) cresceu em um lar infeliz, em Frankfurt, na Alemanha. O pai fracassara na carreira política local, o que o deixou amargurado, e se separara da jovem esposa. Para compensar a própria falta de sucesso, empenhou-se para que o filho recebesse a melhor educação possível. Assim, o jovem aprendeu artes, ciências, diversos idiomas, vários ofícios, esgrima e dança. Mas, sob os olhos vigilantes do pai, Johann considerava a vida familiar insuportável. Quando finalmente saiu de casa para estudar na universidade, em Leipzig, foi como se tivesse conquistado a liberdade depois de anos na prisão. Toda a sua energia acumulada, toda a inquietação reprimida, toda a ânsia por mulheres e aventuras de súbito extravasaram e ele se soltou.

Levava a vida de um dândi, vestindo as melhores roupas e seduzindo tantas mulheres jovens quanto pudesse. Atirou-se na vida intelectual de Leipzig; frequentava todas as tabernas, discutindo sobre esta ou aquela filosofia com professores e colegas. Suas ideias eram pouco convencionais – criticava o cristianismo e enaltecia a religião pagã dos gregos antigos. Como observou um professor, "a opinião quase unânime era que ele tinha um parafuso a menos".

Até que se apaixonou, e qualquer remanescente de autocontrole se foi de vez. Suas cartas aos amigos sobre essa paixão provocavam-lhes grande apreensão. Oscilava entre exaltação e depressão, entre adoração e desconfiança. Parou de comer. Pediu-a em casamento, depois rompeu o noivado. Para muita gente, parecia que ele estava à beira da loucura. "Despenco ladeira abaixo, dia após dia, cada vez mais rápido", escreveu a um amigo. "Daqui a três meses, chegarei ao fim." Então, de repente, em 1768, atingiu o fundo do poço. Acordou banhado em sangue. Sofrera uma hemorragia pulmonar e durante dias esteve à beira da morte. Para os médicos, sua recuperação pareceu miraculosa; receosos de uma recaída, fizeram-no voltar para casa, em Frankfurt, onde ficaria confinado ao leito durante muitos meses.

Ao se recuperar da doença, o jovem Goethe sentiu-se outra pessoa. Fora acometido agora de duas ideias que o obcecariam pelo resto da vida. Primeiro, tinha a sensação de estar possuído por um tipo de espírito interior, que chamava de seu *demônio*. Essa entidade era a personificação de toda a sua energia intensa, vibrante, demoníaca. Podia se tornar destrutiva, conforme ocorrera em Leipzig. Ou seria dominada e canalizada para algo produtivo. Essa energia era tão poderosa que o fazia oscilar de uma disposição ou ânimo para o extremo oposto – da espiritualidade para a sensualidade, da ingenuidade para a astúcia. O demônio, concluiu, era um espírito que fora implantado nele ao nascer e que envolvia todo o seu ser. A forma como lidasse com este ser determinaria a extensão de sua vida e o sucesso de seus empreendimentos.

Segundo, aquela agonia intensa tão precoce fez com que sentisse a presença da morte, sentimento que o dominou durante semanas depois da recuperação. Ao retornar à vida, de repente se surpreendeu com o estranhamento de estar vivo, de possuir coração, cérebro e pulmões que funcionavam além de seu controle consciente. Intuiu a existência de uma força vital, que transcendia as encarnações individuais, força oriunda não de Deus (Goethe continuaria pagão pelo resto da vida), mas da natureza em si. Na convalescença, fazia longas caminhadas pelo campo, e aquela sensação pessoal de estranhamento da vida se transferiu para a visão das plantas, das árvores e dos animais. Que energia os trouxera até aquele presente, como manifestações de vida perfeitamente adaptadas? Qual era a fonte do impulso que os fazia crescer?

Sentindo-se anistiado de uma condenação à morte, experimentou uma curiosidade insaciável por essa força vital. Ocorreu-lhe, então, a ideia de escrever uma história baseada na famosa lenda alemã de um acadêmico chamado Fausto, que, desesperadamente ansioso por descobrir o segredo da vida, conhece Mefistófeles, uma encarnação do diabo que o ajuda nessa busca em troca de possuir a sua alma. Se algum dia o inquieto Fausto experimentar um momento de satisfação e não quiser mais nada da vida, ele então morrerá e o diabo possuirá sua alma. Goethe começou a fazer anotações para seu drama e, nos diálogos que escreveu entre o diabo e Fausto, ouvia suas próprias vozes interiores, suas próprias dualidades demoníacas, conversando entre si.

Vários anos depois, Goethe começou a vida como advogado, em Frankfurt, e, como antes, em Leipzig, seu demônio pareceu se apossar dele. Detestava a vida de advogado e odiava todas as convenções que pareciam dominar a vida social, alienando as pessoas de sua própria natureza. Cultivou pensamentos profundamente rebeldes, que canalizou para seu romance epistolar *Os sofrimentos do jovem Werther*. Embora a história se baseasse, sem muito rigor, em pessoas que conheceu e em um jovem amigo que cometera suicídio por um romance frustrado, a maioria das ideias veio de suas próprias experiências. O romance promovia a superioridade das emoções e defendia a supremacia das sensações, além da convivência mais íntima com a natureza. Foi o precursor do movimento que veio a ser conhecido em toda a Europa como Romantismo, provocando forte reação na Alemanha e em outros países. Da noite para o dia, o jovem Goethe tornou-se uma celebridade. Centenas de jovens também se suicidaram, imitando o desespero de Werther.

Para Goethe, o sucesso foi motivo de surpresa. De repente, estava se relacionando com os escritores mais famosos de sua época. Aos poucos o demônio empinou sua cabeça horrenda, arrastando-o para uma vida de vinho, mulheres e festas. Seu ânimo voltou a oscilar violentamente. Experimentava um desgosto cada vez mais intenso por si mesmo e pelo mundo que frequentava. O círculo de escritores e intelectuais a que pertencia, onde predominava a afetação e a hipocrisia, o irritava. Eram pessoas presunçosas, e seu mundo era tão desconectado da realidade e da natureza quanto o dos advogados. Sentia-se cada vez mais sufocado pela reputação de escritor sensacional.

Em 1775, um ano depois da publicação de *Werther*, recebeu um convite do duque de Weimar para residir no ducado, onde serviria como conselheiro pessoal e ministro. O duque era grande admirador de sua obra e tentava arregimentar mais artistas para a corte. Aquela era a oportunidade que Goethe almejava. Poderia dizer adeus ao mundo literário e enterrar-se em Weimar. Lá teria condições de convergir suas energias para o trabalho político e para as ciências, amansando aquele maldito demônio interior. Aceitou o convite e, à exceção de uma viagem à Itália, mais tarde, lá passaria o resto da vida.

Em Weimar, Goethe teve a ideia de modernizar o governo local, mas logo percebeu que o duque era fraco e indisciplinado, e que qualquer tentativa de mudá-lo estaria fadada ao fracasso. A corrupção era grande. Nessas condições, lentamente concentrou as energias em sua nova paixão na vida – as ciências. Dedicou-se à geologia, à botânica e à anatomia. Seus anos de poesias e romances tinham acabado. Passou a colecionar grandes quantidades de pedras, plantas e ossos, que podia estudar em casa a qualquer hora. E, à medida que se aprofundava nas ciências, começou a perceber estranhas conexões entre elas. Em geologia, as mudanças da Terra ocorriam durante períodos extremamente longos, devagar demais para serem observadas durante a vida de uma única pessoa. As plantas se encontram em contínua metamorfose, desde os primeiros estágios da semente até a flor ou a árvore. Toda a vida no planeta está sempre em desenvolvimento, uma espécie emergindo de outra. Começou, então, a desenvolver a ideia radical de que os seres humanos em si evoluíram de formas de vida primitivas – o que, afinal, era a prática da natureza.

Um dos principais argumentos da época contra a teoria da evolução era a não existência do osso intermaxilar nos seres humanos, algo que se constata na mandíbula de todos os animais inferiores, inclusive nos primatas, mas que, na época, ainda não tinha sido identificado no crânio humano. Essa falta era apontada como evidência de que o homem é uma espécie à parte, criada por uma força divina. Com base na ideia de que tudo na natureza está interligado, Goethe não aceitava essa hipótese e, depois de muitas pesquisas, descobriu remanescentes do osso intermaxilar na face superior de crianças humanas, demonstração inequívoca de nossa conexão com todas as outras formas de vida.

Seu método científico era heterodoxo na época. Tinha a ideia de que existia uma forma de planta arquetípica, que podia ser deduzida do formato e do desenvolvimento de todas as plantas. Em seu estudo dos ossos, gostava de comparar todas as formas de vida para ver se existiam semelhanças na compleição de componentes, como a coluna vertebral. Estava obcecado pelas interligações entre as formas de vida, resultado de seu desejo faustiano de chegar à essência de toda a vida. Sabia que os fenômenos da natureza revelavam a teoria de seu substrato na própria estrutura, e que o descobriríamos se conseguíssemos apreendê-lo com os sentidos e com a mente. Quase todos os cientistas da época ridicularizavam o trabalho dele, mas, nas décadas seguintes, reconheceu-se que Goethe havia desenvolvido talvez o primeiro conceito real de evolução, e que seu trabalho foi o precursor de ciências pósteras, como morfologia e anatomia comparada.

Em Weimar, Goethe era outro homem – um cientista e pensador sóbrio. Porém, em 1801, mais uma vez a doença quase o matou. Demorou anos para se recuperar; mas, em 1805, sentiu suas forças de volta e, com elas, a reincidência de sensações que não experimentava desde a juventude. Naquele ano, iniciou um dos mais estranhos e espantosos períodos de alta criatividade na história da mente humana, que se prolongou de seus 50 e poucos até os 60 e tantos anos. O demônio que ele havia reprimido durante várias décadas soltou-se mais uma vez; agora, porém, Goethe tinha disciplina para concentrá-lo em todos os tipos de trabalho. Poemas, romances e peças transbordavam de sua mente. Novamente, retomou *Fausto*, compondo-o quase todo. Seu dia era um mosaico quase insano de diferentes estudos – literatura, de manhã; experimentos e observações científicas (que, agora, abrangiam química e meteorologia), à tarde; discussões com os amigos sobre estética, ciências e política, à noite. Parecia incansável, vivendo uma segunda juventude.

Chegara à conclusão de que todas as formas de conhecimento humano são manifestações da mesma força vital que ele havia intuído em sua experiência de quase morte, quando jovem. O problema com a maioria das pessoas, sentia, era que erigiam muros artificiais em torno de assuntos e ideias. O verdadeiro pensador vê as conexões, capta a essência da força vital que se manifesta em todas as situações individuais. Por que alguém se limitaria à poesia, ou veria a arte como algo isolado da ciência, ou estreitaria seus interesses intelectuais? A mente foi concebida para estabelecer conexões, como o tear que tece todos os fios do tecido. Se a vida existe como um conjunto orgânico, que não pode ser segregado em partes sem perder o sentido do todo, também o raciocínio deve se desenvolver como um todo.

Amigos e conhecidos perceberam um fenômeno estranho nesse período crepuscular da vida de Goethe — ele adorava falar sobre o futuro, décadas e séculos adiante. Em seus anos em Weimar, ampliara seus estudos, lendo muitos livros sobre economia, história e ciência política. Elaborando novas ideias com base nessas leituras e enriquecendo-as com seu próprio raciocínio, adorava prever a maré dos acontecimentos históricos, e quem testemunhou essas previsões mais tarde se surpreendeu. Anos antes da Revolução Francesa, previu a queda da monarquia, intuindo que ela havia perdido a legitimidade aos olhos do povo. Participando no lado alemão de batalhas contra a Revolução Francesa e presenciando a vitória do exército civil francês na batalha de Valmy, exclamou: "Aqui e agora começa uma nova era da história; e todos vocês podem dizer que assistiram ao seu advento." Ele se referia à era vindoura das democracias e dos exércitos civis.

Agora, aos 70 anos, dizia às pessoas que o nacionalismo vazio era uma força agonizante e que um dia a Europa formaria uma união política, como os Estados Unidos, evolução que receberia de bom grado. Referia-se com empolgação aos Estados Unidos, prevendo que aquele país seria um dia a grande potência do mundo, suas fronteiras se expandindo aos poucos, para abarcar o continente. Expôs sua crença de que a nova ciência da telegrafia conectaria o globo, e que se teria acesso às notícias mais recentes a cada hora. Chamou esse futuro de "era da velocidade". Receava que daí pudesse resultar o embotamento do espírito humano.

Aos 82 anos, sentiu que o fim estava próximo, embora sua mente estivesse cintilando com mais ideias que em qualquer outra época. Disse a um amigo que era uma vergonha não viver mais 80 anos — quantas novas descobertas deixaria de fazer, com toda a sua experiência acumulada! Adiava-o havia anos, mas, enfim, chegara a hora de escrever o final de *Fausto*: o acadêmico encontraria um momento de felicidade, o diabo levaria sua alma, mas forças divinas perdoariam Fausto por sua grande ambição intelectual, por sua implacável busca do conhecimento, e o salvaria do inferno – talvez o próprio julgamento de Goethe sobre si mesmo.

Poucos meses depois, escreveu a seu amigo, o grande linguista e educador Wilhelm von Humboldt, o seguinte:

> *Os órgãos humanos, por meio da prática, do treinamento, da reflexão, dos sucessos e dos fracassos, da persistência ou da resistência (...) aprendem a estabelecer inconscientemente as conexões necessárias, realizando o trabalho adquirido e intuitivo de mãos dadas, para que daí resulte a unissonância que é a maravilha do mundo (...). O mundo é regido por teorias confusas, de operações atordoantes; e nada é mais importante que, tanto quanto possível, tirar o melhor proveito do que está em mim e persiste em mim, e manter sob controle rigoroso minhas idiossincrasias.*

Estas seriam as últimas palavras que ele escreveria. Daí a alguns dias, estaria morto, aos 83 anos.

◆

Para Goethe, o ponto de virada de sua vida foi o grande sucesso de *Os sofrimentos do jovem Werther*. A fama súbita o espantou. Todos ao seu redor pediam um novo livro. Tinha apenas 25 anos na época. Durante o resto da vida negaria ao público a reprise, e nenhum de seus escritos subsequentes se aproximaria do sucesso de *Werther*, embora, em seus últimos anos, fosse reconhecido como o grande gênio da Alemanha. Não atender ao desejo do público era ato de extrema coragem. Recusar-se a explorar a fama significava que dificilmente surgiria outra oportunidade. Teria que renunciar a toda aquela atenção. Mas Goethe sentia dentro dele algo muito mais intenso que o engodo da fama. Não queria ser prisioneiro daquele livro, dedicando a vida à literatura e provocando sensação. Assim, escolheu seu caminho singular e insólito na vida, induzido por uma força interior que chamava de demônio – um espírito de inquietação que o impelia a explorar além da literatura, em busca da essência da vida. Para tanto, bastava dominar e canalizar o espírito, que lhe fora incutido ao nascer.

Nas ciências, seguiu seu caminho singular, procurando padrões profundos na natureza. Ampliou seus estudos para política, economia e história. Voltando à literatura na última fase da vida, sua mente agora fervilhava de associações entre todas as formas de conhecimento. Suas poesias, seus romances e suas peças estavam impregnados de ciência, e suas investigações científicas estavam embebidas de intuições poéticas. Seus insights sobre história eram misteriosos. Sua maestria não envolvia este ou aquele assunto, mas as interligações entre eles, com base em décadas de profunda observação e reflexão. Goethe é o epítome do que era conhecido no Renascimento como Ideal do Homem Universal – alguém tão impregnado de todas as formas de conhecimento que a mente se torna mais próxima da natureza em si e desvenda segredos imperceptíveis para a maioria das pessoas.

Hoje, talvez se considere alguém como Goethe uma relíquia exótica do século XVIII, e se veja o ideal de unificar o conhecimento como nada mais que um sonho do Romantismo, mas, na verdade, o oposto é verdadeiro, e por uma razão simples: a compleição do cérebro humano – sua necessidade intrínseca de estabelecer conexões e associações – confere-lhe vontade própria. Ainda que sua evolução se caracterize por desvios e reviravoltas na história, o desejo de se conectar acabará prevalecendo no final, por ser uma parte tão poderosa de nossa natureza e inclinação. Hoje, recursos tecnológicos oferecem meios sem precedentes de estabelecer ligações entre disciplinas e ideias. As barreiras artificiais entre artes e ciências se derreterão sob o calor do anseio de compreender e expressar nossa realidade comum. Nossas ideias se aproximarão da natureza, mais vivas e orgânicas. De todas as maneiras possíveis, você deve se esforçar para ser parte desse processo de universalização, estendendo seu próprio conhecimento para outros ramos, cada vez mais diversificados. As ideias fecundas que brotarão dessa busca lhe proporcionarão as maiores recompensas.

Desvios

Desviar-se da maestria é negar sua existência ou sua importância, e, portanto, a necessidade de se esforçar para alcançá-la. Mas essa negação só pode levar a sentimentos de impotência e decepção, resultando na submissão ao que denominaremos *falso eu*.

O falso eu é o acúmulo de todas as vozes de outras pessoas que você internalizou – pais e amigos que pretendem convencê-lo a aceitar as ideias deles sobre como e o que você deve ser, assim como pressões sociais para aderir a certos valores que podem seduzi-lo com facilidade. Também inclui a voz de seu próprio ego, que constantemente tenta protegê-lo de verdades desagradáveis. Esse eu o pressiona com palavras contundentes, e, quando se trata de maestria, faz afirmações do tipo: "Maestria é coisa de gênios, de pessoas com talentos excepcionais, de aberrações da natureza. Não nasci assim, e pronto." Ou diz: "A maestria é feia e imoral. É para os ambiciosos e egoístas. É melhor aceitar meu lugar na vida e ajudar outras pessoas, em vez de enriquecer." Ou talvez: "Sucesso é sorte. Os chamados Mestres são pessoas que estavam no lugar certo, na hora certa. Eu também poderia estar no lugar deles, se tivesse um lance de sorte." Ou ainda: "Dedicar-me durante tanto tempo a algo que exige tanto sacrifício e esforço, para quê? É melhor aproveitar a vida, que é curta, e me arranjar da melhor maneira possível."

Como você já deve saber a esta altura, essas vozes não falam a verdade. A maestria não é questão de genética nem de sorte, mas de seguir suas inclinações naturais e seus anseios que o fazem vibrar por dentro. Todos têm essas inclinações. O desejo que o deixa empolgado não é motivado por egoísmo ou pura ambição, fatores que, na verdade, são obstáculos à maestria. Trata-se, em vez disso, de uma expressão profunda de algo natural, de alguma coisa que o marcou na infância, como indivíduo singular e sem igual. Ao seguir suas inclinações e ao avançar para a maestria, você faz grandes contribuições para a sociedade, enriquecendo-a com descobertas e ideias, e explorando ao máximo a diversidade da natureza e da sociedade humana. De fato, o cúmulo do egoísmo é simplesmente consumir o que os outros criaram e se recolher na concha dos objetivos limitados e dos prazeres imediatos. Alienar-se de suas inclinações só pode resultar em dor e decepção no longo prazo, e à sensação de que desperdiçou algo único. Essa dor se manifestará sob a forma de amargura e inveja, embora você não reconheça a verdadeira fonte de sua depressão.

Seu *verdadeiro eu* não se manifesta em palavras e em frases banais. Sua voz vem do *fundo*, do substrato de seu psiquismo. Emana de sua singularidade e se comunica por meio de sensações e de anseios intensos, que parecem transcendê-lo. Em última instância, não há como compreender por que você se sente atraído para certas atividades ou formas de conhecimento. É algo que não pode ser verbalizado nem explicado. É simplesmente um fato da natureza. Ao seguir essa voz, você descobre seu próprio potencial e satisfaz seus desejos mais profundos de criar e de expressar sua singularidade. É por esse motivo que ela existe, e a sua Missão de Vida é ouvi-la e possibilitar que se torne realidade.

Como nos vemos com bons olhos, mas, mesmo assim, nunca nos consideramos capazes de produzir uma pintura como as de Rafael ou cenas dramáticas como as de Shakespeare, convencemo-nos de que a capacidade de fazê-lo é algo extraordinariamente maravilhoso, um acidente incomum, ou, se tivermos inclinação religiosa, uma graça. Assim, nossa vaidade, nosso amor-próprio, promovem o culto do gênio: pois, se o julgarmos muito distante de nós, se o encararmos como milagre, sua falta realmente não nos incomodará (...). Mas a atividade do gênio não parece, em absoluto, muito diferente da atividade do inventor de máquinas, do acadêmico de astronomia ou história, do mestre em táticas. Todas essas atividades são explicáveis quando se conhecem pessoas cujo pensamento é ativo numa direção, que exploram todas as coisas como importantes, que sempre observam com zelo sua própria vida interior e a de outros, que detectam em todos os lugares modelos e incentivos, que nunca se cansam de conjugar os meios disponíveis para si próprias. Os gênios, por mais que façam, primeiro aprendem a juntar tijolos para depois aprender a construir, e sempre buscam materiais ao redor dos quais sejam capazes de desenvolver-se. Todas as atividades humanas são incrivelmente complexas, não só as dos gênios: mas nenhuma é um "milagre".

– FRIEDRICH NIETZSCHE

Biografias dos Mestres contemporâneos

Santiago Calatrava nasceu em 1951, em Valença, na Espanha. Formou-se em arquitetura pela Universidade Politécnica de Valença e fez o doutorado em engenharia civil pelo Instituto Federal de Tecnologia de Zurique, na Suíça. Por causa de sua formação em engenharia civil, Calatrava se dedicou, basicamente, a projetos públicos de grande escala, como pontes, estações ferroviárias, museus, centros culturais e complexos esportivos. Inspirando-se nas formas orgânicas da natureza, Calatrava procurou infundir nesses projetos públicos aspectos míticos, embora futurísticos, nos quais se destacam partes que se movimentam e se transformam. Entre seus projetos notáveis estão: BCE Place Galleria, em Toronto, no Canadá (1992); Estação Ferroviária Oriente, em Lisboa, Portugal (1998); ampliação do Museu de Arte de Milwaukee, em Wisconsin, nos Estados Unidos (2001); Puente de la Mujer, em Buenos Aires, na Argentina (2001); Complexo Esportivo Olímpico de Atenas (2004); Torre do Torso Retorcido (Turning Torso), em Malmo, na Suécia (2005); e Ponte Estaiada da Estação de Trens Leves, em Jerusalém, Israel (2008). Atualmente, está projetando o Transportation Hub, no World Trade Center, em Nova York, a ser inaugurado em 2014. Calatrava também é escultor renomado, cujo trabalho tem sido apresentado em galerias de todo o mundo. Entre seus numerosos prêmios, recebeu a Medalha de Ouro da Instituição dos Engenheiros Estruturais (1992) e a Medalha de Ouro do Instituto Americano de Arquitetos (2005).

Daniel Everett nasceu em 1951, em Holtville, na Califórnia, Estados Unidos. Graduou-se em missões estrangeiras pelo Moody Bible Institute of Chicago e foi ordenado ministro. Depois de estudar linguística no Summer Institute of Languages, organização cristã, Everett e a família foram enviados como missionários para a Bacia Amazônica, onde viveriam com um pequeno grupo de indígenas caçadores-coletores conhecido como pirahã, cuja língua não se relaciona com nenhum outro dialeto vivo. Depois de passar muitos anos entre os pirahãs, Everett enfim conseguiu desvendar o código daquela língua aparentemente indecifrável. Ao mesmo tempo, fez algumas descobertas sobre a natureza da linguagem humana que continuam a provocar controvérsias em linguística. Também realizou pesquisas e publicou artigos sobre mais de uma dezena de diferentes línguas amazônicas. Everett tem ph.D. em linguística pela Universidade Estadual de Campinas. Trabalhou como professor de linguística e de antropologia na Universidade de Pittsburgh, Estados Unidos, onde também chefiou o Departamento de Linguística. Lecionou na Universidade de Manchester (Inglaterra) e na Universidade Estadual de Illinois (Estados Unidos). Atualmente, Everett é reitor de artes e ciências na Universidade de Bentley (Estados Unidos). Publicou os livros *A língua pirahã e a teoria da sintaxe*, *Don't Sleep, There are Snakes: Life and Language in the Amazonian Jungle* e *Language: The Cultural Tool*. O trabalho dele com os pirahãs é o tema do documentário *The Grammar of Happiness* (2012).

Teresita Fernández nasceu em 1968, em Miami, na Flórida, Estados Unidos. Obteve o bacharelado em belas artes pela Universidade Internacional da Flórida e o de mestrado pela Virginia Commonwealth University. Ela é uma artista conceitual mais conhecida pelas esculturas públicas e pelas peças em grande escala, com materiais não convencionais. Em suas obras, gosta de explorar como a psicologia impacta as percepções do mundo ao nosso redor; com esse propósito, cria ambientes de imersão que desafiam nossas visões convencionais da arte e da natureza. Suas obras têm sido apresentadas em museus de destaque em todo o mundo, como o Museu de Arte Moderna de Nova York; o Museu de Arte Moderna de São Francisco e a Galeria de arte de Corcoran, em Washington. Entre suas encomendas de grande porte inclui-se um trabalho recente intitulado *Blind Blue Landscape*, no renomado espaço de arte Bennesee, em Naoshima, no Japão. Teresita recebeu numerosos prêmios, como: Guggenheim Fellowship, American Academy in Rome Affiliated Fellowship e National Endowment for the Arts Artist's Grant. Em 2005, foi premiada com uma MacArthur Foundation Fellowship. Em 2011, o presidente dos Estados Unidos, Barack Obama, nomeou Teresita Fernández para a Comissão Americana de Belas Artes.

Paul Graham nasceu em 1964, em Weymouth, na Inglaterra. A família se mudou para os Estados Unidos quando ele tinha 4 anos, e foi criado em Monroeville, na Pensilvânia. Graham obteve o bacharelado em filosofia pela Universidade de Cornell e o doutorado em ciências da computação pela Universidade Harvard. Estudou pintura na Rhode Island School of Design e na Accademia di Belle Arti, em Florença, na Itália. Em 1995, cofundou a Viaweb, o primeiro provedor de serviços que permitia aos usuários constituir suas próprias lojas na Internet. Depois que o Yahoo! adquiriu a Viaweb por quase 50 milhões de dólares (e a renomeou como Yahoo! Store), Graham publicou uma série popular de ensaios on-line sobre programação, *startups* de alta tecnologia, história da tecnologia e artes. Inspirado pela reação a uma palestra que deu na Harvard Computer Society, em 2005, Graham constituiu a Y Combinator, sistema de aprendizagem que oferece financiamento, assessoria e aconselhamento a jovens empreendedores em alta tecnologia, que se tornou uma das mais bem-sucedidas incubadoras de *startups* de alta tecnologia do mundo. Seu portfólio de mais de 100 empresas vale hoje mais de 4 bilhões de dólares, abrangendo iniciativas como Dropbox, reddit, loopt e Airbnb. Publicou dois livros: *On Lisp*, sobre linguagem de programação de computadores, e *Hackers and Painters*. Seus ensaios on-line podem ser acessados em PaulGraham.com.

Temple Grandin nasceu em 1947, em Boston, Massachusetts, Estados Unidos. Aos 3 anos, foi diagnosticada com autismo. Por meio de orientação especial e de um trabalho com fonoaudiólogos, aos poucos passou a dominar habilidades linguísticas que lhe permitiram se desenvolver intelectualmente e frequentar várias escolas, inclusive a de ensino médio para crianças superdotadas, onde se destacou em ciências. Formou-se em psicologia pela Franklin Pierce College, fez o mestrado em zoologia pela Universidade Estadual do Arizona e o doutorado pela Universidade de Illinois em Urbana--Champaign. Depois da pós-graduação, trabalhou como projetista de instalações para pecuária. Metade do gado nos Estados Unidos é manipulada por equipamentos que ela projetou. Seu trabalho nessa área se concentra na construção de ambientes menos hostis e menos estressantes para animais em matadouros. Com esse propósito, desenvolveu uma série de diretrizes para o manuseio de bovinos e suínos em unidades de processamento de carne, que agora são adotadas por empresas como McDonald's. Temple se tornou uma palestrante requisitada sobre direitos dos animais e sobre autismo. Escreveu vários livros, como *Uma menina estranha – Autobiografia de uma autista*, *Na língua dos bichos* e *O bem-estar dos animais*. Em 2010, foi tema de uma cinebiografia da HBO, intitulada *Temple Grandin*. Atualmente, é professora de zoologia na Universidade Estadual do Colorado.

Yoky Matsuoka nasceu em 1972, em Tóquio, no Japão. Como tenista promissora, Matsuoka foi para os Estados Unidos no intuito de frequentar uma academia de tênis de alto nível e acabou concluindo o ensino médio por lá. Depois, entrou na Universidade da Califórnia, em Berkeley, onde se formou em engenharia elétrica e em ciências da computação. Fez o doutorado em engenharia elétrica e em inteligência artificial pelo MIT. Ainda no MIT trabalhou como engenheira-chefe na Barrett Technology, onde desenvolveu uma mão robótica que se tornou padrão para o setor. Foi professora de robótica e de engenharia mecânica na Universidade Carnegie Mellon e professora de ciências da computação na Universidade de Washington, em Seattle. Na Universidade de Washington, Matsuoka desenvolveu uma nova disciplina, que denomina "neurorrobótica", e constituiu um laboratório em que se exploram modelos robóticos e ambientes virtuais para compreender o controle biomecânico e neuromuscular de membros humanos. Em 2007, Yoky recebeu uma MacArthur Foundation Fellowship. Foi cofundadora da Divisão X do Google, atuando como chefe de inovação. É vice-presidente de tecnologia da Nest Labs, empresa de tecnologia verde que desenvolve produtos de consumo caracterizados pela eficiência energética, como o Nest Learning Thermostat.

Vilayanur S. Ramachandran nasceu em 1951, em Madras, na Índia. Formou-se em medicina e depois mudou de campo de atuação, para estudar psicologia visual no Trinity College, na Universidade de Cambridge, Inglaterra, onde recebeu o ph.D. Em 1983, foi nomeado professor assistente de psicologia da Universidade da Califórnia, em San Diego. Atualmente, é professor emérito de psicologia e neurociências dessa universidade, e também atua nela como diretor do Centro para o Cérebro e a Cognição. É mais conhecido por seu trabalho sobre síndromes neurológicas bizarras, como membros fantasmas, vários transtornos de identificação do corpo, síndrome de Capgras (em que os pacientes acreditam que membros da família foram substituídos por impostores) e por suas teorias sobre neurônios-espelho e sinestesia. Entre seus numerosos prêmios, foi eleito membro honorário vitalício da Royal Institution da Grã-Bretanha, além de ter sido homenageado pelas Universidades Oxford e Stanford. Também recebeu o prêmio anual Ramon Y Cajal, da Sociedade Neuropsiquiátrica Internacional. Em 2011, a revista *Time* o escolheu como "uma das pessoas mais influentes do mundo". É autor de *Fantasmas no cérebro*, *A Brief Tour of Human Consciousness: From Impostors Poodles to Purple Numbers* e *The Tell-Tale Brain: A Neuroscientist's Quest for What Makes Us Human*.

Freddie Roach nasceu em 1960, em Dedham, Massachusetts, Estados Unidos. Começou a treinar como pugilista ao 6 anos. Ao tornar-se profissional, em 1978, Roach já havia participado de 150 lutas amadoras. Tendo como treinador o lendário Eddie Futch, Roach, como profissional, alcançou a marca de 41 vitórias (17 por nocaute) e 13 derrotas. Depois de se aposentar como lutador, em 1986, Roach foi aprendiz do treinador Futch. Vários anos depois, iniciou a própria carreira como treinador, abrindo, em 1995, sua Wild Card Boxing Club, em Hollywood, na Califórnia, onde agora treina seu plantel de lutadores. Como treinador, Roach trabalhou com 28 pugilistas campeões mundiais, como Manny Pacquiao, Mike Tyson, Oscar de La Hoya, Amir Kahn, Julio César Chávez Jr., James Toney e Virgil Hill. Também é técnico de Georges St. Pierre, campeão meio-médio do UFC, e de uma das principais mulheres pugilistas do mundo, Lucia Rijker. Em 1990, Roach foi diagnosticado com doença de Parkinson, mas conseguiu controlar seus efeitos por meio de medicação e de rigoroso regime de treinamento. Entre seus numerosos prêmios, foi nomeado cinco vezes Treinador do Ano pela Boxing Writers Association of America, reconhecimento sem precedentes. Recentemente, foi incluído no Hall da Fama do Boxe. Roach é o principal personagem da série da HBO *On Freddie Roach*, dirigida por Peter Berg.

Cesar Rodriguez Jr. nasceu em 1959, em El Paso, no Texas, Estados Unidos. Depois de se formar pelo Citadel, Colégio Militar da Carolina do Sul, em administração de empresas, Rodriguez entrou para o treinamento de pilotos da força aérea americana. Treinou como piloto de comando de caça no F-15, entre outros jatos, e aos poucos subiu na hierarquia, tornando-se major, em 1993; tenente-coronel, em 1997; e coronel, em 2002. Acumulou mais de 3.100 horas de voo em caças, 350 delas em operações de combate. Destacou-se nos combates aéreos, tendo abatido três aviões inimigos – dois MiG iraquianos, durante a Operação Tempestade no Deserto (1991), e um

MiG da Força Aérea Iugoslava, durante a Guerra da Iugoslávia (1999), o melhor resultado já atingido por um piloto americano desde a guerra do Vietnã. Comandou o 332º Grupo de Operações Expedicionárias durante a Operação Iraque Livre (2003). Aposentou-se da Força Aérea em 2006. Entre suas numerosas condecorações, recebeu três Distinguished Flying Crosses, a Legião do Mérito e a Estrela de Bronze. Atualmente, trabalha na Raytheon como diretor de programas internacionais para a Air Warfare Systems.

Bibliografia selecionada

Abernathy, Charles M., e Robert M. Hamm. *Surgical Intuition: What It Is and How to Get It*. Filadélfia: Hanley & Belfus, Inc., 1995.
Adkins, Lesley e Roy. *The Keys of Egypt: The Race to Crack the Hieroglyph Code*. Nova York: Perennial, 2001.
Bate, Walter Jackson. *John Keats*. Cambridge: Harvard University Press, 1963.
Bazzana, Kevin. *Wondrous Strange: The Life and Art of Glenn Gould*. Oxford: Oxford University Press, 2004.
Bergman, Ingmar. *Lanterna mágica*. São Paulo: Cosac Naify, 2013.
Bergson, Henri. *Evolução criadora*. São Paulo: Unesp, 2010.
Beveridge, W. I. B. *The Art of Scientific Investigation*. Caldwell: The Blackburn Press, 1957.
Boden, Margaret A. *The Creative Mind: Myths and Mechanisms*. Londres: Routledge, 2004.
Bohm, David, e F. David Peat. *Ciência, ordem e criatividade*. Lisboa: Gradiva, 1989.
Boyd, Valerie. *Wrapped in Rainbows: The Life of Zora Neale Hurston*. Nova York: Scribner, 2004.
Bramly, Serge. *Leonardo da Vinci*. Rio de Janeiro: Imago, 1991.
Brands, H. W. *The First American: The Life and Times of Benjamin Franklin*. Nova York: Anchor Books, 2002.
Capra, Fritjof. *A ciência de Leonardo da Vinci*. São Paulo: Cultrix, 2007.
Carter, William C. *Marcel Proust: A Life*. New Haven: Yale University Press, 2000.
Chuang Tzu. *Escritos básicos*. São Paulo: Cultrix, 1995.
Corballis, Michael C. *The Lopsided Ape: Evolution of the Generative Mind*. Oxford: Oxford University Press, 1991.
Curie, Eve. *Madame Curie*. São Paulo: Nacional, 1944.
De Mille, Agnes. *Martha: The Life and Work of Martha Graham*. Nova York: Random House, 1991.
Donald, Merlin. *Origens do pensamento moderno*. Lisboa: Fundação Calouste Gulbenkian, 1999.

Dreyfus, Hubert L., e Stuart E. Dreyfus. *Mind Over Machine: The Power of Human Intuition and Expertise in the Era of the Computer*. Nova York: Free Press, 1986.

Ehrenzweig, Anton. *A ordem oculta da arte*. Rio de Janeiro: Zahar, 1977.

Ericsson, K. Anders, org. *The Road to Excellence: The Acquisition of Expert Performance in the Arts, Sciences, Sports and Games*. Mahwah: Lawrence Erlbaum Associates, Publishers, 1996.

Gardner, Howard. *Frames of Mind: The Theory of Multiple Intelligences*. Nova York: Basic Books, 2004.

Gregory, Andrew. *Harvey's Heart: The Discovery of Blood Circulation*. Cambridge: Icon Books, 2001.

Hadamard, Jacques. *Psicologia da invenção na matemática*. Rio de Janeiro: Contraponto, 2009.

Hirshfeld, Alan. *The Electric Life of Michael Faraday*. Nova York: Walker & Company, 2006.

Hogarth, Robin M. *Educating Intuition*. Chicago: The University of Chicago Press, 2001.

Howe, Michael J. A. *Genius Explained*. Cambridge: Cambridge University Press, 2001.

Humphrey, Nicholas. *The Inner Eye: Social Intelligence in Evolution*. Oxford: Oxford University Press, 2008.

Isaacson, Walter. *Einstein – Sua vida, seu universo*. São Paulo: Companhia das Letras, 2007.

Johnson-Laird, Philip. *How We Reason*. Oxford: Oxford University Press, 2008.

Josephson, Matthew. *Edison: A Biography*. Nova York: John Wiley & Sons, Inc., 1992.

Klein, Gary. *Fontes do poder*. São Paulo: Instituto Piaget, 2001.

Koestler, Arthur. *The Act of Creation*. Londres: Penguin Books, 1989.

Kuhn, Thomas S. *A estrutura das revoluções científicas*. São Paulo: Perspectiva, 2005.

Leakey, Richard E., e Roger Lewin. *Origens – O que novas descobertas revelam sobre o aparecimento da nossa espécie e seu possível futuro*. São Paulo: Melhoramentos, 1981.

Lewis, David. *We, the Navigators: The Ancient Art of Landfinding in the Pacific*. Honolulu, HI: The University Press of Hawaii, 1972.

Ludwig, Emil. *Goethe – A história de um homem*. São Paulo: Globo, 1949.

Lumsden, Charles J., e Edward O. Wilson. *O fogo de Prometeu – Reflexões sobre a origem do espírito*. Lisboa: Gradiva, 1987.

Marco Aurélio. *Meditações*.

McGilchrist, Iain. *The Master and His Emissary: The Divided Brain and the Making of the Western World*. New Haven: Yale University Press, 2009.

McKim, Robert H. *Experiences in Visual Thinking*. Belmont: Wadsworth Publishing Company, Inc., 1972.

McPhee, John. *A Sense of Where You Are: A Profile of Bill Bradley at Princeton*. Nova York: Farrar, Straus and Giroux, 1978.

Moorehead, Alan. *Darwin and the Beagle*. Nova York: Harper & Row, Publishers, 1969.
Nietzsche, Friedrich. *Humano, demasiado humano*. São Paulo: Companhia das Letras, 2000.
Nuland, Sherwin B. *A peste dos médicos*. São Paulo: Companhia das Letras, 2005.
Ortega y Gasset, José. *O homem e a gente*. Rio de Janeiro: Ibero-americano, 1973.
Polanyi, Michael. *Personal Knowledge: Toward a Post-Critical Philosophy*. Chicago: The University of Chicago Press, 1974.
Popper, Karl R., e John C. Eccles. *O eu e seu cérebro*. Campinas: Papirus, 1991.
Prigogine, Ilya. *O fim das certezas – Tempo, caos e as leis da natureza*. São Paulo: Unesp, 1999.
Quammen, David. *As dúvidas do Sr. Darwin*. São Paulo: Companhia das Letras, 2007.
Ratey, John J. *A User's Guide to the Brain: Perception, Attention, and the Four Theaters of the Brain*. Nova York: Vintage Books, 2002.
Ratliff, Ben. *Coltrane: The Story of a Sound*. Nova York: Picador, 2007.
Rothenberg, Albert. *The Emerging Goddess: The Creative Process in Art, Science, and Other Fields*. Chicago: The University of Chicago Press, 1990.
Schrödinger, Erwin. *O que é vida? – O aspecto físico da célula viva*. São Paulo: Unesp, 1997.
Schultz, Duane. *Amigos íntimos, rivais perigosos*. Rio de Janeiro: Rocco, 1991.
Sennett, Richard. *O artífice*. Rio de Janeiro: Record, 2009.
Shepard, Paul. *Coming Home to the Pleistocene*. Washington: Island Press, 1998.
Sieden, Lloyd Steven. *Buckminster Fuller's Universe*. Nova York: Basic Books, 2000.
Simonton, Dean Keith. *A origem do gênio*. Rio de Janeiro: Record, 1999.
Solomon, Maynard. *Mozart: A Life*. Nova York: Harper Perennial, 1996.
Steiner, Rudolf. *Nature's Open Secret: Introductions to Goethe's Scientific Writings*. Great Barrington: Anthroposophic Press, 2000.
Storr, Anthony. *A dinâmica da criação*. São Paulo: Benvirá, 2013.
Von Goethe, Johann Wolfgang, e Johann Peter Eckermann. *Conversações com Goethe*. Belo Horizonte: Itatiaia, 2004.
Von Sternberg, Josef. *Fun in a Chinese Laundry*. San Francisco: Mercury House, 1988.
Waldrop, M. Mitchell. *Complexity: The Emerging Science at the Edge of Order and Chaos*. Nova York: Simon & Schuster Paperbacks, 1992.
Watts, Steven. *The People's Tycoon: Henry Ford and the American Century*. Nova York: Vintage Books, 2006.
Wilson, Colin. *Superconsciência*. São Paulo: Madras, 2011.
Zenji, Hakuin. *Wild Ivy: The Spiritual Autobiography of Zen Master Hakuin*. Boston: Shambhala, 2001.

CONHEÇA ALGUNS DESTAQUES DE NOSSO CATÁLOGO

- Augusto Cury: Você é insubstituível (2,8 milhões de livros vendidos), Nunca desista de seus sonhos (2,7 milhões de livros vendidos) e O médico da emoção
- Dale Carnegie: Como fazer amigos e influenciar pessoas (16 milhões de livros vendidos) e Como evitar preocupações e começar a viver
- Brené Brown: A coragem de ser imperfeito – Como aceitar a própria vulnerabilidade e vencer a vergonha (600 mil livros vendidos)
- T. Harv Eker: Os segredos da mente milionária (2 milhões de livros vendidos)
- Gustavo Cerbasi: Casais inteligentes enriquecem juntos (1,2 milhão de livros vendidos) e Como organizar sua vida financeira
- Greg McKeown: Essencialismo – A disciplinada busca por menos (400 mil livros vendidos) e Sem esforço – Torne mais fácil o que é mais importante
- Haemin Sunim: As coisas que você só vê quando desacelera (450 mil livros vendidos) e Amor pelas coisas imperfeitas
- Ana Claudia Quintana Arantes: A morte é um dia que vale a pena viver (400 mil livros vendidos) e Pra vida toda valer a pena viver
- Ichiro Kishimi e Fumitake Koga: A coragem de não agradar – Como se libertar da opinião dos outros (200 mil livros vendidos)
- Simon Sinek: Comece pelo porquê (200 mil livros vendidos) e O jogo infinito
- Robert B. Cialdini: As armas da persuasão (350 mil livros vendidos)
- Eckhart Tolle: O poder do agora (1,2 milhão de livros vendidos)
- Edith Eva Eger: A bailarina de Auschwitz (600 mil livros vendidos)
- Cristina Núñez Pereira e Rafael R. Valcárcel: Emocionário – Um guia lúdico para lidar com as emoções (800 mil livros vendidos)
- Nizan Guanaes e Arthur Guerra: Você aguenta ser feliz? – Como cuidar da saúde mental e física para ter qualidade de vida
- Suhas Kshirsagar: Mude seus horários, mude sua vida – Como usar o relógio biológico para perder peso, reduzir o estresse e ter mais saúde e energia

sextante.com.br